Vos ressources pédagogiques en ligne !

Un ensemble d'outils numériques spécialement conçus pour vous aider dans l'acquisition des connaissances liées à

ANTHOLOGIE DE LA LITTÉRATURE QUÉBÉCOISE 2e édition

- ■ 40 activités interactives
- ■ Aide-mémoire pour la rédaction de la dissertation critique

Achetez en ligne ou en librairie

En tout temps, simple et rapide!

www.cheneliere.ca

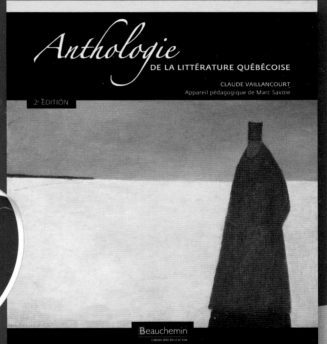

http://mabibliotheque.cheneliere.ca

CODE D'ACCÈS ÉTUDIANT →

VOUS ÊTES ENSEIGNANT ?
Contactez votre représentant pour recevoir votre code d'accès permettant de consulter les ressources pédagogiques en ligne exclusives à l'enseignant.

Chenelière
ÉDUCATION

Anthologie

DE LA LITTÉRATURE QUÉBÉCOISE

CLAUDE VAILLANCOURT (Collège André-Grasset)
Guide méthodologique de Marc Savoie (Collège Ahuntsic)

2e ÉDITION

Conception et rédaction des activités interactives en ligne
MICHEL FOREST (Cégep de Saint-Laurent)

Rédaction du corrigé en ligne
NICOLE GABOURY (Cégep de l'Outaouais)

Achetez en ligne ou en librairie
En tout temps, simple et rapide!
www.cheneliere.ca

Beauchemin

CHENELIÈRE ÉDUCATION

Anthologie de la littérature québécoise
2e édition

Claude Vaillancourt
Guide méthodologique conçu et réalisé par Marc Savoie

© 2013 **Chenelière Éducation inc.**
© 2008 Les Éditions de la Chenelière inc.

Conception éditoriale : France Vandal
Édition : Johanne O'Grady
Coordination : Johanne Losier
Recherche iconographique : Marie-Chantal Laforge et Karine Perron
Révision linguistique : Paul Lafrance
Correction d'épreuves : Christine Langevin
Conception graphique et conception de la couverture : Micheline Roy
Impression : TC Imprimeries Transcontinental

*Édition des activités interactives et du matériel
    complémentaire Web :* Julie Prince
Coordination du matériel complémentaire Web : Magali Blein

**Catalogage avant publication
de Bibliothèque et Archives nationales du Québec
et Bibliothèque et Archives Canada**

Vedette principale au titre :

Anthologie de la littérature québécoise

2e éd.

Comprend des réf. bibliogr. et un index.
Pour les étudiants du niveau collégial.

ISBN 978-2-7616-5990-1

1. Littérature québécoise.   2. Littérature québécoise – Histoire et
critique.   I. Vaillancourt, Claude, 1957-   .

PS8255.Q8A575 2013   C840.8'09714   C2012-942276-2

CHENELIÈRE ÉDUCATION

5800, rue Saint-Denis, bureau 900
Montréal (Québec) H2S 3L5 Canada
Téléphone : 514 273-1066
Télécopieur : 514 276-0324 ou 1 800 814-0324
info@cheneliere.ca

ISBN 978-2-7616-5990-1

Dépôt légal : 1er trimestre 2013
Bibliothèque et Archives nationales du Québec
Bibliothèque et Archives Canada

Imprimé au Canada

3   4   5   6   7   ITIB   20   19   18   17   16

Gouvernement du Québec – Programme de crédit d'impôt pour l'édition de
livres – Gestion SODEC.

Ce projet est financé en partie par le gouvernement du Canada

Œuvre de la couverture

Artiste : Jean Paul Lemieux
Titre : **Le visiteur du soir**
Date : 1956
Médium : Huile sur toile
Ayant droit : © Succession Jean Paul Lemieux
Source : Musée des Beaux-arts du Canada

De retour au pays après un séjour en France, Jean
Paul Lemieux redécouvre le paysage québécois, particulièrement ses grands espaces enneigés. Prenant
ses distances du folklorisme qui caractérise jusque-là
les représentations du terroir, il adopte une composition rigide qui accentue le sentiment d'isolement et de
solitude émanant de ses personnages.

Remerciements

L'éditeur tient à remercier les personnes suivantes qui,
grâce à leurs nombreux commentaires et suggestions,
ont contribué à l'élaboration de cette nouvelle édition.

Annick Leblanc du Cégep de Thetford et Annik-
    Corona Ouellette du Cégep de Saint-Jérôme,
    qui ont lu et commenté le manuscrit.

Marc Boyer, Cégep de Granby Haute-Yamaska
Sandra F. Brassard, Cégep de Chicoutimi
Pierre Brodeur, Cégep Marie-Victorin
Jacinthe Duchesne, Cégep Beauce-Appalaches
Hélène Fortier, Cégep Limoilou
Catherine Ève Groleau, Collège Bois-de-Boulogne
Jérôme Guénette, Cégep de Sept-Îles
Royal Lévesque, Cégep André-Laurendeau
Éric Montpetit, Collège Lionel-Groulx
André Ouellette, Collège André-Grasset
Rita Painchaud, Cégep de Trois-Rivières
Judith Patenaude, Cégep de Saint-Hyacinthe
Dany St-Laurent, Cégep de Baie-Comeau
Isabelle Tremblay, Cégep Garneau
André Trottier, Cégep de Sainte-Foy
Karine Vigneau, Collège Ahuntsic

Avant-propos

Concevoir une anthologie de la littérature québécoise, c'est se lancer dans une aventure à la fois fascinante et remplie de pièges. Certes, le plaisir l'emporte. De sa naissance jusqu'à aujourd'hui, la littérature québécoise offre un florilège de romans, poèmes, pièces de théâtre, essais dont la qualité n'est plus à démontrer. En parcourant ces œuvres parfois très connues, parfois enfouies comme des trésors cachés, les lecteurs sont sans cesse interpellés par la diversité et la vitalité d'une littérature à l'image d'un peuple qui, autrefois conquis, a refusé de mourir et poursuit, depuis de nombreuses années, sa quête d'émancipation et de transformation.

S'il demeure captivant de suivre l'évolution de notre littérature, de lire tant de textes qui étonnent et éblouissent, il s'est révélé plus difficile, voire douloureux de sélectionner les œuvres qui devaient prendre place dans ces pages. Le choix des œuvres a été déterminé par leur grande qualité littéraire, par l'importance de leurs auteurs, reconnus du public et de l'institution littéraire, et parfois aussi par le flair de l'auteur de cette anthologie. Ces textes ne constituent, bien sûr, qu'une infime partie de ce qui aurait mérité d'être retenu. Ainsi faut-il voir ce livre comme l'humble porte d'entrée d'une vaste bibliothèque, comme une invitation à lire les auteurs québécois dans toute leur diversité, à découvrir leur monde, à aimer et faire vivre cette littérature qui se consolide par l'accroissement du nombre de ses lecteurs enthousiastes.

Il existe mille façons de présenter des textes à des lecteurs. Cette anthologie a choisi le voyage dans le temps, depuis les origines jusqu'à nos jours, avec un respect rigoureux de l'ordre chronologique de leur publication. Ainsi, les œuvres, regroupées par genres et ordonnées selon leur année de parution, exposent divers points de vue et différents visages d'une société en perpétuelle transformation. Le dialogue entre les textes est aussi suscité par des associations dynamiques, sous forme de *correspondances* et de *parallèles*, qui montrent que les œuvres choisies dans ces sections, provenant tant du Québec que du reste de la francophonie, se font écho et s'enrichissent mutuellement.

Le découpage rigoureux de cette anthologie classe les œuvres en sept périodes significatives de l'histoire du Québec. Des explications sur le contexte social et historique dans lequel elles sont apparues permettent de mieux saisir leur propos. Cette approche rappelle constamment que le Québec n'est pas isolé du reste du monde. Ainsi son histoire est-elle présentée dans ses particularités, mais aussi dans ses rapports avec des évènements marquants de la scène internationale.

Toute littérature s'anime de débats entre auteurs, de tendances qui naissent et disparaissent, de prises de parole en commun, de polémiques, de jugements critiques sans cesse remis en question. Les différents mouvements de la littérature québécoise sont tour à tour expliqués et replacés dans leur contexte historique. À ces explications viennent s'ajouter des encadrés portant sur diverses tendances littéraires associées à un genre ou à une période spécifique.

Cette anthologie présente aussi quelques-unes des plus belles chansons québécoises. Celles-ci font l'objet d'un traitement spécial. Une chanson, en effet, ne peut vraiment vivre sans la musique qui accompagne ses paroles; la chanson fréquente aimablement la littérature, sans jamais s'y confondre, à cause de la musique qui la distingue et lui donne tout son sens. Notre approche cherche donc à souligner l'existence de la musique. Nous invitons les lecteurs à écouter, dans la mesure du possible, un enregistrement de ces chansons, afin de profiter pleinement de leur saveur.

« Et s'il me fallait fuir sur-le-champ et que j'aie le loisir d'apporter avec moi quelques livres, ce serait ceux de quelques auteurs dont j'ai besoin dans le moment présent, en qui je m'identifie et qui formulent mes intuitions », a répondu Gaston Miron lorsqu'on lui a demandé de choisir ce que contiendrait sa bibliothèque idéale. Certes, la littérature québécoise contribue à rattacher ses lecteurs à la réalité d'ici, à favoriser leur identification aux œuvres par sa proximité culturelle et géographique, et à exprimer des intuitions collectives qui sont peut-être propres à la culture de chez nous. Mais la littérature québécoise, comme toutes les autres, est d'abord et avant tout le fait d'auteurs qui s'expriment avec une totale liberté, qui cherchent à percer des mystères – sans toujours y parvenir – et à rendre compte des multiples facettes de la condition humaine. Parcourir cette littérature, œuvre après œuvre, ramène les lecteurs à la nécessité de continuer à lire, encore et toujours, pour éprouver du plaisir, pour apprendre, pour comprendre l'expérience humaine dans son inépuisable diversité.

Particularités de l'ouvrage

Ligne du temps

Chaque chapitre s'ouvre sur une ligne du temps qui situe les évènements importants survenus dans le monde, au Québec, et plus précisément dans le domaine des arts et des lettres.

Contexte sociohistorique

Contexte sociohistorique

Afin de permettre au lecteur de mieux saisir les textes à l'étude, le contexte sociohistorique présente les évènements marquants dans le monde et au Québec, les principaux acteurs ainsi que les changements qu'ils ont entraînés.

Vue d'ensemble

Un tableau rappelle l'essentiel du contexte socio-historique et du contenu littéraire du chapitre.

Œuvres et auteurs

Chaque extrait est accompagné d'une courte biographie de l'auteur et d'une mise en contexte.

Encadrés

Des encadrés fournissent de l'information complémentaire sur une tendance littéraire, un évènement, un genre ou un thème particulièrement pertinents pour l'analyse des œuvres.

Vers la dissertation

Tous les extraits sont enrichis de questions visant à approfondir le texte et à en découvrir le sens. On y propose également un sujet de dissertation critique.

Rubriques *Parallèle* et *Correspondance*

Les rubriques *Parallèle* présentent deux ou trois œuvres en vue d'établir des liens thématiques ou formels entre les textes. Les rubriques *Correspondance* suggèrent des rapprochements intéressants entre les littératures québécoise et française.

Guide méthodologique

Afin de bien préparer les étudiants à l'épreuve uniforme de français, ce guide propose une méthodologie claire et efficace détaillant les étapes de la dissertation critique. On y trouve également une récapitulation des notions théoriques vues dans les cours de littérature, notamment les genres et les courants littéraires ainsi que les principales figures de style.

Table des matières

Chapitre 3 — 1900-1945 : Le Québec dans la tourmente
La littérature : terroir, exotisme et voyage intérieur 50

Chapitre 7 — 2001-2012 : Les nouvelles inquiétudes
Littérature : l'ère de l'abondance

1

1534-1760 La Nouvelle-France

RÉCITS DE VOYAGEURS ET AUTRES ÉCRITS

Auteurs et œuvres à l'étude

À la suite de Jacques Cartier, des aventuriers, des nobles, des soldats, des prêtres et des colons découvrent avec étonnement un territoire qui semble sans limites. Cherchant d'abord une voie pour atteindre l'Orient, ces voyageurs choisissent d'explorer ce pays neuf, de l'apprivoiser et même de l'habiter. Ils côtoient les populations autochtones, qu'ils qualifient alors de «sauvages», mais dont ils ont pourtant beaucoup à apprendre. Ils découvrent un pays aux hivers durs, auquel ils devront s'acclimater, un pays qui les force à adopter de nouvelles mœurs. Leurs écrits racontent leur fascination, celle de voyageurs éblouis devant tant de nouveauté et devant l'immensité sauvage. Mais ils relatent aussi le difficile combat pour survivre dans un monde qui ne ressemble pas à l'Europe et qui ne cesse de les surprendre.

Pierre Le Ber, *Marguerite Bourgeoys,* 1700.

De 1534 à 1760

Le monde

1492
Premier voyage de Christophe Colomb en Amérique

1517
Publication des 95 thèses de Martin Luther ; diffusion du protestantisme

1519
Début du premier voyage de Fernand de Magellan autour du monde

Arrivée de Fernand Cortez au Mexique

1572
À Paris, massacre des protestants à la Saint-Barthélemy ; début d'une période de guerres entre catholiques et protestants en Europe

1589
Assassinat d'Henri III ; Henri IV devient roi de France

1610
Assassinat d'Henri IV ; Louis XIII devient roi de France

La Nouvelle-France

1534
Premier voyage de Jacques Cartier au Canada

1608
Fondation de Québec par Samuel de Champlain

1627
Fondation de la Compagnie des Cent-Associés

1625
Arrivée des Jésuites en Nouvelle-France

1642
Fondation de Ville-Marie par Paul Chomedey de Maisonneuve ; Ville-Marie prendra plus tard le nom de Montréal

1634
Fondation de Trois-Rivières par Laviolette

1615
Arrivée des Récollets en Nouvelle-France

1641
Début de la guerre entre les Français et les Iroquois

1535	1545	1555	1565	1575	1585	1595	1605	1615	1625	1635	1645

Les arts et les lettres

1534-1542
Jacques Cartier, *Voyages en Nouvelle-France*

1604-1618
Samuel de Champlain, *Voyages*

1632-1672
Jésuites, *Relations*

1632
Gabriel Sagard, *Le grand voyage du pays des Hurons*

1639-1672
Marie de l'Incarnation, *Correspondance*

1606
Marc Lescarbot, *Le théâtre de Neptune*, première pièce de théâtre en Amérique, jouée sur l'eau par des colons français et des Micmacs

1661
Louis XIV devient roi de France

1715
Louis XV devient roi de France

1756
Début de la guerre de Sept Ans entre l'Angleterre et la France

1687
Isaac Newton explique la loi de la gravitation universelle et du mouvement des planètes

1751
Publication en France du premier tome de l'*Encyclopédie* de Diderot et d'Alembert ; diffusion de la pensée des Lumières en Europe

1648-1650
Destruction de la Huronie par les guerres avec les Iroquois et par les maladies contagieuses

1673
Louis Jolliet et Jacques Marquette atteignent le Mississippi

1713
À la suite des guerres coloniales, la France signe le traité d'Utrecht et cède à l'Angleterre l'Acadie, Terre-Neuve et la baie d'Hudson

1755
Déportation de 7 000 Acadiens

1760
Capitulation de Montréal

1665
Arrivée de l'intendant Jean Talon en Nouvelle-France ; il favorise le peuplement et l'autonomie de la colonie

1682
Cavelier de La Salle atteint l'embouchure du Mississippi

1690
Frontenac défait l'Anglais Phips devant Québec

1756
Début de la guerre de Sept Ans, qui oppose Français et Anglais dans les colonies

1759
Défaite des Français à la bataille des plaines d'Abraham, à Québec

| 1655 | 1665 | 1675 | 1685 | 1695 | 1705 | 1715 | 1725 | 1735 | 1745 | 1755 | 1765 |

1694
Interdiction, par l'évêque Saint-Vallier, de la présentation de *Tartuffe* de Molière à Québec

1748-1753
Élisabeth Bégon, *Lettres à son gendre*

1703
Baron de La Hontan, *Dialogues curieux entre l'auteur et un sauvage de bon sens qui a voyagé*

La Nouvelle-France
Récits de voyageurs et autres écrits

La découverte et la colonisation du Nouveau Monde

Avec la Renaissance, l'Europe se transforme radicalement et connaît une expansion sans précédent. Des progrès s'accomplissent dans tous les domaines. Des artistes comme Sandro Botticelli, Michel-Ange et Léonard de Vinci produisent des chefs-d'œuvre incomparables. L'humanisme transforme la vision du monde qui avait cours jusque-là et place l'être humain au centre des nouvelles préoccupations. Des découvertes techniques et scientifiques facilitent la vie des gens. L'imprimerie permet de diffuser le savoir comme il ne l'avait jamais été auparavant.

Les besoins de cette Europe nouvelle, plus raffinée et en plein développement, se font plus grands. Les Européens cherchent à la fois des épices et des métaux précieux. Il faut trouver de nouvelles voies maritimes pour atteindre l'Extrême-Orient, où se trouvent tant de ressources appréciées, puisque les Turcs bloquent désormais l'accès de la Méditerranée. Une véritable fièvre exploratrice s'empare alors des Européens. L'invention du gouvernail, de la boussole et de navires plus faciles à manœuvrer permet à des explorateurs courageux de se lancer sur l'océan, de franchir de longues distances et de découvrir un nouveau continent, l'Amérique.

Le **premier voyage de Jacques Cartier,** qui explore le golfe du Saint-Laurent en 1534, s'ajoute à une **longue série d'expéditions** :

- en 1492, Christophe Colomb aborde les côtes de l'Amérique ;

- en 1497-1498, Vasco de Gama contourne l'Afrique et atteint l'océan Indien ;

- en 1497, Jean Cabot atteint les côtes du Labrador ;

- en 1519, Fernand de Magellan quitte l'Espagne pour entreprendre le premier voyage autour du monde.

À la suite de ces explorations, les Européens se partagent le monde et fondent de grands empires coloniaux. L'Amérique du Sud devient le territoire des Espagnols et des Portugais, alors que les Français et les Anglais s'installent en Amérique du Nord. Ces empires permettent à l'Europe de s'enrichir considérablement. Cependant, le coût humain de cette richesse est particulièrement élevé :

- pour pouvoir s'installer en Amérique latine, les conquistadors massacrent la population autochtone, qui est en plus décimée par les maladies que lui transmettent ces Européens ;

- les colons, en manque de main-d'œuvre, font venir en Amérique, contre leur gré, des esclaves africains qu'ils traitent sans ménagement et font travailler dans des conditions insoutenables.

Simon de Vlieger, *The Brederode off Hellevoetsluis,* **date inconnue.**

Les Européens, grâce à leur grande maîtrise de la navigation, parviennent à conquérir des territoires lointains et à y établir de puissants empires coloniaux.

Dans le nord de l'Amérique, la Nouvelle-France s'étend sur un territoire immense et peu peuplé. Moins riche que l'Amérique du Sud, handicapée par un climat particulièrement rigoureux, la Nouvelle-France demeure une colonie fragile, considérée avec mépris par Voltaire, qui la réduit à « quelques arpents de neige ». Une population européenne s'y implante pourtant, s'y attache et y développe peu à peu une culture qui lui est propre. Les habitants de cette nouvelle colonie prennent le nom de « Canadiens ».

La vie en Nouvelle-France

Avant l'arrivée des Français, **le futur territoire du Québec est habité par plusieurs nations autochtones** qui comptent, selon certaines évaluations, de 20 000 à 25 000 individus éparpillés sur l'ensemble du territoire. Certaines nations semi-nomades, comme les Algonquins et les Montagnais (ou Innus), vivent de chasse et de pêche. D'autres, telles que les Hurons et les Iroquois, habitent dans des villages palissadés, pratiquent l'agriculture et profitent d'une organisation sociale et politique développée, de tendance matriarcale.

Au XVIIIᵉ siècle, en Nouvelle-France, les habitants commencent à construire des maisons en pierre des champs et au toit remarquablement incliné.

L'arrivée des Européens vient transformer en profondeur leur mode de vie. Le commerce des fourrures devient l'enjeu principal des rapports entre Amérindiens et Français. En échange des fourrures, les Amérindiens obtiennent des objets en métal, des armes à feu, de l'eau-de-vie. Ce commerce accentue les tensions guerrières. Les populations amérindiennes finissent par migrer vers de nouveaux territoires, sous la pression de nombreux problèmes : guerres, avancement de la colonisation, maladies transmises par les nouveaux venus et alcoolisme.

La colonisation française, quant à elle, s'amorce véritablement en 1608 avec la fondation de la ville de Québec par Champlain. La population est au départ peu nombreuse et très dispersée sur le territoire ; elle prend lentement de l'expansion jusqu'à ce qu'elle soit soumise au conquérant anglais à la suite de la bataille des plaines d'Abraham. La société de la Nouvelle-France se caractérise, entre autres, par :

- **Des rapports complexes avec les Amérindiens.** Des missionnaires récollets et jésuites se donnent la mission de convertir les Amérindiens. Leur succès est limité, mais leur entreprise leur permet de mieux connaître les premiers habitants du pays, ce qui aide ultérieurement leurs compatriotes à explorer le continent. Les Français, alliés des Hurons, affrontent les Iroquois dans une guerre dont l'enjeu est le contrôle du commerce des fourrures.

- **L'importance du commerce des fourrures.** Ce commerce est vital pour l'économie de la Nouvelle-France. Pour s'approvisionner, les voyageurs et les coureurs des bois parcourent de grands territoires et établissent des liens soutenus avec les Amérindiens.

- **De grandes explorations.** Les Français explorent avec enthousiasme le nouveau continent. Louis Jolliet et le père Marquette se rendent jusqu'au Mississippi ; Cavelier de La Salle atteint la Louisiane ; Pierre Gaultier de La Vérendrye avance jusqu'aux Rocheuses.

- **L'établissement de colons.** Un grand nombre de Français du Canada préfèrent une vie sédentaire et choisissent de cultiver la terre. Ces colons, qui travaillent dans des conditions difficiles et sous un rude climat, deviennent l'épine dorsale de cette nouvelle société.

Benjamin West, *La mort du général Wolfe*, 1770.

Cette peinture glorifie le vainqueur de la bataille des plaines d'Abraham. Le narrateur du roman *Prochain épisode* (1965) d'Hubert Aquin voue une grande admiration à cette œuvre, même s'il se bat pour l'indépendance du Québec.

....

- **Le régime seigneurial.** En vertu de ce système, l'État distribue des terres à des seigneurs qui, à leur tour, les concèdent à des censitaires. Les terres sont divisées en bandes étroites, appelées « rangs », sur lesquelles les paysans sont libres de cultiver ce qui leur convient.

- **Une rivalité avec les Anglais.** Cette rivalité concerne surtout le commerce des fourrures, mais elle découle aussi des guerres entre la France et l'Angleterre. Elle finit par menacer les Français, dont le territoire est vaste et peu peuplé, contrairement à celui de la Nouvelle-Angleterre, moins grand mais plus populeux.

En 1759, l'armée anglaise du général Wolfe vainc celle du marquis de Montcalm sur les plaines d'Abraham. La **Conquête** a de graves conséquences pour la population de la Nouvelle-France : l'élite canadienne fuit et le reste de la population doit se soumettre à un colonisateur étranger. La défaite pousse les Canadiens français dans un repli qui freine pendant longtemps leur développement.

La littérature : écrire en Nouvelle-France

Les auteurs qui prennent la plume en Nouvelle-France n'écrivent pas de romans ni de pièces de théâtre, et leur production poétique reste très limitée. La dimension esthétique des textes de cette époque ne correspond pas à celle que comportent habituellement les œuvres littéraires. Les seuls écrits publiés le sont en France et s'adressent d'ailleurs à des lecteurs européens. Les textes écrits en Nouvelle-France appartiennent aux catégories suivantes :

- **Des récits de voyages.** Ce genre nettement dominant permet aux explorateurs et aux missionnaires de faire part d'étonnantes découvertes : des lieux géographiques vierges et, surtout, une population autochtone aux mœurs étranges, que les auteurs abordent avec un sentiment de supériorité, mais qui, malgré tout, les fascine.

- **Des essais, des livres d'histoire et des chroniques.** Dans ces œuvres, les auteurs ne témoignent plus directement des découvertes et tentent de définir les particularités de la nouvelle colonie. Le cas du baron de La Hontan est unique : il tire des leçons philosophiques de ses observations.

- **De la correspondance.** Les lettres envoyées par les voyageurs ou les résidants de la Nouvelle-France rendent compte de leurs préoccupations et donnent un bon aperçu de la vie quotidienne dans la colonie. Parmi ces correspondances, il faut souligner les lettres aux propos souvent mystiques de Marie de l'Incarnation et celles de la bourgeoise Élisabeth Bégon.

- **De la poésie.** Les poèmes écrits par les Français qui voyagent en Nouvelle-France sont pour la plupart d'un style convenu et de qualité moyenne.

Peut-on alors parler de littérature ? De nombreux historiens de la littérature croient que oui, parce que plusieurs de ces textes – particulièrement les récits de voyages – sont écrits avec soin et possèdent de véritables qualités stylistiques.

Ces textes restent surtout précieux parce qu'ils racontent la naissance d'un peuple, parce qu'ils ont été lus, appréciés et commentés par nombre d'écrivains québécois des générations suivantes, et parce qu'ils forment le premier maillon d'une littérature qui puise à ses sources et fait revivre, dans des poèmes et des œuvres de fiction, l'âme et les aspirations d'ancêtres admirés.

Voyages en Nouvelle-France (1534-1542)

Première relation

Comment les nôtres plantèrent une grande croix sur la pointe de l'entrée dudit havre, et comment est venu le capitaine de ces sauvages, et comment après une grande harangue[1], il fut apaisé par notre capitaine, et resta content que deux de ses fils allassent avec lui.

Jacques Cartier (1491-1557)

En 1534, Jacques Cartier quitte Saint-Malo avec deux navires et atteint les côtes du Canada. À la recherche de la mer d'Asie et d'un passage vers la Chine, il se heurte à un nouveau continent qu'il parcourt avec fascination. Il y revient deux fois et prolonge son séjour en y passant l'hiver. Il prend contact avec les habitants du territoire, les Iroquois principalement, et établit avec eux des rapports difficiles, faits de méfiance et de manipulations réciproques. Jacques Cartier croit rapporter de son troisième voyage de l'or et des diamants, qui s'avèrent des pierres sans valeur. Le Canada n'est donc pas cet Eldorado dont les Européens avaient rêvé. Il faut attendre plus de 60 ans avant que les Français songent sérieusement à coloniser ce nouveau territoire.

Il semble peu probable que Jacques Cartier ait écrit lui-même les relations de ses voyages. Cela n'enlève rien à l'intérêt de ces textes. Le récit de ses explorations est marqué par un grand sens de l'observation, celui d'un esprit vif qui fait face à un univers nouveau et l'aborde parfois avec naïveté et avec les préjugés d'un Européen peu enclin au doute. Les descriptions des paysages, justes et sobres, parviennent à bien transmettre l'effet produit par les immenses territoires qui étonnent les explorateurs. L'intérêt de ces textes vient en grande partie du récit des relations avec les Amérindiens, caractérisées par beaucoup d'incompréhension et par des ententes peu spontanées, comme le montre ce célèbre passage où Jacques Cartier plante une croix pour s'emparer d'un territoire.

Le vingt-quatrième jour dudit mois, nous fîmes
5 faire une croix de trente pieds de haut, qui fut faite devant plusieurs d'entre eux, sur la pointe de l'entrée dudit havre [Gaspé], sous le croisillon de laquelle mîmes un écusson en bosse, à trois fleurs de lys, et au-dessus, un écriteau en bois, engravé
10 en grosses lettres de formes, où il y avait, *VIVE LE ROI DE FRANCE.* Et cette croix, la plantâmes sur ladite pointe devant eux, lesquels la regardaient faire et planter. Et après qu'elle fût élevée en l'air, nous mîmes tous à genoux, les mains jointes, en
15 adorant celle-ci devant eux, et leur fîmes signe, regardant et leur montrant le ciel, que par celle-ci était notre rédemption, devant quoi ils firent plusieurs signes d'admiration, en tournant et regardant cette croix.

20 Étant retournés en nos navires, vint le capitaine, vêtu d'une vieille peau d'ours noir, dans une barque, avec trois de ses fils et son frère, lesquels n'approchèrent pas aussi près du bord comme ils avaient coutume, et il nous fit une grande ha-
25 rangue, nous montrant ladite croix, et faisant le signe de la croix avec deux doigts; et puis il nous montrait la terre, tout à l'entour de nous, comme s'il eût voulu dire, que toute la terre était à lui, et que nous ne devions pas planter ladite croix sans
30 sa permission. Et après qu'il eût fini sadite harangue, nous lui montrâmes une hache, feignant de la lui bailler pour sa peau. À ceci il acquiesça, et peu à peu s'approcha du bord de notre navire, croyant avoir ladite hache. Et l'un de nos gens,
35 étant dans notre bateau, mit la main sur sadite barque, et incontinent il en entra deux ou trois dans leur barque et on les fit entrer dans notre navire, de quoi ils furent bien étonnés. Et étant entrés ils furent assurés par le capitaine qu'ils
40 n'auraient nul mal, en leur démontrant grands signes d'amour; et on les fit boire et manger, et faire grande chère. Et puis leur montrâmes par signes, que ladite croix avait été plantée comme borne et balise pour entrer dans le havre; et que nous y

---

1. Discours.

retournerions bientôt, et leur apporterions des articles de fer et autres choses ; et que nous voulions amener deux de ses fils avec nous, et puis les rapporterions
45 audit havre. Et accoutrâmes sesdits fils de deux chemises, et en livrées, et de bonnets rouges, et à chacun, sa chaînette de laiton au col. De quoi se contentèrent fort, et donnèrent leurs vieux haillons à ceux qui retournaient. Et puis donnâmes aux trois que nous renvoyâmes, à chacun sa hachette et des couteaux, dont ils furent très joyeux. Et eux, étant retournés à terre, dirent les nouvelles aux autres.
50 Vers midi environ de ce jour, retournèrent six barques à bord, où il y avait dans chacune cinq ou six hommes, lesquels venaient pour dire adieu aux deux que nous avions retenus ; et leur apportèrent du poisson. Et nous firent signe qu'ils n'abattraient pas ladite croix, en nous faisant plusieurs harangues que nous ne comprenions pas.

Gravure d'après Louis-Charles Bombled, *Jacques Cartier prend possession du Canada au nom de la France*, 1904.

Il est intéressant d'observer dans cette gravure l'opposition entre l'allure fière et triomphante de Jacques Cartier et la soumission des Amérindiens. Cette vision ne correspond pas à la description que Jacques Cartier fait de l'évènement.

VERS LA DISSERTATION

1. Montrez que l'élévation de la croix est une cérémonie.
2. En quoi le passé simple rend-il le ton du texte solennel ?
3. En l'absence d'une langue commune, comment la communication entre les Amérindiens et les Français se fait-elle ?
4. Comment les Français arrivent-ils à apaiser les revendications des Amérindiens ?
5. D'après cet extrait, quel portrait peut-on esquisser des Amérindiens ?

■ Sujet de dissertation critique

À la lumière de cet extrait, serait-il juste d'affirmer que les Français affichaient une attitude hautaine à l'égard des Amérindiens ?

Relations des Jésuites (1632-1672)

Chants et tambours, par Paul Le Jeune

Paul Le Jeune (1591-1664)

Les Jésuites, un ordre religieux missionnaire, entreprennent au XVIIe siècle la difficile tâche d'évangéliser les peuples autochtones en Nouvelle-France. Précédés dans cette mission par les Récollets, un ordre mineur dont fait partie Gabriel Sagard, auteur d'un remarqué *Grand voyage du pays des Hurons* (1632), ils confèrent à leur rôle le prestige de leur congrégation. L'énergie qu'ils y consacrent n'en vaut pas toujours la peine : les « sauvages » ne souhaitent pas abandonner leurs traditions ni se soumettre à ces « robes noires » qui, bien souvent, les intriguent davantage qu'ils ne les convainquent. Les *Relations des Jésuites*, par l'abondance et la précision des observations qu'elles contiennent, restent le document original le plus important sur l'établissement des Français en Nouvelle-France.

La contribution de Paul Le Jeune à ces *Relations* est exceptionnelle, ne serait-ce que par le nombre élevé de volumes qu'on lui doit. Comme ses semblables jésuites, il choisit de vivre avec les « sauvages », de partager leur vie quotidienne, dans le but de mieux les connaître, puis de leur inculquer la foi chrétienne. Même si les préjugés d'Européen de Le Jeune ne cessent d'entacher le regard qu'il porte sur les Amérindiens, ses observations sont particulièrement riches et révèlent ses propres limites autant que celles des gens qu'il observe. Son incompréhension d'étranger envers les coutumes de ses hôtes devient particulièrement flagrante lorsqu'ils lui font découvrir leur musique.

Les Sauvages sont grands chanteurs ; ils chantent comme la plupart des nations de la terre par récréation, et par dévotion, c'est-à-dire en eux par superstition. Les airs qu'ils chantent par plaisir sont ordinairement graves et pesants ; il me semble qu'ils ont parfois quelque chose de gai, notamment les filles ;
5 mais pour la plupart, leurs chansons sont massives, pour ainsi dire, sombres, et malplaisantes ; ils ne savent ce que c'est d'assembler des accords pour composer une douce harmonie ; ils profèrent peu de paroles en chantant, variant les tons, et non la lettre. J'ai souvent
10 ouï mon Sauvage faire une longue chanson de ces trois mots *Kaie, nir, khigatoutaouim*, et tu feras aussi quelque chose pour moi. Ils disent que nous imitons les gazouillis des oiseaux en nos airs, ce qu'ils n'éprouvent pas, prenant plaisir quasi tous tant qu'ils sont à chanter, ou à
15 ouïr chanter, et quoi que je leur dise que je n'y entendais rien, ils m'invitaient souvent à entonner quelque air, ou quelque prière. […]

Ils joignent leurs tambours à leurs chants ; je demandai l'origine de ce tambour ; le vieillard me dit que peut-
20 être quelqu'un avait eu en songe qu'il était bon de s'en servir, et que de là l'usage s'en était ensuivi. Je croirais plutôt qu'ils auraient tiré cette superstition des peuples voisins, car on me dit (je ne sais s'il est vrai) qu'ils imitent fort les Canadiens qui habitent vers Gaspé, peuple
25 encore plus superstitieux que celui-ci.

Au reste, ce tambour est de la grandeur d'un tambour de basque ; il est composé d'un cercle large de trois ou quatre doigts, et de deux peaux roidement[1] étendues de part et d'autre ; ils mettent dedans des petites pierres ou
30 petits cailloux pour faire plus de bruit : le diamètre des plus grands tambours est de deux palmes ou environ ; ils le nomment *chichigouan*, et le verbe *nipagahiman*, signifie je fais jouer ce tambour. Ils ne le battent pas comme font nos Européens ; mais ils le tournent et remuent, pour
35 faire bruire les cailloux qui sont dedans ; ils en frappent la terre, tantôt du bord, tantôt quasi du plat, pendant que le sorcier fait mille singeries avec cet instrument. Souvent les assistants ont des bâtons en main, frappant tous ensemble sur des bois, ou manches de haches qu'ils
40 ont devant eux, ou sur leurs *ouragans*, c'est-à-dire, sur leurs plats d'écorce renversés. Avec ces tintamarres, ils joignent leurs chants et leurs cris, je dirais volontiers

---

1. Avec raideur.

leurs hurlements, tant ils s'efforcent parfois : je vous laisse à penser la belle musique. Ce misérable sorcier avec lequel mon hôte et le renégat m'ont fait hiverner

45 contre leurs promesses, m'a pensé faire perdre la tête avec ses tintamarres : car tous les jours à l'entrée de la nuit, et bien souvent sur la minuit, d'autres fois sur le jour, il faisait l'enragé. J'ai été un assez long temps malade parmi eux, mais quoi que je le priasse de se modérer, de me donner un peu de repos, il en faisait encore pis, espérant trouver sa guérison dans ces bruits qui augmentaient mon mal.

VERS LA DISSERTATION

1. Paul Le Jeune aborde la musique des « sauvages » avec d'importants préjugés. Quels termes emploie-t-il pour en parler ?

2. À la fin du dernier paragraphe, comment l'auteur fait-il part des tensions entre le sorcier et lui ?

■■■ Sujet de dissertation critique

D'après cette description de la musique amérindienne, peut-on dire que Paul Le Jeune est un bon observateur ?

François du Creux a écrit en latin une histoire du Canada (intitulée *Historiæ Canadensis*) à partir des témoignages des auteurs des *Relations des Jésuites*, dont Paul Le Jeune. La gravure ci-contre, tirée de cet ouvrage, montre l'habillement et les bijoux de femmes et d'enfants iroquois.

Dialogues curieux entre l'auteur et un sauvage de bon sens qui a voyagé (1703)

Louis Armand de Lom d'Arce de La Hontan (1666-1715)

Le baron de La Hontan, officier de marine au caractère rebelle, s'est établi au Canada de 1683 à 1693. Il n'est pas un observateur méticuleux de la vie en Nouvelle-France, et certains de ses constats demeurent très contestés. Il est surtout un homme d'idées qui se sert de ce qu'il observe pendant son séjour pour élaborer une pensée qui annonce, par certains aspects, celle des philosophes des Lumières. Ses écrits remportent un important succès en Europe, jusqu'à ce qu'ils soient éclipsés par ceux des philosophes auxquels il a ouvert la voie.

Ses *Dialogues curieux entre l'auteur et un sauvage de bon sens qui a voyagé* mettent en scène l'affrontement entre La Hontan lui-même et Adario, un « sauvage » surtout très sage. La Hontan cherche à défendre la supériorité de la civilisation européenne, mais ses arguments sont systématiquement contestés par l'habile Adario. Ce point de vue de l'étranger qui critique sévèrement les mœurs européennes annonce *Les lettres persanes* de Montesquieu. Mais surtout, La Hontan présente dès 1703 le « bon sauvage » tel qu'il apparaîtra plus tard sous la plume de Voltaire et de Jean-Jacques Rousseau, c'est-à-dire un homme vrai et proche de la nature, à l'abri des abus d'une société corrompue.

LA HONTAN

Appelles-tu vivre heureux, d'être obligé de gîter sous une misérable cabane d'écorce, de dormir sur quatre mauvaises couvertures de castor, de ne manger que du rôti
5   et du bouilli, d'être vêtu de peaux, d'aller à la chasse aux castors, dans la plus rude saison de l'année ; de faire trois cents lieues à pied dans des bois épais, abattus et inaccessibles, pour chercher les Iroquois ; aller dans de petits canots se risquer à périr chaque jour dans vos grands lacs,
10   quand vous voyagez. Coucher sur la dure à la belle étoile, lorsque vous approchez des villages de vos ennemis : être contraints le plus souvent de courir sans boire ni manger, nuit et jour, à toutes jambes, l'un deçà, l'autre delà, quand ils vous poursuivent, d'être réduits à la dernière des
15   misères, si par amitié et par commisération les coureurs de bois n'avaient la charité de vous porter des fusils, de la poudre, du plomb, du fil à faire des filets, des haches, des couteaux, des aiguilles, des alènes[1], des hameçons, des chaudières, et plusieurs autres marchandises.

20   ADARIO

Tout beau, n'allons pas si vite, le jour est long, nous pouvons parler à loisir, l'un après l'autre. Tu trouves, à ce que je vois, toutes ces choses bien dures. Il est vrai qu'elles le seraient extrêmement pour ces Français,
25   qui ne vivent, comme les bêtes, que pour boire et manger ; – qui n'ont été élevés que dans la mollesse ; mais dis-moi, je t'en conjure, quelle différence il y a de coucher sous une bonne cabane, ou sous un palais ; de dormir sur des peaux de castor, ou sur des matelas entre deux draps ; de manger du
30   rôti et du bouilli ; ou de sales pâtés et ragoûts, apprêtés par des marmitons crasseux ? En sommes-nous plus malades, ou plus incommodés que les Français qui ont ces palais, ces lits, et ces cuisiniers ? Hé ! combien y en a-t-il parmi vous, qui couchent sur la paille, sous des toits ou des greniers que la pluie traverse de toutes parts, et qui ont de la peine à trouver du pain et de l'eau ? J'ai été en France, j'en parle pour
35   l'avoir vu. [...] Tu finis en concluant que les Français nous tirent de la misère par la pitié qu'ils ont de nous. Et comment faisaient nos Pères, il y a cent ans, en vivaient-ils moins sans leurs marchandises : au lieu de fusils, de poudre, et de plomb, ils se servaient de l'arc et des flèches, comme nous faisons encore. Ils faisaient des rets[2] avec du fil d'écorce d'arbre ; ils se servaient des haches de pierre ; ils faisaient des
40   couteaux, des aiguilles, des alènes, etc., avec des os de cerf ou d'élan ; au lieu de

---

1. Poinçons pour percer le cuir.   2. Pièges pour capturer du gibier, des poissons.

chaudière on prenait des pots de terre. Si nos Pères se sont passés de toutes ces marchandises, tant de siècles, je crois que nous pourrions bien nous en passer plus facilement que les Français ne se passeraient de nos castors, en échange desquels, par bonne amitié, ils nous donnent des fusils qui estropient, en crevant,

45 plusieurs guerriers, des haches qui cassent en taillant un arbrisseau, des couteaux qui s'émoussent en coupant une citrouille, du fil à moitié pourri, et de si méchante qualité, que nos filets sont plutôt usés qu'achevés; des chaudières si minces que la seule pesanteur de l'eau en fait sauter le fond. Voilà, mon frère, ce que j'ai à te répondre sur les misères des Hurons.

Scène d'échange entre Français et Amérindiens, tirée d'*Histoire de l'Amérique septentrionale* (1722) par Bacqueville de la Potherie.

Les échanges commerciaux occupent une grande part des relations entre Français et Amérindiens. Pour sa part, le baron de La Hontan préfère les dialogues philosophiques, comme ceux qui composent son livre, où un Français et un Huron s'interrogent sur la nature de leur civilisation.

VERS LA DISSERTATION

1. Par quels moyens La Hontan démontre-t-il que la vie des Amérindiens est misérable ?

2. Quels sont les deux grands arguments d'Adario pour contrer le raisonnement de La Hontan ?

3. Comment la misère des Français se traduit-elle selon Adario ?

4. Montrez que ce dialogue est enrichi par le fait que chacun des personnages connaît bien le pays de l'autre.

5. Comparez le point de vue de La Hontan sur les Amérindiens à ceux de Jacques Cartier et de Paul Le Jeune.

■ Sujet de dissertation critique

Peut-on affirmer que l'extrait des écrits de La Hontan contribue au mythe du « bon sauvage » ?

Lettres à son gendre (1748-1753)

Le 20 novembre 1748

Tous nos vaisseaux sont partis. Je souhaite, mon cher fils, que tu reçoives en France ce que je t'ai écrit et ton coffre dont M. de Tilly est chargé. Je ne sais, aimable fils, ce que je dois souhaiter pour ma satisfaction. Je te voudrais en France, mais, de la façon dont tu écris, tu auras bien de l'avantage en allant à la Louisiane. Que la divine
5 Providence en décide donc pour ton bien et celui de mes chers enfants et un peu pour ma consolation ! J'essaye tous les jours à faire des sacrifices bien et solidement faits, mais ils ne peuvent partir que des lèvres.

Élisabeth Bégon (1696-1755)

Élisabeth Bégon entreprend en 1748, alors qu'elle est veuve, une correspondance régulière avec son gendre, qui est établi en Louisiane et dont elle garde la fille. Ses lettres constituent une sorte de journal intime dans lequel elle note ses observations attentives de son entourage et raconte de façon anecdotique la vie en Nouvelle-France. Surtout, ses écrits manifestent un amour qui n'ose pas se nommer pour ce gendre lointain qu'elle ne rencontrera plus après son départ, qu'elle a pris comme confident et dont on ne connaît pas les réponses. La correspondance s'arrête à la suite du décès du gendre en 1752.

Les lettres d'Élisabeth Bégon sont pleines d'esprit et de vivacité. Malgré les nombreuses descriptions de fêtes et de bals, qui nous montrent la vie animée des nobles et des bourgeois de la Nouvelle-France, l'épistolière nous transmet sa solitude et parfois son ennui, elle qui mène une existence routinière qui ne parvient pas à la satisfaire entièrement. Ses lettres forment l'un des plus précieux témoignages sur la vie quotidienne des élites en Nouvelle-France.

Je ne sais, cher fils, si je t'ai mandé que M. Varin avait loué la maison de madame Montigny pour sept ans et
10 qu'il lui donne deux cents livres par année et qu'il y doit faire toutes les réparations nécessaires à ses dépens. Il y a bientôt un an qu'il l'a et il n'y loge que depuis un mois, ayant fait refaire cette maison du haut en bas, les plafonds, cheminées, planchers, couverture tout à neuf,
15 des cheminées de plâtre partout. C'est une maison magnifique aujourd'hui. Il y fait faire une galerie avec un fer à cheval à mettre une table de 20 couverts. Et tout cela se paye, à ce qu'ont dit les ouvriers, avec des certificats sur les réparations des maisons du Roi et sur
20 celles des fortifications.

Avoue donc que tu n'as été, cher fils, qu'une grosse dupe de n'avoir pas mieux su t'arranger ; au moins en aurais-tu eu quelque chose en sortant du Canada. Mais je t'assure que j'en serais fâchée et t'aime mieux comme
25 tu es que si habile, puisqu'il fait faire des raisonnements qui ne lui font point d'honneur. J'ai vu tous les jours sa femme en son absence : c'est son père tout copié. Adieu, cher fils, aime la plus tendre et la plus malheureuse mère qu'il y ait. Je voudrais bien savoir ton sort.

Le 9 janvier 1749

Il fait un froid, cher fils, et un nord-est qui me fait trembler pour le feu, car M. Varin, notre voisin, a des feux et des poêles partout et, comme il se chauffe sans qu'il lui en coûte, on n'épargne pas le bois. Tu connais
5 ma faiblesse et mes peurs pour cet élément. Juge de ma situation ! Tu me rassurais, lorsque je t'avais, par le secours dont tu es dans les occasions périlleuses, mais je ne t'ai plus, cher fils, et n'ai plus que mon cher père qui me donne toujours des inquiétudes dont je ne puis me guérir. Il est toujours comme tu l'as vu ; fermant
10 les contrevents, ôtant la neige de la galerie, faisant du feu et des étincelles à son aise, et je suis comme une victime sans oser parler, crainte de le fâcher. Je fais quelquefois parler ta fille qu'il aime tendrement, mais elle ne réussit pas toujours.

Elle me fait passer le temps moins ennuyant que je ne ferais, en lui montrant tout ce qu'elle veut apprendre : tantôt l'histoire de France, tantôt la romaine, la géogra-
15 phie, le rudiment à lire français et latin, écrire, exemples, vers, histoire, tels qu'elle les veut, pour lui donner de l'inclination à écrire et à apprendre. Mais elle n'aime point l'ouvrage ; je la laisse, aimant mieux qu'elle apprenne que de travailler, ce qu'elle saura quand je voudrai. Adieu, cher fils bien-aimé.

VERS LA DISSERTATION

1. Montrez comment Élisabeth Bégon exprime son affection pour son gendre.

2. Que nous apprend l'auteure sur la vie en Nouvelle-France, dans ces deux lettres ?

3. Dans la lettre du 20 novembre 1748, comparez la situation du gendre à celle du voisin, M. Varin.

4. Qu'est-ce qui caractérise, selon la lettre du 9 janvier 1749, la relation de l'auteure avec son père et sa petite-fille ?

5. Quel est le procédé d'écriture le plus fréquemment utilisé dans ces deux lettres ?

■■■ Sujet de dissertation critique

Est-il juste de dire, d'après ces deux lettres, qu'Élisabeth Bégon est une femme qui s'ennuie ?

George Heriot, *Danse ronde,* **1807.**

Dans ses lettres, Élisabeth Bégon aime décrire à son gendre, établi en Louisiane, les fêtes qui ont lieu en Nouvelle-France. Des fêtes semblables à celle que montre cette illustration ont continué à avoir lieu en Louisiane, toujours française, après que le Canada a été conquis par l'Angleterre.

À l'écoute de la chanson de la Nouvelle-France

Les colons qui s'établissent en Nouvelle-France amènent avec eux certaines traditions de leur région natale, dont un riche folklore. Ainsi, ils reprennent des chansons entendues dans la métropole, qu'ils conservent intactes ou dont ils font de nouvelles versions. Presque toujours anonymes, les chansons folkloriques de l'époque jouent néanmoins un rôle d'une importance capitale : bien avant que les procédés d'impression soient fonctionnels, et alors que les déplacements sont marqués par une lenteur à laquelle nous ne sommes plus habitués aujourd'hui, la chanson est un mode de transmission de la culture très important. Des thèmes français tels que la belle à sauver ou la galanterie y sont exploités, de même que des légendes.

Ces chansons françaises, encore transmises de nos jours, forment la base d'un répertoire qui s'enrichit, après la Conquête, des influences irlandaise et écossaise. À ces chansons, que les Canadiens français entonnent dans les veillées, s'ajoutent des gigues et des valses sur lesquelles on danse, et qui sont jouées au piano, au violon, à l'accordéon et à la « musique à bouche » (harmonica).

Avec le temps, une chanson donne lieu à de multiples variantes qui intègrent les modifications apportées par un peuple dont l'identité s'ébauche graduellement. Des groupes comme La Bottine Souriante, Les Charbonniers de l'enfer ou Mes Aïeux contribuent à maintenir bien vivant cet héritage. Leur succès montre que ce répertoire ancien recèle un aspect essentiel de l'âme québécoise.

La Bottine Souriante est l'un des groupes qui ont réussi à mettre au goût du jour la musique traditionnelle québécoise.

Le général de Flipe

C'est le général de Flipe
Qu'est parti de l'Angleterre
Avec trente-six voiles
Et plus de mille hommes faits
5 Croyait par sa vaillance
Prendre la ville de Québec.

A mouillé devant la ville
Les plus beaux de ses vaisseaux
A mis la chaloupe à terre
10 Avec un beau générau
C'est pour avertir la ville
De se rendre au plus tôt :
— Avant qu'il soye deux heures
J'allons lui livrer l'assaut.

15 C'est le général de ville
Z'appelle mon franc canon !
— Va-t-en dire à l'ambassade :
Recule-toi mon général !
— Va lui dire que ma réponse
20 c'est au bout de mes canons

— Avant qu'il soye deux heures
Nous danserons le rigaudon.

C'est le général de Flipe
Qui mit son monde à Beauport
25 Trois canons les accompagnent
Pour lui donner du report.
— Car ça m'a l'air qu'il m'accable
Et que m'a toujours durer.
Les François pleins de courage
30 M'en ont détruit la moitié.

C'est le général de Flipe
S'est rentourné dans Baston :
— Va-t-en dire au roi Guillaume
Que Québec a lui faux bond
35 Car lui a de la bonne poudre
Et aussi de beaux boulets
Des canons en abondance
Au service des François.

Auteur inconnu

Les chansons, en France comme en Nouvelle-France, étaient parfois des commentaires sur l'actualité. Ainsi, la chanson «Le général de Flipe» est écrite par un inconnu à la suite de la victoire des Français contre le général Phips, défait devant Québec par Frontenac en 1690. La mélodie toute simple de même que les paroles reflètent la fierté d'avoir repoussé un chef militaire puissant et bien armé. On oppose au général Phips le «général de ville», Frontenac, dont on reprend indirectement la fameuse réplique au parlementaire anglais qui demandait aux Français de se rendre : «Je n'ai point de réponse à lui faire que par la bouche de mes canons.»

VERS LA DISSERTATION

1. Comparez cette chanson avec ce qu'on dit de l'épisode dans un article d'encyclopédie ou dans un livre d'histoire. Les propos de la chanson sont-ils véridiques ? Notez les différences dans le vocabulaire employé.

2. Observez comment le choix des mots valorise les militaires. Relevez les expressions du parler populaire.

3. Comment les dialogues rendent-ils le récit plus dynamique ?

4. Écoutez une version enregistrée de cette chanson. Qu'ajoutent la musique et l'interprétation aux paroles de cette chanson ?

Sujet de dissertation critique

Comparez cette chanson à l'extrait du poème «Jolliet» de Louis Fréchette (p. 43), qui renvoie à la même période de l'histoire de la Nouvelle-France. La vision que présentent ces deux textes, écrits à près de deux siècles d'intervalle, s'oppose-t-elle par leur façon de décrire un évènement historique ?

Le contexte sociohistorique

- À l'arrivée des Français au Canada, les Amérindiens occupent le territoire depuis des milliers d'années et ont une organisation sociale originale et une culture qui leur est propre.

- La colonisation française repose sur le commerce des fourrures, l'exploration d'un gigantesque territoire et l'établissement de colons qui cultivent la terre. Les intérêts liés au commerce des fourrures provoquent une guerre contre les Iroquois.

- Les autorités coloniales mettent en place un régime seigneurial selon lequel un seigneur concède des terres à des censitaires.

- La Nouvelle-France reste peu peuplée, beaucoup moins que les colonies de la Nouvelle-Angleterre.

- À la suite d'une guerre intercoloniale engendrée par des conflits en Europe, les Français sont vaincus par les Anglais et la Nouvelle-France est soumise à l'Angleterre.

John Henry de Rinzy, *Frontenac en route pour Cataraqui*, 1690.

La littérature

- Il ne se développe pas de véritable littérature de fiction en Nouvelle-France. Les auteurs préfèrent se consacrer à des récits de voyages, des chroniques, des livres d'histoire ou de la correspondance.

- La confrontation avec les populations autochtones est l'un des principaux sujets abordés. Le plus souvent, les auteurs expriment manifestement un sentiment de supériorité envers les Amérindiens. Mais ils demeurent très curieux de découvrir leurs mœurs et en deviennent parfois de fins observateurs.

- L'évangélisation de la colonie reste une grande préoccupation. Les écrits qui abordent des sujets religieux, parfois mystiques, sont nombreux. Ils sont l'œuvre de prêtres et de religieuses responsables de cette évangélisation, notamment les Jésuites.

- Parmi les écrits profanes, les lettres d'Élisabeth Bégon à son gendre sont les plus remarquables. Elles donnent une juste description de la vie quotidienne de la classe aisée en Nouvelle-France.

Couverture d'un des recueils des *Relations des Jésuites*, 1634.

2

Un peuple en quête de lui-même

LA NAISSANCE DE LA LITTÉRATURE QUÉBÉCOISE

Auteurs et œuvres à l'étude

Lucius O'Brien, *Sunrise on Percé Beach*, 1882.

Pendant la longue période qui va de la Conquête à la fin du XIXᵉ siècle, le Québec se transforme lentement, mais subit parfois des soubresauts. Alors que le monde connaît des bouleversements majeurs et change radicalement, les Canadiens français, abandonnés par leurs élites après la Conquête, cherchent à survivre sous la domination des Anglais et y arrivent difficilement. La littérature d'ici naît dans ce contexte peu favorable. Jusqu'à la rébellion des Patriotes en 1837-1838, une activité journalistique constante vient compenser l'absence de publications littéraires. Puis, aux lendemains de la rébellion, fouettés par les propos de Lord Durham selon lesquels les Canadiens français seraient un peuple «sans histoire et sans littérature», des auteurs de plus en plus nombreux s'efforcent de créer une véritable littérature nationale. Cette époque riche et chargée dans l'histoire de l'humanité correspond à la naissance lente et courageuse de la littérature québécoise.

De 1760 à 1900

Le monde

1776
Déclaration d'indépendance des États-Unis d'Amérique

1789
Prise de la Bastille ; début de la Révolution française

1815
Défaite de Napoléon à Waterloo ; son régime a été marqué par de nombreuses guerres et l'instauration d'un Code civil

1783
Signature du traité de Versailles, qui met fin à la guerre d'Indépendance des États-Unis

1799
Prise du pouvoir par Napoléon Bonaparte en France

1803
Vente de la Louisiane aux États-Unis

1814
Invention en Angleterre de la locomotive à vapeur

1830
Révolution de Juillet en France

Triomphe du romantisme, avec la pièce de théâtre *Hernani* de Victor Hugo, la *Symphonie fantastique* de Berlioz et le roman *Le Rouge et le Noir* de Stendhal

Le Québec

1774
Signature de l'Acte de Québec

1775
Tentative d'invasion de Québec par les troupes américaines

1813
Bataille de Châteauguay : les Canadiens repoussent les Américains

1826
Fondation du Parti patriote

1763
Signature du traité de Paris

1791
Signature de l'Acte constitutionnel qui divise le territoire en deux : le Haut-Canada et le Bas-Canada

1815
Louis-Joseph Papineau élu président de l'Assemblée législative ; il conserve cette fonction jusqu'en 1837

1834
Présentation des 92 résolutions du Parti patriote à l'Assemblée

1765	1770	1775	1780	1785	1790	1795	1800	1805	1810	1815	1820	1825	1830

Les arts et les lettres

1764
Fondation de *The Quebec Gazette/La Gazette de Québec*, premier journal du pays

1789
Joseph Quesnel, *Colas et Colinette*, première œuvre lyrique composée et jouée (en 1790) au Canada

1806
Fondation du journal *Le Canadien* par Étienne Parent

1778
Fondation du premier journal francophone, *La gazette littéraire de Montréal*, par Fleury Mesplet

1830
Michel Bibaud, *Épîtres, satires, chansons, épigrammes et autres pièces de vers*, premier recueil de poésie publié au Bas-Canada

1848
Révolutions dans de nombreux pays européens

1871
Prise du pouvoir momentanée de la Commune, un gouvernement révolutionnaire, à Paris et dans plusieurs villes de France

1899
Début en Afrique du Sud de la guerre des Boers contre la domination anglaise

1865
Abolition de l'esclavage aux États-Unis

1895
Première projection publique à Paris d'un film, *La sortie des usines Lumière,* tournée par les frères Lumière

1856
Fondation de la Première Internationale par Karl Marx

1870-1871
Guerre franco-allemande

1886
Aux États-Unis, grève des ouvriers, le 1er mai, afin d'obtenir la journée de travail de huit heures ; dans de nombreux pays, la fête du Travail commémore cet évènement

1896
En France, première révision du procès de Dreyfus, arrêté en 1894 et emprisonné jusqu'en 1899

1861-1865
Guerre de Sécession aux États-Unis

1885
Invention de l'automobile
Pendaison de Louis Riel, chef de la rébellion des Métis au Manitoba

1839
Pendaison de 12 Patriotes au Pied-du-Courant à Montréal
Durham présente son rapport en Angleterre

1867
Signature de l'Acte de l'Amérique du Nord britannique ; le Canada devient une confédération de quatre provinces

1840
Signature de l'Acte d'Union

1837
Rejet des 92 résolutions par Londres ; début de la rébellion des Patriotes

1848
Obtention de la responsabilité ministérielle

| 1835 | 1840 | 1845 | 1850 | 1855 | 1860 | 1865 | 1870 | 1875 | 1880 | 1885 | 1890 | 1895 | 1900 |

1837
Philippe Aubert de Gaspé fils, *L'influence d'un livre,* premier roman publié au Bas-Canada

1845
François-Xavier Garneau, *Histoire du Canada depuis sa découverte jusqu'à nos jours*

1853
Pierre-Joseph-Olivier Chauveau, *Charles Guérin* (roman)

1861
Lancement des *Soirées canadiennes,* recueils visant entre autres à faire connaître les contes et légendes du Québec

1887
Louis Fréchette, *La légende d'un peuple* (poésie)

1882
Laure Conan, *Angéline de Montbrun* (roman)

1900
Honoré Beaugrand, « La chasse-galerie » (conte)

1868
Fondation du journal *La lanterne* par Arthur Buies

1839
Chevalier de Lorimier, rédaction des lettres
Lord Durham, *Rapport sur les affaires de l'Amérique du Nord britannique*

1846
Patrice Lacombe, *La terre paternelle,* premier roman du terroir

1858
Octave Crémazie, « Le drapeau de Carillon » (poésie)

1863
Philippe Aubert de Gaspé père, *Les anciens Canadiens* (roman)

1878
Eudore Évanturel, *Premières poésies* (poésie)

1879
Louis Fréchette, *Les fleurs boréales* (poésie)

1884
Fondation du journal *La Presse* par William Blumhart
Arthur Buies, *Décadence d'un peuple* (essai)

1898
Louis Fréchette, « Le revenant de Gentilly » (conte)

1899
Nelligan triomphe à la lecture de « La romance du vin » à l'École littéraire de Montréal

Un peuple en quête de lui-même
La naissance de la littérature québécoise

Le monde : de nouveaux rapports de classes

Le territoire du Québec reste relativement à l'abri des grands changements qui transforment le monde en cette période charnière. Mais les Canadiens français ne peuvent vivre sans ressentir les effets des bouleversements qui se produisent dans le reste de l'Amérique et en Europe. Notre société, à la fin du XIXe siècle, subit de réelles transformations à la suite de l'évolution du reste du monde, en dépit de quelques retards. Parmi les grands évènements qui ont marqué cette époque, retenons les suivants : l'indépendance des États-Unis, la Révolution française, le triomphe de la classe bourgeoise, la révolution industrielle et l'extension de la colonisation.

L'indépendance des États-Unis

Treize colonies anglaises se révoltent en Amérique et forment en 1776 un nouveau pays : les États-Unis. Son régime est républicain : le pouvoir est partagé par plusieurs et n'est pas héréditaire. Une constitution indique clairement comment le pays doit être gouverné. Cette nouvelle république établit des rapports difficiles avec le Canada. Certains citoyens du nouveau pays, qu'on dit « loyalistes », refusent de rompre avec l'Angleterre et viennent donc s'établir au sud du Québec et en Ontario. À deux reprises, en 1775-1776 et en 1812-1813, les Américains tentent d'exporter leur révolution et d'envahir le Canada. De nombreux Canadiens prennent les États-Unis comme modèle et veulent implanter ici le libéralisme mis de l'avant par cette société.

La Révolution française

En France, la révolution qui éclate en 1789 met fin de façon radicale à la monarchie. La Déclaration des droits de l'homme et du citoyen affirme, pour la première fois dans l'histoire, que tous les individus naissent libres et égaux. Par contre, la violence des révolutionnaires, surtout pendant la période la plus radicale, appelée la « Terreur », vient refréner l'enthousiasme soulevé par les changements sociaux. Au Canada, la Révolution française est très mal vue par le clergé, qui tente longtemps d'en limiter l'influence et les effets.

Le triomphe de la classe bourgeoise

Avant la Révolution française, le pouvoir appartient aux nobles et est exercé par le roi en vertu du droit divin. Les nobles, qui détenaient leur pouvoir par leur naissance, sont détrônés par les bourgeois, qui valorisent principalement le travail et l'argent. Les bourgeois prennent une place de plus en plus grande au XIXe siècle : ils exercent les professions libérales et occupent les postes les plus importants dans la politique et la grande entreprise. Aux bourgeois s'oppose la classe des prolétaires, qui travaillent dans les usines et les industries, et qui sont durement exploités.

La révolution industrielle

La période de 1760 à 1900 se caractérise par le passage d'une société essentiellement agricole à une société profondément transformée par l'industrialisation. Ce passage est si

T. Picken, *South-East View of Sheffield, South Yorkshire*, 1855.

La révolution industrielle change la vie quotidienne des gens, détermine de nouveaux rapports entre les classes sociales et transforme les paysages.

marqué qu'on l'a qualifié de « révolution industrielle ». De nouvelles inventions, dont le moteur à vapeur, permettent la fabrication en grande quantité de biens non alimentaires. La métallurgie change la façon dont on construit les structures des édifices et favorise la production de masse. L'urbanisation s'accélère, les machines de toutes sortes se multiplient, le travail se réorganise. Plusieurs vagues successives d'industrialisation modifient en profondeur la vie de tous les citoyens. La révolution industrielle touche le Canada vers la fin du XIXᵉ siècle alors que de nombreux Canadiens français quittent la terre pour travailler dans des usines au pays ou aux États-Unis. L'exode vers les États-Unis est majeur et prend de l'ampleur avec les années.

L'extension de la colonisation

La puissance exceptionnelle de l'Europe et sa supériorité militaire lui permettent de se bâtir d'immenses empires coloniaux. L'Angleterre et la France ont les plus importants et occupent des territoires sur tous les continents. Cette colonisation apporte certains avantages aux peuples colonisés, mais elle permet surtout aux conquérants d'exploiter sans limites les ressources des pays sous leur domination et de brimer, parfois avec mépris et violence, la liberté des individus. Aux lendemains de la Conquête, le Québec s'intègre à l'Empire britannique et ses habitants sont eux aussi victimes de répression et d'une certaine exploitation.

La société québécoise : survivre en dépit du colonisateur

Les lendemains de la Conquête sont difficiles pour les habitants du Canada. Le peuple est abandonné par ses élites, qui préfèrent retourner dans la métropole. Ceux qui restent doivent apprendre à vivre avec le colonisateur anglais, qui prend tous les pouvoirs. Les Anglais craignent toutefois de se mettre à dos les descendants des Français, largement majoritaires. Ainsi hésitent-ils entre une politique autoritaire et une attitude plus conciliante.

Trois décrets viennent déterminer le sort des habitants du Canada :

- **Le traité de Paris (1763).** Par ce traité qui met fin à la guerre de Sept Ans, la France cède de grands territoires à l'Angleterre, plus particulièrement le Canada. On accorde aux habitants de la Nouvelle-France un délai de six mois pour quitter le pays. Ceux qui restent peuvent conserver leur attachement à l'Église romaine, mais doivent le faire « en tant que le permettent les lois de la Grande-Bretagne », ce qui suppose d'évidentes limites à l'exercice de ce droit.

- **L'Acte de Québec (1774).** Cet acte représente une nette avancée pour les Canadiens français. Il remet en application les lois civiles françaises, reconnaît la langue française et la religion catholique, et permet aux Canadiens français de participer au gouvernement civil de la colonie. Cette politique d'apaisement vise en grande partie à contrer les menaces de la révolution américaine.

- **L'Acte constitutionnel (1791).** Cet acte divise le pays en deux territoires, l'un majoritairement anglophone, le Haut-Canada (l'Ontario d'aujourd'hui), et l'autre majoritairement francophone, le Bas-Canada (le Québec d'aujourd'hui), qui auront chacun leur Chambre d'assemblée élue.

Lord Charles Beauclerk, *Vue arrière de l'église Saint-Eustache et dispersion des insurgés*, 1840.

Les Canadiens d'origine française s'impliquent dans le nouveau gouvernement et les plus hardis forment le Parti canadien (qui devient le Parti patriote) dans le but de défendre les intérêts de la majorité francophone. Dirigé par Louis-Joseph Papineau, ce parti exige des changements radicaux, qu'il exprime dans une liste de 92 résolutions, comprenant un gouvernement responsable ainsi que le contrôle des revenus et de l'appareil législatif. Le Parti patriote est de tendance **libérale,** c'est-à-dire qu'il préconise les libertés individuelles et la défense des droits.

Devant le refus des Britanniques de céder à leurs revendications, les Patriotes prennent les armes. La **rébellion des Patriotes** tourne mal. Après certaines victoires des rebelles, l'armée britannique, nettement supérieure en nombre, bien équipée et entraînée, vient à bout des résistants. La répression est dure : des villages sont incendiés, des milliers de personnes sont emprisonnées, une soixantaine sont exilées et 12 rebelles sont exécutés, dont Chevalier de Lorimier. L'échec des Patriotes provoque du même coup un affaiblissement majeur de l'influence de la pensée libérale chez les élites du pays.

À la suite de la rébellion, Londres envoie un enquêteur, Lord Durham, pour faire la lumière sur les évènements. Bien accueilli par la population, il en arrive malgré tout à des conclusions accablantes, voire racistes, qui affecteront le sort des Français d'Amérique. Selon lui, ceux-ci forment un peuple «sans histoire et sans littérature». Il ajoute : «C'est pour les tirer de leur infériorité que je désire donner aux Canadiens notre caractère anglais.» Pour éviter une nouvelle rébellion et pour le «bien» des Canadiens, Durham recommande l'assimilation.

En 1840, le Parlement britannique adopte l'Acte d'Union, qui rassemble le Bas-Canada et le Haut-Canada sous un même gouvernement unilingue anglophone. Mais, avec le temps, la situation s'améliore : la responsabilité ministérielle – c'est-à-dire l'obligation de suivre la majorité en Chambre – est accordée et le bilinguisme est établi. L'Acte d'Union ne vise plus l'assimilation des Canadiens français, mais permet de créer, par la Confédération en 1867, un pays neuf et démocratique, le Canada. Ce nouveau pays, prospère, de plus en plus industrialisé, traite cependant durement ses minorités. La **révolte des Métis** et la pendaison de leur chef, Louis Riel, en 1885, montrent que tous ne sont pas égaux au Canada.

Au Québec, la méfiance envers les Anglais et la baisse d'influence des libéraux laissent le champ libre au clergé, qui adhère à un courant de pensée radical : l'**ultramontanisme.** Les ultramontains placent l'Église et la religion au cœur de l'organisation sociale. Au Québec, le clergé occupe à cette époque une position centrale, intervient dans tous les domaines et conservera cette position prédominante pendant près de 100 ans.

Les Canadiens français assurent leur survie par un nombre de naissances remarquablement élevé. Ainsi, malgré la très importante vague d'émigration vers les États-Unis, la population du Québec passe de 70 000 habitants en 1763 à 1 649 000 en 1901.

La littérature québécoise : une longue naissance

Les conditions difficiles dans lesquelles vivent les Canadiens français ne favorisent en rien la naissance d'une littérature. Même durant le Régime français, aucune œuvre proprement littéraire n'a été écrite ici. Des auteurs osent cependant faire publier des premières œuvres, parfois qualifiées de maladroites, mais qui posent malgré tout les jalons d'une littérature en devenir. Il faut signaler :

- Un premier recueil de poèmes, *Épîtres, satires, chansons, épigrammes et autres pièces de vers* de Michel Bibaud, qui paraît en 1830.

- Un premier roman, *L'influence d'un livre* (ou *Le chercheur de trésor*) de Philippe Aubert de Gaspé fils, qui paraît en 1837.

- Les débuts de la dramaturgie. Il est cependant difficile de dater avec précision la première pièce de théâtre : s'agit-il de *Colas et Colinette*, livret d'opéra écrit et mis en musique par Joseph Quesnel, présenté en 1790, ou de l'une de ses pièces, *L'anglomanie ou Le dîner à l'anglaise,* écrite en 1802 ? Quoi qu'il en soit, Quesnel est le premier à écrire pour la scène au Québec.

Une vie littéraire se développe peu à peu. Des auteurs, toujours plus nombreux, veulent aborder des sujets propres à leur pays. Leurs écrits s'inspirent soit des exploits des héros du passé (principalement ceux de la Nouvelle-France), soit des contes et légendes de la tradition populaire. Des romanciers racontent avec émotion la vie des défricheurs et des cultivateurs. L'abbé **Henri-Raymond Casgrain,** premier critique littéraire, à la fois animateur et censeur des lettres québécoises, est de ceux qui tentent avec le plus d'énergie de stimuler les auteurs et d'encourager les publications.

Cornelius Krieghoff, *Sans titre*, 1860.

Avec le regard neuf de l'étranger, Cornelius Krieghoff, peintre hollandais établi au Québec, a su peindre de façon humoristique le pittoresque de la vie rurale au Québec.

Cette littérature naissante connaît cependant les problèmes suivants :

- **Les auteurs arrivent difficilement à créer des œuvres originales.** Ils cherchent d'abord à imiter de grands modèles qui viennent de la France, surtout les poètes romantiques comme Victor Hugo, dont l'influence reste considérable. Ils s'inspirent aussi du roman populaire, qu'il soit fantastique ou mélodramatique, sans toujours lui apporter une touche personnelle.

- **Les auteurs ne peuvent pas se consacrer entièrement à la littérature.** Ils exercent des professions rémunératrices comme notaire, journaliste, archiviste ou même politicien. Aucune institution littéraire importante et organisée ne peut soutenir efficacement leurs créations. De plus, le public instruit capable d'apprécier des œuvres littéraires est peu nombreux dans cette société encore largement rurale.

- **L'emprise du clergé et des ultramontains est grande.** Ceux-ci favorisent une littérature moralisatrice et religieuse. Une censure s'instaure contre les œuvres jugées trop « audacieuses ». Les auteurs ne trouvent donc pas le climat de liberté favorable à l'éclosion de grandes œuvres.

L'héritage des écrivains du XIXe siècle est aujourd'hui controversé. Pour certains, ces auteurs ont écrit peu d'œuvres marquantes ; leur intérêt est avant tout historique ou sociologique. D'autres, cependant, voient dans les écrits du XIXe siècle les germes d'une littérature qui s'affirme de plus en plus, puisant dans les sources de son passé relativement récent une matière déjà riche et stimulante, qui permettra à leurs successeurs de soutenir leur imaginaire et de s'émanciper.

La terre paternelle (1846)

Premier extrait

Chauvin, comme l'on sait, n'avait point de métier qu'il pût exercer avec avantage à la ville ; il n'était que simple cultivateur. Aussi ne trouvant pas d'emploi, il se vit réduit à la condition de charroyeur[1] d'eau, un des métiers les plus humbles que l'homme puisse exercer sans rougir. 5 Cet emploi, quoique très peu lucratif, et qu'il exerçait depuis près de dix ans, avait cependant empêché cette famille d'éprouver les horreurs de la faim. Au milieu de cette misère, la mère et la fille avaient trouvé le moyen, par une rigide économie et quelques ouvrages 10 à l'aiguille, de faire quelques petites épargnes ; mais un nouveau malheur était venu les forcer à s'en dépouiller : le cheval de Chauvin se rompit une jambe. Il fallut de toute nécessité en acheter un autre qui ne valait guère mieux que le premier ; et avec lequel Chauvin continua 15 son travail. Mais ce malheur imprévu avait porté le découragement dans cette famille. Quelques petits objets que la mère et Marguerite avaient toujours conservés religieusement comme souvenirs de famille et d'enfance, furent vendus pour subvenir aux plus pressants be- 20 soins. L'hiver sévissait avec rigueur ; le bois, la nourriture étaient chers ; alors, des voisins compatissants, dans l'impossibilité de les secourir plus longtemps, leur conseillèrent d'aller se faire inscrire au *Bureau des pauvres,* pour en obtenir quelque secours. Il en coûtait 25 à l'amour-propre et au cœur de la mère d'aller faire l'aveu public de son indigence. Mais la faim était là, impérieuse ! Refoulant donc dans son cœur la honte que lui causait cette démarche, elle emprunte quelques hardes[2] à sa fille, et se dirige vers le bureau. Elle y entre 30 en tremblant ; elle y reçut quelque modique secours. Mais sur les observations qu'on lui fit, que le bureau avait été établi principalement pour les pauvres de la ville, et qu'étant de la campagne, elle aurait dû y rester et ne pas venir en augmenter le nombre, la pauvre femme fut tellement déconcertée du ton dont ces observations 35 lui furent faites qu'elle sortit, oubliant d'emporter ce qu'on lui avait donné, et reprit le chemin de sa demeure, en fondant en larmes.

Second extrait

Quelques-uns de nos lecteurs auraient peut-être désiré que nous eussions donné un dénouement tragique à notre histoire ; ils auraient aimé à voir nos acteurs disparaître violemment de la scène, les uns après les autres, et notre récit se terminer dans le genre terrible, comme un grand nombre de romans du jour. Mais nous les prions 5 de remarquer que nous écrivons dans un pays où les mœurs en général sont pures

Patrice Lacombe (1807-1863)

Le notaire Patrice Lacombe a écrit une seule œuvre littéraire importante, *La terre paternelle*, un très court roman qui a presque la longueur d'une nouvelle et qui a le mérite d'être la première œuvre du terroir au Québec, une tendance qui prend par la suite une ampleur considérable. Petit livre maladroit, d'une simplicité désolante, en parfaite conformité avec l'idéologie conservatrice dominante, ce roman sert de modèle au roman du terroir pendant de nombreuses années.

Dans *La terre paternelle*, le cultivateur Jean-Baptiste Chauvin (dont le nom est révélateur !) a la mauvaise idée de laisser aller sa terre et de s'installer en ville. Chauvin et sa famille connaissent alors une série d'humiliations, et le pauvre père de famille doit gagner sa vie comme « charroyeur d'eau ». Heureusement, l'un de ses fils revient du Nord, rachète la terre – vendue à un Anglais –, et la famille retrouve le bonheur. Non sans recourir à des ressorts mélodramatiques, Lacombe décrit d'abord la destinée malheureuse de la famille, puis il termine son roman par une franche leçon de morale.

et simples, et que l'esquisse que nous avons essayé d'en faire, eût été invraisem-
blable et même souverainement ridicule, si elle se fût terminée par des meurtres,
des empoisonnements et des suicides. Laissons aux vieux pays, que la civilisation
a gâtés, leurs romans ensanglantés, peignons l'enfant du sol, tel qu'il est, religieux,
10 honnête, paisible de mœurs et de caractère, jouissant de l'aisance et de la fortune
sans orgueil et sans ostentation, supportant avec résignation et patience les plus
grandes adversités; et quand il voit arriver sa dernière heure, n'ayant d'autre
désir que de pouvoir mourir tranquillement sur le lit où s'est endormi son père,
et d'avoir sa place près de lui au cimetière avec une modeste croix de bois, pour
15 indiquer au passant le lieu de son repos.

---

1. Porteur.   2. Vêtements.

VERS LA DISSERTATION

1. Faites la liste des humiliations et des malheurs subis par les Chauvin dans le premier extrait.
Montrez que d'avoir quitté la campagne est une déchéance pour la famille Chauvin.

2. Montrez comment l'auteur utilise les procédés du mélodrame dans le premier extrait.

3. Que pensez-vous des choix de sujets traités par l'auteur dans le second extrait?

4. Y a-t-il un lien entre les intentions de l'auteur affichées dans le second extrait et le mauvais sort
de la famille Chauvin dans le premier extrait?

■■■ Sujet de dissertation critique

« Hors de la terre, point de salut. » Cette affirmation s'applique-t-elle aux extraits de *La terre
paternelle*?

Joseph Légaré, *Le Canadien*, 1833.

Voici le Canadien tel que pouvait aussi le
concevoir Patrice Lacombe : un cultivateur
heureux qui doit rester attaché à sa terre.

Charles Guérin (1853)

Que faire ? – Cela se demande de soi-même, mais la réponse ne vient pas comme on veut. Plus le choix est circonscrit, plus il est difficile, et chacun sait que dans notre pays, il faut se décider entre quatre mots, qui, chose épouvan-

5 table, se réduisent à un seul, et se résumeraient en Europe dans le terme générique de *doctorat.* Il faut devenir docteur en loi, en médecine ou en théologie, il faut être médecin, prêtre, notaire ou avocat. En dehors de ces quatre professions, pour le jeune Canadien instruit, il semble *qu'il n'y a pas*

10 *de salut.* Si par hasard quelqu'un de nous éprouvait une répugnance invincible pour toutes les quatre ; s'il lui en coûtait trop de sauver des âmes, de mutiler des corps ou de perdre des fortunes, il ne lui resterait qu'un parti à prendre, s'il était

15 riche, et deux s'il était pauvre : ne rien faire du tout, dans le premier cas, s'expatrier ou mourir de faim, dans le second.

Sous tout autre gouvernement que sous le nôtre, les carrières ne manquent pas à la jeunesse.

20 Celui qui se voue aux professions spéciales que nous venons de nommer le fait parce qu'il a, ou croit avoir, des talents, une aptitude, une vocation spéciale. Ici au contraire, c'est l'exception qui fait la règle. L'armée et sa gloire bruyante,

25 si belle par là même qu'elle est si péniblement achetée ; la grande industrie commerciale ou manufacturière, que l'opinion publique a élevée partout au niveau des professions libérales, et sur laquelle Louis-Philippe[1] a fait pleuvoir les

30 croix de la Légion d'honneur ; la marine nationale, qui étend ses voiles au vent plus larges que jamais, et, secondée par la vapeur, peut faire parcourir au jeune aspirant l'univers en trois ou quatre stations ; le génie civil, les bureaux

35 publics, la carrière administrative, qui utilisent des talents d'un ordre plus paisible ; les lettres qui conduisent à tout, et les beaux-arts qui mènent partout, voilà autant de perspectives séduisantes qui attendent le jeune Français au sortir de son collège. Pour le jeune Canadien doué des mêmes capacités, et à peu près du même caractère, rien de

Pierre-Joseph-Olivier Chauveau (1820-1890)

Pierre-Joseph-Olivier Chauveau mène une importante carrière politique qui lui permet de devenir le premier des premiers ministres du Québec, fonction qu'il occupe de 1867 à 1873. Ses nombreuses activités politiques et ses autres occupations ne l'empêchent pas d'être écrivain à ses heures. L'œuvre qu'il a produite est plutôt mince ; son ouvrage le plus important est *Charles Guérin : roman de mœurs canadiennes.*

Avec *Charles Guérin*, Chauveau écrit probablement le roman le plus critique de la société québécoise du XIXe siècle. L'histoire assez convenue de Charles Guérin, qui cherche à gagner dignement sa vie et à préserver la terre de sa famille, permet à Chauveau d'illustrer la difficulté de vivre dans un pays victime du mercantilisme cynique et rapace du conquérant anglais. L'auteur n'est pas plus tendre envers l'attitude de soumission, voire de collaboration, de certains de ses compatriotes. Au début du roman, le narrateur nous présente deux frères, Charles et Pierre, qui doivent choisir leur profession et dont l'avenir est limité dans un pays qui ne contrôle pas sa destinée.

40 tout cela ! Nous l'avons dit : son lit est fait d'avance ; prêtre, avocat, notaire ou médecin, il faut qu'il s'y endorme.

Pierre Guérin avait longtemps réfléchi sur cet avenir exigu, et comme il s'était dit à lui-même qu'il ne ferait pas ce que tout le monde faisait, ou plutôt es-sayait de faire, il venait d'annoncer à son frère une séparation, pour bien dire 45 éternelle. Charles, aussi peu décidé que Pierre l'était beaucoup, penchait cependant pour l'état ecclésiastique, vers lequel le portaient des goûts sérieux, une enfance pieuse et des manières timides, qui voilaient une ambition et des passions naissantes très dangereuses pour un tel état. Ajoutons qu'on avait promis de lui donner la *troisième* à faire, et que, sortant de sous la férule[2], il 50 n'était pas fâché d'avoir à la manier à son tour. Cette considération, la pensée du respect qu'allaient lui porter dans quelques jours des camarades plus âgés que lui, qui, après l'avoir taquiné l'année précédente, ne lui parleraient plus dorénavant que chapeau bas, et jamais sans lui dire *vous*, et l'appeler *monsieur* ; l'orgueil qu'il éprouvait par anticipation des beaux sermons qu'il ferait quand 55 il serait prêtre ; tout cela entrait pour plus qu'il ne le croyait lui-même dans ce qu'il appelait *sa vocation*.

---

1. Roi de France de 1830 à 1848.
2. Sous l'autorité d'une personne. La férule désigne aussi la réglette de bois avec laquelle on corrigeait les écoliers.

VERS LA DISSERTATION

1. Quelles sont les seules quatre professions qui s'ouvrent pour les jeunes Canadiens français de l'époque ? Quels autres choix le narrateur oppose-t-il à ces professions ?

2. Pourquoi le métier d'agriculteur ne fait-il pas partie de ces quatre professions ?

3. Pourquoi Charles veut-il devenir prêtre ? Ses raisons sont-elles valables ?

■ Sujet de dissertation critique

Est-il juste de dire que ce texte fait part d'une résignation face à l'avenir limité des jeunes au Canada français ?

Les anciens Canadiens (1863)

— Rien au monde ne pourra nous faire plus de plaisir. Oh ! que Jules, qui vous aime tant, sera heureux ! combien nous serons tous heureux !

— Oui, très heureux, sans doute ; mais mon bonheur ne peut être parfait, Blanche, que si vous daignez y mettre le comble en acceptant ma main.
5 Je vous ai...

Philippe Aubert de Gaspé (1786-1871)

Philippe Aubert de Gaspé, seigneur de Saint-Jean-Port-Joli, arrive tardivement à l'écriture. Il publie son premier roman, *Les anciens Canadiens*, à l'âge de 76 ans. Son fils, qui porte le même nom, est l'auteur du premier roman publié au Québec, *L'influence d'un livre*, auquel le père aurait aussi contribué.

Les anciens Canadiens sont très bien accueillis par le public. Ce livre est un prétexte pour transmettre des contes et légendes qu'affectionne l'auteur. Mais il touche aussi un sujet particulièrement sensible : la conquête du Canada par les Anglais. Arché de Locheill, un Écossais vivant au Canada, et Jules d'Haberville, fils d'un seigneur, se lient d'une belle amitié à l'époque heureuse de la Nouvelle-France. Mais cette amitié est sérieusement compromise lorsque éclate la guerre entre la France et l'Angleterre et que les deux camarades s'affrontent dans des armées ennemies. La défaite des Français laisse des marques profondes. Arché, qui a décidé de s'établir au pays, s'en rend douloureusement compte lorsqu'il demande la main de Blanche, la sœur de Jules.

La noble fille bondit comme si une vipère l'eût mordue ; et, pâle de colère, la lèvre frémissante, elle s'écria :

— Vous m'offensez, capitaine Archibald Cameron
10 de Locheill ! Vous n'avez donc pas réfléchi à ce qu'il y a de blessant, de cruel dans l'offre que vous me faites ! Est-ce lorsque la torche incendiaire que vous et les vôtres avez promenée sur ma malheureuse patrie est à peine éteinte, que vous
15 me faites une telle proposition ? Ce serait une ironie bien cruelle que d'allumer le flambeau de l'hyménée[1], aux cendres fumantes de ma malheureuse patrie ! On dirait, capitaine de Locheill, que, maintenant riche, vous avez acheté avec votre or
20 la main de la pauvre fille canadienne ; et jamais une d'Haberville ne consentira à une telle humiliation. Oh ! Arché ! je n'aurais jamais attendu cela de vous, de vous, l'ami de mon enfance ! Vous n'avez pas réfléchi à l'offre que vous me faites.

25 Et Blanche, brisée par l'émotion, se rassit en sanglotant.

Jamais la noble fille canadienne n'avait paru si belle aux yeux d'Arché qu'au moment où elle rejetait, avec un superbe dédain, l'alliance d'un
30 des conquérants de sa malheureuse patrie.

— Calmez-vous, Blanche, reprit de Locheill : j'admire votre patriotisme ; j'apprécie vos sentiments exaltés de délicatesse, quoique bien injustes envers moi, envers moi votre ami
35 d'enfance. Il vous est impossible de croire qu'un Cameron of Locheill pût offenser une noble demoiselle quelconque, encore moins la sœur de Jules d'Haberville, la fille de son bienfaiteur. Vous savez, Blanche, que je n'agis jamais sans réflexion : toute votre famille m'appelait jadis le grave philosophe et m'accordait un jugement sain. Que vous eussiez rejeté avec indignation
40 la main d'un Anglo-Saxon, aussi peu de temps après la conquête, aurait

peut-être été naturel à une d'Haberville ; mais moi, Blanche, vous savez que je vous aime depuis longtemps, vous ne pouvez l'ignorer malgré mon silence. Le jeune homme pauvre et proscrit aurait cru manquer à tous sentiments honorables en déclarant son amour à la fille de son riche bienfaiteur.

45 Est-ce parce que je suis riche maintenant, continua de Locheill, est-ce parce que le sort des armes nous a fait sortir victorieux de la lutte terrible que nous avons soutenue contre vos compatriotes ; est-ce parce que la fatalité m'a fait un instrument involontaire de destruction, que je dois refouler à jamais dans mon cœur un des plus nobles sentiments de la nature, et m'avouer vaincu sans même faire
50 un effort pour obtenir celle que j'ai aimée constamment ? Oh ! non, Blanche, vous ne le pensez pas : vous avez parlé sans réflexion ; vous regrettez déjà les paroles cruelles qui vous sont échappées et qui ne pouvaient s'adresser à votre ancien ami. Parlez, Blanche, et dites que vous les désavouez ; que vous n'êtes pas insensible à des sentiments que vous connaissez depuis longtemps.

55 — Je serai franche avec vous, Arché, répliqua Blanche, candide comme une paysanne qui n'a étudié ni ses sentiments, ni ses réponses dans les livres, comme une campagnarde qui ignore les convenances d'une société qu'elle ne fréquente plus depuis longtemps, et qui ne peuvent lui imposer une réserve de convention, et je vous parlerai le cœur sur les lèvres. Vous aviez tout, de Locheill,
60 tout ce qui peut captiver une jeune fille de quinze ans : naissance illustre, esprit, beauté, force athlétique, sentiments généreux et élevés : que fallait-il de plus pour fasciner une jeune personne enthousiaste et sensible ? Aussi, Arché, si le jeune homme pauvre et proscrit eût demandé ma main à mes parents, qu'ils vous l'eussent accordée, j'aurais été fière et heureuse de leur obéir ; mais, capi-
65 taine Archibald Cameron de Locheill, il y a maintenant entre nous un gouffre que je ne franchirai jamais.

_____

1. Mariage.

VERS LA DISSERTATION

1. Pourquoi Blanche refuse-t-elle la demande en mariage d'Arché ? Comment ce refus sans appel s'exprime-t-il ?

2. Quels arguments Arché lui oppose-t-il ?

3. Observez le dialogue. Quels sont les procédés utilisés par l'auteur pour le rendre plus naturel ? Quels sont les éléments qui font qu'il reste malgré tout très littéraire ?

4. Le dernier paragraphe contient deux comparaisons. Trouvez-les et expliquez comment le narrateur perçoit les gens de la campagne.

■■ Sujet de dissertation critique

Cet extrait vous semble-t-il une bonne illustration de la littérature patriotique ?

Angéline de Montbrun (1882)

**Laure Conan
(1845-1924)**

Laure Conan, pseudonyme de Félicité Angers, est la première femme à entreprendre une véritable carrière littéraire au Québec. Elle écrit d'abord des romans psychologiques, genre qu'elle est seule à pratiquer à l'époque. Puis, elle cède à la mode du temps et se lance dans le roman historique et patriotique. Toute son œuvre est marquée par le thème de la foi, qui est central chez elle.

Son roman le plus réussi est incontestablement *Angéline de Montbrun*. Deux malheurs frappent Angéline l'un après l'autre : la mort de son père, qu'elle aimait d'un amour démesuré, et un accident, qui la défigure et la force à rompre ses fiançailles. Il ne lui reste plus qu'à se retirer du monde et à se tourner entièrement vers Dieu. Le roman se caractérise par l'alternance entre plusieurs formes de narration : la lettre, le journal intime et la narration à la troisième personne. Angéline entreprend son journal intime lorsqu'elle revient à Valriant, lieu où elle fut heureuse avec son père et Maurice, son fiancé.

7 mai

Il me tardait d'être à Valriant ; mais que l'arrivée m'a été cruelle ! que ces huit jours m'ont été terribles ! Les souvenirs délicieux autant que les poignants me déchirent le cœur. J'ai comme un saignement en dedans, suffocant, sans issue. Et personne à qui dire les paroles qui soulagent.

5   M'entendez-vous, mon père, quand je vous parle ? Savez-vous que votre pauvre fille revient chez vous se cacher, souffrir et mourir ? Dans vos bras, il me semble que j'oublierais mon malheur.

Chère maison qui fut la sienne ! où tout me le rappelle,
10   où mon cœur le revoit partout. *Mais jamais plus il ne reviendra dans sa demeure.* Mon Dieu, pardonnez-moi. Il faudrait réagir contre le besoin terrible de me plonger, de m'abîmer dans ma tristesse. Cet isolement que j'ai voulu, que je veux encore, comment le supporter ?

15   Sans doute, lorsqu'on souffre, rien n'est pénible comme le contact des indifférents. Mais Maurice, comment vivre sans le voir, sans l'entendre jamais, jamais !... Ô l'accablante pensée !... C'est la nuit, c'est le froid, c'est la mort.

Ici où j'ai vécu d'une vie idéale si intense, si confiante, il
20   faut donc m'habituer à la plus terrible des solitudes, à la solitude du cœur.

Et pourtant, qu'il m'a aimée ! Il avait des mots vivants, souverains, que j'entends encore, que j'entendrai toujours.

Dans le bateau, à mesure que je m'éloignais de lui,
25   que les flots se faisaient plus nombreux entre nous, les souvenirs me revenaient plus vifs. Je le revoyais comme je l'avais vu dans notre voyage funèbre. Oh ! qu'il l'a amèrement pleuré, qu'il a bien partagé ma douleur. Maintenant que j'ai rompu avec lui, je pense
30   beaucoup à ce qui m'attache pour toujours. Tant d'efforts sur lui-même, tant de soins, une pitié si inexprimablement tendre !

C'est donc vrai, j'ai vu l'amour s'éteindre dans son cœur. Mon Dieu, qu'il est horrible de se savoir repoussante, de n'avoir plus rien à attendre de la vie.

Je pense parfois à cette jeune fille *livrée au cancer* dont parle de Maistre. Elle disait :
35   « Je ne suis pas aussi malheureuse que vous le croyez : Dieu me fait la grâce de ne penser qu'à lui. »

Ces admirables sentiments ne sont pas pour moi. Mais, mon Dieu, vous êtes tout-puissant, gardez-moi du désespoir, ce crime des âmes lâches. Ô Seigneur ! que vous m'avez rudement traitée ! que je me sens faible ! que je me sens triste ! Parfois, je
40   crains pour ma raison. Je dors si peu, et d'ailleurs, il faudrait le sommeil de la terre pour me faire oublier.

La nuit après mon arrivée, quand je crus tout le monde endormi, je me levai. Je pris ma lampe, et bien doucement je descendis à son cabinet. Là, je mis la lumière devant son portrait et je l'appelai.

45 J'étais étrangement surexcitée. J'étouffais de pleurs, je suffoquais de souvenirs, et, dans une sorte d'égarement, dans une folie de regrets, je parlais à ce cher portrait comme à mon père lui-même.

Je fermai les portes et les volets, j'allumai les lustres à côté de la cheminée. Alors son portrait se trouva en pleine lumière – ce por-
50 trait que j'aime tant, non pour le mérite de la peinture, dont je ne puis juger, mais pour l'adorable ressemblance. C'est ainsi que j'ai passé la première nuit de mon retour. Les yeux fixés sur son si beau visage, je pensais à son incomparable tendresse, je me rappelais ses soins si éclairés, si dévoués, si tendres.

55 Ah, si je pouvais l'oublier comme je mépriserais mon cœur ! Mais béni soit Dieu ! La mort qui m'a pris mon bonheur, m'a laissé tout mon amour.

VERS LA DISSERTATION

1. Comment Angéline exprime-t-elle son amour pour son père ? Comment le fait-elle pour son fiancé ?

2. Quelles sont les caractéristiques de sa relation avec Dieu ?

3. Relevez les émotions contradictoires qui la boule-versent. Servez-vous, entre autres, des figures de style pour les faire ressortir.

4. Que signifie la périphrase « il faudrait le sommeil de la terre pour me faire oublier » (l. 40-41) ?

■■ Sujet de dissertation critique

Est-il exact de dire que cet extrait est d'une grande justesse psychologique ?

Baigneurs, La Malbaie, vers 1870.

Laure Conan a mené une carrière littéraire bien remplie et est toujours restée attachée à La Malbaie, sa ville d'origine.

Le conte fantastique

Le conte fantastique devient particulièrement populaire vers la fin du XIXᵉ siècle. Depuis longtemps, les Canadiens entretenaient une littérature orale bien vivante qu'ils se transmettaient avec plaisir dans les veillées. Les écrivains reprennent à leur tour ces histoires qui demeurent pour eux une riche source d'inspiration et qu'ils cherchent à protéger d'une disparition redoutée en raison de l'industrialisation et de l'exode des paysans vers la ville.

Cet intérêt pour la littérature populaire – et les arts populaires en général – correspond à une tendance très large, répandue aussi en Europe. La sensibilité romantique s'est attachée à l'expression artistique spontanée des peuples, qui offrait une réponse au rationalisme et aux rigidités du classicisme. Plusieurs écrivains et musiciens ont consacré une partie de leur travail à répertorier les contes et la musique populaires.

L'intérêt pour le conte est très vif au sein de l'École patriotique de Québec (p. 40), pour laquelle les récits populaires offrent la possibilité de réclamer un précieux héritage, un bouquet d'histoires bien ancrées dans la réalité d'ici. L'abbé Henri-Raymond Casgrain, l'animateur du groupe, a fondé la revue *Les Soirées canadiennes*, dont la devise reprend le mot d'ordre de l'écrivain français Charles Nodier : «Hâtons-nous de raconter la délicieuse histoire des peuples avant qu'ils l'aient oubliée.» Certains auteurs, comme Louis Fréchette, s'émancipent rapidement de la raideur idéologique du groupe de Québec pour exprimer, à travers le conte, leurs idées libérales.

Parmi les différents types de contes et de légendes, le conte fantastique demeure le plus populaire, peut-être parce qu'il est celui qui va puiser le plus profondément dans l'imaginaire du peuple.

Le conte fantastique québécois suit en général des règles fixes :

- **Le caractère fantastique se manifeste dans un contexte réaliste.** Ce contexte est celui d'une veillée ou d'une rencontre entre un narrateur qui rappelle la personne de l'auteur et le conteur. Très souvent, plusieurs personnages assemblés, dont le narrateur, parlent de choses et d'autres, jusqu'à ce que l'un d'entre eux commence à raconter l'histoire qui forme le cœur du conte.

- **Dans une société rurale surviennent des phénomènes surnaturels.** Ceux-ci consistent en différentes apparitions mystérieuses : diables, revenants, fantômes, loups-garous, bêtes monstrueuses, lutins, feux follets...

- **Les contes sont fortement imprégnés des croyances religieuses.** Les victimes d'apparitions ou de mauvais sorts ont généralement désobéi aux préceptes de l'Église : elles ont dansé ou fait la fête les jours saints, blasphémé, négligé leurs devoirs religieux, commis des crimes. Très souvent, le curé devient le héros qui a le pouvoir de faire disparaître les maléfices.

La Corriveau, accusée du meurtre de son second mari, et que la légende a transformée en sorcière et en revenante – devenue un squelette sur cette illustration de Henri Julien –, a donné matière à l'un des contes d'épouvante les plus appréciés au Québec.

- **Ces phénomènes laissent un doute chez les protagonistes.** Les personnages eux-mêmes se demandent si ces manifestations surnaturelles se sont vraiment produites ou si elles sont le fruit de leur imagination. «Vrai ou non, c'est ce qu'on m'a rapporté», dit la conteuse dans *La maison hantée* de Louis Fréchette. Au lecteur de décider s'il faut croire ou non aux prodiges racontés.

- **Dans les contes, les auteurs cherchent à reproduire le langage du peuple.** Respectant les origines populaires des contes, les auteurs cherchent plus que dans les autres genres à reprendre les expressions du peuple et à parfois les reproduire phonétiquement.

De nombreux auteurs ont écrit des contes fantastiques. Les plus connus d'entre eux sont Philippe Aubert de Gaspé père et fils, Louis Fréchette, Honoré Beaugrand et Joseph-Charles Taché. L'intérêt pour le conte reste toujours très vif aujourd'hui et de nombreux conteurs poursuivent la tradition orale, qui n'est jamais disparue. Le succès de l'habile conteur Fred Pellerin montre bien le grand intérêt des Québécois pour cette part de leur patrimoine.

La chasse-galerie (1900)

Honoré Beaugrand (1848-1906)

Honoré Beaugrand mène une importante carrière de notable. Après avoir voyagé pendant de longues années, il s'établit au pays et fonde le journal *La patrie*, dans lequel il exprime avec force ses idées libérales. Il est élu maire de Montréal en 1885 et reste à la tête de la ville pour un court mandat de deux ans. Il s'intéresse tardivement aux contes, alors qu'il a abandonné le journalisme et la politique.

«La chasse-galerie» est considérée à juste titre comme l'un des meilleurs contes québécois. L'auteur de cette version – il en existe plusieurs – ne cherche pas à effrayer le lecteur comme dans la plupart des contes, mais se concentre sur la vie difficile des travailleurs de chantiers, qui passent certains des plus beaux moments de l'année, dont le temps des fêtes, loin de leur famille et de leur communauté. Selon la légende, un canot d'écorce volant, guidé par le diable, franchit à la vitesse de l'éclair la distance entre le chantier et la ville de Lavaltrie, où les travailleurs veulent aller fêter. Seulement, pour revenir à bon port, les hommes ne doivent pas «prononcer le nom de Dieu». Après la fête, le retour sera risqué et difficile.

Et nous voilà repartis à toute vitesse. Mais il devint aussitôt évident que notre pilote n'avait plus la main aussi sûre, car le canot décrivait des zigzags inquiétants. Nous ne passâmes pas à cent pieds du clocher de Contrecœur,
5 et au lieu de nous diriger à l'ouest, vers Montréal, Baptiste nous fit prendre des bordées vers la rivière Richelieu. Quelques instants plus tard, nous passâmes par-dessus la montagne de Belœil, et il ne s'en manqua pas de dix pieds que l'avant du canot n'allât se briser sur la grande croix de
10 tempérance[1] que l'évêque de Québec avait plantée là.

— À droite! Baptiste! à droite! mon vieux, car tu vas nous envoyer chez le diable, si tu ne gouvernes pas mieux que ça!

Et Baptiste fit instinctivement tourner le canot vers la
15 droite en mettant le cap sur la montagne de Montréal que nous apercevions déjà dans le lointain. J'avoue que la peur commençait à me tortiller car si Baptiste continuait à nous conduire de travers, nous étions flambés comme des gorets qu'on grille après la boucherie. Et je
20 vous assure que la dégringolade ne se fit pas attendre, car au moment où nous passions au-dessus de Montréal, Baptiste nous fit prendre une *sheer*[2], et avant d'avoir eu le temps de m'y préparer, le canot s'enfonçait dans un banc de neige, dans une éclaircie, sur le flanc de la mon-
25 tagne. Heureusement que c'était dans la neige molle, que personne n'attrapa de mal et que le canot ne fut pas brisé. Mais à peine étions-nous sortis de la neige que voilà Baptiste qui commence à sacrer comme un possédé et qui déclare
30 qu'avant de repartir pour la Gatineau, il veut descendre en ville prendre un

---

1. Croix peinte en noir sur laquelle était inscrit le mot «tempérance» en blanc. Ces croix étaient souvent érigées pendant les campagnes de tempérance qui visaient l'abolition de l'alcool.   2. Embardée.

Henri Julien, *La chasse-galerie*, 1906.

Henri Julien a abondamment mis en images les légendes québécoises. Ses illustrations de *La chasse-galerie* et ce tableau ont contribué à rendre ce conte encore plus vivant.

....

Arthur Guindon, *L'ascension d'Agohao*,
première moitié du XXᵉ siècle.

Arthur Guindon, un prêtre sulpicien, a
illustré avec imagination et fantaisie
l'univers des légendes québécoises et
amérindiennes. Cette toile représente
une légende iroquoise.

verre. J'essayai de raisonner avec lui, mais allez donc
faire entendre raison à un ivrogne qui veut se mouiller la
luette ! Alors, rendus à bout de patience, et plutôt que de
35 laisser nos âmes au diable qui se léchait déjà les babines en
nous voyant dans l'embarras, je dis un mot à mes autres
compagnons qui avaient aussi peur que moi, et nous nous
jetons tous sur Baptiste que nous terrassons, sans lui faire
de mal, et que nous plaçons ensuite au fond du canot, –
40 après l'avoir ligoté comme un bout de saucisse et lui avoir
mis un bâillon pour l'empêcher de prononcer des paroles
dangereuses, lorsque nous serions en l'air. Et :

Acabris ! Acabras ! Acabram !

nous voilà repartis sur un train de tous les diables car nous
45 n'avions plus qu'une heure pour nous rendre au chantier
de la Gatineau. C'est moi qui gouvernais, cette fois-là, et je
vous assure que j'avais l'œil ouvert et le bras solide. Nous
remontâmes la rivière Outaouais comme une poussière
jusqu'à la Pointe à Gatineau et de là nous piquâmes au
50 nord vers le chantier. Nous n'en étions plus qu'à quelques
lieues, quand voilà-t-il pas cet animal de Baptiste qui se
détortille de la corde avec laquelle nous l'avions ficelé, qui
s'arrache son bâillon et qui se lève tout droit, dans le canot,
en lâchant un sacre qui me fit frémir jusque dans la pointe
55 des cheveux ! Impossible de lutter contre lui dans le canot
sans courir le risque de tomber d'une hauteur de deux ou
trois cents pieds, et l'animal gesticulait comme un perdu
en nous menaçant tous de son aviron qu'il avait saisi et qu'il faisait tournoyer sur nos
têtes en faisant le moulinet comme un Irlandais avec son shilelagh[1]. La position était
60 terrible, comme vous le comprenez bien. Heureusement que nous arrivions, mais
j'étais tellement excité, que par une fausse manœuvre que je fis pour éviter l'aviron
de Baptiste, le canot heurta la tête d'un gros pin et que nous voilà tous précipités en
bas, dégringolant de branche en branche comme des perdrix que l'on tue dans les
épinettes. Je ne sais pas combien je mis de temps à descendre jusqu'en bas, car je
65 perdis connaissance avant d'arriver, et mon dernier souvenir était comme celui d'un
homme qui rêve qu'il tombe dans un puits qui n'a pas de fond.

---

1. Gourdin.

VERS LA DISSERTATION

1. Relevez les expressions qui donnent un ton comique à cette histoire.
2. Décrivez les effets de l'alcool sur Baptiste.
3. Montrez comment l'auteur intègre la géographie du Québec dans son conte.
4. En quoi les croyances religieuses transparaissent-elles dans cette légende ?

▰▰ Sujet de dissertation critique

Est-il juste de dire que l'auteur refuse de faire la morale et de juger ses personnages ?

Parallèle

Le curé sauveteur

Face aux maléfices et aux apparitions du diable, le curé est le recours ultime. Il n'a pas toujours l'étoffe d'un héros, mais son statut de représentant de Dieu sur terre lui donne de grands pouvoirs. Dans les deux extraits de contes qui suivent, le curé entreprend un difficile combat contre les forces du Mal: dans le premier cas, il s'en prend à Satan en personne, et dans le second, à un esprit qui vient hanter le presbytère.

PHILIPPE AUBERT DE GASPÉ FILS
L'étranger (1837)

Il était temps que le curé arrivât; l'inconnu en tirant sur le fil du collier l'avait rompu, et se préparait à saisir la pauvre Rose; lorsque le curé, prompt comme l'éclair, l'avait prévenu en passant son étole autour du col de la
5 jeune fille et, la serrant contre sa poitrine où il avait reçu son Dieu le matin, s'écria d'une voix tonnante:

— Que fais-tu ici, malheureux, parmi des chrétiens?

Les assistants étaient tombés à genoux à ce terrible spectacle et sanglotaient en voyant leur vénérable pasteur qui leur avait
10 toujours paru si timide et si faible, et maintenant si fort et si courageux, face à face avec l'ennemi de Dieu et des hommes.

— Je ne reconnais pas pour chrétiens, répliqua Lucifer en roulant des yeux ensanglantés, ceux qui, par mépris de votre religion, passent à danser, à boire et à se divertir, des
15 jours consacrés à la pénitence par vos préceptes maudits; d'ailleurs cette jeune fille s'est donnée à moi, et le sang qui a coulé de sa main est le sceau qui me l'attache pour toujours.

— Retire-toi, Satan, s'écria le curé, en lui frappant le
20 visage de son étole, et en prononçant des mots latins que personne ne put comprendre. Le diable disparut aussitôt avec un bruit épouvantable et laissant une odeur de soufre qui pensa suffoquer l'assemblée. Le bon curé, s'agenouillant alors, prononça une fervente prière en
25 tenant toujours la malheureuse Rose, qui avait perdu connaissance, collée sur son sein, et tous y répondirent par de nouveaux soupirs et par des gémissements.

LOUIS FRÉCHETTE
Le revenant de Gentilly (1898)

Le soir de son retour, nous étions réunis comme les soirs précédents, attendant le moment des manifestations surnaturelles, qui ne manquaient jamais de se produire sur le coup de minuit.

5 Le curé était très pâle, et plus grave encore que d'habitude.

Quand le tintamarre recommença, il se leva, passa son surplis et son étole, et, s'adressant à nous:

— Mes enfants, dit-il, vous allez vous agenouiller et prier; et quel que soit le bruit que vous entendiez, ne bougez
10 pas, à moins que je ne vous appelle. Avec l'aide de Dieu je remplirai mon devoir.

Et, d'un pas ferme, sans arme et sans lumière – je me rappelle encore, comme si c'était d'hier, le sentiment d'admiration qui me gonfla la poitrine devant cette intré-
15 pidité si calme et si simple – le saint prêtre monta bravement l'escalier, et pénétra sans hésitation dans la chambre hantée.

Alors, ce fut un vacarme horrible.

Des cris, des hurlements, des fracas épouvantables.

On aurait dit qu'un tas de bêtes féroces s'entre-dévoraient,
20 en même temps que tous les meubles de la chambre se seraient écrabouillés sur le plancher.

Je n'ai jamais entendu rien de pareil dans toute mon existence.

Nous étions tous à genoux, glacés, muets, les cheveux dressés de terreur.

25 Mais le curé n'appelait pas.

Cela dura-t-il longtemps? je ne saurais vous le dire, mais le temps nous parut bien long.

Enfin le tapage infernal cessa tout à coup, et le brave abbé reparut, livide, tout en nage, les cheveux en désordre, et son
30 surplis en lambeaux...

Il avait vieilli de dix ans.

— Mes enfants, dit-il, vous pouvez vous retirer; c'est fini; vous n'entendrez plus rien. Au revoir; parlez de tout ceci le moins possible.

VERS LA DISSERTATION

1. Comment les forces du Mal se manifestent-elles? Quelles sont les armes des deux curés contre ces forces?
2. Comment les témoins réagissent-ils dans ces deux contes?

■ Sujet de dissertation critique

Est-il juste de dire que, dans ces deux textes, les auteurs cherchent à renforcer la ferveur religieuse de la population québécoise?

Patriotisme et poésie

Le passage du rapport Durham dans lequel l'auteur affirme que les Canadiens français sont un peuple sans histoire et sans littérature a provoqué de vives réactions. Pour nos notables et écrivains, il fallait désormais montrer au reste du monde, et surtout au peuple canadien lui-même, qu'il y avait ici au contraire une histoire très riche qui inspirerait une grande littérature. Avec sa volumineuse *Histoire du Canada depuis sa découverte jusqu'à nos jours*, François-Xavier Garneau lance le mouvement de riposte. Dans cette œuvre ambitieuse, documentée de façon approximative, il cherche à rendre sa dignité au peuple vaincu et se concentre sur les exploits des héros du passé.

L'historien inspire une génération d'écrivains que l'on regroupe sous le nom d'École patriotique de Québec. Ce groupe, dont le chef de file est l'abbé Henri-Raymond Casgrain, cherche à établir une littérature nationale exaltant les sentiments patriotiques et glorifiant le passé. Même si les auteurs de cette école pratiquent tous les genres littéraires pour transmettre ces sentiments, la poésie reste le genre dominant et celui qu'ils apprécient le plus.

Voici ce qui caractérise l'œuvre des poètes patriotiques :

- **Ils expriment leur amour pour la patrie.** Ils manifestent de façon très forte leur appartenance au territoire et à ce qui caractérise le peuple canadien-français : la langue française, la religion catholique et l'attachement à la France.

- **Ils se tournent vers le passé, qui devient source d'inspiration.** Ils tiennent principalement à raconter les exploits des héros du passé, mais aussi à revenir sur le drame de la Conquête et de l'abandon par la France – et parfois même sur l'échec des Patriotes en 1837-1838.

- **Ils s'inspirent principalement du romantisme.** Bien qu'à cette époque l'influence de ce courant décline en Europe, les poètes d'ici apprécient encore l'exaltation propre aux romantiques, l'expression d'émotions très marquées et les grandes fresques historiques. Le principal modèle reste Victor Hugo, à qui ils vouent une grande admiration.

- **Ils écrivent dans un style lyrique, à grand renfort d'effets de rhétorique.** Ces procédés viennent appuyer lourdement le propos et laissent peu de place à la diversité des interprétations.

Cette poésie est très appréciée. Le poète devient un personnage important qui apparaît souvent sur la place publique. Il séduit par son discours fleuri et maîtrisé ; il souligne les évènements importants par des poèmes de circonstance. Les deux poètes notables qui marquent le plus cette époque sont Octave Crémazie et Louis Fréchette, mais il faut aussi mentionner François-Xavier Garneau, Alfred Garneau, Pamphile Le May et Pierre-Gabriel Huot.

La poésie de ces auteurs a cependant très mal vieilli. À défaut d'être une contribution majeure à la littérature québécoise, elle reste un phénomène social et historique important : elle nous en apprend beaucoup sur l'époque et sur la volonté de résistance d'un peuple dont l'existence se révélait fragile.

Octave Crémazie (1827-1879)

Octave Crémazie a longtemps été considéré comme le poète national. Il a contribué à créer un premier véritable rassemblement d'intellectuels au pays. Ceux-ci se rencontraient dans sa librairie et ont lancé l'École patriotique de Québec. Les poèmes épiques de Crémazie évoquent de grands exploits guerriers et la douleur des Canadiens français d'avoir été abandonnés par la France. Ils ont longtemps été tenus comme la meilleure expression d'un patriotisme puissant et exemplaire. Crémazie est pourtant l'un de ses propres détracteurs : alors qu'il vit seul en exil à Paris après s'être ruiné ici avec sa librairie, il juge sévèrement son enthousiasme patriotique.

« Le drapeau de Carillon », écrit 100 ans après une victoire de Montcalm contre les Anglais au fort de Carillon, raconte l'histoire d'un vieux soldat qui vient mourir sur les lieux de la bataille après avoir en vain tenté de rencontrer le roi de France pour l'intéresser au sort de la colonie abandonnée. Ce long poème, considéré à l'époque comme une œuvre majeure et dont on apprenait par cœur de larges extraits dans les collèges, semble aujourd'hui lourd et suranné. Mais peut-être les lecteurs d'aujourd'hui peuvent-ils encore ressentir une certaine tristesse à la mort du vieux soldat.

Le drapeau de Carillon (1858)

[...]

Sur les champs refroidis jetant son manteau blanc,
Décembre était venu. Voyageur solitaire,
Un homme s'avançait d'un pas faible et tremblant
Aux bords du lac Champlain. Sur sa figure austère
5   Une immense douleur avait posé sa main.
Gravissant lentement la route qui s'incline,
De Carillon bientôt il prenait le chemin,
Puis enfin s'arrêtait sur la haute colline.

Là, dans le sol glacé fixant un étendard,
10   Il déroulait au vent les couleurs de la France ;
Planant sur l'horizon, son triste et long regard
Semblait trouver des lieux chéris de son enfance.
Sombre et silencieux il pleura bien longtemps,
Comme on pleure au tombeau d'une mère adorée,
15   Puis, à l'écho sonore envoyant ses accents,
Sa voix jeta le cri de son âme éplorée :

« Ô Carillon, je te revois encore,
Non plus, hélas ! comme en ces jours bénis
Où dans tes murs la trompette sonore
20   Pour te sauver nous avait réunis.
Je viens à toi, quand mon âme succombe
Et sent déjà son courage faiblir.
Oui, près de toi, venant chercher ma tombe,
Pour mon drapeau je viens ici mourir.

25   « Mes compagnons, d'une vaine espérance
Berçant encor leurs cœurs toujours français,
Les yeux tournés du côté de la France,
Diront souvent : reviendront-ils jamais ?
L'illusion consolera leur vie ;
30   Moi, sans espoir, quand mes jours vont finir,
Et sans entendre une parole amie,
Pour mon drapeau je viens ici mourir.

« Cet étendard qu'au grand jour des batailles,
Noble Montcalm, tu plaças dans ma main,

Thomas Davies, *Vue du sud-ouest des lignes et du fort de Ticonderoga, lac Champlain*, 1759-1760.

C'est dans ce paysage que s'est déroulée la bataille de Carillon qui rend nostalgique le vieux soldat dans le poème de Crémazie. Le fort est aujourd'hui parfaitement préservé.

35   Cet étendard qu'aux portes de Versailles,
Naguère, hélas ! je déployais en vain,
Je le remets aux champs où de ta gloire
Vivra toujours l'immortel souvenir,
Et, dans ma tombe emportant ta mémoire,
40   Pour mon drapeau je viens ici mourir.

« Qu'ils sont heureux ceux qui dans la mêlée
Près de Lévis moururent en soldats !
En expirant, leur âme consolée
Voyait la gloire adoucir leur trépas.
45   Vous qui dormez dans votre froide bière ;
Vous que j'implore à mon dernier soupir,
Réveillez-vous ! Apportant ma bannière,
Sur vos tombeaux, je viens ici mourir. »

À quelques jours de là, passant sur la colline
50   À l'heure où le soleil à l'horizon s'incline,
Des paysans trouvaient un cadavre glacé,
Couvert d'un drapeau blanc. Dans sa dernière étreinte
Il pressait sur son cœur cette relique sainte,
Qui nous redit encor la gloire du passé.

[...]

VERS LA DISSERTATION

1. Comment le poète exprime-t-il son amour pour sa patrie, son pays ?

2. Comment le poète considère-t-il la France, la mère patrie ?

3. Que représente le drapeau dans cet extrait ? À quoi est-il associé ?

4. Par quels procédés stylistiques le poète arrive-t-il à exprimer le sort tragique de son personnage ?

■ Sujet de dissertation critique

Est-il juste de dire que ce poème est patriotique ?

Correspondance

Eudore Évanturel (1854-1919)

Les *Premières poésies* (1878) d'Eudore Évanturel sont aussi ses dernières. La réaction outrée des ultramontains à ce recueil décourage le jeune poète, qui s'exile aux États-Unis, avant de revenir au pays pour travailler comme archiviste. Les *Premières poésies* sont pourtant rééditées et encore appréciées aujourd'hui. L'œuvre poétique d'Évanturel, d'une grande singularité par rapport aux canons de la poésie romantique et patriotique de ses pairs, est sûrement l'une des plus réussies de la fin du XIXe siècle.

Évanturel reste une exception dans le paysage littéraire de son temps. Influencé par Alfred de Musset et Paul Verlaine, il écrit une poésie dépouillée, presque narrative, et refuse les grands effets rhétoriques privilégiés par ses contemporains. En toute sobriété, il introduit ses lecteurs dans un monde rempli de sous-entendus, de délicatesses, mais où la mort plane, inéluctable, comme dans le poème «Au collège».

VERS LA DISSERTATION

1. Dans «Au collège», pourquoi les premier et dernier vers sont-ils détachés de la longue strophe? Qu'apprend-on grâce à ces deux vers?

2. Montrez que, dans ces poèmes, le thème de la mort est abordé avec sobriété.

3. Comparez l'effet du dernier vers dans les deux poèmes.

■ Sujet de dissertation critique

Le poème d'Évanturel se distingue-t-il catégoriquement des poèmes patriotiques de Crémazie (p. 41) et de Fréchette (p. 43)?

Est-il exact de dire que ces deux poèmes abordent le thème de la mort de façon très différente?

Arthur Rimbaud (1854-1891)

«Le dormeur du val», d'Arthur Rimbaud, est l'un des poèmes les plus connus de la littérature française. Dans ce poème, le dernier vers vient brutalement renverser tout ce qui précède, ce qui force le lecteur à réinterpréter l'ensemble et à reprendre sa lecture. La confusion entre le sommeil et la mort ainsi que la description du lieu d'un drame comme un environnement paisible et beau créent un puissant déséquilibre qui contribue à la force d'évocation de ce texte.

Au collège (1878)

Il mourut en avril, à la fin du carême.

C'était un grand garçon, un peu maigre et très blême,
Qui servait à la messe et chantait au salut.
On en eût fait un prêtre, un jour: c'était le but;
5 Du moins, on en parlait souvent au réfectoire.
Il conservait le tiers de ses points en histoire,
Et lisait couramment le grec et le latin.
C'était lui qui sonnait le premier, le matin,
La cloche du réveil en allant à l'église.
10 Les trous de son habit laissaient voir sa chemise,
Qu'il prenait soin toujours de cacher au dortoir.
On ne le voyait pas comme un autre au parloir,
Pas même le dimanche après le saint office.
Ce garçon n'avait point pour deux sous de malice,
15 Seulement, à l'étude, il dormait sur son banc.
Le maître descendait le réveiller, souvent,
Et le poussait longtemps – ce qui nous faisait rire.
Sa main tremblait toujours, quand il voulait écrire.
Le soir, il lui venait du rouge sur les yeux.
20 Les malins le bernaient et s'en moquaient entre eux;
Alors, il préférait laisser dire et se taire.
L'on n'aurait, j'en suis sûr, jamais su le mystère,
Si son voisin de lit n'eût avoué, sans bruit,

Qu'il toussait et crachait du sang toute la nuit.

Le dormeur du val (1870)

C'est un trou de verdure où chante une rivière
Accrochant follement aux herbes des haillons
D'argent; où le soleil, de la montagne fière,
Luit: c'est un petit val qui mousse de rayons.

5 Un soldat jeune, bouche ouverte, tête nue,
Et la nuque baignant dans le frais cresson bleu,
Dort; il est étendu dans l'herbe, sous la nue,
Pâle dans son lit vert où la lumière pleut.

Les pieds dans les glaïeuls, il dort. Souriant comme
10 Sourirait un enfant malade, il fait un somme:
Nature, berce-le chaudement: il a froid.

Les parfums ne font pas frissonner sa narine;
Il dort dans le soleil, la main sur sa poitrine
Tranquille. Il a deux trous rouges au côté droit.

Les fleurs boréales (1879)

Jolliet

I

[...]

Écharpe de Titan[1] sur le globe enroulée,
Le grand fleuve épanchait sa nappe immaculée
Des régions de l'Ourse aux plages d'Orion[2],
Baignant la steppe aride et les bosquets d'orange,
5 Et mariant ainsi, dans un hymen étrange,
    L'Équateur au Septentrion.

Fier de sa liberté, fier de ses flots sans nombre,
Fier du grand pin touffu qui lui verse son ombre,
Le Roi-des-Eaux n'avait encore, en aucun lieu
10 Où l'avait promené sa course vagabonde,
Déposé le tribut de sa vague profonde,
    Que devant le soleil et Dieu !...

Louis Fréchette (1839-1908)

Homme de lettres complet, auteur d'une œuvre abondante, Louis Fréchette écrit de la poésie, du théâtre, des contes. Dans toutes ses œuvres transparaissent son patriotisme ardent et son esprit libéral. Son style grandiloquent porte la marque profonde de son modèle, Victor Hugo, dont il ne réussit jamais à égaler le souffle.

Les fleurs boréales sont très caractéristiques de l'œuvre de Fréchette. On y trouve de nombreux poèmes à la gloire de notre nation, composés de vers emphatiques et bien tournés, qui n'évitent pas toujours l'académisme et le cliché. Dans le long poème «Jolliet», Fréchette raconte avec un émerveillement un peu forcé la découverte du Mississippi par son premier explorateur français. La dimension héroïque, déjà très présente dans *Les fleurs boréales*, est développée dans *La légende d'un peuple* (1887), écho de *La légende des siècles* (1859-1883) de Victor Hugo.

II

Jolliet ! Jolliet ! quel spectacle féerique
Dut frapper ton regard, quand ta nef historique
15 Bondit sur les flots d'or du grand fleuve inconnu !
Quel sourire d'orgueil dut effleurer ta lèvre !
Quel éclair triomphant, à cet instant de fièvre,
    Dut resplendir sur ton front nu !

Le voyez-vous, là-bas, debout comme un prophète,
20 Le regard rayonnant d'audace satisfaite,
La main tendue au loin vers l'Occident bronzé,
Prendre possession de ce domaine immense,
Au nom du Dieu vivant, au nom du roi de France,
    Et du monde civilisé !

25 Puis, bercé par la houle, et bercé par ses rêves,
L'oreille ouverte aux bruits harmonieux des grèves,
Humant l'âcre parfum des grands bois odorants,
Rasant les îlots verts et les dunes d'opale,
De méandre en méandre, au fil de l'onde pâle,
30   Suivre le cours des flots errants !

À son aspect, du sein des flottantes ramures,
Montait comme un concert de chants et de murmures ;
Des vols d'oiseaux marins s'élevaient des roseaux,
Et, pour montrer la route à la pirogue frêle,
35 S'enfuyaient en avant, traînant leur ombre grêle
    Dans le pli lumineux des eaux.

Et, pendant qu'il allait voguant à la dérive,
L'on aurait dit qu'au loin les arbres de la rive,
En arceaux[3] parfumés penchés sur son chemin,
40 Saluaient le héros dont l'énergique audace
Venait d'inscrire encor le nom de notre race
    Aux fastes de l'esprit humain !

[...]

---

1. Géant.   2. L'Ourse et Orion sont des constellations.   3. En forme d'arcs.

VERS LA DISSERTATION

1. Par quels éléments du texte le Mississippi est-il personnifié ?

2. Quelles réactions le poète prête-il à Jolliet lorsque celui-ci explore ce fleuve alors inconnu des Européens ?

3. Quel procédé l'auteur utilise-t-il pour magnifier cette découverte ?

■ Sujet de dissertation critique

Le patriotisme dans ce poème est-il semblable à celui de Crémazie dans « Le drapeau de Carillon » (*p. 41*) ?

Lettre du 14 février 1839

[...] Je meurs sans remords, je ne désirais que le bien de mon pays dans l'insurrection et l'indépendance, mes vues et mes actions étaient sincères et n'ont été entachées d'aucun des crimes qui déshonorent l'humanité et qui ne sont que trop communs dans l'effervescence de passions déchaînées.

5 Depuis 17 à 18 ans, j'ai pris une part active dans presque tous les mouvements populaires, et toujours avec conviction et sincérité. Mes efforts ont été pour l'indépendance de mes compatriotes; nous avons été malheureux jusqu'à ce jour. La mort a déjà décimé plusieurs de mes collaborateurs. Beaucoup gémis-

Chevalier de Lorimier (1805-1839)

François-Marie-Thomas Chevalier de Lorimier, notaire, père de cinq enfants, milite avec Louis-Joseph Papineau dans le Parti patriote. Lorsque éclate la rébellion des Patriotes, il s'engage active-ment dans les combats armés. Il est capturé par les Anglais en 1838 alors qu'il essaie de regagner la frontière états-unienne. Condamné à mort, il est pendu le 15 février 1839.

Chevalier de Lorimier envoie des lettres à sa famille et à ses amis alors qu'il se sait condamné à mort et qu'il n'a aucun espoir d'absolution. Ses lettres sont empreintes de sagesse et d'un grand courage. De Lorimier devient tou-chant et attendri lorsqu'il s'adresse à son épouse. Il exprime son ardeur révolutionnaire et son espoir d'une libération de la colonisation anglaise dans une longue missive en forme de testament politique, adressée au public la veille de son exécution.

sent dans les fers, un plus grand nombre sur la
10 terre d'exil avec leurs propriétés détruites, leurs familles abandonnées sans ressources aux rigueurs d'un hiver canadien. Malgré tant d'infortune, mon cœur entretient encore du courage et des espérances pour l'avenir, mes amis et mes enfants
15 verront de meilleurs jours, ils seront libres. Un pressentiment certain, ma conscience tranquille me l'assurent. Voilà ce qui me remplit de joie, quand tout est désolation et douleur autour de moi. Les plaies de mon pays se cicatriseront après
20 les malheurs de l'anarchie et d'une révolution sanglante. Le paisible Canadien verra renaître le bonheur et la liberté sur le Saint-Laurent; tout concourt à ce but, les exécutions mêmes, le sang et les larmes versés sur l'autel de la liberté
25 arrosent aujourd'hui les racines de l'arbre qui fera flotter le drapeau marqué de deux étoiles des Canadiens. Je laisse des enfants qui n'ont pour héritage que le souvenir de mes malheurs. Pauvres orphelins, c'est vous que je plains, c'est
30 vous que la main ensanglantée et arbitraire de la loi martiale frappe par ma mort. Vous n'aurez pas connu les douceurs et les avantages d'embrasser votre père aux jours d'allégresse, aux jours de fêtes! Quand votre raison vous permettra
35 de réfléchir, vous verrez votre père qui a expié sur le gibet des actions qui ont immortalisé d'autres

hommes plus heureux. Le crime de votre père est dans l'irréussite. Si le suc-cès eût accompagné ses tentatives, on eût honoré ses actions d'une mention honorable. « Le crime et non pas l'échafaud fait la honte. » Des hommes, d'un
40 mérite supérieur au mien, ont battu la triste voie qui me reste à parcourir de la prison obscure au gibet. Pauvres enfants! vous n'aurez plus qu'une mère tendre et désolée pour soutien. Si ma mort et mes sacrifices vous réduisent à l'indigence, demandez quelquefois en mon nom, je ne fus jamais insensible aux malheurs de mes semblables. Quant à vous, mes compatriotes, mon

exécution et celle de mes compatriotes d'échafaud vous seront utiles. Puissent-
elles vous démontrer ce que vous devez attendre du gouvernement anglais !...
Je n'ai plus que quelques heures à vivre, et j'ai voulu partager ce temps
précieux entre mes devoirs religieux et ceux dus à mes compatriotes. Pour eux
je meurs sur le gibet de la mort infâme du meurtrier, pour eux je me sépare de
mes jeunes enfants et de mon épouse sans autre appui, et pour eux je meurs
en m'écriant : Vive la liberté ! Vive l'indépendance !

VERS LA DISSERTATION

1. Quel est le ton général de cette lettre ?
2. Quel message De Lorimier adresse-t-il à ses enfants ? Quel est celui
   qu'il destine à ses compatriotes ?
3. Quel bilan l'auteur fait-il de la rébellion des Patriotes ?
4. Est-il juste de dire que cette lettre est une leçon de fierté ?

■ Sujet de dissertation critique

Peut-on affirmer que cette lettre est porteuse d'espoir ?

Henri Julien, *L'exécution de Patriotes en face de la prison de Montréal*, début du xxᵉ siècle.

Rapport sur les affaires de l'Amérique du Nord britannique (1839)[1]

Premier extrait

Les deux races, ainsi distinctes, ont été amenées à former la même société dans des circonstances qui inévitablement faisaient de leurs contacts une occasion d'affrontement.

La différence de langue d'abord les tenait séparés.

5 Ce n'est nulle part une vertu de la race anglaise de tolérer toutes manières, coutumes ou lois qui lui apparaissent étrangères ; accoutumés à se former une haute opinion de leur propre supériorité, les Anglais ne prennent pas la peine de cacher aux autres leur mépris et leur aversion pour leurs usages.

10 Ils ont trouvé chez les Canadiens français une somme égale de fierté nationale ; fierté ombrageuse mais inactive qui porte ce peuple non pas à s'offenser des insultes, mais plutôt à se garder à l'écart de ceux qui voudraient le tenir dans l'abaissement.

15 Les Français ne pouvaient que reconnaître la supériorité et l'esprit d'entreprise des Anglais ; ils ne pouvaient ignorer les succès remportés par les Anglais dans toutes les entreprises qu'ils touchaient ni la constante supériorité qu'ils acquéraient.

20 Ils regardèrent leurs rivaux avec alarme, jalousie et enfin avec haine. Les Anglais le leur rendirent par une morgue[2] qui bientôt aussi revêtit la même forme de haine.

Les Français se plaignaient de l'arrogance et de l'injustice des Anglais ; les Anglais reprochaient aux
25 Français les vices d'un peuple faible et conquis et les accusaient de bassesse et de perfidie.

Second extrait

On ne peut guère concevoir de nationalité plus dépourvue de tout ce qui peut vivifier et élever un peuple que celle que présentent les descendants des Français dans le Bas-Canada, du fait qu'ils ont conservé leur langue et leurs coutumes particulières.

5 Ils sont un peuple sans histoire et sans littérature.

Lord Durham (1792-1840)

John George Lambton, premier comte de Durham, a semblé, pour le gouvernement anglais, l'homme idéal pour venir enquêter sur la rébellion de 1837-1838.

Libéral, courtois, cultivé, il consulte quantité de documents avant d'entreprendre son enquête et, pendant son long séjour au pays, il écoute attentivement des avis variés. Mais son rapport, dans lequel il préconise l'assimilation des Canadiens français, tombe comme un coup de massue.

Ce rapport n'a certes rien d'une œuvre littéraire, mais il laisse de telles marques chez les écrivains d'ici qu'il s'intègre indubitablement à l'histoire de notre littérature. En effet, pendant de longues années, nos auteurs n'ont cessé de lui répliquer, par une littérature patriotique surtout, afin de prouver que nous ne sommes pas un peuple « sans histoire et sans littérature ».

La littérature d'Angleterre est écrite dans une langue qui n'est pas la leur ; et la seule littérature que leur langue leur rend familière est celle d'une nation dont ils ont été séparés par quatre-vingts ans de domination étrangère et encore plus par ces changements que la

10 Révolution française et ses conséquences ont opérés dans tout l'état politique, moral et social de la France.

Cependant c'est d'un peuple, dont les séparent si complètement l'histoire récente, les mœurs et manières de penser, que les Canadiens français dépendent complètement en ce qui concerne

15 presque toute l'instruction et toutes les distractions procurées par les livres ; c'est de cette littérature essentiellement étrangère, qui traite d'événements, d'idées et d'habitudes de vie qui leur sont tout à fait étrangers et inintelligibles, qu'ils sont contraints de dépendre.

20 De la même manière, leur nationalité a pour effet de les priver de l'influence civilisatrice des arts.

---

1. Version française basée sur la traduction de Maurice Séguin.
2. Arrogance.

VERS LA DISSERTATION

1. Relevez, dans ces extraits, les principaux préjugés de l'auteur.

2. Malgré ces préjugés, l'auteur sait-il reconnaître des défauts aux Anglais et des qualités aux Français ? Justifiez votre réponse.

3. Selon Durham, en quoi les Anglais et les Français s'opposent-ils principalement ?

4. Toujours selon Durham, quel rapport les Canadiens français entretiennent-ils avec la littérature française ?

■■■ **Sujet de dissertation critique**

Peut-on dire que Lord Durham est aveuglé par les préjugés ?

Arthur Buies (1840-1901)

Arthur Buies est l'auteur d'écrits virulents qui ont fait sa renommée. Il reçoit sa formation à la fois au Canada et en France, et participe auprès de Giuseppe Garibaldi à la révolution italienne. Lorsqu'il revient au pays pour s'y établir définitivement, il est riche d'enseignements multiples. Il choisit de se servir de sa plume vive et polémique pour prôner la liberté et le progrès, et pour s'attaquer au cléricalisme et au conservatisme qui emprisonnent son peuple.

Arthur Buies énonce ses idées avec une rare franchise, et aucun autre auteur de son temps ne s'est montré aussi libre dans ses écrits et aussi ferme dans ses démarches. Il s'exprime avec fougue dans *La lanterne*, journal qu'il fonde et qu'il dirige, mais qu'on interdit l'année même de sa fondation. *Décadence d'un peuple*, dont deux extraits sont présentés à la page suivante, est un exemple représentatif des textes où il attaque de façon virulente le clergé, qu'il accuse ici d'être responsable de l'inertie de ses compatriotes.

Décadence d'un peuple (1884)

Premier extrait

Notre peuple est profondément abaissé et humilié, parce que ce sont ces hommes-là qui ont fait son éducation. Ils lui apprennent à être faux, craintif, oblique, à employer toute espèce de petits moyens, de sorte qu'il ne peut
5 employer les grands, quand il le faut, et qu'il se voit d'un grand bout dominé par les autres races.

Nous sommes des moutons et, qui le veut, peut nous tondre.

On ne nous prêche que deux choses, l'obéissance et l'humilité, l'obéissance surtout, dont on fait la première
10 des vertus.

Mais l'obéissance n'est que l'école du commandement et non pas une vertu en soi.

Et l'humilité, telle qu'on nous l'enseigne, n'est autre chose que l'humiliation.

15 La vraie vertu des nations n'est pas l'humilité, c'est l'orgueil, c'est la conscience de leur force qui leur fait faire de grandes choses.

Second extrait

Le Canada offre un fait unique dans l'histoire. C'est le fait d'une grande majorité des habitants possédant le sol, écartée presque entièrement et dominée par une petite minorité d'hommes venus de l'extérieur.

5 L'histoire montre bien des nations entières opprimées et décimées par une poignée de conquérants, réduites au dernier degré d'abjection, mais on ne vit jamais une nation jouissant de droits égaux avec ceux qui la conquirent appelée comme eux à l'exercice de toutes
10 les libertés publiques, à participer à tous les bienfaits de la civilisation, se condamner elle-même à l'absorption et à une déchéance qui équivaut à l'anéantissement. Qu'une occasion se présente, les Canadiens n'oseront se faire valoir, mais ils brailleront pendant un mois si on le
15 leur reproche.

Ils savent très bien se rendre aux neuvaines, aux confréries, mais ils ne savent pas aller là où les attendent la rivalité, la lutte des autres races, l'occasion de s'affirmer, de se signaler, de manifester leur caractère propre, à côté
20 des Anglais, des Irlandais et des Écossais.

Cependant, toute leur éducation de collège leur a été donnée en français ; les prêtres n'ont cessé de se représenter à eux comme les sauveurs de notre *nationalité* ; ils leur ont fait entendre ce mot sous toutes les formes ; dans les
25 élections, sur les hustings[1], les conservateurs n'ont cessé de le crier aux habitants des campagnes ; d'où vient donc que cette nationalité n'est guère qu'une dérision ?

[...]

Par quelle suite de chutes, par quels abaissements successifs, par quelles déchéances de plus en plus profondes,
30 en sommes-nous venus à ne plus compter sur notre propre sol, à n'être plus rien, même à nos propres yeux ?

Pourquoi ? Voilà le mot répété bien des fois depuis quelques années ; grand nombre de gens soupçonnent le *parce que,* mais il leur fait peur.

35 À moi il appartient de le dire.

Nous ne sommes plus un peuple, parce que depuis un quart de siècle nous avons abdiqué entre les mains des prêtres toute volonté, toute conduite de nos affaires, toute idée personnelle, toute impulsion collective.

40 Cette abstraction de nous-mêmes a été poussée si loin qu'aujourd'hui elle est devenue notre nature d'être, que nous n'en concevons pas d'autres, que nos yeux sont fermés à l'évidence, que nous n'apercevons même pas le niveau d'abaissement où nous sommes descendus, et
45 nous considérons comme une bonne fortune unique de n'avoir plus la charge de nos destinées.

---

1. Tribunes.

VERS LA DISSERTATION

1. Quelles sont les expressions employées par Arthur Buies pour critiquer son peuple ?

2. Quelles accusations porte-t-il contre le clergé ?

3. Selon l'auteur, pourquoi le clergé ne défend-il pas le nationalisme ?

4. Quelle ambition Arthur Buies nourrit-il pour son peuple ?

5. En quoi ce texte tranche-t-il avec la pensée de l'époque ?

■ Sujet de dissertation critique

Est-il exact de dire que, selon Arthur Buies, les Canadiens français sont responsables de leur déchéance ?

Le contexte sociohistorique

- Les lendemains de la Conquête sont difficiles. Mais le colonisateur anglais, fortement minoritaire, n'ose pas imposer des mesures trop contraignantes contre les Canadiens français, à qui l'on accorde le droit de parler leur langue et de pratiquer leur religion.

- Le Parti patriote, de tendance libérale, défend les intérêts des Canadiens français. Devant le refus des Anglais de répondre à leurs revendications, les Patriotes se rebellent en 1837-1838. Leur soulèvement est violemment réprimé.

- Lord Durham est nommé pour enquêter sur ces évènements. Dans son rapport, il prétend que les Canadiens français forment un peuple «sans histoire et sans littérature» et qu'il faut les assimiler.

- La défaite des Patriotes permet au clergé et aux ultramontains d'exercer une très importante influence morale sur la population. Leur domination se prolongera jusqu'au début des années 1960.

- En 1867, le Québec devient l'une des quatre provinces fondatrices du Canada. Le pays s'industrialise. La très forte natalité au Québec protège les Canadiens français de l'assimilation. Bon nombre d'entre eux quittent le pays pour aller travailler dans des manufactures en Nouvelle-Angleterre.

La littérature

- Aux lendemains de la Conquête, des journaux sont créés. L'activité littéraire existe principalement par ces journaux. Il faut attendre les années 1830 avant que les premières œuvres littéraires soient publiées.

- Les conditions dans lesquelles vivent les Canadiens français ne sont pas idéales pour que naisse une littérature. Entre autres conditions défavorables, l'emprise du clergé sur l'ensemble de la société brime les auteurs et limite leur liberté d'expression.

- Plusieurs notables et écrivains jugent important de répliquer au rapport Durham. Défendant une littérature patriotique, ils relèvent les exploits des héros du passé et montrent que l'histoire des Canadiens peut donner naissance à une grande littérature.

- L'influence du romantisme reste prédominante dans tous les genres littéraires. Quelques auteurs réussissent cependant à s'en libérer, comme le poète Eudore Évanturel et la romancière Laure Conan.

Les genres littéraires

Le roman Plusieurs romanciers choisissent de raconter la vie paisible et saine des cultivateurs. Ils exploitent largement le thème de l'attachement à la terre. D'autres se tournent vers le conte fantastique. Ces histoires hautes en couleur leur permettent d'explorer l'imaginaire du peuple québécois.

La poésie Dans des poèmes ambitieux et emphatiques, les notables qui s'adonnent à la poésie chantent la gloire des héros du passé. Les poètes occupent une place prestigieuse dans la société, et leurs publications sont relativement nombreuses dans la seconde moitié du xixe siècle. Mais il faudra attendre Émile Nelligan avant qu'une œuvre poétique majeure soit produite au Québec.

L'essai Les débats d'idées sont récurrents et parfois passionnés au Canada français. Ils ont lieu essentiellement dans les journaux. Vers la fin du xixe siècle, l'abbé Henri-Raymond Casgrain impose en littérature le point de vue de l'Église, tandis qu'Arthur Buies ne craint pas d'afficher ses idées libérales.

3

1900-1945 Le Québec dans la tourmente

LA LITTÉRATURE :
TERROIR, EXOTISME ET VOYAGE INTÉRIEUR

M. A. Fortin

Auteurs et œuvres à l'étude

A u tournant du XXe siècle, un jeune poète, Émile Nelligan, transforme le paysage littéraire du Québec. Pour la première fois, un auteur d'ici produit une œuvre d'une incontestable qualité, qui fait des émules et laisse présager l'émancipation de notre littérature. Pourtant, un grand nombre de nos écrivains ne sont pas toujours au diapason du Québec, qui s'urbanise et connaît d'importants bouleversements sociaux ; ils ignorent aussi les grandes crises qui marquent le monde pendant ces années mouvementées. Le cultivateur reste encore le héros de maintes fictions québécoises, et le clergé continue de contrôler le travail des auteurs. Des œuvres importantes se démarquent cependant dans le roman et la poésie. Le roman *Maria Chapdelaine* de Louis Hémon connaît une audience internationale. À la fin de cette période, par les œuvres audacieuses et personnelles des poètes Hector de Saint-Denys Garneau et Alain Grandbois, notre littérature s'ouvre sans complexes à la modernité.

Marc-Aurèle Fortin, *Scène de novembre*, 1940.

Le monde

1910
Instauration de la Journée internationale des femmes (le 8 mars) par l'Internationale socialiste ; sur cette photo : Clara Zetkin et Rosa Luxemburg, deux figures historiques du féminisme

1912
Naufrage du *Titanic*

1917
Révolution russe : les bolcheviks s'emparent du pouvoir

1919
Signature du traité de Versailles

1914
Assassinat de l'archiduc François-Ferdinand d'Autriche ; début de la Première Guerre mondiale

1918
Obtention du droit de vote des femmes au niveau fédéral, au Canada

Fin de la Première Guerre mondiale

1922
Benito Mussolini prend le pouvoir en Italie

Le Québec

1900
Fondation de la première caisse populaire par Alphonse Desjardins

1910
Fondation du journal *Le Devoir* par Henri Bourassa

1921
Fondation de la Confédération des travailleurs catholiques du Canada (CTCC), l'ancêtre de la CSN

Étatisation de la vente des boissons alcooliques

1917
La population canadienne-française lutte contre la conscription

1918
Cinq jours d'émeute contre la conscription à Québec ; application de la loi martiale

1922
Fondation de CKAC, première station radiophonique de langue française

1900	1903	1906	1909	1912	1915	1918	1921

Les arts et les lettres

1904
Rodolphe Girard, *Marie Calumet* (roman)

Émile Nelligan, *Émile Nelligan et son œuvre* (poésie)

Pamphile Le May, *Les gouttelettes* (poésie)

1906
Ouverture du premier cinéma à Montréal, le Ouimetoscope

1911
Paul Morin, *Le paon d'émail* (poésie)

1918
Albert Laberge, *La Scouine* (roman)

Fondation de la revue *Le Nigog*

1914
Louis Hémon, *Maria Chapdelaine* (roman)

1920
Léon Petitjean et Henri Rollin, *Aurore, l'enfant martyre* (théâtre)

1927
Premier film parlant, *The Jazz Singer*

L'aviateur Charles Lindbergh traverse l'Atlantique

1936
Début de la guerre civile en Espagne

Victoire du Front populaire en France

1939
Invasion de la Pologne par Hitler ; début de la Seconde Guerre mondiale

1929
Krach boursier à New York ; début de la Grande Dépression

1931
Statut de Westminster ; le Canada obtient sa pleine souveraineté face à l'Angleterre

1933
Adolf Hitler devient chancelier en Allemagne

Aux États-Unis, élection du président Roosevelt ; il met en œuvre le *New Deal* pour combattre la Grande Dépression

1941
Attaque de Pearl Harbor ; les États-Unis entrent en guerre

1944
Débarquement de Normandie

1945
Fin de la Seconde Guerre mondiale

Bombes atomiques sur les villes japonaises d'Hiroshima et de Nagasaki

---

1929-1939
Le Québec est durement touché par la Grande Dépression

1936
Premier mandat de Maurice Duplessis comme premier ministre du Québec

1939
Élection d'Adélard Godbout, chef du Parti libéral, comme premier ministre du Québec

1942
Création du Bloc populaire, un parti qui lutte contre la conscription au Québec

Adoption de la Loi de l'instruction obligatoire

1937
Duplessis fait adopter la « loi du cadenas », qui « protège la province de la propagande communiste »

1940
Obtention du droit de vote par les femmes

Création du programme d'assurance-chômage par le gouvernement fédéral

1944
Réélection de Maurice Duplessis

1924 1927 1930 1933 1936 1939 1942 1945

1933
Claude-Henri Grignon, *Un homme et son péché* (roman)

1932
Jean Narrache (Émile Coderre), *J'parle tout seul quand Jean Narrache* (poésie)

1934
Jean-Charles Harvey, *Les demi-civilisés* (roman)

Fondation de l'Orchestre symphonique de Montréal

1938
Ringuet (Philippe Panneton), *Trente arpents* (roman)

1944
Alain Grandbois, *Les îles de la nuit* (poésie)

1945
Germaine Guèvremont, *Le Survenant* (roman)

1929
Alfred DesRochers, *À l'ombre de l'Orford* (poésie)

1930
La Bolduc (Mary Travers), « Ça va venir, découragez-vous pas » (chanson)

1937
Félix-Antoine Savard, *Menaud, maître-draveur* (roman)

Fondation de la troupe de théâtre Les Compagnons de Saint-Laurent, par le père Émile Legault

Hector de Saint-Denys Garneau, *Regards et jeux dans l'espace* (poésie)

Lionel Groulx, *Directives* (essai)

Le Québec dans la tourmente
La littérature : terroir, exotisme et voyage intérieur

Le monde : l'ère des paroxysmes

La première moitié du XXᵉ siècle est sans aucun doute l'une des périodes les plus tourmentées de toute l'histoire du monde occidental. Des progrès considérables sont accomplis dans tous les domaines : la condition des travailleurs s'améliore, les femmes s'émancipent, les chercheurs accumulent les découvertes scientifiques, plusieurs mesures sociales viennent en aide aux citoyens démunis. Le niveau de vie augmente considérablement, surtout chez la classe moyenne. Mais aussi se succèdent des catastrophes d'une ampleur jamais atteinte : deux guerres mondiales, les plus destructrices de l'histoire, et une crise économique majeure, qui se prolonge pendant 10 ans. La population du Québec, comme toutes les populations du monde, subit fortement les contrecoups des tourments de cette époque.

La Belle Époque (1900-1914)

Le XXᵉ siècle commence par une grande période de prospérité. Des régimes politiques stables et des années de paix en Europe et aux États-Unis favorisent le bon fonctionnement de l'économie. Cette prospérité nouvelle profite à la majorité des populations. Les villes se transforment et deviennent plus agréables. Les salaires augmentent et les conditions de travail sont moins aliénantes, dans les pays occidentaux tout comme au Québec. On a donné le nom de « Belle Époque » à cette période pendant laquelle on observe une amélioration marquée de la qualité de vie.

Défilé anti-conscription au square Victoria, Montréal, 1917.

La Première Guerre mondiale (1914-1918)

Dans les années précédant la guerre, un système complexe d'alliances s'établit entre les pays européens qui se divisent en deux grands axes regroupant la France, l'Angleterre et la Russie d'un côté, l'Allemagne et l'Autriche de l'autre. Lorsqu'un étudiant serbe de Bosnie tue l'héritier présomptif de l'empereur d'Autriche, les alliances se resserrent et la guerre est déclarée. On avait prévu que cette guerre, la Première Guerre mondiale, serait brève et décisive, mais elle dure 4 longues années et fait environ 20 millions de morts. Elle est éprouvante pour les combattants qui affrontent des armes nouvelles : avions, chars d'assaut, mitraillettes, gaz toxiques. Cette guerre, qui se déroule principalement en Europe, nécessite l'intervention des forces armées de plusieurs autres régions du monde, dont l'Amérique, principalement. La conscription adoptée par le gouvernement canadien soulève une vive opposition au Québec. En 1917, en pleine guerre, les bolcheviks prennent le pouvoir en Russie et instaurent le **premier régime communiste.**

Les Années folles (1918-1929)

Le monde se remet plutôt rapidement de cette guerre et connaît dans les années 1920 une nouvelle période de prospérité. Mais la guerre a laissé ses marques. L'Europe, affectée par la ruine et par la disparition de forces vives – les très nombreux jeunes hommes morts à la guerre –, perd sa position prédominante au profit d'une nouvelle puissance qui s'affirme de plus en plus : les États-Unis. L'Allemagne, humiliée par un traité de paix contraignant, le traité de Versailles, connaît d'importantes difficultés économiques, ce qui permet au parti nazi, dirigé d'une main de fer par Adolf Hitler, de gagner en popularité. Une forme d'euphorie et d'insouciance caractérise ces années qu'on qualifie d'«Années folles». L'économie se trouve gonflée artificiellement par une vague de spéculation à haute échelle qui finit par provoquer l'écroulement de la Bourse de New York.

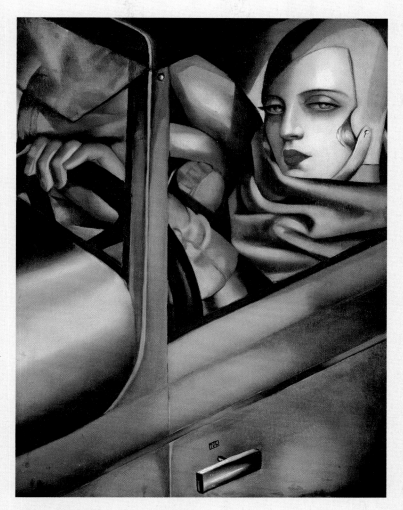

Tamara de Lempicka, *Autoportrait dans une Bugatti verte*, 1925.

La peinture Art déco de Tamara de Lempicka est représentative de l'élégance et de l'esprit des Années folles.

La Grande Dépression (1929-1939)

Le krach boursier de 1929 a des conséquences terribles, et la crise financière qui s'ensuit a des répercussions dans le monde entier. Cette crise provoque la ruine de nombreux patrons; le chômage devient endémique et une part importante des populations est plongée dans la misère. La population du Québec en souffre particulièrement. Aux États-Unis, le gouvernement du président Franklin Delano Roosevelt lance le *New Deal*, qui recourt à une intervention vigoureuse de l'État pour relancer l'économie. En Europe, la crise économique profite en grande partie au fascisme, qui prétend rétablir l'ordre par un gouvernement autoritaire. En Italie, Benito Mussolini a tracé la voie de cette forme de gouvernement dès 1922. En 1933, Adolf Hitler accède au pouvoir en Allemagne et met l'Europe sous tension. Sa volonté ferme de s'attaquer au traité de Versailles et son antisémitisme fanatique ne suffisent cependant pas à alerter les autres grandes puissances européennes, qui laissent l'Allemagne s'armer massivement. Lorsque l'armée allemande envahit la Pologne en 1939, le reste de l'Europe n'a d'autre choix que de lui déclarer la guerre. Mais l'armée que dirige alors Hitler est puissante et efficacement organisée.

La Seconde Guerre mondiale (1939-1945)

La Seconde Guerre mondiale est encore plus désastreuse que la première. Elle fait environ 50 millions de morts, dont 20 millions en Union soviétique. Elle déborde largement l'Europe, touche l'Afrique du Nord, le Pacifique et l'Asie, et implique un nombre particulièrement élevé de pays. De nombreux soldats canadiens sont appelés à combattre. Comme pendant la Première Guerre mondiale, la conscription soulève au Québec un important mouvement d'opposition. La cruauté des nazis dépasse tout ce qu'on aurait pu imaginer : les Allemands massacrent des villages entiers, déportent des populations civiles, exécutent les prisonniers de guerre, éliminent massivement les tziganes, les homosexuels, les handicapés; un plan appelé «solution finale» prévoit l'extermination totale des Juifs en territoires conquis. Ce n'est que lorsque la guerre prend fin que les populations du monde découvrent avec stupeur l'ampleur du désastre.

La société québécoise entre immobilisme et changement

Dans le Québec du début du siècle, l'élite francophone tient fermement à ce que la province reste à l'abri des changements. L'agriculteur vaillant, attaché à la terre, bon catholique, qui élève une famille nombreuse, reste le meilleur modèle à suivre. L'élite se méfie du conquérant anglais et protestant, qui menace toujours d'assimiler les francophones. La France, quant à elle, n'est plus un exemple à imiter dès que le pays devient officiellement laïque, avec la loi du 9 décembre 1905 sur la séparation des Églises et de l'État. Il faut donc que le Canada français se replie sur lui-même pour préserver son identité sans cesse menacée. Mais ces vœux se heurtent à des changements liés aux transformations qui surviennent dans le reste du monde et qui se font sentir jusque dans notre région lointaine du nord de l'Amérique.

Ces changements se produisent tôt dans le siècle et s'accentuent alors que notre économie s'intègre de plus en plus à celle du reste de l'Amérique, elle-même liée aux fluctuations des marchés mondiaux et aux grands évènements politiques.

La société québécoise se trouve donc transformée par les changements inévitables qui jalonnent son histoire :

- Le Québec connaît un **exode rural.** Les paysans sont attirés par les villes où se développe un important secteur manufacturier qui a besoin de main-d'œuvre. En 1901, 60,3 % de la population est rurale. Cette proportion se réduit à 51,8 % en 1911 et à 36 % en 1921.

- **Les nouvelles entreprises où travaillent les Canadiens français sont détenues majoritairement par des Britanniques ou des Américains,** qui font aussi main basse sur les ressources naturelles du pays. Ainsi, les Canadiens français ne profitent pas autant qu'ils le devraient de l'expansion économique de la province.

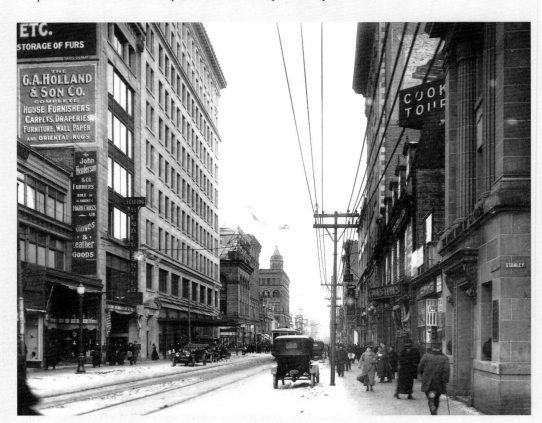

Angle des rues Sainte-Catherine et Stanley, Montréal, 1915.

La ville de Montréal est, dans les années 1910, un important centre commercial. Elle est dynamique, de plus en plus peuplée... et très anglaise.

- **L'émigration des Canadiens français aux États-Unis se poursuit.** Comme au siècle précédent, certains rentrent au Québec rapidement, mais bon nombre d'émigrés préfèrent encore s'installer définitivement dans leur nouveau pays et finissent par s'y assimiler. Certains romans abordent le sujet.

- Lors de la Première Guerre mondiale, **les Canadiens français refusent avec vigueur la conscription,** généralement acceptée au Canada anglais. Le Québec se sent isolé et la population nourrit un ressentiment contre le Canada anglais.

- **La Grande Dépression touche durement le Québec.** Les chômeurs sont nombreux, et la misère, bien réelle. La population doit apprendre à vivre avec très peu, dans des conditions difficiles. Le développement du Québec est sévèrement stoppé : la natalité baisse, l'immigration est réduite, l'exode vers les villes est momentanément ralenti.

- **La Seconde Guerre mondiale ramène la prospérité,** mais au prix de millions de morts en Europe. Une nouvelle crise de la conscription crée une fois de plus des tensions entre les anglophones et les francophones du pays. En 1942, à un plébiscite tenu dans tout le Canada, les Canadiens français votent majoritairement contre la conscription, alors que les Canadiens anglais l'acceptent. Les soldats du Québec sont malgré tout nombreux à aller se battre en Europe.

Même si ces évènements changent la vie au Québec, la société reste dans l'ensemble très conservatrice. Les élites continuent de se méfier du changement et d'édifier en modèle la société rurale, pourtant décimée. Même dans les villes, les Canadiens français conservent un esprit de paroissiens et ont tendance à reproduire un mode de vie semblable à celui qu'ils ont connu à la campagne. Dans son roman *Bonheur d'occasion*, Gabrielle Roy décrit avec justesse la vie dans le quartier Saint-Henri à Montréal, où le mode de vie paroissial « se recomposait dans sa tranquillité et sa puissance de durée. École, église, couvent : bloc séculaire fortement noué au cœur de la jungle citadine comme au creux des vallons laurentiens. »

Ces années ne sont pas très propices à la création artistique. On compte peu d'infrastructures (théâtres, maisons d'édition, bibliothèques, salles de spectacle, galeries d'art), et la plupart d'entre elles demeurent contrôlées par le clergé. Cette situation amène beaucoup d'artistes à s'exiler et à tenter leur chance à Paris. Par contre, il existe une vive activité sur le plan de l'expression des idées. Plusieurs polémistes prennent la plume pour aborder divers sujets, principalement celui de la nation, et s'interrogent sur la survie d'un petit peuple fragile, de sa langue, de sa religion. Parmi ces auteurs, le chanoine Lionel Groulx est le plus prolifique ; il se fait le défenseur du nationalisme canadien-français, avec un engagement profond, mais non sans excès.

La littérature québécoise entre idéalisme, réalité et fuite de la réalité

Le Québec de la première moitié du XXe siècle n'est pas propice à l'éclosion d'une vie littéraire active. Le clergé, toujours très présent, exerce là comme ailleurs son contrôle, notamment sur la production, qu'il oriente au moyen des maisons d'édition qu'il possède. Le clergé pratique aussi la censure en interdisant les livres mis à l'*Index* par le Vatican, et tente de déterminer les goûts du public. Il existe peu de moyens pour diffuser la littérature, ce qui freine l'affirmation des vocations d'auteurs. Les écrivains qui cherchent à créer une œuvre personnelle dans laquelle ils s'expriment en toute liberté doivent faire face à la censure. Ceux qui, comme Albert Laberge, Rodolphe Girard et Jean-Charles Harvey, prennent le risque de montrer la société québécoise telle qu'ils la voient, sans l'idéaliser et sans édulcorer la critique qu'ils en font, sont durement réprimandés. D'autres évitent toute confrontation et préfèrent se construire un monde imaginaire à l'intérieur duquel ils s'exilent. Malgré ces difficultés, une vie littéraire se développe et suscite même de larges débats chez les écrivains et les journalistes. À Montréal, de jeunes poètes sentent le besoin de se regrouper, de partager leurs découvertes et leurs créations. Ils forment l'**École littéraire de Montréal.** Par ce regroupement, ils visent moins à inventer un nouveau courant en poésie qu'à se donner un lieu de rencontre pour échanger sur la poésie. Le groupe se réunit d'abord au café Ayotte, avant d'organiser des séances publiques au château Ramezay dans le Vieux-Montréal. Ces jeunes auteurs découvrent avec enthousiasme les grands poètes symbolistes français : Baudelaire, Rimbaud, Verlaine, pour ne citer que les plus célèbres. Les œuvres des jeunes poètes montréalais sont d'abord marquées par ces influences. Aux séances publiques se signale Émile Nelligan, qui devient notre premier poète majeur. Peu à peu, l'École littéraire de Montréal se transforme, se coupe des influences françaises et défend la poésie du terroir.

Au début du XXᵉ siècle, l'École littéraire de Montréal, formée de poètes et de gens de lettres, a contribué à animer la vie culturelle de la métropole.

Le début du XXᵉ siècle voit naître une importante polémique littéraire : la **querelle des exotiques et des régionalistes.** Ce premier débat d'importance est l'occasion, pour les écrivains, de se questionner profondément sur notre identité : ils se demandent si la littérature doit s'intéresser d'abord et avant tout à nos particularités régionales ou être universelle, de façon à être comprise par tous les publics. Les exotiques et les régionalistes qui s'affrontent ont des points de vue difficilement conciliables. Par la suite, ce sujet ne cessera jamais vraiment d'être débattu.

Le roman, quant à lui, reste bien ancré dans la réalité rurale, mais beaucoup d'écrivains refusent d'actualiser cette réalité. Les auteurs continuent jusqu'à la fin de la Seconde Guerre mondiale à écrire des **romans du terroir** où ils mettent en scène des paysans attachés à leur terre, en dépit de l'exode rural et de l'apparition d'une importante classe ouvrière. L'appui du clergé et le succès international de *Maria Chapdelaine*, de Louis Hémon, un Français de passage au Canada, encouragent les écrivains à poursuivre dans cette voie.

Les auteurs semblent donc rester à distance de l'évolution de la société québécoise. Les évènements majeurs qui transforment le pays ont relativement peu de répercussions sur les œuvres littéraires. Même la Grande Dépression, qui frappe si durement le Québec, inspire très peu les auteurs. Ce sont surtout des artistes populaires, comme la chanteuse La Bolduc et le poète Jean Narrache, qui racontent, dans la langue toute simple de leurs semblables – et avec humour –, la misère quotidienne pendant les années difficiles de cette crise économique.

D'autres poètes choisissent de se replier sur eux-mêmes et d'explorer leur réalité intérieure. Leur poésie, marquée par la solitude et l'introspection, trouve une convaincante réalisation dans l'œuvre d'Hector de Saint-Denys Garneau. C'est paradoxalement ce repli qui permet aux poètes de s'exprimer avec une grande liberté formelle, d'explorer le vers libre et d'écrire des textes audacieux et modernes. La littérature québécoise cesse pour la première fois d'être à la remorque de courants littéraires étrangers et d'être embrigadée pour défendre les intérêts du clergé ou d'autres groupes particuliers.

L'œuvre de ces **poètes de la solitude,** qui se poursuit aux lendemains de la Seconde Guerre mondiale, indique déjà les déchirements que subiront les auteurs québécois des années ultérieures : leur désir d'écrire des œuvres innovatrices se heurtera au conservatisme de la société dans laquelle ils vivent.

Marie Calumet (1904)

Sa Grandeur, le lendemain, allait, comme c'était la coutume, administrer le sacrement de la confirmation aux enfants de la paroisse. De sorte que Monseigneur fut contraint de passer la nuit au presbytère. Mais le presbytère de Saint-Ildefonse n'avait pas la vastitude d'une hôtellerie à la mode.

Rodolphe Girard
(1879-1956)

Le sort réservé au roman *Marie Calumet* de Rodolphe Girard, publié à compte d'auteur, montre bien le poids de la censure et du clergé au début du XXe siècle. Ce livre grivois, léger et plutôt inoffensif est immédiatement condamné. Son auteur se voit congédié du journal *La Presse* où il travaille comme journaliste et doit aller vivre à Ottawa. Il faut attendre plus de 40 ans avant que le roman ne soit remis en circulation, dans une version édulcorée par l'auteur lui-même.

Avec *Marie Calumet*, Rodolphe Girard décrit la vie rurale sans toutefois y plaquer la morale édifiante typique des romans du terroir. Il écrit un livre franchement comique, dans lequel il se moque avec tendresse de ses personnages, par une série de tableaux qui illustrent la vie quotidienne au presbytère du village de Saint-Ildefonse. Le curé, le bedeau, la jolie nièce et l'engagé y sont dépeints avec sympathie. Mais c'est la servante Marie Calumet, ménagère compétente, parfois un peu ridicule, qui retient le plus l'attention par son grand cœur, son tempérament énergique et le charme spontané qu'elle dégage. Dans un épisode bien connu, elle ne sait pas comment disposer de la «sainte pisse» de l'évêque en visite. Ce passage montre bien le talent avec lequel l'auteur manie l'humour et l'ironie.

5 Monsieur le curé, devant la nécessité, n'hésita pas une seconde. Il tint conseil avec Marie Calumet, car il ne pouvait plus se passer de sa ménagère, et n'entreprenait jamais rien, si peu important que ce fût, sans avoir au préalable demandé l'avis de sa servante.

10 Elle avait réponse à tout.

Il fut donc résolu qu'on se mettrait à l'étroit. Monsieur le curé céderait à son supérieur sa chambre au rez-de-chaussée, voisine du salon; Marie Calumet abandonnerait la sienne à son curé; et la nièce,
15 la jolie Suzon, supporterait tout le choc de cette migration nocturne en partageant son petit lit de fer avec la ménagère.

Suzon, cependant, aimait à prendre ses aises et elle ne voyait pas cette combinaison d'un très bon œil.

20 Mais comment ne pas se soumettre à cette triple toute-puissante volonté de l'évêque, du curé et de Marie Calumet?

Elle se pâmait de bonheur à la pensée de dormir dans le même saint lit dans lequel monsieur le curé aurait
25 couché. Combien, sur cent mille personnes, peuvent se vanter d'avoir bénéficié du même privilège et de la même faveur? C'était pour elle un moyen de se rapprocher des choses sacrées...

Et le jour suivant, lorsque la pieuse fille fit les lits, elle
30 fut en proie à plus d'une distraction.

Il faut dire, cependant, en toute justice pour elle, qu'il n'y avait rien d'impur dans ses intentions et que l'anticipation de sa jouissance était toute virginale et platonique.

Comment décrire l'émotion profonde qui la saisit
35 lorsqu'elle entra dans la chambre épiscopale? Ce n'est qu'en tremblant qu'elle fit le nettoyage de cette pièce auguste et sainte.

Prenant religieusement dans ses bras le vase de nuit, comme une aiguière[1] de prix, elle allait en vider l'or bruni dans le récipient commun par où passent tous les liquides de la même espèce. Soudain, elle s'arrêta, perplexe:

40 «De la pisse d'évêque, pensa-t-elle, v'là quelque chose de sacré!»

---

1. Vase à anse et à bec.

Qu'allait-elle en faire?

Elle déposa le vase sur le parquet, devant elle, et s'asseyant sur le lit, elle se prit à songer, les yeux fixes.

Et longtemps elle songea, immobile.

45 Elle ne pouvait certainement pas la jeter comme une eau vulgaire.

Oh! un sacrilège...

D'un autre côté, elle n'allait pas la laisser dans la chambre.

Ce n'eût pas été bien propre, ni hygiénique...

Un moment, Marie Calumet eut l'idée de l'embouteiller.

50 En avait-elle le droit?

Indécise, elle reprit le vase de nuit, avec des précautions infinies, et alla demander conseil au curé, qu'elle trouva en train de se hacher du tabac dans son cabinet.

— M'sieu le curé, dit-elle, d'un air mystérieux en lui présentant le pot
55 de chambre, ousqu'on va met' la sainte pisse à Monseigneur?

Le curé Flavel regarda d'abord sa servante, tout ébahi, se demandant si elle divaguait. Puis, il se prit à rire à gorge déployée.

Il allait lui répondre de lui faire subir le sort commun, lorsque retentit la voix de Monseigneur se dirigeant de son côté.

60 Tragique devenait la situation. Il n'y avait pas une minute à perdre. L'héroïque abbé, tel le brave qui saisit dans ses mains la bombe à la mèche à demi brûlée et la lance hors de tout danger, s'empara du vase et le jeta dans le vide.

Au même moment, l'engagé de monsieur le curé passait sous la
65 fenêtre, pensif et la tête basse. La fatalité voulut qu'il reçut sur la tête et le vase et son contenu.

Le malheureux leva les yeux. Tout était rentré dans le calme.

— Pourquoi qu'a m'en veut, dit-il, avec une larme dans le coin de l'œil, j'y ai rien fait, moé?

Il la vit sortir avec son petit banc
et ses chaudières......

E. J. Massicotte, illustration tirée de la première édition de *Marie Calumet*, 1904.

VERS LA DISSERTATION

1. Relevez les traits humoristiques dans le passage. Quels sont les procédés d'écriture utilisés pour véhiculer cet humour?

2. Relevez les termes et les figures de style qui mettent en valeur la grande importance de l'évêque.

3. Que pouvez-vous déduire de la personnalité de Marie Calumet à partir de ce passage?

 Sujet de dissertation critique

Peut-on dire que ce texte est offensant pour le clergé catholique de l'époque?

Le roman du terroir

Il s'écrit des romans du terroir (ou romans de la terre) pendant près de 100 ans au Québec, de la publication de *La terre paternelle* de Patrice Lacombe en 1846 à celle du *Survenant* de Germaine Guèvremont en 1945. La vie des paysans est alors le sujet de prédilection des écrivains québécois, qui publient une soixantaine de romans du terroir dans cette période. Au XIXᵉ siècle, le sujet s'impose d'emblée, puisque la très forte majorité des Canadiens français vit de l'agriculture et que l'élite dans les villes est principalement anglophone. Le sujet reste cependant très populaire pendant la première moitié du XXᵉ siècle, même si, à partir des années 1920, la population rurale n'est plus majoritaire.

C'est que le roman du terroir propage des valeurs auxquelles l'élite francophone demeure attachée, en dépit des transformations sociales. Le paysan humble, bon croyant, soumis, courageux devient une garantie de stabilité dans un monde en métamorphose, qu'un grand nombre de Canadiens français craignent de ne plus arriver à contrôler. Les valeurs du terroir, fortement présentes dans les premiers romans, sont peu à peu critiquées et remplacées par d'autres valeurs dans les romans subséquents, qui contestent le modèle d'origine.

Le roman du terroir se reconnaît aux caractéristiques suivantes :

- **La vie du cultivateur est montrée comme un modèle à suivre.** Cette vie souvent difficile est perçue comme gratifiante et conforme à une volonté supérieure qui destine le paysan à sa terre. Pour la rendre plus attrayante, les romanciers idéalisent souvent les activités quotidiennes du paysan.

- **On y oppose la campagne à la ville.** La ville est un lieu de perdition pour le cultivateur. Il y perd tout : ses revenus, ses traditions, sa dignité. Le roman du terroir sert très souvent d'avertissement : un bon paysan ne doit jamais laisser sa terre pour aller habiter en ville. Il doit se contenter du monde clos et étroitement circonscrit dans lequel il vit.

- **Les personnages vivent dans un temps cyclique.** Très peu d'évènements extérieurs viennent perturber leur existence. Leur vie s'intègre dans de grands cycles : alternance des saisons, du jour et de la nuit, des naissances, des mariages et des morts. Ainsi, les repères temporels, pour la plupart flous, ne sont ponctués que par de rares évènements qui viennent rompre la routine.

- **On y prône l'idéologie de la conservation.** Selon cette idéologie, les Canadiens français ont le devoir de préserver un héritage – la langue française, la religion catholique, les traditions – reçu des ancêtres et devant être retransmis aux descendants sans avoir été altéré. Le roman du terroir montre à quel point il est important de préserver cet héritage. Comme le dit l'une des voix qu'entend l'héroïne de *Maria Chapdelaine* de Louis Hémon : «Au pays de Québec rien ne doit mourir et rien ne doit changer...»

Ozias Leduc, *Labour d'automne,* 1901.

Le premier roman du terroir, *La terre paternelle* de Patrice Lacombe, fixe le modèle à suivre : «[...] peignons l'enfant du sol, tel qu'il est, [en dit le narrateur,] religieux, honnête, paisible de mœurs et de caractère, jouissant de l'aisance et de la fortune sans orgueil et sans ostentation, supportant avec résignation et patience les plus grandes adversités [...]» Avec *Maria Chapdelaine* de Louis Hémon, le roman du terroir atteint un sommet. Ce roman sensible et intelligent raconte une histoire en tous points conforme aux valeurs des élites conservatrices locales, même s'il a été écrit par un étranger qui cherchait à contester, indirectement, l'idéologie bourgeoise de son continent d'origine, l'Europe.

Après *Maria Chapdelaine*, le roman du terroir se transforme et joue de moins en moins le rôle d'un laudateur de la vie paysanne. Dans *La Scouine*, Albert Laberge inverse les préceptes du roman du terroir et dépeint avec une charge cruelle des paysans qui sont de véritables repoussoirs. *Menaud, maître-draveur* de Félix-Antoine Savard raconte la colère d'un vieux draveur qui n'accepte plus la résignation et se révolte devant l'étranger qui envahit le territoire de ses ancêtres.

Avec *Trente arpents*, Ringuet livre un grand roman réaliste dans lequel il décrit l'ascension et la chute d'un cultivateur ambitieux. *Le Survenant* de Germaine Guèvremont peut être considéré comme le superbe chant du cygne du roman du terroir. L'intrusion d'un étranger qui perturbe la vie paisible des paysans est fatale. Par la suite, les romanciers se désintéressent de la vie rurale et se tournent vers la ville.

> Le roman du terroir propage des valeurs auxquelles l'élite francophone demeure attachée, en dépit des transformations sociales.

Maria Chapdelaine (1914)

Louis Hémon
(1880-1913)

Le Français Louis Hémon, fils de bonne famille, rompt avec son milieu pour vivre quelques années à Londres, puis voyager au Canada. Au cours d'un séjour au Lac-Saint-Jean, il se mêle à la population et travaille comme journalier. De retour à Montréal, il écrit son œuvre majeure : *Maria Chapdelaine*. Louis Hémon meurt frappé par un train un an avant la publication du roman. Cette première édition passe inaperçue. Le manuscrit est repris en 1922 par l'éditeur Bernard Grasset, qui en fait un *best-seller*. Ironie du sort : *Maria Chapdelaine*, œuvre d'un jeune homme révolté qui tourne le dos à la bourgeoisie pour s'intéresser aux petites gens, sera citée en exemple par les élites conservatrices, tant au Québec qu'en France.

Maria Chapdelaine raconte les histoires d'amour d'une jeune paysanne dans lesquelles se reconnaissent les Québécois. À la suite du décès de son amoureux, le coureur des bois François Paradis, mort dans une tempête de neige, Maria doit choisir celui qui deviendra son mari : Lorenzo Surprenant ou Eutrope Gagnon. Le premier, Surprenant, s'est installé aux États-Unis, là où son peuple vit confortablement, mais perd son identité et s'assimile. Le cultivateur Eutrope Gagnon, pour sa part, engage l'héroïne à suivre le rude chemin tracé par ses ancêtres. Au moment où elle doit se décider, Maria entend des voix qui lui dictent ce qu'elle doit choisir.

Maria regardait son père, qui dormait toujours, le menton sur sa poitrine comme un homme accablé qui médite sur la mort, et tout de suite elle se souvint des cantiques et des chansons naïves qu'il apprenait aux enfants presque chaque soir :

5   *À la claire fontaine,*
        M'en allant promener...

Dans les villes des États, même si l'on apprenait aux enfants ces chansons-là, sûrement ils auraient vite fait de les oublier !

Les nuages épars qui tout à l'heure défilaient d'un bout
10   à l'autre du ciel baigné de lune s'étaient fondus en une immense nappe grise, pourtant ténue, qui ne faisait que tamiser la lumière ; le sol couvert de neige mi-fondue était blafard, et entre ces deux étendues claires la lisière de la forêt s'allongeait comme le front d'une armée.

15   Maria frissonna ; l'attendrissement qui était venu baigner son cœur s'évanouit ; elle se dit une fois de plus : « Tout de même... c'est un pays dur, icitte. Pourquoi rester ? »

Alors une troisième voix plus grande que les autres s'éleva dans le silence : la voix du pays de Québec, qui était à
20   moitié un chant de femme et à moitié un sermon de prêtre.

Elle vint comme un son de cloche, comme la clameur auguste des orgues dans les églises, comme une complainte naïve et comme le cri perçant et prolongé par lequel les bûcherons s'appellent dans les bois. Car en
25   vérité tout ce qui fait l'âme de la province tenait dans cette voix : la solennité chère du vieux culte, la douceur de la vieille langue jalousement gardée, la splendeur et la force barbare du pays neuf où une racine ancienne a retrouvé son adolescence.

30   Elle disait : « Nous sommes venus il y a trois cents ans, et nous sommes restés... Ceux qui nous ont menés ici pourraient revenir parmi nous sans amertume et sans chagrin, car s'il est vrai que nous n'ayons guère appris, assurément nous n'avons rien oublié.

35   « Nous avions apporté d'outre-mer nos prières et nos chansons : elles sont toujours les mêmes. Nous avions apporté dans nos poitrines le cœur des hommes de notre pays, vaillant et vif, aussi prompt à la pitié qu'au rire, le cœur le plus humain de tous les cœurs humains : il n'a pas changé. Nous avons marqué un pan du continent nouveau, de Gaspé à Montréal,
40   de Saint-Jean-d'Iberville à l'Ungava, en disant : ici toutes les choses que nous avons apportées avec nous, notre culte, notre langue, nos vertus et jusqu'à nos faiblesses deviennent des choses sacrées, intangibles et qui devront demeurer jusqu'à la fin.

1. Quel constat Louis Hémon fait-il de la situation des Canadiens français ?

2. Comment l'auteur qualifie-t-il la voix qui s'adresse à Maria ? À quelles figures cette voix réfère-t-elle ?

3. Que signifie la phrase : « Nous sommes un témoignage » (l. 51-52) ?

4. La voix est à moitié un chant de femme et à moitié un sermon de prêtre. À quelles valeurs traditionnelles cette situation renvoie-t-elle ?

5. Montrez que les verbes employés par la « voix » dictent clairement à Maria la conduite à adopter.

■ Sujets de dissertation critique

1. Selon vous, le romancier critique-t-il l'immobilisme des Canadiens français ou en fait-il l'éloge ?

2. Le discours de la voix est celui du clergé. Discutez cette affirmation.

VERS LA DISSERTATION

« Autour de nous des étrangers sont venus, qu'il nous plaît d'appeler des barbares ; ils ont pris presque tout le pouvoir ;
45 ils ont acquis presque tout l'argent ; mais au pays de Québec rien n'a changé. Rien ne changera, parce que nous sommes un témoignage. De nous-mêmes et de nos destinées, nous n'avons compris clairement que ce devoir-là : persister... nous mainte-nir... Et nous nous sommes maintenus, peut-être afin que dans
50 plusieurs siècles encore le monde se tourne vers nous et dise : Ces gens sont d'une race qui ne sait pas mourir... Nous sommes un témoignage.

« C'est pourquoi il faut rester dans la province où nos pères sont restés, et vivre comme ils ont vécu, pour obéir au commande-
55 ment inexprimé qui s'est formé dans leurs cœurs, qui a passé dans les nôtres et que nous devrons transmettre à notre tour à de nombreux enfants : Au pays de Québec rien ne doit mourir et rien ne doit changer... »

L'immense nappe grise qui cachait le ciel s'était faite plus
60 opaque et plus épaisse, et soudain la pluie recommença à tomber, approchant, encore un peu, l'époque bénie de la terre nue et des rivières délivrées. Samuel Chapdelaine dormait toujours, le menton sur sa poitrine, comme un vieil homme que la fatigue d'une longue vie dure aurait tout à coup ac-
65 cablé. Les flammes des deux chandelles fichées dans le chandelier de métal et dans la coupe de verre vacillaient sous la brise tiède, de sorte que des ombres dansaient sur le visage de la morte et que ses lèvres sem-
70 blaient murmurer des prières ou chuchoter des secrets.

Maria Chapdelaine sortit de son rêve et songea : « Alors je vais rester ici... de même ! » car les voix avaient parlé
75 clairement et elle sentait qu'il fallait obéir.

Clarence Gagnon, *François Paradis dans la tempête* **(détail), 1932.**

Le peintre Clarence Gagnon a illustré *Maria Chapdelaine* par des scènes qui évoquent davantage, pour la plupart, la vie quotidienne des paysans que les évènements de l'intrigue du roman. Cependant, cette gouache est directement liée au récit.

Albert Laberge (1871-1960)

Dans *La Scouine*, Albert Laberge prend à contrepied les canons du roman du terroir. Plutôt que d'idéaliser la vie des paysans, il les montre coincés dans leur univers clos et souligne la médiocrité de leur vie éprouvante. S'inspirant du réalisme et du naturalisme, l'auteur s'acharne contre ses personnages qui semblent dépourvus de qualités. Albert Laberge publie une soixantaine d'exemplaires de son roman à compte d'auteur. Il subit les foudres du clergé qui condamne le livre, malgré sa faible diffusion.

Plutôt que de développer une intrigue conventionnelle, Albert Laberge présente dans *La Scouine* une série de tableaux sans intrigue continue, qui relatent la vie de Paulima Deschamps, surnommée «la Scouine», et de sa famille. Chacun de ces tableaux met en évidence la mesquinerie, la cruauté ou le manque d'empathie des personnages. Charlot, le frère handicapé de la Scouine, est aussi rebutant que sa sœur. Il ne connaît l'amour qu'une seule fois, avec une journalière alcoolique.

La Scouine (1918)

Il plut le lendemain, et l'Irlandaise, ayant reçu un peu d'argent, partit pour aller chercher un flacon de genièvre[1]. Elle ne rentra qu'à la nuit noire, à moitié ivre.

Depuis le commencement des travaux, Charlot couchait
5 sur le foin, dans la grange. Il dormait ce soir-là depuis un temps inappréciable, lorsqu'il fut soudain éveillé. C'était l'Irlandaise qui montait péniblement, en geignant, l'échelle conduisant sur la tasserie[2]. Charlot crut qu'elle ne parviendrait jamais à arriver en haut. À un énergique juron, il com-
10 prit qu'elle avait manqué un échelon. Il se demanda si elle n'allait pas échapper prise et tomber dans la batterie[3]. Après beaucoup d'efforts, l'Irlandaise mit finalement le pied sur le carré. D'une voix rauque et avinée, elle se mit à appeler:

— Charlot! Charlot!

15 — Quoi? demanda celui-ci.

Se dirigeant dans la direction de la voix, les jambes embarrassées dans le foin et trébuchant à chaque pas, l'Irlandaise arriva à Charlot. Elle s'affaissa près de lui, les jupes trempées et boueuses, l'haleine puant l'alcool. Attisée
20 par le genièvre, elle flambait intérieurement, et Charlot éprouvait lui aussi des ardeurs étranges. Ses trente-cinq ans de vie continente, ses nuits toujours solitaires dans le vieux sofa jaune, allumaient à cette heure en ses entrailles de luxurieux et lancinants désirs. Cet homme qui jamais n'avait
25 connu la femme, sentait sourdre en lui d'impérieux et hurlants appétits qu'il fallait assouvir. Toute la meute des rêves mauvais, des visions lubriques, l'assiégeait, l'envahissait.

Une solitude immense et des ténèbres profondes, épaisses comme celles qui durent exister avant la création du soleil et
30 des autres mondes stellaires, enveloppaient les deux êtres. La pluie battait la couverture de la grange, chantant sa complainte monotone, et la sempiternelle et lugubre plainte des grenouilles s'entendait comme un appel désespéré.

Alors Charlot se rua.

35 Et le geste des races s'accomplit.

Ce fut sa seule aventure d'amour.

---

1. Alcool distillé sur des baies de genièvre.   2. Remise ou étable où l'on tasse le blé ou le foin.   3. Endroit entre deux tas de foin que l'on laissait vide pour pouvoir y placer la charrette pleine afin de la décharger.

VERS LA DISSERTATION

1. Montrez que l'auteur inverse systématiquement les clichés du romantisme amoureux dans cet extrait.

2. Par quels procédés d'écriture l'auteur décrit-il le désir qui attise Charlot?

3. Comment l'auteur décrit-il la solitude des personnages?

4. À partir de cet extrait, expliquez les raisons qui ont amené le clergé à placer ce titre à l'*Index*.

■ Sujet de dissertation critique

Est-il juste de dire que l'auteur aborde ses personnages avec cruauté et sans montrer d'empathie pour eux?

Claude-Henri Grignon (1894-1976)

Sous le pseudonyme de Valdombre, Claude-Henri Grignon écrit de virulents pamphlets dans lesquels il défend les valeurs traditionnelles avec ténacité et un sens aigu de la provocation. Mais l'auteur se fait surtout connaître par le personnage de Séraphin Poudrier dans le roman *Un homme et son péché*, un paysan usurier et avare, qui devient une véritable figure mythique au Québec. L'histoire de Séraphin et de sa jeune épouse Donalda, innocente victime du vice de son mari, semble inépuisable et alimente par la suite un feuilleton à la radio, un très populaire téléroman et un film générant d'importantes recettes.

Claude-Henri Grignon concentre l'intrigue d'*Un homme et son péché* sur la passion dévorante de Séraphin, son appétit pour l'argent qui n'a pas de limites. Le héros sacrifie tout à son avarice : l'estime des autres, la vie de sa jeune épouse, sa propre vie. Sa passion lui fait éprouver à la fois de grandes extases et de vives inquiétudes ; elle le rend cruellement indifférent au malheur qu'il provoque. Ainsi, la disparition de sa femme, morte parce qu'il a trop hésité avant d'aller chercher un médecin, lui permet de plonger à fond dans son vice et d'en tirer une grande jouissance.

Andrée Champagne (Donalda) et Jean-Pierre Masson (Séraphin) en 1963 dans la série télévisée *Les belles histoires des pays d'en haut*, d'après le roman *Un homme et son péché*.

Un homme et son péché (1933)

Il se souciait peu de Donalda. Il n'y pensait plus. Il l'avait déjà oubliée. Il reprit sa vie de bête solitaire. Il économisait au point de s'étonner lui-même. Il se nourrissait exclusivement de galettes de sarrasin, de
5 patates dans de l'eau blanche et d'une soupe infecte qu'il préparait le lundi (une pleine chaudronnée à la fois) et qui devait le nourrir toute la semaine. Faite d'un gigot blanc, d'un peu de riz et d'eau, il la mangeait froide, cette soupe, pour ménager le bois. Rien de meilleur
10 pour sa passion. Un soir qu'il calculait mentalement les sommes qu'il avait sauvées, depuis novembre, en vivant seul, il fut effrayé par ce chiffre exorbitant : douze dollars cinquante. Aussi, sa cheminée fumait-elle rarement, et jamais la lumière n'allait se perdre par les fenêtres. Pen-
15 dant quelque temps, on le crut mort ou en voyage.

Il vivait, cependant. Il souffrait du froid et de la faim, mais il respirait son péché capital, le palpait, s'en soûlait ; et cela le rendait plus heureux que les artistes les plus choyés. La nuit, il se couvrait par-dessus la
20 tête de hardes, de vieux manteaux et de peaux à carrioles. C'était lourd sur son corps, et il finissait par se réchauffer et s'endormir, en rêvant aux économies considérables qu'il réalisait.

Tous les jours de cet hiver, de l'aube au crépuscule, il
25 trima dans la forêt. Il scia et il fendit tout seul quarante cordes de bel érable, vendues d'avance deux dollars la corde au docteur Dupras.

Poudrier réfléchit que l'hiver s'était passé sans trop de malheur et sans trop de souffrance. Naturellement, si le
30 froid, très sec, avait tenu plus longtemps, et si la neige avait comblé les chemins et les clôtures jusqu'au mois de juin, l'existence aurait été pour lui plus prospère ; mais il se contenta de son sort.

— C'est pas trop dur, avait-il dit, au magasin de Lacour.
35 Moi, j'ai pas à me plaindre.

Et il pensait à tous les billets qu'il avait accumulés à des taux variant entre huit et vingt-cinq pour cent et aux gages qui s'entassaient près des trois sacs d'avoine. Puis, suprême bonheur, Donalda ne lui arrachait plus ses
40 pièces de vingt-cinq sous pour s'acheter des épingles à cheveux, du ruban, de la flanellette, des lacets de bottines, du coton, toutes choses, enfin, dont il se passait bien, lui, et qui sont des objets de luxe et de perdition.

Pierre Lebeau et Karine Vanasse dans les rôles respectifs de Séraphin et Donalda. En 2002, le cinéaste Charles Binamé a adapté l'histoire de Séraphin en cherchant à revenir aux sources du roman de Claude-Henri Grignon, tout en prenant quelques libertés.

....

Maintenant, Séraphin trouvait la vie belle. Et il ne se rap-
45 pelait pas avoir coulé, dans son existence d'avare, des jours plus heureux, plus pleins de joie, plus parfaits. Car sa pas-sion atteignait aujourd'hui à une intensité de tout instant que ne connaîtront jamais les damnés de la paresse, ni ceux de l'orgueil, ni ceux de la gourmandise, pas même les insatiables
50 de l'épuisante luxure[1].

Séraphin Poudrier les dépassait tous par la perpétuelle actua-lité de son péché qui lui valait des jouissances telles qu'aucune chair de courtisane au monde ne pouvait les égaler. Palpations de billets de banque et de pièces métalliques qui faisaient
55 circuler des courants de joie électrisants jusque dans la moelle de ses os : idées fixes qu'il traînait avec lui.

_____

1. Péché lié à la pratique du plaisir sexuel.

VERS LA DISSERTATION

1. Montrez que, chez Séraphin, le plaisir et la souffrance se confondent.
2. Par quels mots l'auteur exprime-t-il la jouissance de l'avare ?
3. À quels péchés l'avarice de Séraphin est-elle comparée ?
4. Montrez comment Séraphin réagit à la mort de sa femme, qu'il a lui-même provoquée.
5. Montrez que l'avarice de Séraphin est obsessionnelle.

■■■ Sujet de dissertation critique

Comparez cet extrait à celui de *La Scouine* d'Albert Laberge (*p. 64*). Peut-on dire que les auteurs y dépeignent des personnages également méprisables ?

Jean-Charles Harvey (1891-1967)

Jean-Charles Harvey tient le pari difficile d'être libre-penseur dans un Québec conservateur. Dans son roman *Les demi-civilisés*, il s'en prend aux ecclésiastiques qui dominent le Canada français et imposent leur vision moraliste de l'art. L'auteur paie cher cette offense : le cardinal Villeneuve de Québec défend aux fidèles de lire le roman sous peine de péché mortel ; le livre est retiré des librairies – sauf à Montréal. De plus, Harvey perd son emploi de rédacteur en chef au journal *Le Soleil*. L'écrivain s'établit alors à Montréal, où il fonde le journal *Le Jour*, dans lequel il prône le respect des droits humains, s'attaque à l'antisémitisme et milite pour une école qui éveille les enfants et les pousse à s'émanciper.

Dans *Les demi-civilisés*, Jean-Charles Harvey défend avec cœur cette liberté d'esprit qui lui est chère. Il dépeint sans concession la bourgeoisie de Québec, avec ses turpitudes et ses compromissions. Non sans audace, il donne à ses personnages une certaine liberté de mœurs et aborde des sujets comme l'amour libre, la contrebande, la consommation de drogue. Son personnage principal n'en reste pas moins un grand romantique qui se bat pour ses idéaux et entretient une liaison passionnée avec une mystérieuse jeune femme. Les passages les plus remar-qués restent ceux dans lesquels l'auteur dénonce avec férocité l'immobilisme de ses semblables, comme ce récit d'un cauchemar particulièrement dénonciateur.

Les demi-civilisés (1934)

Des affiches sans nombre encombraient les rues à la façon de nos poteaux de télégraphe.

M'arrêtant à tous les cinquante pieds, je lisais :

« Défense d'être poète ! Le rêve conduit aux pires
5 perversions. »

« Défense de troubler la paix des âmes par la musique ! Seul le tam-tam est permis. »

« Défense aux magiciens de la couleur et des formes de peindre l'homme et la femme tels que Dieu les a faits ! »

10 « Défense de créer des statues vivantes de peur d'inspirer aux purs des pensées profanes ! »

« Défense d'assister aux spectacles qui ne seraient pas ennuyeux ! »

« Défense aux affligés et aux désespérés de boire du vin
15 pour oublier le poids de la vie ! »

« Défense d'écrire des livres qui ne feraient pas bâiller ! »

« Défense de trouver belle une femme qui aurait le malheur de l'être réellement ! »

« Défense d'être heureux en amour ! »

20 Tremblant d'effroi, je cherchais à échapper à ce cauchemar, quand je vis, au fond d'une cour, un vieillard blême, couché dans des immondices et enlisé jusqu'à la bouche en des ordures grouillantes de mouches et de vers.

25 J'offris à ce misérable de le tirer du cloaque. Il me repoussa avec indignation :

— Loin d'ici, jeune homme ! Tu me fais horreur, parce que tu m'as l'air sain et jovial.

— Vous voulez donc pourrir vivant dans la fange ?

30 — Pourrir vivant ? C'est le devoir de tous les miens. Je m'étonne même que tu ne rougisses pas de marcher librement dans la rue, comme si tu cherchais quelque joie de vivre. Tu protestes ? Tu aimes la Liberté, je suppose ? Eh ! bien, ta Liberté, va voir ce que mes enfants ont fait
35 d'elle, sur la colline voisine.

Je me détournai avec dégoût de ce vieux qui, sous tant de déjections et de puanteurs, jouissait comme une courtisane dans ses coussins et ses parfums.

J'atteignis bientôt un monticule autour duquel des lépreux
40 vociféraient, menaçant le ciel de leurs poings couverts d'une peau écailleuse et jaune comme celle du hareng fumé.

Sur une arête de roc, je vis un gibet auquel pendait, attachée par les pieds, une femme divinement belle. Des forcenés lui criblaient la poitrine de coups de fouet, tandis que des
45 gamins sordides se balançaient, comme en des escarpolettes, au bout de sa puissante chevelure, qui pendait jusqu'à terre et le long de laquelle coulaient des ruisseaux de sang.

Je reconnus cette femme.

C'était la Liberté qu'on avait pendue !

VERS LA DISSERTATION

1. Dans cet extrait, quels sont les principaux reproches que l'auteur fait à la société de son temps ?
2. Montrez les procédés que l'auteur utilise pour exprimer son propos particulièrement virulent.
3. Relevez les éléments oniriques (qui semblent sortis d'un rêve) de la scène.

■ Sujets de dissertation critique

1. Est-il exact de dire que l'auteur défend ici la liberté par un usage systématique de l'ironie ?
2. Peut-on dire que Jean-Charles Harvey défend des idées semblables à celles qui seront développées 14 ans plus tard dans le manifeste *Refus global* ? Répondez à partir du second extrait de *Refus global*, à la page 118.

Rue de Québec vers 1930.

Délaissant les drames des paysans, Harvey situe la trame du roman *Les demi-civilisés* dans le milieu bourgeois de la ville de Québec.

Menaud, maître-draveur (1937)

Ce matin, il lui semble que tout le passé est là, dans ce cirque remué de pourpre et d'or.

Il se répète ce que disait le livre, un soir du dernier printemps :

Félix-Antoine Savard (1896-1982)

En tant que prêtre colonisateur, Félix-Antoine Savard parcourt les régions de Charlevoix et de l'Abitibi, entre en contact avec les paroissiens, noue avec eux et avec leur environnement immense et sauvage une relation d'intimité qui nourrira son œuvre majeure, le roman *Menaud, maître-draveur*. Ce livre s'imprègne à la fois d'un amour profond pour la région de Charlevoix et les gens qui l'habitent, et d'une connaissance réelle de la dure vie des draveurs et des cultivateurs. En 1943, Savard devient professeur à la Faculté des lettres de l'Université Laval. Mais il conserve pour le reste de sa vie son grand attachement pour Charlevoix, sa région d'adoption.

Menaud, maître-draveur décrit avec lyrisme et poésie le drame d'un vieil homme qui apprend que la terre de ses ancêtres sera vendue à des étrangers. En leitmotiv lui reviennent des mots du roman *Maria Chapdelaine* de Louis Hémon : « des étrangers sont venus » et « une race qui ne sait pas mourir ». Sur ces mots se bâtit la résistance de Menaud, résolu à se battre pour défendre sa terre. Cette lutte trouve un écho dans les amours de sa fille, qui doit choisir entre le Délié, vendu aux étrangers, et le Lucon, digne successeur de Menaud. Félix-Antoine Savard parvient habilement à plonger les lecteurs dans les pensées de Menaud et à leur faire comprendre sa révolte.

5 « Nous sommes venus, il y a trois cents ans et nous sommes restés... Ici, toutes les choses que nous avons apportées avec nous, notre culte, notre langue, nos vertus et jusqu'à nos faiblesses deviennent des choses sacrées, intangibles, et qui devront demeurer jusqu'à la fin. »

10 Ainsi passe la procession héroïque dans ce jour d'automne bariolé de sang, d'or et de fer.

De chaque motte de terre, de chaque sentier sourdent des voix, et Menaud croit entendre qu'elles appellent.

Il a repris son travail de la veille, ne trouvant d'autre
15 réponse que celle-là.

Patiemment, suivant le rite des ancêtres, il lace les nerfs de ses raquettes ; c'est ainsi qu'il apaise sa tête pleine d'idées en marche par des gestes d'artisan qui signifient libre espace et conquête.

20 Il célèbre, en fredonnant, ces entrelacs de force avec quoi ses pères ont marché sur toutes les neiges qui sont tombées du ciel depuis trois siècles, cet instrument de leurs lointaines randonnées. Amoureusement, il noue, il entrecroise.

[...]

25 Sa cabane de chasse, au pied de la Basilique ! et le ruisseau qui faisait parler la pierre avec sa flûte ! C'est là qu'à cette époque, avant les grandes bordées, il faisait sa purge de silence et de recueillement, et jonglait avec ses pensées profondes.

30 Désormais, elle lui serait interdite cette cambuse[1], interdite la montagne, de par la loi, la loi du pays de Québec qui permet à l'étranger de dire, quand bon lui semble, à l'enfant du sol : « Va-t'en ! »

Il interrompit tout à coup ses gestes de laceur.

35 Face à la montagne où les couleurs de l'automne vibraient comme des clairons, il se mit à protester qu'on ne lui fermerait pas ce domaine, que, dût-il y laisser ses os, il en chasserait les intrus.

1. Le troisième paragraphe de l'extrait est une citation de *Maria Chapdelaine* de Louis Hémon. Décrivez les moyens par lesquels ce propos vient influencer la pensée de Menaud.

2. Montrez que l'auteur oppose les ancêtres de Menaud à ses contemporains.

3. Qu'est-ce qui donne à ce passage une tonalité poétique ?

4. À quel texte l'expression « l'enfant du sol » (l. 32) fait-elle penser ?

■ Sujets de dissertation critique

1. Est-il exact de dire que cet extrait adopte un ton patriotique ?

2. Peut-on affirmer que ce texte présente une vision idyllique de la terre ?

VERS LA DISSERTATION

Autour de lui, tous, la servitude dans le cou, s'étaient soumis. Les protestations n'étaient pas allées au delà des
40 clôtures. On laisserait le Délié accomplir son œuvre.

Pour lui, Menaud, il avait assez souffert sous le joug, assez entendu de reproches de son sang, qu'il ne permettrait pas, non jamais ! que l'étranger souillât comme ailleurs l'héritage.

45 Le Lucon l'aiderait à cette chasse.

Il se mit alors à jouir de sa décision. Et son esprit partit en course dans tous les sentiers de la forêt.

_____

1. Cabane.

Clarence Gagnon, *La maison jaune*, 1912 ou 1913.

Avant d'écrire *Menaud, maître-draveur*, Félix-Antoine Savard s'est imprégné des paysages de Charlevoix et a connu ses habitants.

Trente arpents (1938)

— *Good news*, son père. J'ai vu Corrigan, aujourd'hui. Vous allez commencer à travailler, betôt. I' vous a trouvé une place.

— C'est vrai ?

Mais la voix d'Euchariste manquait d'enthousiasme.

5 — Sure ! une belle *job*, pas fatigante.

— Ouais ?

— Vous allez être gardien de nuit au garage de la ville.

— Ah ! au garage ?...

— Ben oui, tout ce que vous aurez à faire, ça sera de
10 *loafer*[1] en fumant vot' pipe.

Maintenant que cela était tout près, à portée de la main, Euchariste se sentait ému mais plus d'angoisse que de satisfaction. Quand il avait parlé de travailler, il l'avait fait bien un peu à la légère ; mais surtout travailler,
15 pour lui, c'était travailler la terre, travailler avec la terre. C'était conduire les chevaux à travers les champs lourds de soleil avec le cortège des oiseaux plongeant dans le sillon frais à la recherche de la vermine.

Et voilà qu'une terreur s'infiltrait en lui. Il avait en ce
20 moment le sentiment que son sort avait été jeté dans la balance et que, impitoyablement, l'emportait le plateau du mauvais destin.

Lui qui n'avait jamais appartenu à personne qu'à la terre, et encore à une aire limitée de trente arpents qui
25 était son univers et sa vie, voilà qu'il allait être soumis à un autre homme, à un patron, tel un commis de boutique. Un voyage imprudent l'avait conduit en une terre étrangère ; un mot imprudent le livrait pieds et poings liés à des étrangers et même pis ; à des gens
30 pour qui la terre n'était rien ; qui ne savaient que les affaires – la *business* – l'argent, le commerce, la ville enfin. Sur sa vie, jusque-là simple et claire, une lézarde courait subitement. Comme les autres, il trahissait.

Comment avait-il pu parler de demeurer encore ici, aux États ? Pourquoi d'ailleurs avoir parlé ? Une fois de plus les mots l'avaient trahi, les traîtres mots dont il avait
35 pourtant l'habitude de se méfier. Il s'était pris à leur glu[2].

Oui ! Partir ! Partir dès la semaine prochaine, dès demain !

Mais non ! Mieux valait attendre quelques jours une lettre d'Étienne[3] qui ne saurait tarder. Sans doute lui apporterait-elle sa rente.

Ringuet
(Philippe Panneton)
(1895-1960)

Philippe Panneton, grand voyageur, médecin et diplomate, a écrit sous le pseudonyme de Ringuet l'un des romans du terroir les plus accomplis. *Trente arpents* reste sans doute la fresque la plus ambitieuse sur la vie paysanne au Québec, par l'ampleur et le souci de précision avec lesquels l'auteur décrit la destinée d'un cultivateur prospère qui perd peu à peu ce qu'il a vaillamment construit pendant de longues années. Les modèles de Ringuet sont les grands écrivains réalistes et naturalistes.

Euchariste Moisan, le personnage principal du roman, voit peu à peu se dégrader tout ce qu'il a construit : sa grange brûle, le notaire lui vole ses économies, son fils aîné le supplante sur sa terre. Il ne lui reste plus qu'à partir aux États-Unis pour retrouver son fils préféré qui travaille dans une manufacture. Mais un paysan sans sa terre a perdu son âme, et le vieil Euchariste Moisan n'est plus que l'ombre de lui-même lorsqu'il doit accepter un travail de gardien de nuit dans un garage.

Comment les hommes de sa race, comment son fils, pouvaient-ils consentir à vivre
40 dans ce pays qui n'était pas le leur, où tout leur était hostile et, ce qui est la même
chose, différent, plutôt que de retourner là-bas sur le ruban fertile qui s'allonge
entre le sillon immense du Saint-Laurent et l'ados des Laurentides.

1. Paresser.   2. Colle forte. Terme employé ici au figuré.   3. Un autre fils d'Euchariste, celui qui a pris possession
de la terre familiale.

VERS LA DISSERTATION

1. Montrez comment cet extrait confronte les
   valeurs américaines à celles des paysans
   du Québec. Comment l'auteur décrit-il les
   États-Unis ?

2. Quelles sont les réactions d'Euchariste Moisan
   lorsque son fils lui annonce qu'il lui a trouvé
   un travail de gardien de nuit ?

3. Décrivez les moyens par lesquels l'auteur
   donne une tonalité lyrique au passage où il
   parle de la terre.

■ Sujets de dissertation critique

1. Comparez cet extrait à celui de *Maria
   Chapdelaine* (*p. 62-63*). Malgré les
   situations différentes des personnages, les
   deux auteurs soutiennent-ils de la même
   façon l'idée de l'attachement à la terre ?

2. Est-il juste de dire que cet extrait est une
   critique des États-Unis et du système
   capitaliste ?

Horatio Walker, *La traite du matin*, 1925.

Le Survenant (1945)

Premier extrait

Depuis qu'Angélina avait fait la connaissance du Survenant, elle ne restait plus assise, immobile, à la veillée ; elle errait d'une fenêtre à l'autre. Ou bien elle écoutait, le cœur serré, l'horloge égrener ses minutes dans le silence opaque. À intervalles réguliers, une goutte d'eau tombait de la pompe, et à la longue le toc-toc

5 monotone devenait plus affolant que le fracas du tonnerre. Parfois, David Desmarais, la pipe au bec, élevait la voix :

— Écoute donc, fille !

Il reconnaissait de loin la pétarade d'un yacht :

— Quiens ! Cournoyer revient de vendre à Sorel le
10 poisson de ses pêches !

Angélina sursautait. Elle répondait machinalement :

— Je sais pas s'il en a eu un bon prix.

La chute des minutes et de la goutte d'eau reprenait de plus belle. Angélina n'y tenait plus. D'un mouve-
15 ment décidé, elle décrochait sa chape et, avant de s'acheminer vers la maison de Didace, sur le seuil elle jetait à son père :

— Je veillerai pas tard.

David Desmarais ne bougeait même pas, soit qu'il
20 ignorât de quel tourment était possédée sa fille, soit que, sans vouloir l'admettre, il vît d'un bon œil Angélina s'attacher à un gaillard de la trempe du Survenant.

Aux yeux d'Angélina, le Survenant exprimait le jour et la nuit : l'homme des routes se montrait un bon
25 travaillant capable de chaude amitié pour la terre ; l'être insoucieux, sans famille et sans but, se révélait un habile artisan de cinq ou six métiers. La première fois qu'Angélina sentit son cœur battre pour lui, elle qui s'était tant piquée d'honneur de ne pas porter
30 en soi la folie des garçons, se rebella. De moins en moins, chaque jour, cependant.

Elle finit par accepter son sentiment, non pas comme une bénédiction, ni comme une croix, loin de là ! mais ainsi qu'elle accueillait le temps quotidien : telle une
35 force, supérieure à la volonté, contre laquelle elle n'avait pas le choix.

Son cœur se tourna donc dans le sens de l'amour, à la façon des feuilles qui cherchent le soleil.

Germaine Guèvremont (1893-1968)

Dans *Le Survenant*, Germaine Guèvremont explore un thème nouveau dans le roman du terroir : l'arrivée d'un étranger dans une communauté fermée et autarcique. Cet étranger séduit autant qu'il étonne. « Grand dieu des routes », jouissant d'une liberté totale, il disparaît comme il est apparu, sans que l'on ait rien su de lui. Un peu comme le personnage de Séraphin, dont l'auteur, Claude-Henri Grignon, est d'ailleurs cousin de Germaine Guèvremont, le Survenant devient un véritable mythe québécois : son histoire est racontée dans un feuilleton radiophonique, des séries télévisées et deux films.

Le Survenant étonne les habitants du Chenal du Moine, où il s'installe, par ses qualités remarquables : homme d'une force physique exceptionnelle, travailleur infatigable, il est aussi chanteur, conteur et menuisier doué. Cet être presque parfait est cependant tenté par la bouteille et prend des cuites remarquables. Le Survenant a surtout le talent de révéler les gens à eux-mêmes. Pour le père Didace qui l'accueille, il devient le fils idéal. Sa riche personnalité souligne, par contraste, la médiocrité du fils de Didace et de son épouse. Le Survenant fait naître doucement chez Angélina, une voisine qui s'est toujours refusée à ses prétendants, un amour irrésistible. Le Survenant reste quant à lui confronté à son éternel dilemme : partir ou rester ?

Second extrait

— Vous autres, vous savez pas ce que c'est d'aimer à voir du pays, de se lever avec le jour, un beau matin, pour filer fin seul, le pas léger, le cœur allège, tout son avoir sur le dos. Non ! vous aimez mieux piétonner[1] toujours à la même place, pliés en deux sur vos terres de petite grandeur, plates et cordées comme
5 des mouchoirs de poche. Sainte bénite, vous aurez donc jamais rien vu, de votre vivant ! Si un oiseau un peu dépareillé vient à passer, vous restez en extase devant, des années de temps. Vous parlez encore du bucéphale, oui, le plongeux à grosse tête, là, que le père Didace a tué il y a autour de deux ans. Quoi c'est que ça serait si vous voyiez s'avancer vers vous, par troupeaux de milliers, les
10 oies sauvages, blanches et frivolantes comme une neige de bourrasque ? Quand elles voyagent sur neuf milles de longueur formant une belle anse sur le bleu du firmament, et qu'une d'elles, de dix, onze livres, épaisse de flanc, s'en détache et tombe comme une roche ? Ça c'est un vrai coup de fusil ! Si vous saviez ce que c'est de voir du pays...

15 Les mots titubaient sur ses lèvres. Il était ivre, ivre de distance, ivre de départ. Une fois de plus, l'inlassable pèlerin voyait rutiler dans la coupe d'or le vin illusoire de la route, des grands espaces, des horizons, des lointains inconnus.

Comme son regard, tout le temps qu'il parlait, tendait uniquement vers la porte, chacun, à son exemple, porta la vue dessus : une porte grise, massive et basse, qui
20 donnait sur les champs, si basse que les plus grands devaient baisser la tête pour ne pas heurter le haut de l'embrasure. Son seuil, ils l'avaient passé tant de fois et tant d'autres l'avaient passé avant eux, qu'il s'était creusé, au centre, de tous leurs pas pesants. Et la clenche centenaire, recourbée et pointue, n'en pouvait plus à force de cliqueter sous toutes sortes de mains, une humble porte de tous les jours,
25 se parant de vertus à la parole d'un passant.

— Tout ce qu'on avait à voir, Survenant, on l'a vu, reprit dignement Pierre-Côme Provençal, mortifié dans sa personne, dans sa famille, dans sa paroisse.

---

1. Piétiner.

VERS LA DISSERTATION

1. Dans le premier extrait, montrez que l'amour d'Angélina pour le Survenant est vu comme une fatalité.
2. Comment Angélina essaie-t-elle de résister à cet amour ? Par quels moyens l'image de la goutte d'eau est-elle associée à cette résistance ?
3. Dans le second extrait, sur quels éléments l'esprit nomade et l'esprit sédentaire s'opposent-ils ?

■ Sujets de dissertation critique

1. Est-il juste de dire qu'Angélina et le Survenant ont des visions de la vie qui s'opposent ?
2. Peut-on dire que le Survenant n'est pas un homme du terroir ?

Émile Nelligan (1879-1941)

Le poète Émile Nelligan a eu l'effet d'un météore dans le paysage littéraire québécois. En quelques années, alors qu'il entre tout juste dans l'âge adulte, il écrit une œuvre personnelle et d'une rare qualité. Il triomphe pendant une lecture publique de l'École littéraire de Montréal au château Ramezay lorsqu'il récite «La romance du vin». Puis, ainsi qu'il semble l'avoir annoncé dans son poème «Le vaisseau d'or», il sombre dans «l'abîme du rêve». Il passe les 42 dernières années de sa vie interné à l'asile, souffrant de «dégénérescence mentale». Cette destinée tragique, la qualité de son œuvre – et peut-être aussi une superbe photo de lui, figure idéale du poète inspiré – transforment ensuite Nelligan en un véritable mythe, celui de l'artiste sensible, inadapté, au talent brut, victime d'un triste sort.

Dans sa poésie, Nelligan intègre des influences diverses, tant celles des Parnassiens que des symbolistes, tels que Baudelaire et Verlaine. Mais il sait surtout créer un univers qui lui est propre, marqué par son attachement à l'enfance, par une attirance pour la mort et par une vision idéalisée de l'amour. Cette poésie imprégnée de mélancolie, parfois fraîche et naïve, parfois d'une soudaine gravité, est toujours d'une grande maîtrise formelle. La sensibilité du poète s'exprime par des références multiples à l'art et à la musique, par une recherche d'images exotiques et par un vocabulaire aux riches réminiscences.

POÉSIE

Émile Nelligan et son œuvre (1904)

Soir d'hiver

Ah! comme la neige a neigé!
Ma vitre est un jardin de givre.
Ah! comme la neige a neigé!
Qu'est-ce que le spasme de vivre
5 À la douleur que j'ai, que j'ai!

Tous les étangs gisent gelés,
Mon âme est noire: Où-vis-je? où vais-je?
Tous ses espoirs gisent gelés:
Je suis la nouvelle Norvège
10 D'où les blonds ciels s'en sont allés.

Pleurez, oiseaux de février,
Au sinistre frisson des choses,
Pleurez, oiseaux de février,
Pleurez mes pleurs, pleurez mes roses,
15 Aux branches du genévrier.

Ah! comme la neige a neigé!
Ma vitre est un jardin de givre.
Ah! comme la neige a neigé!
Qu'est-ce que le spasme de vivre
20 À tout l'ennui que j'ai, que j'ai!...

Devant deux portraits de ma mère

Ma mère, que je l'aime en ce portrait ancien,
Peint aux jours glorieux qu'elle était jeune fille,
Le front couleur de lys et le regard qui brille
Comme un éblouissant miroir vénitien!

5 Ma mère que voici n'est plus du tout la même;
Les rides ont creusé le beau marbre frontal;
Elle a perdu l'éclat du temps sentimental
Où son hymen chanta comme un rose poème.

Aujourd'hui je compare, et j'en suis triste aussi,
10 Ce front nimbé de joie et ce front de souci,
Soleil d'or, brouillard dense au couchant des années.

Mais, mystère de cœur qui ne peut s'éclairer!
Comment puis-je sourire à ces lèvres fanées?
Au portrait qui sourit, comment puis-je pleurer?

VERS LA DISSERTATION

1. Expliquez les effets des répétitions dans «Soir d'hiver». Quel sens peut-on donner à ces répétitions que fait le poète?

2. Par quels procédés le poète développe-t-il l'analogie entre l'hiver et son âme?

3. Dans «Devant deux portraits de ma mère», montrez l'opposition entre les deux descriptions de la mère des deux premières strophes du poème.

4. Quel sens donnez-vous à la dernière strophe? Expliquez ce comportement paradoxal du poète.

■■ Sujets de dissertation critique

1. Est-il exact de dire que «Soir d'hiver» exprime une grande mélancolie?

2. Le poème «Devant deux portraits de ma mère» exprime-t-il d'abord et avant tout l'amour du poète pour sa mère?

Émile Nelligan (1879-1941)

Charles Baudelaire est l'une des principales influences d'Émile Nelligan. Chez Nelligan, les références à son aîné sont nombreuses, tant par les sujets abordés – comme la mort libératrice, l'ennui, les chats – que par le vocabulaire parfois lugubre. Les deux poètes expriment une fascination semblable pour une passante, dont ils interprètent cependant la brève apparition de façon différente.

Ferdinand Hodler, *Le rêve*, 1897.

Les poètes symbolistes rêvent d'une femme évanescente et mystérieuse, qu'incarne bien la passante imaginée par Baudelaire et Nelligan.

VERS LA DISSERTATION

1. Quel est le nom de la forme fixe dans laquelle les deux poèmes sont écrits ?
2. Comment les poètes qualifient-ils la passante dans leur poème ?
3. Montrez que les deux dernières strophes des deux poèmes diffèrent. Comparez le dernier vers de chacun des poèmes.
4. Par quels moyens Nelligan compare-t-il la passante à sa jeunesse ?

■ Sujet de dissertation critique

Nelligan et Baudelaire développent-ils une pensée opposée sur la passante qu'ils décrivent ?

La passante (1904)

Hier, j'ai vu passer, comme une ombre qu'on plaint,
En un grand parc obscur, une femme voilée :
Funèbre et singulière, elle s'en est allée,
Recélant sa fierté sous son masque opalin.

5 Et rien que d'un regard, par ce soir cristallin,
J'eus deviné bientôt sa douleur refoulée ;
Puis elle disparut en quelque noire allée
Propice au deuil profond dont son cœur était plein.

Ma jeunesse est pareille à la pauvre passante :
10 Beaucoup la croiseront ici-bas dans la sente
Où la vie à la tombe âprement nous conduit ;

Tous la verront passer, feuille sèche à la brise
Qui tourbillonne, tombe et se fane en la nuit ;
Mais nul ne l'aimera, nul ne l'aura comprise.

Charles Baudelaire (1821-1867)

Charles Baudelaire est un poète symboliste partagé entre son aspiration vers l'idéal et un sentiment de désespoir, d'ennui existentiel, qu'il nomme le « spleen ». Dans son principal recueil, *Les fleurs du mal* (1857), il révèle ses désirs contradictoires et exprime sa fascination pour une forme de beauté vénéneuse.

À une passante (1857)

La rue assourdissante autour de moi hurlait.
Longue, mince, en grand deuil, douleur majestueuse,
Une femme passa, d'une main fastueuse
Soulevant, balançant le feston et l'ourlet ;

5 Agile et noble, avec sa jambe de statue.
Moi, je buvais, crispé comme un extravagant,
Dans son œil, ciel livide où germe l'ouragan,
La douceur qui fascine et le plaisir qui tue.

Un éclair... puis la nuit ! – Fugitive beauté
10 Dont le regard m'a fait soudainement renaître,
Ne te verrai-je plus que dans l'éternité ?

Ailleurs, bien loin d'ici ! trop tard ! *jamais* peut-être !
Car j'ignore où tu fuis, tu ne sais où je vais,
Ô toi que j'eusse aimée, ô toi qui le savais !

Les gouttelettes (1904)

Le semeur

Dès l'aube il a quitté la paille de l'alcôve,
Car l'amour du travail est un vif aiguillon.
Au clocher dort encor le pieux carillon ;
Il s'agenouille et dit la prière qui sauve.

5 Il puise le grain d'ambre au sac de toile fauve,
Et, d'un geste rythmé, le répand au sillon,
Comme un prêtre, l'eau sainte avec le goupillon.
Son rêve voit mûrir la plaine encore chauve.

Et les corbeaux goulus volent derrière lui
10 Pour se gorger avant qu'il promène la herse[1].
C'est une aumône aussi que le printemps leur verse.

Donne au sol le froment. Quand le jour aura fui,
Entre, vaillant semeur, dans ta chambrette close...
Donne au sol le froment, au foyer l'enfant rose.

---

1. Instrument pour enfouir les semences sur une terre labourée.

VERS LA DISSERTATION

1. Décrivez comment se vit le réveil du semeur.
2. Expliquez le dernier vers. En quoi est-il conforme à la morale de l'époque ?
3. Analysez les liens que le poète construit entre le travail du semeur et la religion.

■ Sujet de dissertation critique

Dans ce poème, le travail du semeur est-il vu de façon réaliste ?

Pamphile Le May (1837-1918)

Au cours de sa longue et respectable carrière, Pamphile Le May écrit une poésie reflétant son attachement à la terre, aux traditions et au passé, qui contraste de façon prononcée avec la modernité de Nelligan. L'œuvre de ce notable précède de peu celles des régionalistes, mais on y trouve déjà les principales caractéristiques de ce courant.

Les gouttelettes sont un volumineux recueil de sonnets, très apprécié au moment de sa parution et considéré comme le plus accompli de l'auteur. Celui-ci y exploite les thèmes qui forment l'arsenal des régionalistes : l'attachement à la religion, la glorification des héros du passé et, surtout, la vie paysanne, décrite de façon attendrie. Les poèmes «rustiques» de l'auteur sont ceux qui caractérisent le mieux son œuvre ; ils sont pour lui un moyen de célébrer un travail éprouvant que les romanciers, pour leur part, traitent autrement et décrivent avec plus de réalisme.

Horatio Walker, *Tournant la herse*, 1928.

Dans de nombreuses peintures, Horatio Walker a illustré le dur labeur des cultivateurs du Québec avec le souci constant de reproduire fidèlement la réalité.

La querelle des exotiques et des régionalistes

La querelle des exotiques et des régionalistes, dont le moment le plus significatif se déroule vers 1918, est caractéristique des débats polémiques entre gens de lettres. Inévitable, ce genre de débat oppose à la fois des propos strictement esthétiques et des idées plus générales, qui s'expriment dans des textes vifs, passionnés, souvent emportés. Les parties répliquent à tour de rôle, avec vigueur et panache, sans qu'une réconciliation soit recherchée : l'objectif du débat est plutôt d'accumuler les victoires contre l'adversaire. Ces polémiques sont souvent la preuve de la bonne santé d'une littérature. Les exotiques et les régionalistes sont avant tout des poètes. Mais alors que les exotiques se consacrent entièrement à la poésie, les régionalistes ne dédaignent pas le roman qui, depuis ses origines au Québec, décrit très bien une réalité typique tout en cherchant à l'idéaliser.

Les exotiques s'expriment principalement dans la revue *Le Nigog*, fondée en 1918 et dont ne paraissent que quelques numéros. Ce groupe est mené par Marcel Dugas, qui en est le plus important défenseur et qui a l'originalité d'écrire au Québec de la poésie en prose. Parmi les principaux poètes exotiques, il faut d'abord nommer Paul Morin, dont l'écriture est précieuse et élégante, et dont le formalisme est parfois encombrant ; puis, Alphonse Beauregard et René Chopin, qui conçoivent quant à eux une poésie métaphysique plus inquiète.

Le mouvement régionaliste est sans aucun doute plus vigoureux. Il s'impose dès 1910 par la poésie du terroir, qui compte de nombreux émules : parmi eux, Blanche Lamontagne, Gonzalve Desaulniers, Albert Ferland et Jean Charbonneau. Ce mouvement reste productif longtemps après la fin de la querelle avec les exotiques. Les œuvres régionalistes

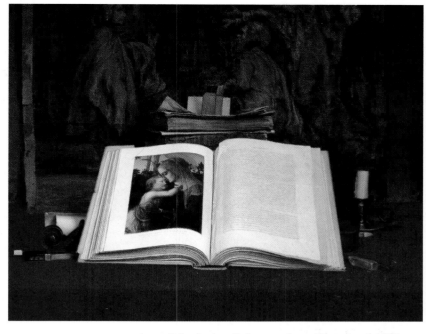

Ozias Leduc, *Nature morte au livre ouvert*, 1898.

Ozias Leduc fait le pont entre tradition et modernité. Peintre de scènes religieuses et de natures mortes, il est aussi le maître de l'avant-gardiste Paul-Émile Borduas.

> Les exotiques se consacrent entièrement à la poésie, alors que les régionalistes préfèrent le roman qui décrit une réalité typique tout en cherchant à l'idéaliser.

deviennent plus intéressantes lorsque les poètes se détournent du conservatisme. Ainsi, l'œuvre du poète Alfred DesRochers est bien ancrée dans le terroir, mais elle dégage une liberté de ton et une grandeur épique qui font de cet auteur l'un des plus importants de ce courant.

Les exotiques et les régionalistes s'opposent sur les questions résumées ci-dessous.

Les exotiques

Ils s'inspirent des esthétiques parisiennes, principalement. Les auteurs d'ici écrivent des textes influencés par les symbolistes, les Parnassiens et les modernes.

Dans leurs références et leur vocabulaire, **les exotiques ne renvoient pas à une réalité spécifiquement québécoise.** Leur vocabulaire est souvent précieux et évoque un monde exotique au sens propre du terme, qui réfère fréquemment à des lieux étrangers.

Ils ont une vision moderniste de leur art. Ils cherchent à ouvrir leurs contemporains à un art innovateur dans lequel les recherches formelles priment.

Les régionalistes

Selon les régionalistes, il faut rompre avec la métropole française et **exploiter ce qui nous distingue : notre histoire, notre religion, notre territoire.**

Ils aiment employer des mots qui évoquent la réalité d'ici. Ils mettent de l'avant les particularités de notre vocabulaire, nomment notre pays, cherchent à incarner une réalité qui nous est propre.

Ils défendent des valeurs conservatrices : la religion, le patriotisme, le conformisme. Selon eux, la littérature doit viser à inculquer ces valeurs aux Canadiens français.

Le paon d'émail (1911)

Paul Morin
(1889-1963)

Paul Morin appartient à la haute bourgeoisie canadienne-française. La fortune de sa famille lui permet de s'exiler quelques années à Paris, où il fréquente des milieux huppés, dont le célèbre salon d'Anna de Noailles. Il écrit une thèse sur le poète américain Henry Longfellow, dont la poésie est pourtant très différente de la sienne. Son existence de dandy et de grand voyageur trouve un écho dans sa poésie raffinée, riche de références à des lieux exotiques et lointains.

Le paon d'émail, qu'il a écrit à l'âge de 22 ans, est un recueil virtuose, au ton parfois affecté, dans lequel l'auteur éblouit par l'élégance de son vocabulaire et sa recherche constante d'un ailleurs mystérieux. Parmi les poètes exotiques, Morin est celui qui décrit avec le plus de conviction un monde de beauté, aux antipodes de la rude réalité québécoise.

Le paon royal

Quelque vieux jardinier, à l'âme orientale,
Donna le nom sonore et fier de paon royal
À l'œillet odorant, dont chaque lourd pétale
S'irise de velours, de flamme et de métal.

5 Or, je connais l'ardent et mauve héliotrope
Dont l'arôme fougueux fait défaillir les sens
Des chauds sérails d'Asie aux doux jardins d'Europe,
Les roses de Mossoul et les jasmins persans,

Les soucis d'or, qu'avait à son front Orcavelle
10 La nuit qu'elle mourut d'entendre un rossignol,
L'écarlate aloès, que sur sa caravelle
Don Pizarre apporta vers le ciel espagnol,

Le lys tigré de vert qui croît dans Samarcande,
Le chrysanthème roux, l'hélianthe de feu,
15 L'hyacinthe étoilant les prés blonds de Hollande,
La tulipe de jaspe et l'hortensia bleu...

Mais j'aime surtout voir étinceler dans l'ombre
La coupe transparente en fragile cristal
Où fleurit, violent, voluptueux et sombre,
20 Sur sa tige d'émail, le pourpre paon royal.

VERS LA DISSERTATION

1. Cherchez dans un dictionnaire les mots et les noms de lieux qui vous sont inconnus. Faites la liste des mots qui désignent des fleurs.
2. Ce poème cherche-t-il à communiquer des émotions au lecteur ou n'est-il qu'un jeu formel?
3. Ce poème correspond-il bel et bien à l'esthétique des poètes exotiques?

■ Sujet de dissertation critique

Peut-on dire que « Le paon royal » et « Le semeur » de Pamphile Le May (*p. 76*) ont malgré tout des points communs dans leur façon d'évoquer la nature?

Alphonse Mucha, *Fleur*, 1897.

Les créateurs de l'Art nouveau, style décoratif contemporain de Paul Morin, se plaisent à entourer les femmes de fleurs.

Durant les années 1930, la Grande Dépression entraîne dans la misère une grande partie de la population du Québec.

Jean Narrache (Émile Coderre) (1893-1970)

Le pharmacien Émile Coderre est touché par son contact quotidien avec les gens du peuple qui subissent cruellement les aléas de la Grande Dépression. Dans son œuvre, il crée le personnage de Jean Narrache, qui prend la parole au nom des pauvres et des «gueux», victimes de la crise. Il raconte leurs joies et leurs misères dans les mots qui leur appartiennent. Sa poésie associe de façon originale une forme classique – le recours au quatrain et à l'octosyllabe y est systématique – à la langue saccadée et au vocabulaire coloré des gens du peuple.

Passant de la complainte à la révolte et à la tendresse, le poète ne perd jamais son sens de l'humour et de l'ironie. Le timide et toujours humble Jean Narrache sait parfois devenir virulent. Il reste conscient des inégalités sociales et ne craint pas de se moquer des puissants.

J'parle tout seul quand Jean Narrache (1932)

Le jeu de golf

Paraît qu'les homm's d'affair's d'la Haute
Quand i' sont tannés de s'mentir
Pis d'tripoter l'argent des autres
Vont jouer au golf pour s'divertir.

5 L'golf, c'est l'jeu d'l'aristocratie,
Des commis d'bar, des députés ;
C'est l'pass'-temps d'la diplomatie
Quand i' se r'posent de s'disputer.

Ça s'joue avec des cann's, des boules,
10 Des sacr's et pis d'la bonn' boisson,
Quand la boul' march', pis qu'le « scotch » coule,
Y sont heureux, comm' de raison.

Y fess'nt la boule à grands coups d'canne
Tant qu'a tomb' pas au fond d'un trou.
15 Quand ça va mal ben i' s'chicanent,
Quand ça va ben, i' prenn'nt un « coup ».

C'est drôl' p'têt' ben, mais j'trouv' qu'ça r'ressemble
Au jeu qu'i' jouent à tous les jours ;
Pour blaguer l'monde, i' s'mett'nt ensemble.
20 Pis i' fess'nt dessus chacun leur tour.

Les pauverr' yâb's, on est les boules
Que ces messieurs fess'nt à grands coups ;
Y sont contents quand i' nous roulent
Pi' qu'i' nous voient tomber dans l'trou.

La Bolduc (Mary Travers)
(1894-1941)

La chanteuse Mary Travers, mieux connue par son surnom «La Bolduc», a elle aussi raconté la misère des pauvres pendant la crise. Tout en reconnaissant les difficultés que tous vivent quotidiennement, elle tâche de remonter le moral de ses semblables par sa musique joyeuse et taquine.

VERS LA DISSERTATION

1. Dans «Le jeu de golf», relevez les procédés par lesquels le poète se moque des «homm's d'affair's d'la Haute».

2. Montrez que le golf est utilisé comme une analogie pour décrire le rapport entre les riches et les pauvres.

3. Expliquez comment la pauvreté et la misère affectent la vie quotidienne de La Bolduc.

4. Montrez que les deux textes exploitent un humour différent.

■ Sujets de dissertation critique

1. Jean Narrache se contente-t-il de railler les riches ?

2. Est-il vrai de dire que les textes de Jean Narrache et de La Bolduc s'inspirent de façon très différente de la grande crise ?

Ça va venir,
découragez-vous pas (1930)

Mes amis, je vous assure que le temps est bien dur.
Il faut pas s'décourager, on va bien vite commencer.
De l'ouvrage, y va en avoir pour tout le monde, cet hiver
Il faut bien donner le temps au nouveau gouvernement

5 Ça va venir, pis ça va venir, mais décourageons-nous pas
Moi, j'ai toujours le cœur gai et j'continue à turluter

On se plaint à Montréal, après tout, on est pas mal.
Dans la province de Québec, on mange not' pain sec.
Y a pas d'ouvrage au Canada, y en a bien moins dans les États.
10 Essayez pas d'aller plus loin, vous êtes certains de crever de faim.

Ça va venir, pis ça va venir, mais décourageons-nous pas
Moi, j'ai toujours le cœur gai et j'continue à turluter

Ça coûte cher de c'temps-ici, pour se nourrir à crédit.
Pour pas que ça monte à la grocerie[1], je me tape fort sur les biscuits.
15 Mais je peux pas faire de l'extra, mon p'tit mari travaille pas
À force de me priver de manger, j'ai l'estomac ratatiné.

Ça va venir, pis ça va venir, mais décourageons-nous pas
Moi, j'ai toujours le cœur gai et j'continue à turluter

Me voilà mal amanchée, j'ai des trous dans mes souliers.
20 Mes talons sont tout de travers, et pis, le bout qui r'trousse en l'air.
Le dessus est tout fendu, la doublure toute décousue.
Les orteils passent en travers, c'est toujours mieux que d'pas
    en avoir.

Ça va venir, pis ça va venir, mais décourageons-nous pas
25 Moi, j'ai toujours le cœur gai et j'continue à turluter

Le propriétaire qui m'a loué, il est bien mal amanché.
Ma boîte à charbon est brûlée, et puis j'ai cinq vitres de cassées ;
Ma lumière décollectée, pis mon eau est pas payée.
Y ont pas besoin de venir m'achaler, m'a les saprer[2] en bas de
30   l'escalier.

---

1. Épicerie.   2. Jeter (en langue populaire, « sacrer »).

À l'ombre de l'Orford (1929)

Alfred DesRochers
(1901-1978)

Alfred DesRochers vient d'une famille de cultivateurs. Il exerce divers métiers avant de se consacrer au journalisme et à la traduction. Sa poésie est marquée par la vie simple et rude qu'il observe chez ses semblables avec un regard précis, sans complaisance. Il pratique avec art les formes classiques de la poésie, surtout le sonnet, mais leur donne une certaine trivialité qui crée un heureux contraste.

Son recueil le plus important, *À l'ombre de l'Orford*, décrit l'une des belles régions rurales du Québec, les Cantons-de-l'Est. Le poète s'intéresse cependant aux humains qui peuplent cette région, à leurs métiers et à leurs occupations, qu'il grandit par ses mots. Aux foins, à la boucherie, dans les sentiers ou sur l'eau, l'humanité décrite par DesRochers s'agite dans toute sa vérité. Dans un de ses poèmes les plus connus, «Liminaire», il braque son regard sur lui-même pour mieux se souvenir d'un passé rehaussé par la nostalgie.

Liminaire

Je suis un fils déchu de race surhumaine,
Race de violents, de forts, de hasardeux,
Et j'ai le mal du pays neuf, que je tiens d'eux,
Quand viennent les jours gris que septembre ramène.

5 Tout le passé brutal de ces coureurs des bois :
Chasseurs, trappeurs, scieurs de long, flotteurs de cages,
Marchands aventuriers ou travailleurs à gages,
M'ordonne d'émigrer par en haut pour cinq mois.

Et je rêve d'aller comme allaient les ancêtres ;
10 J'entends pleurer en moi les grands espaces blancs,
Qu'ils parcouraient, nimbés de souffles d'ouragans,
Et j'abhorre comme eux la contrainte des maîtres.

Quand s'abattait sur eux l'orage des fléaux,
Ils maudissaient le val, ils maudissaient la plaine,
15 Ils maudissaient les loups qui les privaient de laine :
Leurs malédictions engourdissaient leurs maux.

Mais quand le souvenir de l'épouse lointaine
Secouait brusquement les sites devant eux,
Du revers de leur manche, ils s'essuyaient les yeux
20 Et leur bouche entonnait : « À la claire fontaine »...

Ils l'ont si bien redite aux échos des forêts,
Cette chanson naïve où le rossignol chante,
Sur la plus haute branche, une chanson touchante,
Qu'elle se mêle à mes pensers les plus secrets :

25 Si je courbe le dos sous d'invisibles charges,
Dans l'âcre brouhaha de départs oppressants,
Et si, devant l'obstacle ou le lien, je sens
Le frisson batailleur qui crispait leurs poings larges ;

Si d'eux, qui n'ont jamais connu le désespoir,
30 Qui sont morts en rêvant d'asservir la nature,
Je tiens ce maladif instinct de l'aventure,
Dont je suis quelquefois tout envoûté, le soir ;

Par nos ans sans vigueur, je suis comme le hêtre
Dont la sève a tari sans qu'il soit dépouillé,
35 Et c'est de désirs morts que je suis enfeuillé,
Quand je rêve d'aller comme allait mon ancêtre ;

Mais les mots indistincts que profère ma voix
Sont encore : un rosier, une source, un branchage,
Un chêne, un rossignol parmi le clair feuillage,
40 Et comme au temps de mon aïeul, coureur des bois,

Ma joie ou ma douleur chante le paysage.

VERS LA DISSERTATION

1. Quelles sont les caractéristiques formelles de ce poème ?
2. Quelle est cette « race surhumaine » décrite par le poète ? Pour quelles raisons le poète lui voue-t-il son admiration ?
3. Retrouvez les paroles de la chanson « À la claire fontaine ». Quel rôle cette chanson joue-t-elle dans le poème ?
4. Dans les trois derniers quatrains, comment le poète se considère-t-il par rapport aux gens qu'il vient de décrire ?

■ Sujet de dissertation critique

Est-il juste de dire que le poète propose une vision idéalisée de cette « race surhumaine » qu'il décrit ?

Les poètes de la solitude

I est particulièrement difficile d'être poète au Québec au milieu du xxᵉ siècle. Alors qu'en France et ailleurs dans le monde les avant-gardes éclosent et soulèvent la controverse, alors que la poésie se prête particulièrement aux nouvelles expériences et aux recherches formelles, les élites canadiennes-françaises, sous la houlette d'un clergé conservateur, se referment plus que jamais. L'art et la poésie modernes, considérés comme menaçants et inconvenants, sont rejetés avec vigueur.

Devant ce manque d'ouverture, plusieurs poètes préfèrent se retirer de la vie sociale, vivre à fond leur solitude et explorer leur intimité. Il en résulte une poésie angoissée et douloureuse, dans laquelle les poètes ne cessent d'exprimer leur grand mal de vivre. On appelle « poètes de la solitude » ces auteurs qui ont conçu dans l'isolement des œuvres singulières, écrites avec une grande liberté, sans chercher à imiter les modèles étrangers, qu'ils soient parisiens ou autres.

Même si les principaux poètes de la solitude ont écrit sans se consulter et sans chercher à créer un courant, leurs œuvres ont plusieurs caractéristiques communes :

> On appelle « poètes de la solitude » ces auteurs qui ont conçu dans l'isolement des œuvres singulières, écrites avec une grande liberté, sans chercher à imiter les modèles étrangers.

- **Ils explorent à fond le thème de l'isolement.** Ces poètes n'arrivent à communiquer ni avec un monde extérieur étrangement absent, ni avec une éventuelle personne aimée, parfois désincarnée et évanescente (comme la « fiancée » des poèmes d'Alain Grandbois) ou le plus souvent inexistante.

- **L'isolement des poètes les entraîne à entreprendre de grandes introspections.** Les poètes voyagent à l'intérieur d'eux-mêmes et ne cessent de sonder leur âme.

- **Ils expriment l'angoisse provoquée par leur isolement.** Les poètes de la solitude sont marqués par la nuit, la mort, le silence, par le sentiment d'être enfermés, voire étouffés. Ils vivent dans un univers stérile où la mort se fait omniprésente.

- **Les poètes de la solitude sont partagés entre l'espoir et le désespoir.** Si leur quotidien est sombre et triste, ils se prennent souvent à espérer une lueur ou une vie nouvelle qu'ils ne parviennent cependant pas toujours à se représenter nettement.

- **Ces poètes s'expriment avec une grande liberté formelle.** Ils adoptent systématiquement le vers libre. Leur écriture, d'une indiscutable modernité, demeure très personnelle et d'une grande intensité.

Les œuvres de ces poètes ne sont cependant pas homogènes et se démarquent les unes des autres. Ainsi, des différences flagrantes s'observent entre le premier recueil d'Hector de Saint-Denys Garneau et celui d'Alain Grandbois. La poésie de *Regards et jeux dans l'espace* (1937), de Saint-Denys Garneau, est très resserrée, et ses vers souvent courts sont d'une grande densité. Dans *Les îles de la nuit* (1944), Alain Grandbois livre une poésie large et éclatée, et ses longs poèmes incantatoires connaissent de puissantes envolées. Ces deux auteurs ont une influence considérable sur les générations de poètes qui leur succèdent. Alors que, dans les années 1960, les poètes du pays écrivent une poésie influencée par le souffle épique de Grandbois, les poètes des années 1980, qui cherchent à exprimer l'intime et à rendre compte de leur monde intérieur, s'inspirent davantage de Saint-Denys Garneau.

Dans *Le tombeau des rois* (1953), Anne Hébert conçoit un recueil très accompli, un curieux voyage de la naissance vers la mort, qui aboutit à une renaissance. On retrouve ce souffle poétique dans les romans au style elliptique et évocateur qu'Hébert écrit ultérieurement. La poésie de Rina Lasnier est marquée par une quête mystique et une recherche de sens dans un monde à la fois insaisissable, fascinant et désolant. Ses recueils *Présence de l'absence* (1956) et *Mémoire sans jour* (1960) restent parmi les plus réussis de ces années d'introspection.

Hector de Saint-Denys Garneau, *Arbre solitaire,* 1953.

Saint-Denys Garneau a illuminé sa poésie de son regard d'aquarelliste, notamment dans ses poèmes sur les arbres qui embellissent les paysages du Québec.

Regards et jeux dans l'espace (1937)

Paysage en deux couleurs sur fond de ciel

La vie la mort sur deux collines
Deux collines quatre versants
Les fleurs sauvages sur deux versants
L'ombre sauvage sur deux versants.

5 Le soleil debout dans le sud
Met son bonheur sur les deux cimes
L'épand sur faces des deux pentes
Et jusqu'à l'eau de la vallée
(Regarde tout et ne voit rien)

10 Dans la vallée le ciel de l'eau
Au ciel de l'eau les nénuphars
Les longues tiges vont au profond
Et le soleil les suit du doigt
(Les suit du doigt et ne sent rien)
15 Sur l'eau bercée de nénuphars
Sur l'eau piquée de nénuphars
Sur l'eau percée de nénuphars
Et tenue de cent mille tiges
Porte le pied des deux collines
20 Un pied fleuri de fleurs sauvages
Un pied rongé d'ombre sauvage.

Et pour qui vogue en plein milieu
Pour le poisson qui saute au milieu
(Voit une mouche tout au plus)

25 Tendant les pentes vers le fond
Plonge le front des deux collines
Un de fleurs fraîches dans la lumière
Vingt ans de fleurs sur fond de ciel
Un sans couleur ni de visage
30 Et sans comprendre et sans soleil
Mais tout mangé d'ombre sauvage
Tout composé d'absence noire
Un trou d'oubli – ciel calme autour.

Hector de Saint-Denys Garneau (1912-1943)

L'œuvre d'Hector de Saint-Denys Garneau provoque une importante rupture dans l'évolution de la poésie québécoise. Pour la première fois, un auteur d'ici écrit des poèmes profondément originaux et d'une étonnante liberté formelle, dont la composition est moderne et le contenu, d'une grande intériorité. Son unique recueil publié de son vivant, *Regards et jeux dans l'espace*, subit les contrecoups de sa singularité : il est ignoré du public. À la suite de cet échec et d'un désolant voyage en France, le poète à la santé fragile préfère se retirer et vivre dans une grande solitude. Il meurt d'une crise cardiaque à l'âge de 31 ans.

Dans *Regards et jeux dans l'espace*, Saint-Denys Garneau apprend des enfants le plaisir du jeu. Il construit ses poèmes intenses et dépouillés à la façon des jeux d'équilibre, et il leur ajoute parfois de petites touches d'ironie. Le recueil traduit d'abord l'intérêt du poète pour la peinture – Saint-Denys Garneau était un excellent aquarelliste. Dans ses «Esquisses en plein air» (titre d'une des sections du livre), il s'installe comme un peintre dans la nature et décrit avec les mots du poète les paysages et les grands arbres de nos campagnes. Puis, le paysage s'assombrit, devient «De gris en plus noir» (titre d'une autre section), et le poète se trouve face à ses angoisses, à ses déchirements, à sa solitude. Dans *Regards et jeux dans l'espace*, la tristesse et la nuit l'emportent sur la lumière.

Marc-Aurèle Fortin, *Ferme à Sainte-Rose,* **v. 1923.**

« Dans les champs / Calmes parasols / Sveltes, dans une tranquille élégance / Les ormes [...] » – Saint-Denys Garneau.

....

Accompagnement

Je marche à côté d'une joie
D'une joie qui n'est pas à moi
D'une joie à moi que je ne puis pas prendre

Je marche à côté de moi en joie
5　J'entends mon pas en joie qui marche à côté de moi
Mais je ne puis changer de place sur le trottoir
Je ne puis pas mettre mes pieds dans ces pas-là
　　　　　et dire voilà c'est moi

Je me contente pour le moment de cette compagnie
10　Mais je machine en secret des échanges
Par toutes sortes d'opérations, des alchimies,
Par des transfusions de sang
Des déménagements d'atomes
　　　　　par des jeux d'équilibre

15　Afin qu'un jour, transposé,
Je sois porté par la danse de ces pas de joie
Avec le bruit décroissant de mon pas à côté de moi
Avec la perte de mon pas perdu
　　　　　s'étiolant à ma gauche
20　Sous les pieds d'un étranger
　　　　　qui prend une rue transversale.

VERS LA DISSERTATION

1. « Paysage en deux couleurs sur fond de ciel » est marqué par le regard d'un peintre. À quoi le constate-t-on ?

2. Relevez l'opposition entre la vie et la mort qui se manifeste dans les champs lexicaux.

3. Dans « Accompagnement », montrez comment, dans les quatre premiers vers, évolue l'image du dédoublement entre le poète et la joie.

4. Montrez la façon dont évolue la relation entre le poète et son « moi en joie ».

■ Sujets de dissertation critique

1. Est-il exact de dire que la mort l'emporte sur la vie dans « Paysage en deux couleurs sur fond de ciel » ?

2. Le poème « Accompagnement » est l'expression d'un grand désespoir. Discutez cette affirmation.

Parallèle

Cousin, cousine

La poésie d'Hector de Saint-Denys Garneau a influencé celle de sa cousine Anne Hébert. Cette dernière a d'ailleurs fait part de son admiration pour son aîné. Les deux poètes expriment avec force leur sentiment de solitude, dans une forme tout aussi dépouillée.

HECTOR DE SAINT-DENYS GARNEAU
Cage d'oiseau (1937)

Je suis une cage d'oiseau
Une cage d'os
Avec un oiseau

L'oiseau dans sa cage d'os
5 C'est la mort qui fait son nid

Lorsque rien n'arrive
On entend froisser ses ailes

Et quand on a ri beaucoup
Si l'on cesse tout à coup
10 On l'entend qui roucoule
Au fond
Comme un grelot

C'est un oiseau tenu captif
La mort dans ma cage d'os

15 Voudrait-il pas s'envoler
Est-ce vous qui le retiendrez
Est-ce moi
Qu'est-ce que c'est

Il ne pourra s'en aller
20 Qu'après avoir tout mangé
Mon cœur
La source du sang
Avec la vie dedans

Il aura mon âme au bec.

ANNE HÉBERT
La fille maigre (1953)

Je suis une fille maigre
Et j'ai de beaux os.

J'ai pour eux des soins attentifs
Et d'étranges pitiés

5 Je les polis sans cesse
Comme de vieux métaux.

Les bijoux et les fleurs
Sont hors de saison.

Un jour je saisirai mon amant
10 Pour m'en faire un reliquaire[1] d'argent.

Je me pendrai
À la place de son cœur absent.

Espace comblé,
Quel est soudain en toi cet hôte sans fièvre ?

15 Tu marches
Tu remues ;
Chacun de tes gestes
Pare d'effroi la mort enclose.

Je reçois ton tremblement
20 Comme un don.

Et parfois
En ta poitrine, fixée,
J'entrouvre
Mes prunelles[2] liquides

25 Et bougent
Comme une eau verte
Des songes bizarres et enfantins.

---

1. Petite boîte dans laquelle on dépose les reliques d'un saint.   2. Yeux.

VERS LA DISSERTATION

1. Montrez que les deux poèmes associent l'image des os à l'enfermement.

2. Comment les conclusions de ces deux poèmes se distinguent-elles ?

▮ Sujet de dissertation critique

Serait-il pertinent d'affirmer que ces deux poèmes expriment la détresse de la même façon ?

Alain Grandbois (1900-1975)

Alain Grandbois est un poète voyageur. Né dans une famille aisée, il s'expatrie à Paris de 1924 à 1939 et entreprend de longs périples dans le monde entier. C'est à Hankéou (Chine), en 1934, qu'il publie ses premiers poèmes. De retour au pays, il poursuit l'écriture d'une œuvre poétique riche et intense, dont l'influence est grande sur les générations de poètes ultérieurs. La poésie de Grandbois se distingue par son lyrisme, ses références cosmiques et des images en cascade qui se succèdent dans des vers rythmés et incantatoires.

À la fois sombre et brillant, le recueil *Les îles de la nuit* fait voyager le lecteur au cœur d'une nuit profonde au milieu de laquelle apparaissent de superbes éblouissements. Dans l'immensité de la mer et de la nuit, omniprésentes dans le recueil, le poète se réfugie sur de fragiles îles, images de sa solitude. Condamné à cet isolement, le poète est en proie à ses souvenirs et rêve d'une «fiancée» à la fois irréelle et fascinante.

POÉSIE

Les îles de la nuit (1944)

Fermons l'armoire

Fermons l'armoire aux sortilèges
Il est trop tard pour tous les jeux
Mes mains ne sont plus libres
Et ne peuvent plus viser droit au cœur
5 Le monde que j'avais créé
Possédait sa propre clarté
Mais de ce soleil
Mes yeux sont aveuglés
Mon univers sera englouti avec moi
10 Je m'enfoncerai dans les cavernes profondes
La nuit m'habitera et ses pièges tragiques
Les voix d'à côté ne me parviendront plus
Je posséderai la surdité du minéral
Tout sera glacé
15 Et même mon doute

Je sais qu'il est trop tard
Déjà la colline engloutit le jour
Déjà je marque l'heure de mon fantôme
Mais ces crépuscules dorés je les vois encore se
20   penchant sur des douceurs de lilas
Je vois ces adorables voiles nocturnes trouées
      d'étoiles
Je vois ces rivages aux rives inviolées
J'ai trop aimé le regard extraordinairement fixe de
25   l'amour pour ne pas regretter l'amour
J'ai trop paré mes femmes d'auréoles sans
      rivales
J'ai trop cultivé de trop miraculeux jardins

Mais une fois j'ai vu les trois cyprès parfaits
30 Devant la blancheur du logis
J'ai vu et je me tais
Et ma détresse est sans égale

Tout cela est trop tard
Fermons l'armoire aux poisons
35 Et ces lampes qui brûlent dans le vide comme des
      fées mortes
Rien ne remuera plus dans l'ombre
Les nuits n'entraîneront plus les cloches du matin
Les mains immaculées ne se lèveront plus au seuil
40   de la maison
Mais toi   ô toi   je t'ai pourtant vue marcher sur
      la mer avec ta chevelure pleine d'étincelles
Tu marchais toute droite avec ton blanc visage levé
Tu marchais avec tout l'horizon comme une coupole
45   autour de toi
Tu marchais et tu repoussais lentement la prodigieuse
      frontière des vagues
Avec tes deux mains devant toi comme les deux
      colombes de l'arche
50 Et tu nous portais au rendez-vous de l'archange
Et tu étais pure et triste et belle avec un sourire de
      cœur désemparé

Et les prophètes couchaient leur grand silence sur la
      jalousie des eaux
55 Et il ne restait plus que le grand calme fraternel des
      sept mers
Comme le plus mortel tombeau

Pris et protégé

Pris et protégé et condamné par la mer
Je flotte au creux des houles
Les colonnes du ciel pressent mes épaules
Mes yeux fermés refusent l'archange bleu
5 Les poids des profondeurs frissonnent sous moi
Je suis seul et nu
Je suis seul et sel
Je flotte à la dérive sur la mer
J'entends l'aspiration géante des dieux noyés
10 J'écoute les derniers silences
Au delà des horizons morts

VERS LA DISSERTATION

1. Dans « Fermons l'armoire », que veut dire le poète lorsqu'il affirme vouloir « fermer l'armoire » ? Pourquoi souhaite-t-il y arriver ?

2. Dans « Pris et protégé », par quelles images le poète exprime-t-il sa solitude ? Montrez la dimension cosmique de ces images.

3. Le poète fait un usage systématique de superlatifs dans « Fermons l'armoire ». Trouvez-les et dites ce qu'ils expriment.

4. Montrez l'omniprésence des références à la mer dans ces deux poèmes. Pourquoi Grandbois a-t-il recours à ces références ?

■ Sujets de dissertation critique

1. Dans « Fermons l'armoire », l'auteur fait un bilan négatif de sa pratique de la poésie. Discutez cette affirmation.

2. Peut-on dire que les poèmes « Accompagnement » d'Hector de Saint-Denys Garneau (*p. 84*) et « Pris et protégé » d'Alain Grandbois abordent le thème de la solitude de façon très différente ?

Alfred Pellan, *Sous terre*, 1938.

Comme le peintre Alfred Pellan, Alain Grandbois ouvre son art à l'exploration formelle et à la modernité. Les couleurs vives du premier contrastent toutefois avec l'univers sombre du second.

Directives (1937)

De grâce, que l'on ne réplique point, avec les défaitistes : « Trop tard ! Le peuple ne veut plus ! » J'aurai le
courage de prendre ici la défense de notre petit peuple.
Sans doute, se révèle-t-il parfois bien inerte, bien
5 décevant. Mais l'histoire m'a appris que d'ordinaire
il vaut autant que ses chefs. Au surplus, quand tout
un peuple est endormi, c'est qu'il y a eu quelque part
des endormeurs. Je dénie le droit à ceux qui ne sont
pas même éveillés, de reprocher au peuple son som-
10 meil. Trop tard ? Passons, Messieurs les dirigeants,
autant de temps à faire quelque chose que nous en
avons passé à ne rien faire ; dépensez, pour le réveil
national, pour le redressement de la conscience collective, autant d'activité, autant de millions, autant
15 d'esprit d'organisation et de propagande, propagande
de husting[1], propagande de radio, propagande de
journaux, qu'il s'en est dépensé, en cette province,
depuis soixante ans, pour nous insuffler les passions
insanes[2] de la politique ; dépensez autant d'effort,
20 pour nous éclairer et pour nous unir, que vous en avez
dépensé pour nous aveugler et nous diviser ; et alors
vous pourrez parler de l'apathie populaire.

Trop tard ? Mais vous ne voyez donc pas, vous
n'entendez pas ce qui s'en vient ? Le souffle de gran-
25 deur, le voici qui commence à soulever une génération.
Notre avenir nouveau, la jeunesse la plus intelligente, la
plus allante, la plus décidée, le porte déjà dans ses yeux.
Voilà pourquoi je suis de ceux qui espèrent. Parce qu'il
y a Dieu, parce qu'il y a notre histoire, parce qu'il y a la
30 jeunesse, j'espère. J'espère avec tous les ancêtres qui ont
espéré ; j'espère avec tous les espérants d'aujourd'hui ;
j'espère par-dessus mon temps, par-dessus tous les
découragés. Qu'on le veuille ou qu'on ne le veuille pas,
notre État français, nous l'aurons ; nous l'aurons jeune,
35 fort, rayonnant et beau, foyer spirituel, pôle dynamique
pour toute l'Amérique française. Nous aurons aussi un
pays français, un pays qui portera son âme dans son
visage. Les snobs, les bonne-ententistes, les défaitistes,
peuvent nous crier, tant qu'ils voudront : « Vous êtes la
40 dernière génération de Canadiens français… » Je leur
réponds, avec toute la jeunesse : « Nous sommes la
génération des vivants. Vous êtes la dernière génération
des morts ! »

---
1. Discours pendant les campagnes électorales.   2. Ineptes, absurdes.

Lionel Groulx (1878-1967)

Le chanoine Lionel Groulx
est l'un des intellectuels les
plus prolifiques du Québec.
Dans son œuvre immense,
il défend avec énergie
l'aspiration des Québécois francophones à une plus grande
autonomie. Cet écrivain est cependant très controversé :
influencé par les mouvements les plus conservateurs de
France – dont l'Action française de Charles Maurras –, il
prône un nationalisme centré sur les valeurs traditionnelles
et tient à l'occasion des propos antisémites. Malgré ces côtés
plus sombres, on doit lui reconnaître d'avoir contribué à
éveiller chez les Québécois une conscience nationale qui sera
l'une des sources du mouvement indépendantiste.

Le nationalisme de Lionel Groulx défend un petit peuple
opprimé qui cherche à se ressaisir. Selon Groulx, ce peuple doit
puiser dans son histoire pour en tirer des motifs de fierté.
Mais l'essayiste reste aussi tourné vers l'avenir et envisage avec
enthousiasme la naissance d'un État français en Amérique.

VERS LA DISSERTATION

1. Pourquoi Lionel Groulx parle-t-il d'un « petit peuple » (l. 3) ?
2. Notez ce qui, selon l'auteur, contribue à endormir ses compatriotes.
3. Quel lien l'auteur tisse-t-il entre les ancêtres et la jeunesse ?
4. Quels procédés d'écriture l'auteur utilise-t-il pour convaincre ses lecteurs ?
5. L'argumentation de l'auteur en faveur d'un État français en Amérique est-elle convaincante ?
6. Qu'est-ce qui caractérise le style de l'auteur ? Selon vous, serait-il approprié d'argumenter de cette façon aujourd'hui ?

■ Sujet de dissertation critique

Est-il juste de dire que ce texte est nationaliste ?

Le contexte sociohistorique

Le clergé conserve son emprise morale et continue à défendre des valeurs conservatrices qui amènent la population à se replier sur elle-même.

Malgré ce repli, le Québec s'urbanise. Le début du siècle est marqué par un important exode rural. Dès le début des années 1920, la majorité de la population vit dans les villes. L'émigration des Canadiens français aux États-Unis se poursuit.

La Grande Dépression touche durement le Québec et plonge de nombreux Québécois dans la pauvreté.

Le Québec redevient prospère pendant la Seconde Guerre mondiale. Comme au cours de la Première Guerre mondiale, la majorité des Canadiens français rejette la conscription. Malgré cette opposition, de nombreux jeunes Québécois vont combattre en Europe.

La littérature

Au début du siècle, l'École littéraire de Montréal organise des soirées qui dynamisent la vie littéraire à Montréal.

Le clergé, toujours vigilant, veille à ce que les publications respectent ses valeurs. Plusieurs auteurs, tels que Rodolphe Girard, Albert Laberge et Jean-Charles Harvey, voient leurs œuvres condamnées.

Deux tendances littéraires principales s'opposent dans cette période. Les exotiques cherchent à écrire une littérature moderne, qui évite le particularisme régional. Les régionalistes préfèrent écrire des œuvres qui sont solidement ancrées dans la réalité québécoise et qui reflètent des valeurs conservatrices.

Pendant les années 1930 et 1940, les auteurs suivent simultanément des tendances littéraires disparates, allant du populisme au réalisme et à la poésie d'avant-garde.

Les genres littéraires

Le roman Malgré l'exode rural, les auteurs d'ici continuent à privilégier le roman du terroir. Louis Hémon, Albert Laberge, Claude-Henri Grignon, Félix-Antoine Savard, Ringuet et Germaine Guèvremont écrivent des œuvres fortes, dans lesquelles les Québécois se reconnaissent.

La poésie Émile Nelligan bouleverse la poésie québécoise par ses poèmes d'une grande sensibilité et son ouverture à la modernité. L'opposition entre exotiques et régionalistes devient particulièrement marquée chez les poètes. Cette querelle s'atténue quand Hector de Saint-Denys Garneau et Alain Grandbois provoquent une importante rupture avec leurs recueils en vers libres, dans lesquels ils expriment avec force leur détresse et leur solitude.

L'essai Lionel Groulx, qui cherche par ses écrits à développer la conscience nationale des Québécois, est l'essayiste le plus marquant de l'époque.

4

1945-1960 La Grande Noirceur

LA LITTÉRATURE QUÉBÉCOISE
ENTRE LE REPLI ET LA MODERNITÉ

Auteurs et œuvres à l'étude

Jean-Paul Riopelle, *Espagne,* 1951.

L'expression « Grande Noirceur», très souvent employée pour décrire le Québec de l'après-guerre dirigé par le premier ministre Maurice Duplessis, ne fait pas l'unanimité. Le terme décrit bien le climat d'oppression que subissent les écrivains et les artistes, menacés par la censure, habités par une peur constante du jugement des autres et parfois forcés de s'exiler. Cependant, certains affirment que sous le conservatisme officiel se cache un dynamisme culturel et un esprit de révolte qui ne cessent de s'accroître jusqu'au début des années 1960. Ainsi, les auteurs québécois hésitent entre les coups d'éclat et le repli, se sentent attirés par les courants d'avant-garde, tout en calculant les dangers d'une rupture trop affirmée avec l'ordre social. La littérature québécoise de cette période se nourrit de ces tensions et exprime très souvent la difficulté de s'émanciper.

De 1945 à 1960

Le monde

1945

Bombes atomiques larguées sur Hiroshima et Nagasaki

Fin de la Seconde Guerre mondiale

Fondation de l'Organisation des Nations Unies (ONU) à San Francisco

1947

Début de la guerre froide

Indépendance de l'Inde ; partition de l'Inde et formation du Pakistan

1948

Adoption de la Déclaration universelle des droits de l'homme

Création de l'État d'Israël

1949

Prise du pouvoir en Chine par les communistes, dirigés par Mao Zedong

1950

Début d'une campagne de délation et de persécution contre les communistes lancée aux États-Unis par le sénateur McCarthy

Début de la guerre de Corée

Le Québec

1946

Grève des tisserands de la Dominion Textile à Montréal et à Valleyfield

1948

Adoption du fleurdelisé comme drapeau officiel du Québec

1949

Grève des mineurs à Asbestos

1950

Fondation de la revue *Cité libre*, dirigée par Pierre Elliott Trudeau et Gérard Pelletier, qui s'oppose aux politiques conservatrices de Maurice Duplessis

1952

Premières émissions de la télévision de Radio-Canada

Grève des ouvriers du textile à Louiseville

| 1945 | 1946 | 1947 | 1948 | 1949 | 1950 | 1951 | 1952 |

Les arts et les lettres

1945

Gabrielle Roy, *Bonheur d'occasion* (roman)

1948

Roger Lemelin, *Les Plouffe* (roman)

Gratien Gélinas, *Tit-Coq* (théâtre)

Paul-Émile Borduas, *Refus global* (essai)

Fondation du Rideau Vert, premier théâtre permanent au Québec, par Yvette Brind'Amour et Mercedes Palomino

1949

Roland Giguère, « Amour délice et orgue » (poésie)

1951

Fondation du Théâtre du Nouveau Monde (TNM) ; *L'Avare* de Molière, spectacle d'ouverture, saison 1951-1952

1946

Première exposition des automatistes

Œuvre ci-contre : Paul-Émile Borduas, *Sans titre (Les trois formes hérissées)*, 1942

1950

Anne Hébert, *Le torrent* (nouvelles)

1953

Mort de Staline

1954

Début de la guerre d'Algérie

1956

Intervention militaire de l'Union soviétique en Hongrie

1959

Prise du pouvoir de Fidel Castro à Cuba

1955

Conférence de Bandung, réunissant des pays qui ne font partie ni du bloc occidental ni du bloc communiste et auxquels on donne le nom de « tiers-monde »

1957

Création du Marché commun en Europe

1955

Émeute à Montréal provoquée par la suspension du joueur de hockey Maurice Richard, décision jugée arbitraire et discriminatoire envers les Canadiens français

1957

Grève des mineurs de la Noranda à Murdochville

1960

Élection de Jean Lesage, chef du Parti libéral, comme premier ministre du Québec

1954

Lutte contre les lois 19 et 20, qui limitent l'activité syndicale

1959

Grève des réalisateurs à Radio-Canada

Décès du premier ministre du Québec Maurice Duplessis, remplacé par Paul Sauvé, qui s'éteint à son tour l'année suivante

| 1953 | 1954 | 1955 | 1956 | 1957 | 1958 | 1959 | 1960 |

1953

André Langevin, *Poussière sur la ville* (roman)

Anne Hébert, *Le tombeau des rois* (poésie)

Roland Giguère, « Le temps opaque » (poésie)

1957

Marcel Dubé, *Un simple soldat* (théâtre)

Création des Grands Ballets canadiens par Ludmilla Chiriaeff

1960

Gérard Bessette, *Le libraire* (roman)

Jean-Paul Desbiens, *Les insolences du frère Untel* (essai)

1956

Claude Gauvreau, *La charge de l'orignal épormyable* (théâtre)

1958

Yves Thériault, *Agaguk* (roman)

1959

Mordecai Richler, *The Apprenticeship of Duddy Kravitz* (roman)

Gratien Gélinas, *Bousille et les justes* (théâtre)

La Grande Noirceur
La littérature québécoise entre le repli et la modernité

Le monde : après-guerre, guerre froide et décolonisation

Les lendemains de la Seconde Guerre mondiale entraînent de difficiles prises de conscience dans le monde entier. Deux constats désolants transforment le regard que les humains portent sur eux-mêmes :

- La découverte des **camps de concentration nazis** montre à quel point une civilisation pourtant avancée peut tomber dans la plus sombre barbarie et infliger à des humains les pires supplices. Au cours de la guerre, la haine raciale a atteint son paroxysme : dans les camps, les Allemands ont éliminé, entre autres, six millions de Juifs.

- Une première **bombe atomique** explose le 6 août 1945 à Hiroshima, au Japon, faisant plus de 140 000 morts. Trois jours plus tard, une seconde bombe tombe sur Nagasaki. On en viendra vite à fabriquer en grande quantité des bombes toujours de plus en plus puissantes. Désormais, l'être humain a la capacité d'exterminer sa propre espèce.

La fin de la guerre ne calme pas les tensions. Un nouvel ordre mondial s'établit, marqué à la fois par la crainte d'un conflit entre les États-Unis et l'URSS, et par un optimisme né de la nouvelle prospérité économique dont profitent les classes moyennes en Occident.

Les évènements suivants caractérisent cette période :

- **Le monde se divise en deux blocs ennemis :** les pays capitalistes, menés par les États-Unis, s'opposent aux pays communistes, contrôlés par l'URSS. La crainte de l'arme nucléaire, possédée par les deux camps, empêche les affrontements de se produire, mais les conflits armés menacent toujours d'éclater. Les deux blocs se livrent à une guerre d'influence partout dans le monde et cherchent à étendre leur empire. On qualifie de « **guerre froide** » ce conflit permanent, dans lequel les camps ennemis s'observent avec méfiance tout en évitant les batailles. Au Québec, le gouvernement Duplessis exprime une forte opposition au communisme, même si cette doctrine politique ne pose pas de menace dans un territoire où la religion joue encore un rôle prépondérant.

Dans les années 1950, les Québécois découvrent la quiétude et le confort de la vie de banlieue à l'américaine.

- **Pour aider à résoudre les problèmes internationaux et pour limiter les guerres, on forme une grande organisation internationale, les Nations Unies,** qui rassemble la plupart des pays du monde. Cependant, à cause des tensions entre les blocs de l'Est et de l'Ouest, l'organisation se trouve quelque peu paralysée. La plus grande réussite des Nations Unies est l'adoption de la **Déclaration universelle des droits de l'homme,** qui donne aux dirigeants de la planète un code de conduite afin qu'ils respectent les besoins de tous ses habitants et les traitent avec dignité.

- **Au lendemain de la guerre s'amorce une longue période de prospérité qui dure près de 30 ans et qu'on surnomme « les Trente Glorieuses ».** Le plein-emploi se maintient dans presque tous les pays industrialisés, la classe moyenne s'enrichit, les écarts entre les riches et les pauvres diminuent, les mesures d'aide sociale s'accroissent. L'*American way of life* se répand : le foyer moderne jouit d'un grand confort, les familles sont moins nombreuses, des appareils électroménagers facilitent la vie quotidienne des ménages, l'automobile devient plus abordable et la télévision connaît une importante expansion, ce qui pousse les familles à se replier sur elles-mêmes. Au Québec, ce nouveau mode de vie est de plus en plus adopté. Il y a une hausse du nombre de naissances, comme ailleurs dans le monde, si bien que l'on parle d'un *baby-boom* ; on qualifiera de *baby-boomers* les personnes de cette génération.

- **Un important mouvement de décolonisation s'amorce dans les pays du Sud.** À la suite de la Seconde Guerre mondiale, les grands empires coloniaux, entre autres britannique et français, se trouvent affaiblis, et les colonies éprouvent le désir d'obtenir leur indépendance. L'accession à l'indépendance ne se fait pas toujours facilement et provoque parfois des divisions et des luttes, comme en Inde et en Algérie. Mais l'indépendance des ex-colonies soulève beaucoup d'espoir et fait rêver à un monde plus juste. Au Québec, de nombreux intellectuels considèrent la province comme une colonie et adhèrent avec enthousiasme, surtout dans les années 1960, au discours de la décolonisation.

La société québécoise : les années Duplessis

L'effervescence liée à la transformation du monde pénètre difficilement les frontières du Québec. Alors que tout évolue rapidement dans le reste du monde occidental, le Québec reste immobile et isolé. Le premier ministre Maurice Duplessis, au pouvoir sans interruption de 1944 à sa mort en 1959, dirige l'État d'une main de fer. Son gouvernement s'appuie sur les éléments les plus conservateurs de la société : le milieu rural, le clergé et les gens d'affaires. Il tente de museler les syndicats, est profondément anticommuniste et fait régner un climat peu propice à l'expression d'une pensée libre et novatrice.

Les mœurs sont encore rigides. Les orphelins sont élevés dans des pensionnats et subissent de durs traitements par les religieux qui les ont en charge. Plusieurs subissent des sévices sexuels et en garderont des séquelles toute leur vie ; on les surnommera « les orphelins de Duplessis ». C'est pour toutes ces raisons que l'on donne à cette période le nom de **Grande Noirceur.**

Voici quelques caractéristiques importantes de cette période :

- La **personnalité autoritaire du chef** Maurice Duplessis est marquante. L'homme se veut fortement nationaliste et affiche son opposition au gouvernement fédéral, mais il ouvre par ailleurs la porte aux hommes d'affaires états-uniens. Pour se faire réélire, Duplessis n'hésite pas à recourir au favoritisme et aux pots-de-vin, une forme de corruption que l'on qualifiait de « patronage ».

- Alors que de nombreux gouvernements occidentaux, dont ceux d'autres provinces du Canada, mettent en place un État providence par la création d'institutions au service des citoyens, au Québec **on laisse écoles, pensionnats, hôpitaux, universités, maisons d'édition sous la tutelle du clergé,** qui occupe ainsi une place incontournable dans l'organisation de la société. Le clergé a d'ailleurs des effectifs remarquablement élevés par rapport à l'ensemble de la population, et la pratique religieuse est généralisée.

- Les classes sociales recoupent en grande partie les groupes linguistiques. Les anglophones dirigent l'économie et le monde des affaires. Ils sont à la tête des principales

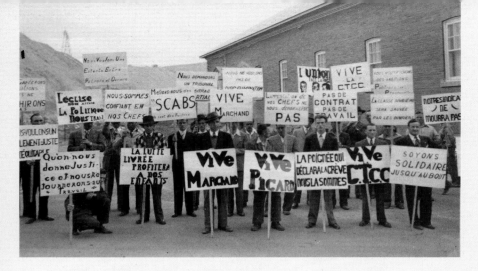

La grève des mineurs à Asbestos, violemment réprimée, a été l'un des évènements les plus marquants de la Grande Noirceur.

entreprises et ils s'adressent le plus souvent en anglais aux Canadiens français qu'ils emploient. **Les francophones occupent surtout des emplois subalternes et ont des revenus nettement inférieurs à ceux des anglophones.** Ils sont en général peu instruits et peu qualifiés. L'élite canadienne-française, peu nombreuse, exerce généralement des professions libérales. Les Canadiens français se sentent exploités par les Anglais. Si bien que le sort du joueur étoile de hockey Maurice Richard, suspendu en 1955 par Clarence Campbell, le président anglophone de la Ligue nationale de hockey, en vient à symboliser leur condition : ce retrait est perçu comme une injustice, et la colère du public fait tourner l'affaire en émeute. Cette condition des Canadiens français opprimés dans leur propre pays devient un thème très important dans la littérature des années de la Révolution tranquille, qui suit la période d'après-guerre.

- L'image de faiblesse des Canadiens français de même qu'un certain sectarisme dont fait preuve le clergé font en sorte que **les nouveaux arrivants apprennent majoritairement l'anglais** et ont tendance à s'assimiler à la minorité anglo-saxonne.

- Tous ne se résignent pas à accepter leur condition. La période est marquée par l'expansion du syndicalisme, malgré l'opposition du gouvernement en place. En 1949, une importante grève des mineurs est menée à Asbestos. Les mineurs cherchent à obtenir un salaire plus élevé et de meilleures conditions de travail. Le gouvernement déclare la grève illégale et réprime brutalement les mineurs. Ceux-ci ne gagnent pas, mais ils suscitent un grand mouvement de sympathie en leur faveur. Cette grève a un impact majeur et constitue l'un des évènements les plus marquants des années de la Grande Noirceur.

Le conservatisme du gouvernement et de ceux qui l'appuient ne peut cependant empêcher complètement la société québécoise d'évoluer. Comme ailleurs dans le monde, le Québec connaît une vague de prospérité et les conditions de vie s'améliorent considérablement. Le taux de chômage reste très bas. Le Québec s'urbanise et les grandes villes – Montréal et Québec –, davantage américanisées, donnent de nombreuses occasions aux citadins de se familiariser avec une culture de masse qui échappe au contrôle du clergé.

En ce qui concerne l'art et la littérature, cette période connaît à la fois une opposition systématique à l'innovation, par une censure bien réelle – mais imparfaite – exercée par le clergé, et une rébellion de la part de certains artistes qui essaient de construire une œuvre novatrice en dépit des obstacles qu'ils rencontrent.

La littérature québécoise : la difficile quête de la modernité

Pendant la Grande Noirceur, les écrivains vivent de difficiles tensions. Ils cherchent à s'exprimer librement, à créer des œuvres audacieuses, innovatrices, et à s'inscrire dans la modernité littéraire qui a cours tant en Europe qu'aux États-Unis. Mais leurs ambitions se trouvent contrecarrées par le conservatisme ambiant, par le peu d'ouverture du clergé à leur travail et par le manque d'instruction d'une grande partie de la population québécoise.

Selon un diagnostic répandu, le climat de peur qui règne au Québec demeure le plus grand obstacle à l'épanouissement des auteurs. Plusieurs essayistes relèvent cet état de choses. Dès 1945, Jean-Charles Harvey, dans une conférence justement nommée *La peur*, dénonce cette peur engendrée par la toute-puissance du cléricalisme. Dans le manifeste *Refus global*, Paul-Émile Borduas fait la liste de toutes les peurs éprouvées par ses compatriotes, entre autres « Peur des préjugés – de l'opinion publique – des persécutions – de la réprobation générale / Peur de soi – de son frère – de la pauvreté / Peur de l'ordre établi ». Revenant sur la Grande Noirceur dans son essai intitulé *La ligne du risque*, Pierre Vadeboncœur souligne à son tour l'omniprésence de la peur. Jean-Paul Desbiens a aussi abordé ce problème dans *Les insolences du frère Untel*.

Les œuvres de cette période reflètent bien l'inquiétude des auteurs et les problèmes auxquels ils font face. Certains choisissent l'affrontement direct et la franche dénonciation. Le manifeste *Refus global*, qui dénonce de façon péremptoire l'état de stagnation dans lequel vivent les Canadiens français, en est la plus éclatante démonstration. La pièce *Les oranges sont vertes* de Claude Gauvreau est un véritable pamphlet : un artiste inspiré sombre dans la folie, détruit par l'étroitesse d'esprit des gens qui l'entourent. L'auteur appelle à la vengeance : la pièce se termine lorsque les acteurs mitraillent le public ! Dans le roman *Le libraire*, Gérard Bessette montre un intellectuel détruit qui n'a plus d'autre ambition que de boire tous les soirs à la taverne. Mais s'opposer à l'ordre établi a un prix, et bien des auteurs en subissent les conséquences.

Marcelle Ferron, *Retour d'Italie 2*, **1954.**
Tout comme les poètes, les peintres cherchent à innover, entre autres en adoptant l'art abstrait, malgré le conservatisme des Canadiens français de l'époque. C'est le cas de Marcelle Ferron, l'une des signataires du manifeste *Refus global*.

D'autres auteurs préfèrent ne pas défier ouvertement l'ordre établi. Plusieurs poètes, dans la lignée d'Hector de Saint-Denys Garneau et d'Alain Grandbois, poursuivent de grands voyages introspectifs et expriment une fois de plus leur solitude. Le roman exploite lui aussi les thèmes de la solitude et de l'incommunicabilité dans des œuvres d'une grande intensité psychologique, comme *Poussière sur la ville* d'André Langevin et *Le torrent* d'Anne Hébert.

En cette période, la littérature québécoise est toujours en quête de son identité. Les auteurs ne se penchent pas vraiment sur le passé ni ne cherchent à exploiter avec audace les particularités de notre littérature. Il semble qu'ils désirent plutôt rattraper un certain retard, ou peut-être que le simple fait d'adopter de l'étranger certains courants littéraires contemporains constitue déjà pour eux un pas important. L'influence de la France reste prépondérante. Si ce pays a perdu de sa puissance politique, le prestige de ses intellectuels demeure très grand : tant les surréalistes que les existentialistes suscitent beaucoup d'intérêt, et des auteurs tels que André Breton, Paul Éluard, Jean-Paul Sartre, Albert Camus et Simone de Beauvoir exercent une grande influence. En dépit de la censure, leurs livres parviennent à circuler au Québec – notamment grâce au libraire Henri Tranquille – et à marquer nos auteurs.

Trois courants littéraires dominent ces années : le réalisme, le surréalisme et l'existentialisme.

Le réalisme

Le réalisme prend forme en France dans la seconde moitié du XIXe siècle grâce à des auteurs comme Gustave Flaubert, Émile Zola et Guy de Maupassant. Il faut cependant attendre de longues années avant que les romanciers québécois y adhèrent. Ce retard s'explique par le fait que ce courant, par son sens méticuleux de l'observation, trace très souvent un portrait cru de la réalité et intègre au récit des éléments de critique sociale, ce qui ne plaît pas toujours à l'élite canadienne-française, qui tient à ce que la littérature propose des personnages idéalisés. Le réalisme québécois, pendant la Grande Noirceur, n'est pas toujours d'une grande virulence ; il présente plutôt des portraits attendris des personnages, s'intéresse davantage à leur psychologie, même s'il restitue avec justesse les dures conditions de vie de la classe ouvrière.

Après *Trente arpents* de Ringuet, qui applique au roman de la terre un réalisme épique rappelant celui de Zola dans *La terre*, les auteurs situent leurs intrigues dans les villes et brossent un portrait juste et sensible d'une société qui est pauvre et peu instruite, mais qui cherche à s'émanciper. Parmi les œuvres réalistes les plus réussies, il faut souligner les romans *Bonheur d'occasion* de Gabrielle Roy ainsi qu'*Au pied de la pente douce* et *Les Plouffe* de Roger Lemelin. Les pièces de théâtre *Zone* et *Un simple soldat* de Marcel Dubé se situent dans la continuité de ces modèles, mais aussi du théâtre réaliste états-unien de Tennessee Williams et d'Arthur Miller.

Le surréalisme

Le surréalisme voit le jour dans les années 1920 en France, alors que des poètes et des artistes d'une nouvelle génération cherchent à exprimer leur révolte contre le conformisme bourgeois et à repousser les limites de leur imaginaire. Le surréalisme devient pour plusieurs poètes québécois un véritable catalyseur qui les encourage à exprimer la folie et les rêves les plus fous, quitte à bousculer la société timorée et immobile dans laquelle ils vivent.

Les poètes d'ici adoptent tel quel le surréalisme, puis l'adaptent et le transforment en automatisme. Le groupe des automatistes est stimulé par la forte personnalité de Claude Gauvreau et par sa poésie excessive et désarticulée. Dans un registre davantage intériorisé, Paul-Marie Lapointe et Roland Giguère écrivent des poèmes remplis d'images audacieuses et suggestives. Tout en demeurant fidèle à l'esprit surréaliste, Gilles Hénault parvient à exprimer ses préoccupations sociales par l'entremise de sa poésie. (*Pour plus de détails, lire l'encadré « Les surréalistes et les automatistes », à la page 109.*)

L'existentialisme

Alors que l'existentialisme soulève un grand intérêt dans de nombreux pays, ce courant littéraire demeure longtemps mal connu au Québec. Les maîtres à penser de ce mouvement, Jean-Paul Sartre, Albert Camus et Simone de Beauvoir, ne plaisent pas au clergé canadien-français. Leur constat d'absurdité de l'existence et leur humanisme athée ne conviennent pas, de toute évidence, à ceux qui défendent la foi chrétienne. Au Québec, leurs livres circulent en catimini, et quelques auteurs choisissent de s'en inspirer.

L'influence de l'existentialisme est palpable dans deux des romans les plus importants de cette période. Dans *Poussière sur la ville*, André Langevin présente un narrateur incroyant, hésitant, angoissé, qui ressent douloureusement, comme les existentialistes, le poids de son existence et qui constate l'usage dévastateur et irresponsable que sa jeune épouse fait de sa liberté. Dans *Le libraire*, Gérard Bessette moule son style sur celui de Camus dans *L'étranger* : il adopte la même écriture sèche, elliptique, afin de marquer la grande indifférence du personnage pour ce qui l'entoure. Quant au dramaturge Jacques Languirand, il s'inspire, dans l'ensemble de son œuvre théâtrale, dont la pièce *Les grands départs*, du théâtre de l'absurde, qui fait suite, en France, au courant existentialiste, et il souligne avec imagination l'absurdité des situations mises en scène.

Bien sûr, de nombreux auteurs restent en marge de ces trois grands courants et produisent des œuvres très personnelles – par exemple, le romancier Yves Thériault, la poète Rina Lasnier, la romancière et poète Anne Hébert. Il faut cependant attendre les années 1960 pour que les auteurs québécois arrivent à la pleine émancipation et écrivent en grande quantité des œuvres originales, frondeuses, qui reflètent le combat d'un peuple qui se découvre une nouvelle identité et qui cherche plus que jamais à s'affirmer.

Bonheur d'occasion (1945)

Depuis qu'il l'avait aperçue un jour qu'il était allé dîner au *Quinze-Cents*[1], il n'avait cessé de la revoir aux instants les plus imprévus, parfois dans la salle de forge quand, le haut fourneau ouvert, la flamme dansait devant ses yeux, et même parfois ici, dans sa chambre, lorsque le vent, comme ce soir, secouait les fenêtres et

5 l'environnait de son déchaînement. Et à la fin, cette obsession était devenue si vive qu'il n'avait plus qu'un seul moyen d'en être délivré : se montrer volontairement cynique et dur envers la jeune fille, l'obliger à le haïr, l'engager à le craindre, à s'éloigner de lui afin

10 qu'il n'eût pas à faire lui-même cet effort. Et pourtant, après une et même deux tentatives de ce genre, il était retourné au restaurant. Il avait revu Florentine et, aujourd'hui, il s'était même laissé aller à l'inviter. Par pitié ? Par intérêt ? Ou simplement pour mettre entre

15 eux l'irréparable, car elle aurait dû refuser une invitation si brusque et si maladroite. Avait-il compté qu'elle refuserait ?

Il la revit, pâle, avec cette lueur trouble qu'elle avait dans les yeux, et se demanda : « Est-ce qu'elle m'aurait pris au

20 sérieux ? Est-ce qu'elle est assez téméraire pour venir à mon rendez-vous ? »

La curiosité, il le savait bien, dès lors le posséderait absolument, une curiosité qui brûlait comme une passion, le seul sentiment d'ailleurs dont il n'eût peut-être

25 pas cherché à se rendre maître parce qu'il lui paraissait indispensable à l'enrichissement personnel. La curiosité était déchaînée en lui comme le vent partout ce soir dans le faubourg, au long du canal, dans les rues désertes, autour des petites maisons de bois, partout, et

30 jusque sur la montagne.

Au bout d'un moment, il voulut ramener son attention sur le travail qu'il avait à faire, mais à la suite des équations, sa plume traça le nom de Florentine. Puis, hésitant, il ajouta le mot : « Lacasse » et presque aus-

35 sitôt l'effaça avec humeur. Florentine, pensa-t-il, était une appellation jeune, joyeuse, comme un mot de printemps, mais le nom, après ce prénom, avait une tournure peuple, de misère, qui détruisait tout son charme. Et c'était probablement ainsi qu'elle était elle-même, la petite serveuse du

40 *Quinze-Cents* : moitié peuple, moitié printemps gracieux, printemps court, printemps qui serait tôt fané.

Gabrielle Roy (1909-1983)

Gabrielle Roy fait une entrée remarquée sur la scène littéraire avec *Bonheur d'occasion*, un roman qui est immédiatement reconnu comme une œuvre majeure et qui reçoit en France le prix Femina. Dans ce roman, comme dans ceux qui lui succèdent, l'auteure se distingue par la tendresse et la justesse psychologique avec lesquelles elle aborde ses personnages. Les œuvres qui suivent *Bonheur d'occasion* sont très personnelles et comprennent souvent des éléments autobiographiques, transformés ou non, entre autres *Rue Deschambault* (1955) et *Ces enfants de ma vie* (1977), qui s'inspirent de l'enfance et de la jeunesse de l'auteure au Manitoba, ainsi que *La détresse et l'enchantement* (1984), première partie d'une vaste autobiographie inachevée.

Bonheur d'occasion présente au lecteur le quartier ouvrier de Saint-Henri, à Montréal. Les amours de la jeune Florentine Lacasse servent de prétexte pour ausculter la vie de ses habitants et leurs difficultés. La crise économique a frappé durement la famille nombreuse de Florentine, victime de la pauvreté et du chômage. Mais la nouvelle prospérité apportée par la guerre et l'instinct de survie donnent aux personnages la force de résister à leur sort. Jean Lévesque, l'homme dont Florentine tombe amoureuse, est un ambitieux qui cherche à sortir du milieu ouvrier d'où il provient. Il se fait de la jeune femme un portrait ambigu.

1. Magasin où l'on trouvait de tout à bon marché, qui incluait parfois un comptoir où l'on servait des repas chauds.

Ces considérations oiseuses, si peu naturelles chez lui, achevèrent de l'énerver. Il se leva, alla à la fenêtre qu'il ouvrit grande au vent et à la neige et, ployant la tête au dehors, il aspira l'air de la nuit.

45 Le vent hurlait tout au long de la chaussée déserte, et la neige sur ses pas se levait fine, éblouissante, sautait dans l'air, venait ramper au bas des maisons et remontait encore en bonds désordonnés, comme une danseuse que poursuit le claquement du fouet. Le vent était le maître qui brandissait la cravache, et la neige, la danseuse folle et souple qui allait devant lui, virevoltait et, à son ordre,
50 venait se coucher par terre. Jean ne voyait alors que le long flot d'une écharpe blanche qui, en bas, sur le seuil des maisons, se déroulait et frémissait à peine. Mais le sifflement du fouet retombait de nouveau et, d'un grand élan, la danseuse remontait secouer son voile vaporeux à la hauteur des lampadaires. Elle s'élevait, s'élevait, errait jusque par-dessus les toits et le son plaintif de sa grande fatigue
55 heurtait les volets clos.

« Florentine... Florentine Lacasse..., moitié peuple, moitié chanson, moitié printemps, moitié misère... », murmurait le jeune homme. À force de regarder danser la neige sous ses yeux, il lui semblait qu'elle avait pris une forme humaine, celle même de Florentine, et qu'épuisée mais ne pouvant s'empêcher de tourner, de
60 se dépenser, elle dansait là, dans la nuit, et restait prisonnière de ses évolutions. « Ces petites filles-là, se dit-il, doivent être ainsi ; elles vont, viennent et courent, aveuglées, à leur perte. »

Adrien Hébert, *Place Saint-Henri*, 1929.

Les scènes de la vie urbaine peintes par Adrien Hébert correspondent bien à l'univers de Gabrielle Roy et à celui de Roger Lemelin.

VERS LA DISSERTATION

1. Qu'est-ce qui, chez Florentine, plaît et déplaît à la fois à Jean Lévesque ?

2. Que révèle l'auteure sur la personnalité de Jean Lévesque ?

3. À quoi la curiosité de Jean Lévesque est-elle associée ?

4. Expliquez l'analogie entre Florentine et la neige.

▰ Sujet de dissertation critique

Est-il juste de dire que Jean Lévesque est méprisant envers Florentine ?

Les Plouffe (1948)

Le cortège royal allait arriver dans quelques minutes. Un murmure de foule cérémonieuse qui attend de la grande visite endimanchait l'atmosphère déjà parée par la magnificence de la légende impériale. On verrait des couronnes, des sceptres, un défilé d'une envergure qui défie l'imagination. Des gerbes de têtes,
5 engorgées dans les fenêtres, se tournaient vers l'horizon. Les maisons favorisées de balcons tendaient à la parade des plats de badauds sagement réjouis. Quelques cyclistes audacieux, qui avaient faufilé des banderoles de papier crêpé bleu blanc rouge entre les rais de leurs roues, zigzaguaient sur l'asphalte
10 de la rue devenue un interminable tapis de cérémonie aux yeux des spectateurs impatients.

Les Canadiens français ne sont pas tous comme M. Plouffe anglophobes ou farouchement nationalistes. En temps d'élection, cependant, il leur plaît qu'on attaque les Anglais
15 sur la tribune, parce que c'est la tradition politique et qu'en rouspétant contre les anciens conquérants, ils se sentent des fiers-à-bras qui ont la réputation de ne pas se laisser marcher sur les pieds. Mais vienne une belle parade, 1760 n'existe plus, et hourra pour la procession ! Élevés dans
20 une province où l'on dépense des sommes folles pour la pompe et le décorum, il n'est rien qui les charme plus que les cirques et les confettis. Romains par le cœur, Normands par la tête, ils ont tout pour déconcerter les étrangers qui veulent les comprendre. Ils sont à la fois Français et
25 Américains, ils sont simples et compliqués, ça leur fait plaisir et, l'œil ouvert, ils se laissent emporter dans les cercles vicieux avec un sourire malin.

Un jeune homme, cartable à la main, fit soudain irruption dans la rue Montmagny. C'était Denis Boucher. Élégam-
30 ment vêtu, la figure préoccupée, il avait l'air du jeune reporter qui regarde distraitement les choses et les gens comme des cobayes. À brûle-pourpoint, il demanda au groupe de badauds qu'il avait percé :

— Il n'arrive donc pas, ce pantin royal ?

Roger Lemelin (1919-1992)

La carrière de Roger Lemelin commence avec deux succès, *Au pied de la pente douce* (1944) et *Les Plouffe*, deux romans dont l'action se déroule à Saint-Sauveur, un quartier ouvrier de Québec qui ressemble au Saint-Henri de Gabrielle Roy. L'auteur décrit la vie de ses personnages, leurs aspirations, leurs travers, avec une douce moquerie et une affection réelle. Sans abandonner totalement l'écriture de fiction, Lemelin se tourne par la suite vers le journalisme et les affaires. Il est éditeur du journal *La Presse* de 1972 à 1980.

Son roman *Les Plouffe* connaît un succès prolongé par les adaptations très populaires qui en sont tirées pour la télévision et le cinéma. Le Québec tout entier se reconnaît dans cette famille humble et combative. Lemelin présente une série de personnages pittoresques et bien typés, desquels se détache Ovide Plouffe, un idéaliste naïf, amateur d'opéra, amoureux décontenancé de la séduisante Rita Toulouse. L'auteur sait aussi décrire avec art les évènements qui jalonnent la vie des Québécois et les déchirements politiques d'un peuple qui cherche à s'émanciper. Dans l'extrait ci-contre, la ville de Québec s'apprête à accueillir le roi et la reine d'Angleterre.

VERS LA DISSERTATION

1. Comment l'auteur décrit-il l'esprit de la fête ?
2. Quel portrait général l'auteur dresse-t-il des Canadiens français ?
3. Comment la relation des Canadiens français avec le conquérant anglais est-elle décrite ?
4. Notez les effets humoristiques dans le texte.
5. Montrez le contraste entre les deux premiers paragraphes de l'extrait.

■ Sujet de dissertation critique

Dans cet extrait, peut-on dire que les Canadiens français sont patriotiques ?

Parallèle

Les mécanismes de la séduction

Les réalistes sont de fins observateurs. Ils s'intéressent beaucoup, entre autres sujets, aux comportements amoureux, à la façon dont les personnages cherchent à séduire, ce qu'ils décrivent très souvent d'un regard mordant ou amusé. Ainsi, selon les narrateurs des romans *Bonheur d'occasion* et *Les Plouffe*, l'amour transforme ceux qui en sont victimes et leur fait adopter des comportements inattendus : Florentine et Rita séduisent chacune à leur manière, ce qui produit des effets très différents chez leur compagnon.

GABRIELLE ROY
Bonheur d'occasion (1945)

[Florentine reçoit Jean Lévesque :]

Maintenant qu'il était là près d'elle, toute son énergie tendue à défier celle du jeune homme plutôt qu'à lui plaire, elle jouait le rôle avec précaution. Des bijoux de couleur vive sautaient à son cou et à ses bras,
5 s'entrechoquaient et semblaient exprimer sa volonté nerveuse ; mais sur sa robe de soie noire, un petit tablier de caoutchouc glissait à ses hanches à chaque mouvement de son corps, avec un bruit doux et continu.

Un instant, elle était auprès de Jean, lui demandant s'il ne
10 s'ennuyait pas ; vive, alerte, elle lui apportait un coussin, un magazine ou quelques instantanés[1] d'elle-même collés dans un petit album ; penchée sur son épaule, elle donnait quelques explications ; puis, tout de suite après, elle était dans la cuisine, chantonnant au-dessus du poêle.

15 Le jeune homme se sentait exaspéré par toutes ces attentions. Elle le traitait manifestement avec les égards, l'abandon confiant dus à un fiancé et tout comme si définitivement ils eussent conclu entre eux un accord tacite. Ainsi elle le laissait seul quelque temps pour lui faire du
20 sucre à la crème, disait-elle ; et, de la cuisine, elle continuait à l'entretenir d'une façon aimable, un peu détachée et surtout empreinte de politesse. Toute son attitude dénotait encore une réserve prudente et bien en éveil. Elle évitait de lui toucher la main, et, lorsqu'il la priait de s'asseoir, elle
25 choisissait une chaise éloignée de la sienne. Et alors, elle se donnait des airs sérieux, préoccupés ; elle jouait avec ses bracelets d'une façon distraite et détournant les yeux dès que par hasard elle sentait le regard du jeune homme se poser sur elle. Ni l'un ni l'autre ne se trouvaient à l'aise.

----
1. Photos.

ROGER LEMELIN
Les Plouffe (1948)

[Ovide Plouffe se promène avec Rita Toulouse, qui lui prend le bras :]

Ovide, serrant toujours le bras de Rita, contemplait son quartier avec une fierté émue. C'est ici que les odeurs de Saint-Sauveur parfumaient la fraîcheur du soir et que le spectacle des maisons délabrées s'ouvrait en images colorées. Ovide
5 rêvait, perché juste assez haut pour que son imagination de régionaliste, fouettée par son succès de conquérant, vît dans cette agglomération de maisons culbutées les unes contre les autres comme une flotte de vieux bateaux français abandonnés à l'Amérique et formant un village dans un port asséché.

10 — Vous vous tenez le corps bien raide, monsieur Plouffe ? On dirait que vous vous faites poser en marié pour le journal.

L'exaltation se retira du corps d'Ovide et dégringola mollement, marche par marche. Le rire saccadé de Rita éperonnait cette chute vers le quartier pauvre, cimetière des rêves
15 de toute une classe.

— Le v'là tout en peine, s'étonna Rita, d'une voix désolée.

Les yeux d'Ovide brillèrent de rage. Croyait-elle le consoler de cette façon ? Elle ouvrit soudainement les bras.

— Vous ne savez donc pas embrasser, musicien que vous êtes !
20 Le dos appuyé au garde-fou, il se défendait presque. Câline, elle lui mordit le menton.

— Musicien, va !

Ovide, médusé, tendit les lèvres. Prudemment, il avança la tête, comme si au moment suprême, il devait perdre pied.
25 Non, le menton de Rita heurtait bien le sien, qu'il n'avait jamais rasé de si près. Et ses deux mains qui, gauchement, fébrilement, s'étaient croisées derrière le dos de la jeune fille, glissaient vers le creux des reins à mesure qu'elle obéissait à son étreinte. C'était une vraie femme, dont la chair potelée
30 à la taille brûlait sous les doigts. Et c'est les yeux fermés qu'Ovide consomma ce premier baiser, imaginé, astiqué et retourné sur toutes ses faces depuis plusieurs années.

VERS LA DISSERTATION

1. Montrez comment Florentine et Rita cherchent à séduire de façon opposée.

2. Comment Jean et Ovide réagissent-ils à cette séduction ?

■ Sujet de dissertation critique

Est-il exact de dire que, dans les deux cas, la séduction va de pair avec un grand malaise ?

Poussière sur la ville (1953)

André Langevin
(1927-2009)

André Langevin mène une carrière d'écrivain plutôt discrète. Il gagne sa vie comme journaliste, puis comme réalisateur à Radio-Canada. Il écrit cinq romans, dont *Une chaîne dans le parc* (1974), qui remporte un important succès d'estime. Mais *Poussière sur la ville* demeure son plus célèbre et plus marquant ouvrage.

Ce roman raconte une histoire d'adultère. Un jeune médecin, le narrateur, s'installe en compagnie de sa nouvelle épouse, Madeleine, dans une ville minière. En proie à l'ennui, peu amoureuse de son mari, la jeune femme vit aux yeux de tous une dévorante passion avec un ouvrier de la ville, tandis que son mari sombre dans l'alcoolisme. « Une grosse femme, l'œil mi-clos dans la neige me dévisage froidement », affirme le narrateur dès la première phrase du roman. Le regard impitoyable des gens de la ville se fixe en effet constamment sur ce couple mal assorti, composé de deux êtres qui sont incapables de se comprendre et se livrent bataille tous les jours. La relation désespérée des époux qui se rendent malheureux est examinée sous le regard sans complaisance du mari, qui fait pénétrer le lecteur dans sa grande souffrance. La description qu'il donne de Madeleine, au début du roman, dépeint très bien l'être sauvage, séduisant, furieusement libre qu'il ne saura s'attacher.

Au début, elle me fascina par son avidité et une fierté qui n'était pas imposée, mais instinctive. Je crois que Madeleine séduit toujours les hommes à première vue. Je ne veux pas dire que le coup de foudre crépite sans cesse. Non. Elle éveille
5 plutôt l'instinct de domination. Elle agace comme le cheval sauvage en liberté. Elle ne séduit pas tant qu'elle ne donne le désir de lui passer le licol[1]. Sa façon d'être libre est proprement irritante. Nous nous sommes revus ensuite à de rares intervalles d'abord, puis de plus en plus fréquemment. Je terminais
10 mes études médicales ; j'étais interne. Je ne la voyais donc jamais très longtemps. J'en vins à l'aimer peu à peu, mais en adolescent, sans trop chercher à la connaître, sans rien analyser. Je crois que j'aimai une image plutôt qu'elle même. Quant à elle, elle passait de l'ardeur à une tiède indifférence. À vrai
15 dire, nous ne connûmes guère le langage et le maniérisme[2] des amants. Non pas qu'elle ne fût pas sentimentale ou rêveuse, mais elle évitait naturellement les attitudes de convention. À certains moments aussi, sa fierté se confondait avec une certaine pudeur sauvage. Sans rien préméditer, avec une passivité
20 égale de part et d'autre, parce que, sans doute, cela était inévitable et normal, nous nous laissâmes glisser vers le mariage.

Je dois avouer que sa mère, femme d'un employé du tramway, un peu éblouie devant mon titre de médecin, l'y poussa avec vigueur. Depuis, je crois l'aimer mieux parce que je la
25 connais mieux et c'est la volupté qui me l'a révélée. Pour la posséder il m'a fallu l'aimer en adulte. Sa fierté de jeune fauve ne pouvait céder devant des trépignements et des prières. Elle m'a révélé avant tout une extraordinaire avidité de vie. J'ai su quelle férocité couvait sous l'apparente lan-
30 gueur, quel désir effréné de tout éprouver, de tout connaître. J'ai appris que sa volonté ne pouvait se courber à certains moments. Il y a en Madeleine une force cruelle qui se manifeste rarement, mais inquiète, comme le grand dogue dont on ne sait pas s'il ne mordra pas un jour. Il se terre en elle
35 un être qui ne m'appartient pas, que je n'atteindrai jamais. J'ignore si cet être-là m'aime, mais je sais qu'il est sa part essentielle. Un peu comme si je ne la possédais qu'à bout de bras avec, entre nous, une opacité infranchissable. Cela ne m'est pas une torture ; tout au plus une inquiétude vague, un
40 peu la morne mélancolie qui m'assaille lorsque je la laisse. À vrai dire, je ne songe guère à cela et cette distance entre Madeleine et moi je ne la sens que par intermittence, sans trop m'y arrêter.

1. Pièce qu'on met autour du cou d'un cheval pour le mener.
2. Comportement affecté, qui manque de naturel.

VERS LA DISSERTATION

1. À quels animaux Madeleine est-elle comparée ? Relevez le champ lexical qui les décrit. Qu'ont en commun ces animaux ?
2. Qu'est-ce qui attire le narrateur chez Madeleine ?
3. Quelle impression le mariage laisse-t-il dans cet extrait ? Nommez les raisons de l'échec de la relation entre Madeleine et le narrateur, d'après ce que vous pouvez en déduire à la lecture de cet extrait.

■ Sujet de dissertation critique

Comparez ce portrait de Madeleine vue par son mari à celui de Florentine vue par Jean Lévesque (*extrait de* Bonheur d'occasion, *p. 99-100*). Peut-on dire que les tempéraments des deux jeunes femmes sont opposés ?

Agaguk (1958)

L'homme qui se nommait McTavish étendit les peaux sur le comptoir, puis il les examina une à une. Le coup d'œil était très bref, celui d'un expert. Il savait découvrir le mauvais écorchage, la blessure qui abîmait la partie ouvrable de la peau. Si c'était du poil d'été ou le poil duveté de l'hiver, si la peau était celle d'un vison sain ou d'un
5   vison malade, si l'apprêtage avait été fait avec soin ou sans attention, McTavish le découvrait en un clin d'œil. Il jetait les peaux inspectées plus loin sur le comptoir ; d'un côté les bonnes, de l'autre celles qu'il déclassait.

Mais chaque fois, et quel que fût l'Esquimau en cause, les bonnes peaux étaient rares.

10   Agaguk observait le manège qui se répétait. Il avait un pli au coin de la lèvre, une lueur dans le regard.

Il prit l'une des peaux déclassées.

— Qu'est-ce qu'elle a ?

McTavish sourit. Il avait l'habitude des protestations.
15   Elles ne l'atteignaient plus, depuis vingt ans qu'il exerçait cet ingrat métier. Il montra du doigt une entaille minuscule à l'envers de la peau, là où ce n'était plus le dos et pas encore le ventre. L'entaille ne traversait même pas le cuir.

20   — Déclassée, dit-il.

Agaguk était rouge.

— Ce n'est rien ! s'écria-t-il. La valeur reste. Ça ne suffit pas !

L'Écossais regarda froidement l'Esquimau devant lui.
25   Vingt ans de ce jeu, vingt ans de ces palabres, vingt siècles…

Il se saisit de toutes les peaux sur le comptoir et se mit à les rouler. Puis il les tendit ainsi à Agaguk.

— Emporte tes pelleteries. Je ne discute pas.

30   L'Esquimau le regardait bouche bée.

— Va, tu as compris, je ne discute pas.

Agaguk resta un long instant à fixer ce regard bleu-vert, ces yeux qui ne souriaient point et n'avaient peut-être jamais su sourire. Puis il haussa les épaules.

— Comme tu voudras, dit-il.

35   Il remit les peaux sur le comptoir, devant McTavish. Avec un soupir, le facteur déroula de nouveau le ballot et replaça les peaux dans le même ordre qu'auparavant. Après, ce fut rapide. Il inspecta en silence ce qui restait. Des visons d'été, des peaux de loup, deux peaux de caribou dont Agaguk pouvait disposer, vingt de renard, autant de blaireau, quelques peaux de rat musqué.

Yves Thériault
(1915-1983)

Yves Thériault est l'un des écrivains québécois les plus prolifiques : il écrit des contes, des textes pour le théâtre et la télévision, et une quarantaine de romans. Aventurier et autodidacte, il ne craint pas de s'avancer sur des terres nouvelles et d'ouvrir la littérature québécoise à d'autres cultures : par exemple, avec *Aaron* (1954), il s'intéresse aux Juifs orthodoxes ; avec *Agaguk* et *Tayaout, fils d'Agaguk* (1969), aux Inuits ; avec *Ashini* (1960), aux Indiens innus.

Agaguk choisit de rompre avec les siens et de s'installer dans la toundra déserte avec sa femme, Iriook. La vie que mène le jeune couple n'est pas facile : ils affrontent le froid, le blizzard et un grand loup blanc qui les menace. Iriook enfante dans des conditions difficiles. Mais le pire ennemi est sans aucun doute l'homme blanc qui exploite sans remords les Inuits. La situation devient particulièrement difficile, voire explosive, à la fois pour Agaguk et pour les siens, lorsque le jeune homme assassine un Blanc qui lui a volé ses peaux. L'histoire d'Agaguk et Iriook est racontée dans une langue rude, directe, à l'image de la vie ardue des personnages. La scène qui suit montre bien la frustration de l'Inuit forcé de vendre ses peaux à un Blanc qui profite de lui.

40　Puis l'Écossais fit le total.

C'était peu. Moins encore qu'Agaguk n'avait espéré, tout compte fait de l'habituel marchandage. Mais il aurait dû prévoir. Jamais la Compagnie n'accordait le prix rêvé, si bas qu'on le mettait. Il arrivait rarement que l'on pût escompter un troc d'homme à homme, en toute liberté et en toute franchise. La Compagnie avait un
45　monopole : aucun concurrent. Des traitants comme Brown l'avait été, commerçants illégaux, ne faisaient jamais long feu. Où trouver des produits manufacturés, sinon aux magasins de la Compagnie ? Le facteur fixait les prix, l'on devait accepter ses chiffres. Quant à lui, il devait son avancement à l'avantage des échanges. Au bureau-chef, il était jugé, pesé, selon la marge qu'il savait établir entre la valeur
50　marchande des peaux et la valeur concédée aux Esquimaux. En outre, par la forte majoration appliquée aux prix normaux de la marchandise d'échange, majoration qui réduisait encore la valeur du troc, on donnait à la Compagnie l'occasion d'inscrire dans ses livres d'incroyables profits.

Contre une hydre de la sorte, monstre infiniment puissant, que
55　pouvait Agaguk ?

Agaguk ou les autres.

VERS LA DISSERTATION

1. Pourquoi le narrateur insiste-t-il, au début de l'extrait, sur la description des peaux ?
2. Montrez que McTavish est de mauvaise foi.
3. Comment Agaguk réagit-il à la façon dont le traite McTavish ?
4. Quels sont les mécanismes de l'exploitation des Inuits, d'après cet extrait ?

■■ Sujet de dissertation critique

Peut-on dire que la situation vécue par Agaguk relève de la fatalité ?

Isa Oomayoualook, *Chasseur de phoque*, vers 1955.

Le libraire (1960)

**Gérard Bessette
(1920-2005)**

Gérard Bessette mène parallèlement une carrière de romancier, de professeur à l'Université Queen's de Kingston, en Ontario, et d'essayiste spécialisé dans la littérature québécoise. D'un roman à l'autre, Bessette expérimente des styles différents : il touche le réalisme dans *La bagarre* (1958), l'existentialisme dans *Le libraire*, le roman expérimental dans *L'incubation* (1965) et *Le cycle* (1971), le roman anthropologique dans *Les anthropoïdes* (1979) et l'autobiographie dans *Le semestre* (1979).

Le libraire reste de loin son livre le plus apprécié. Bessette y raconte l'histoire d'Hervé Jodoin, un libraire désabusé, qui le jour vend des livres interdits par la censure de l'époque (ceux de Gide, de Voltaire, de Zola, etc.) et le soir boit une vingtaine de bocks de bière à la taverne. La vie de cet homme se transforme brutalement après qu'il a vendu l'*Essai sur les mœurs* de Voltaire à un adolescent trop curieux. *Le libraire* vaut surtout par son humour féroce et par le portrait d'un homme instruit, intelligent, mais qui choisit de se détruire. Ne faut-il pas voir, dans ce personnage, le portrait de l'intellectuel libre-penseur, rejeté et incompris, donc déchu, de l'époque de la Grande Noirceur? Même l'amour qu'il vit avec sa logeuse ne parvient pas vraiment à ragaillardir le pauvre Hervé Jodoin.

Arrivé à la maison toutefois, je commis peut-être une autre bévue. Je dis : peut-être, car il y a du pour et du contre. C'est d'ailleurs trop récent pour que je puisse porter là-dessus un jugement objectif. Une fois donc à la maison, je proposai à Mᵐᵉ Bouthiller de trinquer avec
5 moi, histoire de se réchauffer. Je le faisais à vrai dire par politesse, car j'inclinais à penser qu'elle refuserait. Ses questions détournées sur mes habitudes religieuses avaient dû me laisser l'impression que Mᵐᵉ Bouthiller était une bigote[1]. Il est vrai qu'elle ne vivait pas avec son mari. Mais on peut toujours dans ces cas-là se trouver des
10 raisons « honorables ». Peu importe.

Elle accepta mon invitation en disant que, en effet, il faisait un peu froid et que, ne connaissant pas le rhum, elle était curieuse d'y goûter. La flasque se trouvait dans ma poche, mais je prétendis l'avoir laissée en haut afin d'y aller avaler une lampée, car
15 j'avais soif.

Je suis redescendu et nous nous sommes installés au salon dans une causeuse. Je ne veux pas entrer ici dans les détails. Ça n'a aucun intérêt. Nous avons pris ensemble quatre ou cinq petits verres. Mᵐᵉ Bouthiller n'avait peut-être jamais goûté au rhum,
20 mais elle avait certainement bu autre chose. Elle le « portait » admirablement bien, même si elle déclarait après chaque verre que c'était le dernier, qu'il fallait être raisonnable, qu'elle devait se lever tôt le lendemain, etc. Moi, je commençais à me sentir à mon aise. J'approuvais et je versais.

25 Après le cinquième ou le sixième verre, je lui ai pris la main – rugueuse – et je me suis mis à la peloter gentiment. Elle a réagi avec une vitesse surprenante : même un peu embarrassante pour moi car je ne me sentais pas tout à fait prêt. Mais ça s'est tassé. J'ai simplement mis un peu plus de temps qu'il ne fallait pour la dévêtir.
30 De son côté, elle a sans doute compris, car elle a fait le nécessaire, sinon avec raffinement, du moins avec à-propos. D'ailleurs, je suis loin d'être un connaisseur. Je n'ai jamais forniqué outre mesure. C'est trop fatigant. Peu importe. L'important, c'est que j'ai passé avec Rose (ainsi s'appelle-t-elle) une nuit agréable. Le lendemain,
35 je me sentais, naturellement, un peu flasque. Mais elle m'a servi un bon petit déjeuner – omelette au jambon, marmelade, café, etc. – et j'étais en somme satisfait.

---

1. Femme à la pratique religieuse très étroite.

L'étranger (1942)

J'ai pris le tram pour aller à l'établissement de bains du
port. Là, j'ai plongé dans la passe[1]. Il y avait beaucoup de
jeunes gens. J'ai retrouvé dans l'eau Marie Cardona, une
ancienne dactylo de mon bureau dont j'avais eu envie à
5 l'époque. Elle aussi, je crois. Mais elle est partie peu après
et nous n'avons pas eu le temps. Je l'ai aidée à monter sur
une bouée et, dans ce mouvement, j'ai effleuré ses seins.
J'étais encore dans l'eau quand elle était déjà à plat ventre
sur la bouée. Elle s'est retournée vers moi. Elle avait les
10 cheveux dans les yeux et elle riait. Je me suis hissé à côté
d'elle sur la bouée. Il faisait bon et, comme en plaisantant,
j'ai laissé aller ma tête en arrière et je l'ai posée sur son
ventre. Elle n'a rien dit et je suis resté ainsi. J'avais tout le
ciel dans les yeux et il était bleu et doré. Sous ma nuque,
15 je sentais le ventre de Marie battre doucement. Nous
sommes restés longtemps sur la bouée, à moitié endormis. Quand le soleil est devenu trop fort, elle a plongé et
je l'ai suivie. Je l'ai rattrapée, j'ai passé ma main autour de
sa taille et nous avons nagé ensemble. Elle riait toujours.
20 Sur le quai, pendant que nous nous séchions, elle m'a dit :
« Je suis plus brune que vous. » Je lui ai demandé si elle
voulait venir au cinéma, le soir. Elle a encore ri et m'a dit
qu'elle avait envie de voir un film avec Fernandel[2]. Quand
nous nous sommes rhabillés, elle a eu l'air très surprise
25 de me voir avec une cravate noire et elle m'a demandé
si j'étais en deuil. Je lui ai dit que maman était morte.
Comme elle voulait savoir depuis quand, j'ai répondu :
« Depuis hier. » Elle a eu un petit recul, mais n'a fait aucune remarque. J'ai eu envie de lui dire que ce n'était pas
30 de ma faute, mais je me suis arrêté parce que j'ai pensé
que je l'avais déjà dit à mon patron. Cela ne signifiait rien.
De toute façon, on est toujours un peu fautif.

Le soir, Marie avait tout oublié. Le film était drôle par
moments et puis vraiment trop bête. Elle avait sa jambe
35 contre la mienne. Je lui caressais les seins. Vers la fin de
la séance, je l'ai embrassée, mais mal. En sortant, elle est
venue chez moi.

Quand je me suis réveillé, Marie était partie.

---

1. Canal.
2. Acteur français ayant joué dans un grand nombre de comédies populaires.

Albert Camus (1913-1960)

On a souvent comparé *Le libraire* de Gérard Bessette à
L'étranger d'Albert Camus. Voici comment Meursault,
le narrateur et personnage principal de *L'étranger*,
amorce pour sa part une liaison amoureuse.

August Macke, *Portrait de Helmut Macke*, 1910.

Selon le personnage du curé dans *Le libraire*, certains
chefs-d'œuvre de la littérature peuvent être « dangereux »…

VERS LA DISSERTATION

1. Montrez que, dans l'extrait du *Libraire*, la relation entre le
   narrateur et Rose n'a strictement rien de romantique.
2. Relevez les éléments qui donnent une tonalité humoristique dans
   Le libraire.
3. Comparez l'écriture de Bessette et de Camus en tenant compte
   du type de phrases, de la tonalité et du sujet abordé.

■ Sujets de dissertation critique

1. Est-il juste de dire que, dans ces deux extraits, les narrateurs
   ont une relation semblable avec la femme qu'ils séduisent ?
2. Peut-on dire que la liberté est omniprésente dans les
   deux extraits ?

Roland Giguère (1929-2003)

Roland Giguère est l'un des poètes les plus talentueux et les plus prolifiques des années de la Grande Noirceur. Il exerce à la fois les métiers de poète, de peintre, de graveur et d'éditeur. Un long séjour à Paris, de 1954 à 1963, lui permet d'établir des liens étroits avec les surréalistes français. Son œuvre est dispersée dans diverses revues et dans de courts recueils à tirage limité. Il faut attendre les années 1960 et la publication de *L'âge de la parole* pour que le poète soit enfin reconnu et apprécié.

Malgré son appartenance au surréalisme, l'œuvre poétique de Roland Giguère est très personnelle. Le poète aime jouer avec le sens, le rythme et la musicalité de «mots-flots», qui vont et viennent selon le hasard des sonorités qui les assemble. Dans le recueil *Forêt vierge folle*, Giguère plonge le lecteur dans un imaginaire à la fois ludique et grave, qui ne craint pas l'introspection, mais qui exprime aussi, avec une grâce légère, la magie de la transformation du monde par le pouvoir évocateur des mots.

Forêt vierge folle (1978)[1]

Amour délice et orgue (1949)

Amour délice et orgue
pieds nus dans un jardin d'hélices
hier j'écrivais pour en arriver au sang
aujourd'hui j'écris amour délice et orgue
5 pour en arriver au cœur
par le chemin le plus tortueux
noueux noué
chemin des pierres trouées
pour en arriver où nous en sommes
10 pas très loin
un peu à gauche de la vertu
à droite du crime
qui a laissé une large tache de rouille
sur nos linges propres tendus au soleil
15 pour en arriver où
je me le demande
pour en arriver à l'anti-rouille
amour délice et orgue
ou pour en arriver au cœur tout
20   simplement?

tout simplement.

Le temps opaque (1953)

Toi la mordore
toi la minoradore
entourée d'aurifeuflammes
toi qui mimes le mimosa
5 toi qui oses le sang de la rose
desporosa
desperados
desesporaminos
desespera
10 desesperador la statue de sel
desperante
despoir au plus profond du noir
despoir quand tout siffle et glisse
dans l'avalnuit

15 désopérante espérancéphale

toi la mordore
toi la minoradore

nous laisseras-tu sans voix
sans vue et sans bras
20 tout nus dans la poix
faire les cent pas
aux passages à niveau
devant les puits sans eau
croiser et décroiser
25 les rails de la patience
nos propres os sur la voie
dis
la mordore la minoradore
toi qui autrefois
30 avanças le jour sublime
nous laisseras-tu ce poids
nous laisseras-tu infirme?

---

1. Ces deux poèmes ont été publiés pour la première fois dans de petites plaquettes à faible tirage.

VERS LA DISSERTATION

1. Dans le premier poème, quel est le point commun grammatical entre les mots «amour», «délice» et «orgue»? Ce point commun est-il significatif dans le contexte du poème?

2. Quel est le cheminement du poète entre «hier» et «aujourd'hui»?

3. Que veut-il dire lorsqu'il prétend se situer «un peu à gauche de la vertu» et «à droite du crime» (v. 11 et 12)?

4. Faites une liste des mots inventés par le poète dans le second texte et dites ce que ces mots évoquent.

5. Ce second poème semble évoquer une femme. Quelles seraient les caractéristiques de cette femme, selon ce qu'en dit le poète?

■ Sujet de dissertation critique

En comparant les deux poèmes, peut-on affirmer que la poésie de Giguère n'est pas entièrement surréaliste?

Les surréalistes et les automatistes

La Seconde Guerre mondiale ramène au pays quelques artistes et intellectuels qui s'étaient exilés en France et avaient fréquenté les avant-gardes, dont le poète Alain Grandbois et le peintre Alfred Pellan. Ces libres-penseurs se désolent de l'immobilisme des Canadiens français et entendent faire connaître à leurs compatriotes ce qu'ils ont appris de l'autre côté de l'Atlantique. Pour sa part, André Breton, le fondateur du surréalisme, se voit chassé de France et s'établit temporairement à New York. Il en profite pour faire un voyage au Québec et y rencontrer quelques intellectuels ouverts à ses idées nouvelles. Il relate ce voyage au début de son livre *Arcane 17* (1945), qui s'ouvre sur une réflexion inspirée du rocher Percé, en Gaspésie :

> La géométrie d'un temps non entièrement révolu exigerait pour s'édifier l'appel à un observateur idéal, soustrait aux contingences de ce temps, ce qui tout d'abord implique la nécessité d'un lieu d'observation idéal, et si tout m'interdit de me substituer à cet observateur, il n'en est pas moins vrai que nul lieu ne m'a paru se conformer si bien aux conditions requises que le rocher Percé, tel qu'à certaines heures, il se découvre pour moi.

Le désir des intellectuels québécois de générer un important renouveau artistique se heurte à l'incompréhension du public d'ici, peu instruit, peu ouvert sur le monde. À l'époque, l'accueil réservé au manifeste *Refus global* montre bien l'étendue de cette incompréhension. Les signataires de *Refus global* poursuivent malgré tout leur démarche artistique. Ils créent leur version particulière du surréalisme et prennent le nom d'«automatistes».

Les automatistes partagent avec les surréalistes des conceptions de l'art et des choix esthétiques :

- Le manifeste *Refus global* se rapproche, par ses intentions, des manifestes du surréalisme, écrits par André Breton.

- Les deux courants cherchent à exprimer un «automatisme psychique pur» et «la dictée de la pensée, en l'absence de tout contrôle exercé par la raison», ainsi que l'explique André Breton dans le premier *Manifeste du surréalisme* (1924).

- Le travail des surréalistes et des automatistes touche d'abord et avant tout la peinture et la poésie. Les automatistes s'ouvrent toutefois à la danse, avec des chorégraphies de Françoise Sullivan et Jeanne Renaud.

Les automatistes se distinguent cependant des surréalistes par les partis pris suivants :

- Les peintres automatistes privilégient non pas une figuration onirique comme l'ont fait Salvador Dalí et René Magritte, mais plutôt une approche non figurative qui s'apparente à l'expressionnisme abstrait pratiqué alors à New York entre autres par Jackson Pollock. Les œuvres picturales automatistes sont donc portées par la pure liberté du geste du peintre plutôt que par une volonté de représentation.

Paul-Émile Borduas, *Étoile noire*, 1957.

- Cette recherche de l'abstraction se retrouve aussi en littérature. Elle permet à Claude Gauvreau de créer une poésie sonore qui, par moments, est formée uniquement de mots inventés, procédé que Gauvreau qualifie de «langue exploréenne» (on trouve un exemple de cette langue dans le poème lu par l'un des personnages de la pièce *La charge de l'orignal épormyable*, p. 113-114).

Les automatistes produisent une peinture abstraite d'une grande qualité. Paul-Émile Borduas peint une œuvre sobre, qui s'épure au fil du temps, jusqu'à la grande austérité de ses dernières toiles, composées de grandes taches noires sur des fonds blancs. Jean-Paul Riopelle, pour sa part, acquiert une réputation internationale avec des toiles éblouissantes, de superbes constellations de couleurs d'automne morcelées.

Les peintres automatistes sont une inspiration pour les poètes, qui se permettent des audaces nouvelles. Le poète Claude Gauvreau se fait le plus brillant porte-parole des automatistes à la suite de l'exil de Paul-Émile Borduas. Sa poésie demeure la plus radicale du groupe : dans *Étal mixte* (1951), les textes, portés par une rage puissante, accumulent les blasphèmes et enfreignent les tabous sexuels. Le jeune poète Paul-Marie Lapointe introduit avec *Le vierge incendié* une poésie aux images puissantes et emportées. Roland Giguère poursuit à la fois une œuvre d'artiste et de poète; ses poèmes réunis dans *L'âge de la parole* (1960) et *Forêt vierge folle* (1978) comptent parmi les plus réussis de l'époque. La poésie automatiste influence fortement les poètes de la génération suivante.

> Les deux courants cherchent à exprimer un «automatisme psychique pur» et «la dictée de la pensée, en l'absence de tout contrôle exercé par la raison».

Le tombeau des rois (1953)

Une petite morte

Une petite morte s'est couchée en travers de la porte.

Nous l'avons trouvée au matin, abattue sur notre seuil
Comme un arbre de fougère plein de gel.

Nous n'osons plus sortir depuis qu'elle est là
5 C'est une enfant blanche dans ses jupes mousseuses
D'où rayonne une étrange nuit laiteuse.

Nous nous efforçons de vivre à l'intérieur
Sans faire de bruit
Balayer la chambre
10 Et ranger l'ennui
Laisser les gestes se balancer tout seuls
Au bout d'un fil invisible
À même nos veines ouvertes.

Nous menons une vie si minuscule et tranquille
15 Que pas un de nos mouvements lents
Ne dépasse l'envers de ce miroir limpide
Où cette sœur que nous avons
Se baigne bleue sous la lune
Tandis que croît son odeur capiteuse[1].

Nos mains au jardin

Nous avons eu cette idée
De planter nos mains au jardin

Branches des dix doigts
Petits arbres d'ossements
5 Chère plate-bande.

Tout le jour
Nous avons attendu l'oiseau roux
Et les feuilles fraîches
À nos ongles polis.

10 Nul oiseau
Nul printemps
Ne se sont pris au piège de nos mains coupées.

Pour une seule fleur
Une seule minuscule étoile de couleur
15 Un seul vol d'aile calme
Pour une seule note pure
Répétée trois fois.

Il faudra la saison prochaine
Et nos mains fondues comme l'eau.

---

1. Enivrante.

Anne Hébert
(1916-2000)

Initiée à la littérature par son cousin Hector de Saint-Denys Garneau, Anne Hébert entreprend l'une des œuvres les plus importantes de la littérature québécoise.

Parmi ses livres les plus appréciés, soulignons le recueil de poèmes *Le tombeau des rois*, le recueil de nouvelles *Le torrent*, ainsi que les romans *Kamouraska* et *Les fous de Bassan*. À la fois poète et romancière, elle crée une œuvre d'une grande cohérence, dans laquelle tant la fiction que la poésie expriment l'angoisse, la solitude, l'obsession de la mort. Dans les deux genres, on trouve le même lyrisme contenu, une forme d'épuration de l'écriture qui donne en peu de mots des images fortes et hautement suggestives.

Le tombeau des rois amène le lecteur dans un curieux voyage de la naissance à la mort, puis à la renaissance. Le contact avec le monde, qui s'établit par les yeux et par les mains, reste toujours difficile pour la poète et la ramène sans cesse à la solitude et à un sentiment d'étouffement. Mais les expériences les plus douloureuses ne l'empêchent pas de garder l'espoir et de rêver à une vie nouvelle. Tout le recueil est caractérisé par une écriture elliptique, voire «maigre» – à l'instar de certains personnages d'Anne Hébert –, dont les effets de style sont peu nombreux, mais d'une grande intensité.

VERS LA DISSERTATION

1. Pourquoi le premier poème évoque-t-il, malgré l'usage du pronom «nous», une grande solitude?
2. Quelle est la relation entre les personnages enfermés et la petite morte? Quelles sont les caractéristiques de cette morte «couchée en travers de la porte»?
3. Dans «Nos mains au jardin», expliquez le lien entre les mains et les branches.
4. Quel est le principal champ lexical de ce poème? À quoi réfère-t-il?

■ Sujets de dissertation critique

1. Les deux poèmes d'Anne Hébert dépeignent-ils le même climat d'étouffement?
2. Peut-on dire que «Nos mains au jardin» et «Une petite morte» abordent de façon semblable le thème de la solitude?

Tit-Coq (1948)

LE COMMANDANT. — [...] Avant de lancer une telle injure, il vaut toujours mieux y regarder à deux fois.

TIT-COQ. — Surtout quand celui qui la reçoit en est un pour vrai.

LE COMMANDANT, *surpris.* — Un quoi ?

Gratien Gélinas
(1909-1999)

Gratien Gélinas se fait connaître par ses qualités de comédien, d'auteur et de metteur en scène. Il est d'abord apprécié dans de populaires revues qui mélangent le théâtre, les monologues et la chanson. Ces revues mettent en scène un personnage joué par Gélinas lui-même, Fridolin, jeune homme taquin et lucide qui commente l'actualité de façon humoristique. L'auteur remporte son plus grand succès avec *Tit-Coq*, qu'il présente d'abord au théâtre, puis au cinéma. Dans *Bousille et les justes* (1959), Gélinas change de ton et critique l'attitude d'une famille bourgeoise prête à tout pour sauver son honneur. Cette pièce montre sans fard aussi bien la religiosité timorée des humbles que l'hypocrisie et la corruption des élites.

Tit-Coq raconte l'histoire d'un orphelin courageux et sympathique qui part à la guerre et trouve à son retour sa fiancée mariée à un autre homme. Écrite dans une langue colorée, cette pièce appartient à un genre populaire à l'époque : le mélodrame. Le malheur de Tit-Coq est de ne pas pouvoir vivre avec la femme qu'il aime, dans un Québec où les mœurs amoureuses sont encadrées par des conventions sociales strictes. Au début de la pièce, Tit-Coq s'est bagarré avec un camarade, parce que celui-ci l'avait qualifié de « bâtard », sans véritablement savoir à qui il s'adressait. Mais pour Tit-Coq, le mot est lourd de sens.

5 **TIT-COQ.** — Un bâtard, oui ! C'est bête, mais c'est comme ça. Cent pour cent. Né à la crèche, de mère inconnue et de père du même poil ! Élevé à l'hospice jusqu'à ce que je m'en sauve à l'âge de quinze ans. Je m'appelle Arthur Saint-Jean. Le prénom, je me demande 10 où les sœurs l'ont pêché, mais « Saint-Jean » vient du fait que j'ai été baptisé le jour de la Saint-Jean-Baptiste. Oui, je suis un enfant de l'amour, comme on dit. Un petit maudit bâtard, si monsieur préfère. Seulement, vu que c'est bien peu de ma faute, y a pas un enfant de chienne 15 qui va me jeter ça à la face sans recevoir mon poing à la même place !

LE COMMANDANT, *à Jean-Paul.* — Vous le saviez, vous ?

JEAN-PAUL. — Qu'il en est un ? Pas le moins du 20 monde ! C'est ce que j'ai essayé de lui expliquer hier, mais il parlait et puis il cognait, pas moyen de placer un mot. Moi, ma grand-conscience, j'ai dit ça tout bonnement. Comme toujours, quand je suis monté contre quelqu'un.

Désilet (Fred Barry) et le Padre (Albert Duquesne) confrontent Tit-Coq (Gratien Gélinas) et Marie-Ange (Olivette Thibault) dans la pièce *Tit-Coq* jouée au Monument-National, en 1948.

25 **TIT-COQ.** — Ça prouve que t'es un imbécile !

LE COMMANDANT, *à Tit-Coq.* — Il vous a offensé, je l'admets, mais vous avez peut-être été un peu prompt à vous servir de vos poings, vous.

TIT-COQ. — Ben, voyez-vous, j'ai appris jeune à régler mes comptes moi-même. Les histoires de « je vas le dire à ma mère », avec moi, ça mène pas loin.

30 **LE COMMANDANT.** — Il résulte de tout ça que vous avez échangé des coups en public. Vous savez la punition pour un délit de cette nature ? Une semaine de consigne. Ce qui signifie, pour vous deux, le congé de Noël au camp. C'est dommage !

TIT-COQ. — Ah oui, c'est ben dommage ! Quoique moi, personnellement, je
35 m'en sacre. Mieux que ça : si vous voulez le savoir, ce congé-là, j'aime autant le passer à la caserne.

LE COMMANDANT, *incrédule.* — Vraiment ?

TIT-COQ. — Ah, sans blague ! Comme j'ai ni père, ni mère, ni oncles, ni tantes, ni cousins, ni cousines… connus, manquer une réunion de parents, moi, ça me
40 laisse froid.

LE COMMANDANT, *un peu décontenancé.* — Évidemment…

TIT-COQ. — Les Fêtes, c'est peut-être ben emballant pour vous autres, les légitimes : ça vous donne l'occasion de vous prendre en pain et de vous caresser d'un bout à l'autre de la province ; mais, pour les gars de ma sorte, c'est plutôt
45 tranquille. On est pas mal tout seuls au coin de la rue, étant donné qu'à Noël, même les guidounes vont dans leurs familles.

LE COMMANDANT. — De toute façon, que comptiez-vous faire demain soir ?

TIT-COQ. — Moi, d'habitude, je vas à la messe de minuit dans quelque chapelle pas chère. Ensuite j'entre chez le Grec du coin et j'assois ma parenté au grand
50 complet, moi compris, sur un seul et même tabouret. Une fois le cure-dent dans la bouche, vers deux heures et demie, je vas m'étendre sur la couchette… et ça finit les réjouissances des Fêtes.

VERS LA DISSERTATION

1. Relevez dans cet extrait tout ce qu'implique la condition d'orphelin.

2. Montrez comment le personnage dédramatise sa situation par l'autodérision.

3. Relevez dans le texte les mots et les expressions qui ne sont plus usités aujourd'hui.

▇▇ Sujet de dissertation critique

À partir de cet extrait et de celui d'*Un simple soldat* de Marcel Dubé (*p. 116-117*), peut-on dire que les personnages des soldats Tit-Coq et Joseph ont des traits communs ?

Fernand Leduc, *Sans titre,* 1952.

Comme Claude Gauvreau, le peintre Fernand Leduc a été un signataire du manifeste *Refus global* et un grand défenseur de l'art moderne.

···

Claude Gauvreau (1925-1971)

Claude Gauvreau laisse une abondante œuvre poétique et théâtrale. Il est signataire du manifeste *Refus global* et l'un des défenseurs les plus acharnés de l'art moderne au Québec. Le suicide de la comédienne Muriel Guilbault trouble profondément cet homme fragile, ce qui lui vaut quelques séjours dans un hôpital psychiatrique. L'amour malheureux qu'il a éprouvé pour la comédienne nourrit son œuvre : on en trouve des traces profondes dans son unique roman, *Beauté baroque* (1952), et dans ses deux principales pièces de théâtre, *La charge de l'orignal épormyable* et *Les oranges sont vertes*. Ces deux pièces sont présentées pour la première fois au public après la mort tragique de l'auteur en 1971, bien longtemps après avoir été écrites.

La charge de l'orignal épormyable présente un univers fantaisiste où des êtres aux noms étranges s'acharnent contre le poète Mycroft Mixeudeim afin de le guérir de sa marginalité. Le poète a la force de l'orignal et, tel Don Quichotte, est pris au piège de sa trop grande générosité. Son histoire est l'occasion d'une critique sévère de la façon dont les patients sont soignés dans les hôpitaux psychiatriques. En outre, Gauvreau dénonce le traitement réservé aux rêveurs et aux idéalistes dans une société conformiste et bien-pensante. Dans l'extrait choisi, un poème écrit par Mycroft Mixeudeim en « langage exploréen » (poésie sonore inventée par Gauvreau) est décortiqué par ses bourreaux.

THÉÂTRE

La charge de l'orignal épormyable (1956)

LONTIL-DÉPAREY, *lisant.* —

« Amonéon. Krimonec. Abodéadoc tripav pluviol.

Les serres aux cheveux de lin brillent sur le périscope de la plaine endormie. Ananas cribla.

5 Des josephs au cœur de pierre ont sculpté l'offrande du nougat nigéré sur l'estomac-thomas.

Iveûrlô. Toupla. Imbec brec tap-pala-pala.

Je veux tenir dans ma main le sacrifice de l'obole blême.

Je veux le réservoir de la prière siphon.

10 Eughl !

Agbonista. Un piastra cléffec abulec dénégra.

La génuflexion de l'enclave Apothéose rame sur le nerf de l'épithalame.

Bravo. »

BECKET-BOBO. — De qui est ce texte poétique ? [15]

LONTIL-DÉPAREY. — De qui crois-tu qu'il soit ?

BECKET-BOBO. — Ça m'a l'air du style de Mycroft Mixeudeim.

LAURA PA. — Mycroft n'écrit plus.

LONTIL-DÉPAREY. — Depuis longtemps. [20]

BECKET-BOBO. — C'est son style. Mais ce n'est plus sa réalité. C'est comme sa pensée qui se serait affaissée ; qui n'aurait plus d'énergie, de force. Son style sans nécessité.

LONTIL-DÉPAREY. — Qu'en penses-tu, Laura ? [25]

LAURA PA. — Mycroft écrivait d'une façon naïve. Ceci m'apparaît comme la parodie de cette naïveté-là.

BECKET-BOBO. — En effet, le texte est écrit sans confiance candide. Et Mycroft avait au moins cela.

LAURA PA. — Il n'y a pas de fraîcheur dans [30] ce poème. C'est lourd, monotone, sans subtilité d'aucune sorte. Mycroft se serait-il forcé à écrire en dépit de toute possibilité ? En serait-il arrivé à ce résultat-là ?

BECKET-BOBO. — J'ai connu Mycroft bête. Je ne l'ai [35] pas connu insensible.

LONTIL-DÉPAREY. — Pourtant, ne retrouvez-vous pas ici la somme des découvertes que Mycroft a faites ?

LAURA PA. — Ce texte va aussi loin en audace prétendue. On s'y écarte des usages admis avec autant [40] de constance. Il y a le même dosage de descriptions imaginaires et d'invention totale. Mais ça ne vibre pas !

BECKET-BOBO. — Je n'y trouve même pas la dégoûtante propension qu'il avait à s'attendrir sur lui-même. [45]

LAURA PA. — J'y trouve, par contre, de surprenantes références religieuses. Pourquoi ce parti pris de symboles vaguement liturgiques ?

LONTIL-DÉPAREY. — Le degré d'invention poétique de Mycroft Mixeudeim [50] est atteint. N'y voyez-vous pas autre chose en plus ?

BECKET-BOBO. — Non.

LAURA PA. — À part ces exécrables et inutiles rappels de religiosité, non.

LONTIL-DÉPAREY. — Ne trouvez-vous pas un [55] avantage à ce que le verbe se soit enfin libéré de cette sensiblerie inséparable, jusqu'à maintenant, des écrits de Mycroft Mixeudeim ?

BECKET-BOBO. — La sécheresse monotone peut difficilement m'apparaître comme positive. [60]

LONTIL-DÉPAREY. — Cependant, ne pensez-vous pas que le public serait surpris de connaître ce poème ?

LAURA PA. — Va-t-il être publié ?

VERS LA DISSERTATION

1. Quel sens pouvez-vous donner au poème lu par Lontil-Déparey ?
2. Quels sont les reproches faits par les personnages à ce poème ?
3. Quelles qualités les personnages trouvent-ils au poème, malgré tout ?
4. Comment les personnages se servent-ils de ce poème pour s'acharner contre Mycroft Mixeudeim ?
5. Pourquoi Gauvreau a-t-il inventé des noms aussi curieux pour ses personnages ? Pour répondre à cette question, soyez attentif entre autres à la sonorité des noms.

■ Sujet de dissertation critique

Serait-il juste d'affirmer que la langue constitue l'objet premier de l'œuvre de Claude Gauvreau et des poèmes de Roland Giguère (*p. 108*) ?

La lente naissance du théâtre d'auteur au Québec

Il se fait du théâtre au Canada depuis l'arrivée des Européens. Déjà, en 1606, Marc Lescarbot présente *Le théâtre de Neptune*, une pièce jouée sur l'eau par des colons français et des Micmacs à Port-Royal, en Acadie. Mais il faut attendre très longtemps avant que des auteurs reconnus écrivent des pièces appréciées, jouées et reprises, qui contribuent à former un véritable répertoire.

Il faut dire qu'avant le XXe siècle, les conditions ne sont pas très favorables à l'éclosion du théâtre. Le clergé n'approuve pas cet art, et il n'existe pas de salles de théâtre dans les milieux ruraux où vit la majorité des Canadiens français.

Malgré tout, le théâtre prend lentement forme :

- Au lendemain de la Conquête, Joseph Quesnel se démarque avec *Colas et Colinette* (1790), une pastorale naïve dans le style du *Devin de village* de Jean-Jacques Rousseau, et *L'anglomanie ou le dîner à l'anglaise*, où l'auteur se moque de la soumission de certains Canadiens au conquérant anglais.

- Dans tout le XIXe siècle, on dénombre 75 auteurs et 150 pièces, mais aucune d'entre elles n'est vraiment marquante.

- Le théâtre burlesque et le mélodrame touchent un large public dans les villes. Le premier grand succès du théâtre québécois est *Aurore, l'enfant martyre* (1920) de Léon Petitjean et Henri Rollin. Cette pièce est jouée pendant plus de 30 ans sans interruption et adaptée à deux reprises pour le cinéma. Les Québécois sont sensibles à ce mélodrame triste et sombre, inspiré d'un fait réel, qui raconte l'histoire d'une petite fille torturée par sa belle-mère. Mais il serait difficile d'y voir une grande pièce de théâtre.

- Pendant ses 15 années d'existence (de 1937 à 1952), la troupe Les Compagnons de Saint-Laurent se donne la mission de faire connaître les grands textes du répertoire aux Québécois.

Deux dramaturges se démarquent pendant la Grande Noirceur : Gratien Gélinas et Marcel Dubé. Tous deux écrivent des pièces bien construites, appréciées du public et reprises maintes fois. Et chacun se fait connaître par une pièce forte qui l'impose comme un auteur marquant, *Tit-Coq* dans le cas de Gratien Gélinas et *Zone* pour Marcel Dubé.

> Il faut attendre très longtemps avant que des auteurs reconnus écrivent des pièces qui contribuent à former un véritable répertoire.

Tit-Coq

Le drame de l'orphelin Tit-Coq a su toucher le cœur des Québécois. Son destin de solitaire, au sein d'une société où la famille occupe une place incontournable, devient encore plus émouvant à une époque où la guerre a laissé d'amers souvenirs. Le centre de la pièce est occupé par la famille québécoise, accueillante et chaleureuse, qu'un des personnages décrit ainsi : « D'abord on est pas riches, ni supérieurement intelligents ; on est juste une famille d'ouvriers dans le village de Saint-Anicet. La "snoberie", prends ma parole, on connaît pas ça ici-dedans ! [...] À part ça, on sait qu'on vaut pas cher, mais on s'aime ben tous ensemble. Ça fait que je t'avertis : dans le temps des fêtes, nous autres, on se lèche puis on s'embrasse la parenté comme des veaux qui se tètent les oreilles jusqu'à la quatrième génération des deux bords. » Pendant de rares moments, Tit-Coq goûte de cette vie dont il rêve, puis il en est privé. L'orphelin retourne à la case de départ et doit apprendre à pactiser avec une existence qui ne sera jamais facile pour lui. Les Québécois se sont identifiés à ce personnage fort en gueule, drôle, courageux, petit et batailleur.

Zone

Marcel Dubé entraîne les spectateurs dans un tout autre monde, celui de jeunes délinquants qui se livrent à la contrebande de cigarettes afin d'obtenir l'argent qui leur permettrait de réaliser leurs rêves. Mais leur chef, Tarzan, tue un douanier et la petite bande se fait prendre par la police. Condamné pour le meurtre, Tarzan cherche à s'évader pour déclarer son amour à Ciboulette, l'une des contrebandières. Dans cette pièce, Dubé refuse de blâmer les jeunes. Par l'entremise du chef de la police, il explique avec sympathie le drame de Tarzan : « C'est surtout un pauvre être qu'on a voulu étouffer un jour et qui s'est révolté... Il a voulu sortir d'une certaine zone de la société où le bonheur humain est presque impossible. » *Zone* aborde donc un important problème, celui de la pauvreté et des inégalités sociales. Mais la pièce plaît surtout pour l'histoire d'amour malheureuse entre Tarzan et Ciboulette.

Gratien Gélinas et Marcel Dubé mènent tous deux une importante carrière d'auteur. Leurs pièces sont appréciées d'un large public et dominent longtemps le paysage théâtral québécois, jusqu'à ce que Michel Tremblay présente sa pièce-choc *Les belles-sœurs* en 1968 et qu'il bouleverse le théâtre d'ici par son usage radical du joual et sa remise en question des formes traditionnelles du théâtre.

Un simple soldat (1957)

Marcel Dubé (né en 1930)

Marcel Dubé est l'un des auteurs les plus prolifiques de la scène théâtrale québécoise. Il cherche dans ses pièces à reproduire l'univers réaliste de Gabrielle Roy et de Roger Lemelin. Ses deux premières pièces, *Zone* et *Un simple soldat*, se déroulent dans les milieux populaires de Montréal et mettent en scène de jeunes hommes rebelles, incapables de se satisfaire de leur condition. Dans *Florence* (1957), Dubé donne la parole à une jeune femme d'une famille pauvre qui en vient à fréquenter de grands bourgeois. L'auteur semble suivre le même itinéraire que ce personnage et s'intéresse, après ses premières pièces, aux vicissitudes d'une classe bourgeoise corrompue, entre autres dans *Bilan* (1960) et *Au retour des oies blanches* (1966).

Un simple soldat est sûrement la pièce la plus réussie de Marcel Dubé. Elle raconte l'histoire de Joseph Latour, incapable de s'adapter à la vie de tous les jours lorsqu'il revient de son entraînement militaire, interrompu par la fin de la guerre. Son milieu familial est étouffant : il n'a jamais accepté que son père, Édouard, se remarie avec Bertha, une femme qu'il déteste ; sa sœur par alliance, Marguerite, est prostituée ; son père vieillissant ne parvient pas à conserver un emploi décent. Un soir que Joseph rentre soûl à la maison, il entreprend de dire toute la vérité.

JOSEPH. — Si Marguerite est secrétaire, moi je suis premier ministre ! La vérité va sortir de la bouche d'un ivrogne, de la bouche d'un voyou, Bertha. En quatre ans, ta fille Marguerite a fait du chemin, Bertha. Ça lui a pris quatre ans mais elle a réussi. Elle a jamais été secrétaire de sa maudite vie par exemple ! Mais fille de vestiaire, ah !

5 oui ! Racoleuse dans un club ensuite, ah ! oui ! certain ! et puis maintenant, elle gagne sa vie comme putain dans un bordel.

BERTHA *crie.* — Mets-le à la porte, Édouard, mets-le à la porte !

10 **JOSEPH.** — Pas dans un bordel de grand luxe ! Mais dans ce qu'on trouve de plus « cheap » rue De Bullion.

ARMAND. — Répète plus ça, Joseph, répète plus jamais ça !

Armand lève la main mais Joseph le repousse violemment.

15 **JOSEPH.** — Essayez de me prouver que c'est pas vrai si vous êtes capables, essayez !

Bertha s'enferme dans sa chambre avec furie.

ARMAND. — Il est devenu dangereux, le père, reste pas avec lui, écoute-le plus.

20 *Et il entre lui aussi dans sa chambre apeuré.*

JOSEPH. — Là non plus, tu dis rien, le père ? C'est parce qu'elle a honte, Bertha, qu'elle va se cacher. Tu l'as vue sa honte monter dans son visage ? L'as-tu vue ?... Je gagerais n'importe quoi avec toi qu'elle

25 le savait pour Marguerite. Qu'elle l'a toujours su... Tu dis rien ? Ça t'est égal ? Je te comprends un peu ! C'était pas ta fille après tout !... Parle ! Parle donc ! Tu le dis pas pourquoi t'es resté debout à m'attendre ? Es-tu comme eux autres, toi aussi ? As-tu peur de voir

30 la vérité en pleine face ?... La vérité, c'est que j'ai pas tenu ma promesse, le père ! La vérité, c'est que j'ai bu la moitié de ma paye et que j'ai flambé le reste dans une barbotte[1] !... Es-tu content ? Es-tu content, là ?... Et puis ça, c'est toi qui l'as voulu, le père ! C'est de ta faute.

35 Rien que de ta faute. T'avais seulement qu'à pas me faire promettre. T'avais seulement qu'à pas me mettre de responsabilités sur les épaules. T'avais rien qu'à me laisser me débrouiller tout seul, y a deux mois, quand je me suis retrouvé à l'hôpital avec ma jambe cassée... Tu devrais pourtant être assez vieux pour savoir qu'on rend pas service à un gars comme moi. Qu'un gars comme moi, c'est pas fiable pour cinq

40 « cennes » !... Tu le savais pas, ça ? Tu le sais pas encore ? Réveille-toi ! Réveille-toi donc ! Je m'appelle pas Armand, moi, j'ai pas d'avenir, j'ai pas de « connection »,

j'ai pas de protection nulle part ! Je suis un bon-à-rien, un soldat manqué qui a seulement pas eu la chance d'aller crever au front comme un homme... Parle ! C'est ton tour, Christ ! Parle !

45 **ÉDOUARD,** *d'une voix basse, pesant bien chaque mot.* — Je réglerai ton cas demain matin.

Il lui tourne le dos et se dirige vers sa chambre où il s'enferme. Joseph, décontenancé d'abord, puis hors de lui, marche désespérément vers la porte fermée.

JOSEPH *frappe à coups de poings dans la porte.* — C'est ça ! C'est ça ! Va coucher
50 avec la grosse Bertha. Ça fait vingt ans que tu couches avec elle et que tu l'aimes pas... Tu l'as mariée parce que t'étais pas capable de rester tout seul, parce que t'étais lâche... (*Il s'effondre à genoux par terre.*) J'en avais pas besoin de Bertha, moi. Toi non plus, le père. On aurait pu continuer notre chemin ensemble, tous les deux, tout seuls... Non, le père ! A fallu que tu la prennes avec nous autres,
55 que tu l'amènes dans notre maison... jusque dans le lit de ma mère... C'est ça que je voulais te dire depuis longtemps, c'est ça... Mais fais attention, le père ! Moi, je suis là ! Je suis là pour te le faire regretter toute ta vie ! Tu me comprends ? Toute ta Christ de vie !

Et il éclate en sanglots comme un enfant puis s'éloigne de la porte de chambre
60 *en titubant.*

---

1. Maison de jeu clandestine.

VERS LA DISSERTATION

1. Quels reproches Joseph fait-il :
   a) à sa belle-mère ?
   b) à son père ?
   c) à lui-même ?
2. Qu'est-ce qui, dans la situation et dans le discours, relève du réalisme ?
3. Quelle est l'attitude du père, Édouard, à l'égard de la crise de Joseph ?

■ Sujet de dissertation critique

Dans cette scène, Joseph est un personnage possédé par la haine. Discutez cette assertion.

Gilles Pelletier et Élizabeth Lesieur dans la pièce *Un simple soldat* à la Comédie-Canadienne, en 1967.

Refus global (1948)

Premier extrait

Rejetons de modestes familles canadiennes-françaises, ouvrières ou petites bourgeoises, de l'arrivée au pays à nos jours restées françaises et catholiques par résistance au vainqueur, par attachement arbitraire au passé, par plaisir et orgueil sentimental et autres nécessités.

Paul-Émile Borduas (1905-1960)

Le manifeste *Refus global* est écrit par le peintre Paul-Émile Borduas et cosigné par 15 artistes et poètes, dont près de la moitié sont des femmes. L'objectif du manifeste est double : dénoncer le conservatisme ambiant et le climat étouffant pour les artistes au Québec, ainsi que proposer une nouvelle forme d'art, inspirée du surréalisme, qui laisse place à la magie et à l'imagination. Le manifeste, publié à 400 exemplaires seulement, reçoit un accueil à la mesure de sa virulence. Paul-Émile Borduas perd son emploi à l'École du meuble et s'exile, tandis que les signataires se dispersent et que plusieurs d'entre eux vivent des moments difficiles.

Refus global reflète le désir de Paul-Émile Borduas de faire entrer le Québec dans la modernité. Pour les signataires, refuser signifie rompre, et la rupture, l'un des principes majeurs de la modernité, doit parfois être radicale. Borduas propose, comme solution au marasme de son époque, l'utopie du rêve et la pleine liberté de l'artiste.

5 Colonie précipitée dès 1760 dans les murs lisses de la peur, refuge habituel des vaincus ; là, une première fois abandonnée. L'élite reprend la mer ou se vend au plus fort. Elle ne manquera plus de le faire chaque fois qu'une occasion sera belle.

10 Un petit peuple serré de près aux soutanes[1] restées les seules dépositaires de la foi, du savoir, de la vérité et de la richesse nationale. Tenu à l'écart de l'évolution universelle de la pensée pleine de risques et de dangers, éduqué sans mauvaise volonté, mais sans contrôle, 15 dans le faux jugement des grands faits de l'histoire quand l'ignorance complète est impraticable.

Second extrait

Tous les objets du trésor se révèlent inviolables par notre société. Ils demeurent l'incorruptible réserve sensible de demain. Ils furent ordonnés spontanément hors et contre la civilisation. Ils attendent pour devenir actifs (sur le 5 plan social) le dégagement des nécessités actuelles.

D'ici là notre devoir est simple.

Rompre définitivement avec toutes les habitudes de la société, se désolidariser de son esprit utilitaire. Refus d'être sciemment au-dessous de nos possibilités psy- 10 chiques et physiques. Refus de fermer les yeux sur les vices, les duperies perpétrées sous le couvert du savoir, du service rendu, de la reconnaissance due. Refus d'un cantonnement dans la seule bourgade plastique, place fortifiée mais trop facile d'évitement. Refus de se taire – faites de nous ce qu'il vous plaira mais vous devez 15 nous entendre –, refus de la gloire, des honneurs (le premier consenti) : stigmates de la nuisance, de l'inconscience, de la servilité. Refus de servir, d'être utilisable pour de telles fins. Refus de toute INTENTION, arme néfaste de la RAISON. À bas toutes deux, au second rang !

PLACE À LA MAGIE ! PLACE AUX MYSTÈRES OBJECTIFS !

20 PLACE À L'AMOUR !

PLACE AUX NÉCESSITÉS !

Au refus global nous opposons la responsabilité entière.

1. Montrez que l'organisation des deux extraits repose sur l'opposition de valeurs qui sont négatives ou positives, selon le point de vue de l'auteur.

2. Ce texte adopte bel et bien le ton d'un manifeste : il est solennel, public et tranchant. À quoi le voit-on ?

3. Les propositions de Paul-Émile Borduas sont-elles encore pertinentes aujourd'hui ?

■ Sujets de dissertation critique

1. Ce texte vise-t-il d'abord et avant tout à dénoncer les tares d'une société sclérosée ?

2. Est-il juste de dire que le portrait du peuple canadien-français que trace Arthur Buies en 1884 dans *Décadence d'un peuple* (*voir le chapitre 2, p. 48*) ressemble à celui que Paul-Émile Borduas dresse dans *Refus global* ?

L'action intéressée reste attachée à son auteur, elle est mort-née.

Les actes passionnels nous fuient en raison de leur propre dynamisme.

25 Nous prenons allégrement l'entière responsabilité de demain. L'effort rationnel, une fois retourné en arrière, il lui revient de dégager le présent des limbes du passé.

Nos passions façonnent spontanément, imprévisiblement, nécessairement le futur.

30 Le passé dut être accepté avec la naissance, il ne saurait être sacré. Nous sommes toujours quittes envers lui.

Il est naïf et malsain de considérer les hommes et les choses de l'histoire dans l'angle amplificateur de la renommée qui leur prête des qualités inaccessibles à l'homme présent. Certes, ces qualités sont hors 35 d'atteinte aux habiles singeries académiques, mais elles le sont automatiquement chaque fois qu'un homme obéit aux nécessités profondes de son être; chaque fois qu'un homme consent à être un homme neuf dans un temps nouveau. Définition de tout homme, de tout temps.

Fini l'assassinat massif du présent et du futur à coups redoublés 40 du passé.

Il suffit de dégager d'hier les nécessités d'aujourd'hui. Au meilleur, demain ne sera que la conséquence imprévisible du présent.

Nous n'avons pas à nous en soucier avant qu'il ne soit.

---

1. Longues robes portées par les prêtres.

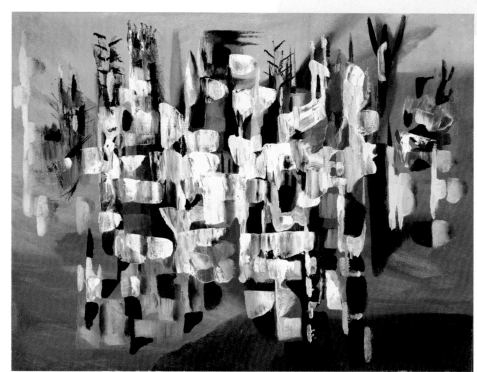

Paul-Émile Borduas, *14.48* ou *Cimetière glorieux*, 1948.

Avec *Cimetière glorieux*, réalisé la même année que *Refus global*, Paul-Émile Borduas met en pratique ce qui est défendu dans le manifeste : un art libérateur, spontané, émancipé des contraintes de la raison.

Jean-Paul Desbiens (1927-2006)

Au Québec, rarement un livre a créé l'évènement autant que l'ont fait *Les insolences du frère Untel*. Vendu à plus de 100 000 exemplaires, cet essai, qui déplore la mauvaise qualité du français chez les jeunes, révèle un problème caché et place son auteur sur le devant de la scène. Jean-Paul Desbiens, humble frère mariste dévoué à l'enseignement, occupe des emplois prestigieux à la suite du succès de son livre. Fonctionnaire au ministère de l'Éducation, il applique ce qu'il prône dans son livre et devient ainsi l'un des principaux artisans d'une large réforme qui comprend, entre autres, la création des cégeps. Il mène par la suite une importante carrière de journaliste et de chroniqueur.

« Nos élèves parlent joual, écrivent joual et ne veulent pas parler ni écrire autrement. Le joual est leur langue. » Voilà le douloureux constat sur lequel reposent *Les insolences du frère Untel*. Ce livre, écrit d'une plume caustique et acérée, est considéré comme l'un des déclencheurs de la Révolution tranquille. La qualité déplorable de la langue parlée par les jeunes, selon Jean-Paul Desbiens, est symptomatique de graves problèmes. L'auteur remet en question l'enseignement au Québec et s'interroge sur sa capacité de donner une éducation de haut niveau. Mais aussi il affirme qu'il s'agit d'un « problème de civilisation » : une société qui prône la facilité et ne valorise pas la culture est condamnée à voir sa langue se dégrader.

Les insolences du frère Untel (1960)

On est amené ainsi au cœur du problème, qui est un problème de civilisation. Nos élèves parlent joual parce qu'ils pensent joual, et ils pensent joual parce qu'ils vivent joual, comme tout le monde par ici. Vivre
5 joual, c'est rock'n'roll et hot-dog, party et balade en auto, etc. C'est toute notre civilisation qui est jouale. On ne réglera rien en agissant au niveau du langage lui-même (concours, campagnes de bon parler français, congrès, etc.). C'est au niveau de la civilisation qu'il faut
10 agir. Cela est vite dit mais, en fait, quand on réfléchit au problème et qu'on en arrive à la question : quoi faire ? on est désespéré. Quoi faire ? Que peut un instituteur, du fond de son école, pour enrayer la déroute ? Tous ses efforts sont dérisoires. Tout ce qu'il gagne est aussitôt
15 perdu. Dès quatre heures de l'après-midi, il commence d'avoir tort. C'est toute la civilisation qui le nie ; nie ce qu'il défend, piétine ou ridiculise ce qu'il prône. Je ne suis point vieux, point trop grincheux, j'aime l'enseignement, et pourtant, je trouve désespérant
20 d'enseigner le français.

Direz-vous que je remonte au déluge si je rappelle ici le mot de Bergson[1] sur la nécessité d'un supplément d'âme ? Nous vivons joual par pauvreté d'âme et nous parlons joual par voie de conséquence. Je pose qu'il n'y
25 a aucune différence substantielle entre la dégradation du langage et la désaffectation vis-à-vis des libertés fondamentales que révélait l'enquête du *Maclean's*[2] parue au mois d'octobre 1959. Quand on a renoncé aux libertés fondamentales, comme il semble que la jeunesse
30 a fait, en pratique, sinon en théorie (le mot liberté est toujours bien porté), on renonce facilement à la syntaxe. Et les apôtres de la démocratie, comme les apôtres du bon langage, font figure de doux maniaques. Nos gens n'admirent que machines et technique ; ils ne sont impressionnés que par l'argent et
35 le cossu ; les grâces de la syntaxe ne les atteignent pas. Je me flatte de parler un français correct ; je ne dis pas élégant, je dis correct. Mes élèves n'en parlent pas moins joual : je ne les impressionne pas. J'ai plutôt l'impression que je leur échappe par moments. Pour me faire comprendre d'eux, je dois souvent recourir à l'une
40 ou l'autre de leurs expressions jouales. Nous parlons littéralement deux langues, eux et moi. Et je suis seul à parler les deux.

---

1. Henri Bergson, philosophe français, Prix Nobel de littérature en 1927.
2. Magazine d'information canadien-anglais.

VERS LA DISSERTATION

1. Qu'entend l'auteur par « civilisation jouale » ?
2. Quelles sont les difficultés de l'enseignant au cœur de cette civilisation jouale ?
3. Quelles principales critiques l'auteur adresse-t-il à la société québécoise ?

■ Sujets de dissertation critique

1. Peut-on affirmer que ce texte s'inscrit dans une volonté de changement ?
2. Est-il juste de dire que *Refus global* de Paul-Émile Borduas (*p. 118-119*) et *Les insolences du frère Untel* de Jean-Paul Desbiens dénoncent les mêmes problèmes ?

Le contexte sociohistorique

Le conservatisme du gouvernement de Maurice Duplessis crée un climat étouffant au Québec. On donne à cette période le nom de «Grande Noirceur».

Duplessis exerce le gouvernement de la province de façon autoritaire et égocentrique, et s'appuie sur des pratiques de favoritisme.

Le clergé reste dominant. Il dirige hôpitaux, écoles, pensionnats et maisons d'édition, il pratique la censure et appuie les politiques du gouvernement en place.

Les Canadiens français ont des revenus nettement inférieurs à ceux des Canadiens anglais, qui dirigent la majorité des grandes entreprises.

Malgré l'autoritarisme du gouvernement de Duplessis, une opposition s'organise, surtout parmi la classe ouvrière. D'importantes grèves se succèdent.

La littérature

Le climat de peur qui règne au Québec accable les artistes et les écrivains, par ailleurs victimes de la censure exercée par le clergé.

Cette situation n'empêche pas plusieurs d'entre eux de se tourner vers l'avant-garde et de concevoir des œuvres audacieuses.

Les écrivains hésitent entre le repli et l'affrontement. Ceux qui choisissent l'affrontement, tel Paul-Émile Borduas, auteur de *Refus global*, en subissent durement les conséquences.

Malgré l'isolement du Québec, bon nombre d'auteurs s'intéressent à des courants novateurs venus de l'étranger, notamment de la France. Le surréalisme – dont la version québécoise prend le nom d'«automatisme» – et l'existentialisme font de nombreux adeptes au Québec.

Les genres littéraires

Le roman Les romanciers délaissent le roman de la terre. Gabrielle Roy et Roger Lemelin décrivent avec réalisme la vie dans les quartiers populaires de Montréal et de Québec. D'autres romanciers, comme André Langevin et Gérard Bessette, subissent l'influence de l'existentialisme.

La poésie L'automatisme, inspiré par le surréalisme, permet à des auteurs tels que Roland Giguère, Claude Gauvreau et Paul-Marie Lapointe d'écrire une poésie audacieuse, portée par des images puissantes. D'autres poètes, dont Anne Hébert et Rina Lasnier, s'inscrivent dans le courant de la poésie de la solitude et expriment leur désolation.

Le théâtre Les premières pièces importantes du répertoire québécois sont créées. Gratien Gélinas et Marcel Dubé s'imposent comme des dramaturges marquants et remportent un succès immédiat avec, respectivement, *Tit-Coq* et *Zone*. Claude Gauvreau écrit des pièces sombres et tourmentées qui ne sont jouées pour la première fois que dans les années 1970.

L'essai La période s'ouvre et se termine avec la parution de deux essais percutants qui dénoncent les tares d'une société québécoise frileuse et timorée. L'auteur de *Refus global*, Paul-Émile Borduas, est victime d'un net rejet de la société, mais la critique du milieu de l'éducation faite par Jean-Paul Desbiens dans *Les insolences du frère Untel* stimule des débats qui mènent à d'importantes réformes, effectuées ultérieurement, pendant la Révolution tranquille.

5

1960-1980 # L'émergence du Québec moderne

UNE LITTÉRATURE REBELLE ET IDENTITAIRE

Auteurs et œuvres à l'étude

L a Révolution tranquille, qui transforme le Québec en profondeur, a un effet salutaire sur les écrivains. Libérés de la censure et du climat de peur qui ont régné pendant la Grande Noirceur, ils manifestent un désir urgent de prendre la parole. Ils écrivent sans contrainte des œuvres fortes et personnelles qui reçoivent très souvent un excellent accueil du public. Attentifs aux soulèvements qui surviennent un peu partout dans le monde, de nombreux auteurs québécois s'affirment plus que jamais par un esprit rebelle. Ils se rallient d'abord largement à la cause de l'indépendance du Québec et écrivent une littérature très marquée par la question de l'identité. Ils adhèrent aussi à des causes diverses, mais tout aussi subversives, comme le féminisme et la contre-culture. Pendant cette période, la littérature québécoise sous toutes ses formes s'épanouit. Un grand vent de liberté souffle sur elle.

Albert Dumouchel, *Portrait de Géa*, 1964.

De 1960 à 1980

Le monde

1963
Assassinat du président américain John F. Kennedy

1969
Premier homme sur la Lune

1961
Premier homme dans l'espace

1962
Fin de la guerre d'Algérie

Crise des missiles de Cuba

1965
Début de la guerre au Viêtnam

1968
Évènements de Mai 68 en France

Printemps de Prague et invasion soviétique en Tchécoslovaquie

Assassinat de Martin Luther King

Le Québec

1960
Fondation du premier parti politique indépendantiste, le Rassemblement pour l'indépendance nationale (RIN)

1964
Rapport de la commission Parent et création du ministère de l'Éducation

« Samedi de la matraque » pendant lequel des manifestants contre la visite de la reine d'Angleterre sont réprimés

1967
Expo 67 à Montréal

« Vive le Québec libre ! » lancé par le général de Gaulle à Montréal

Création des cégeps

1961
Élection de la première femme à l'Assemblée nationale, Claire Kirkland-Casgrain, qui devient ministre en 1962

Création du ministère des Affaires culturelles du Québec

Création de l'Office de la langue française

1966
Élection de Daniel Johnson, chef de l'Union nationale, comme premier ministre du Québec

1968
Fondation du Parti québécois, dirigé par René Lévesque

Élection de Pierre Elliott Trudeau, chef du Parti libéral, comme premier ministre du Canada

1969
Création de la Régie de l'assurance-maladie du Québec

1960	1961	1962	1963	1964	1965	1966	1967	1968	1969

Les arts et les lettres

1963
Pierre Perreault, ... pour la suite du monde (film)

Fondation de la revue Parti pris

1968
Michèle Lalonde, « Speak white » (poésie)

Michel Tremblay, Les belles-sœurs (théâtre)

Pierre Vallières, Nègres blancs d'Amérique (essai)

L'Osstidcho avec Robert Charlebois, Louise Forestier, Yvon Deschamps et Mouffe (spectacle)

1964
Jacques Renaud, Le cassé (roman)

Paul Chamberland, Terre Québec et L'afficheur hurle (poésie)

Paul-Marie Lapointe, Pour les âmes (poésie)

1966
Réjean Ducharme, L'avalée des avalés (roman)

1965
Marie-Claire Blais, Une saison dans la vie d'Emmanuel (roman)

Hubert Aquin, Prochain épisode (roman)

Jacques Brault, Mémoire (poésie)

1967
Jacques Godbout, Salut Galarneau ! (roman)

Gérald Godin, Les cantouques (poésie)

1969
Victor-Lévy Beaulieu, Race de monde (roman)

1973
Coup d'État au Chili

1979
Révolution islamique en Iran

Seconde crise du pétrole

1975
Fin de la guerre au Viêtnam

1974
Première crise du pétrole

1977-1979
Génocide orchestré par les Khmers rouges au Cambodge

1970
Élection de Robert Bourassa, chef du Parti libéral, comme premier ministre du Québec

Crise d'Octobre ; enlèvement de James Cross et de Pierre Laporte par le FLQ ; application de la Loi sur les mesures de guerre

1976
Élection de René Lévesque, chef du Parti québécois, comme premier ministre du Québec

Jeux olympiques à Montréal

1972
Front commun des employés du gouvernement ; emprisonnement de chefs syndicaux

1973
Réélection de Robert Bourassa comme premier ministre du Québec

1977
Adoption de la Charte de la langue française (loi 101)

| 1970 | 1971 | 1972 | 1973 | 1974 | 1975 | 1976 | 1977 | 1978 | 1979 | 1980 |

1970
Anne Hébert, *Kamouraska* (roman)

Gaston Miron, *L'homme rapaillé* (poésie)

Première *Nuit de la poésie* (spectacle de poésie)

1972
Jacques Ferron, *La chaise du maréchal ferrant* (roman)

Denis Vanier, *Lesbiennes d'acid* (poésie)

1974
Superfrancofête à Québec

1980
France Théoret, *Nécessairement putain* (poésie)

1976
Collectif, *La nef des sorcières* (théâtre)

LE QUÉBEC C'EST...
MON ONCLE ANTOINE

Jacques Gagnon   Jean Duceppe
Olivette Thibault Monique Mercure Lionel Villeneuve
Hélène Loiselle

CLAUDE JUTRA

Office national du film du Canada   GENDON FILMS

1971
Claude Jutras, *Mon oncle Antoine* (film)

Michel Tremblay, *À toi, pour toujours, ta Marie-Lou* (théâtre)

1973
Réjean Ducharme, *L'hiver de force* (roman)

1978
Jacques Poulin, *Les grandes marées* (roman)

L'émergence du Québec moderne
Une littérature rebelle et identitaire

Le monde : des années de turbulence

Alors que le Québec s'éveille brusquement au début des années 1960, le reste du monde poursuit sa marche et mène plus loin les mouvements qui existaient déjà dans la décennie précédente. La guerre froide entre les États-Unis et l'URSS demeure une menace et atteint son paroxysme en 1962 lorsque les Soviétiques annoncent leur intention d'implanter des missiles nucléaires à Cuba. Jamais le monde n'a été si près de subir une guerre nucléaire. Peu à peu, cependant, les relations entre les deux puissances se détendent.

L'URSS, gouvernée par Leonid Brejnev de 1964 à 1982, connaît une grande stabilité, au point de stagner. Pendant ce temps, l'Occident vit de grandes turbulences. Aux États-Unis principalement, l'agitation est constante. La tension sociale et les difficultés intérieures se font sentir par une série d'assassinats, perpétrés en quelques années, de personnalités politiques dominantes : le président John F. Kennedy, son frère Robert Kennedy, ainsi que les leaders noirs Martin Luther King et Malcom X.

De grands mouvements sociaux viennent bousculer ces années tourmentées et influencer, parfois indirectement, les mentalités au Québec :

Affiche de Mai 68.

Les évènements de Mai 1968 en France unissent dans un grand mouvement de protestation tant les étudiants que les ouvriers.

- Des courants influents naissent en faveur des droits civils, des droits des femmes et contre la ségrégation raciale. L'**émancipation des femmes,** qui s'accentue surtout dans les années 1970, produit sans doute les plus importants effets à long terme. Le mouvement féministe aura d'importantes répercussions au Québec.

- Un vaste mouvement s'organise contre la **guerre au Viêtnam,** qui bat son plein de 1965 à 1975. Les États-Unis, afin de soutenir le Viêtnam du Sud contre les communistes du Viêtnam du Nord, s'engagent dans une guerre interminable qui fait un nombre élevé de victimes. Très rapidement, les jeunes dans les campus américains s'opposent à cette guerre et organisent de nombreuses manifestations.

- La nouvelle génération, nombreuse, active et instruite, qu'on appelle les *baby-boomers,* remet en question la société de consommation et le mode de vie de la génération précédente. Plusieurs adhèrent au **mouvement hippie,** qui prône une vie pacifique en communauté et la rupture avec les valeurs bourgeoises traditionnelles.

- La France est, elle aussi, bouleversée par des mouvements qui remettent en cause ses choix politiques et son organisation sociale. À Paris, les émeutes de mai 1968 sont l'évènement catalyseur qui permet à la génération montante d'exprimer à la fois ses rêves et ses mécontentements. **Mai 68** devient l'expression de tous les espoirs et de tous les combats : les manifestants s'engagent dans des luttes ouvrières inspirées par le marxisme et défendent des systèmes utopiques qui proposent l'émancipation totale de l'individu.

- Cette agitation se produit ailleurs dans le monde : dans certains pays sous domination soviétique, comme la Tchécoslovaquie et la Pologne ; dans des pays de l'Europe de l'Ouest, comme l'Allemagne et l'Italie ; dans des pays d'Amérique latine, comme le Mexique et le Chili. **Ce vent de révolte touche aussi le Québec,** où les revendications concernent principalement la protection de la langue française et l'accession à l'indépendance.

Toutes ces années, l'économie reste prospère et la croissance se poursuit jusqu'en 1974, alors qu'une **crise pétrolière** vient mettre fin aux Trente Glorieuses, une période d'à peu près 30 ans de développement particulièrement dynamique. À la fin des années 1970, l'économie subit un nouveau recul et se fragilise : l'inflation provoque une montée des taux d'intérêt, ce qui a de graves conséquences dans les années ultérieures.

L'entrée en scène des médias

Dans les années 1960 et 1970, les médias, et en particulier la télévision, deviennent omniprésents. Ils modifient la façon d'informer et de faire de la politique à un point tel qu'un intellectuel français, Guy Debord, parle désormais de « **société du spectacle** ». Le spectacle semble en effet l'emporter sur le message, et la télévision, universellement répandue, devient un média incontournable qui consacre ou détruit les réputations.

Grâce à la télévision, les spectateurs assistent en 1969 à un évènement fascinant : l'Américain Neil Armstrong marche sur la Lune. Cette première est l'aboutissement d'une **conquête de l'espace** qui a été amorcée en 1961 par le Russe Youri Gagarine, premier homme envoyé en orbite autour de la Terre. Pendant ces années, les sciences font d'importants progrès ; déjà se prépare la révolution informatique.

Sur le plan culturel, **les années 1960 et 1970 sont celles de toutes les expérimentations.** Les artistes se livrent à de grandes explorations formelles, enfreignent les tabous et expriment toutes les révoltes, si bien qu'un grand nombre d'entre eux considèrent par la suite qu'il n'est pas possible de pousser plus loin la transgression des règles de l'art. Ces explorations se font parfois contre certains publics qui n'arrivent pas toujours à apprécier ces excès. En même temps se développe une culture populaire et industrielle qui touche un public très large, par le cinéma et la musique pop surtout, qui créent de véritables idoles telles que Brigitte Bardot, les Beatles et les Rolling Stones, et de grands festivals, comme celui de Woodstock aux États-Unis en 1969.

L'émancipation de la société québécoise

Au cours des années 1960, les francophones qui habitent la province de Québec se donnent un nouveau nom : les Canadiens français deviennent progressivement des Québécois. Ce changement de nom correspond à une transformation d'identité. En effet, les Québécois ont davantage confiance en eux-mêmes, ils s'émancipent du clergé et du conquérant anglais, ils s'ouvrent sur le monde et se donnent les structures d'un État moderne. Le terme « Québécois » est d'ailleurs inclusif et s'applique aussi à tous les citoyens canadiens qui vivent au Québec, peu importe leur origine. Signe remarqué de l'ouverture des Québécois : ils accueillent à deux reprises des visiteurs du monde entier, à l'occasion de deux grands évènements internationaux : l'Exposition universelle de 1967 et les Jeux olympiques de 1976.

Carte postale de l'Expo 67.
L'Exposition universelle de 1967 donne la chance aux Québécois d'accueillir des visiteurs de tous les pays et ainsi de s'ouvrir sur le monde.

La Révolution tranquille

Les changements au Québec de 1960 à 1966 sont si rapides, radicaux et imprévus qu'on donne à cette période le nom de « **Révolution tranquille** ». En quelques années, les Québécois abandonnent largement la pratique religieuse. Un État fort et centralisateur met en place de nouvelles institutions gouvernementales et veille à l'intérêt collectif des Québécois. Le «**modèle québécois**» vient de naître. Pendant les années 1960 et 1970, le Québec se donne, par exemple:

- un système d'éducation public et gratuit;
- un système de santé public et gratuit;
- un système de subventions à la culture et aux artistes;
- la Caisse de dépôt et placement du Québec, qui permet de faire fructifier l'épargne;
- de grandes entreprises nationalisées, comme Hydro-Québec et Loto-Québec;
- la Société de l'assurance automobile.

Un nationalisme en ébullition

De nombreux Québécois en viennent à souhaiter de vivre dans un État indépendant. Ils s'inspirent du vaste mouvement de décolonisation amorcé aux lendemains de la Seconde Guerre mondiale. Mais l'aspiration à l'indépendance du Québec n'est pas partagée par tous et reste un facteur de division. Ce débat politique demeure de loin le plus important de cette période. La lutte pour l'indépendance du Québec est marquée par les évènements suivants:

- En 1960 est formé le premier parti indépendantiste, le **Rassemblement pour l'indépendance nationale** (RIN), dirigé par Pierre Bourgault. Un groupe clandestin issu de ce parti, le **Front de libération du Québec** (FLQ), choisit le terrorisme comme moyen d'action pour faire avancer la cause de l'indépendance.
- En 1967, le président de la France, le général Charles de Gaulle, lance un «Vive le Québec libre!» devant une foule qui l'acclame à Montréal. Son discours soulève de fortes réactions au Québec et au Canada.
- En 1968 est fondé le **Parti québécois.** René Lévesque, un journaliste et politicien populaire et respecté, en est vite nommé le chef. Aux élections de 1970, le parti fait élire six députés.
- En 1970, des cellules du FLQ enlèvent James Cross, un diplomate britannique, et Pierre Laporte, un ministre du gouvernement libéral de Robert Bourassa. Pierre Laporte est assassiné par ses ravisseurs. Lors de la **crise d'Octobre** qui découle de ces enlèvements, le gouvernement fédéral de Pierre Elliott Trudeau applique la **Loi sur les mesures de guerre** qui suspend temporairement les droits civils. Plusieurs centaines de personnes sont arrêtées arbitrairement.
- En 1976, le Parti québécois prend le pouvoir. Il fait adopter, en 1977, la **Charte de la langue française** (communément appelée «**loi 101**»), qui fait du français la seule langue officielle du Québec. En 1980, ce gouvernement organise un référendum sur la question nationale. Pour la première fois, l'ensemble du peuple québécois est appelé à se prononcer sur son avenir.

L'affirmation d'une société

Pendant ces années, le Québec se transforme profondément. Les francophones s'instruisent et haussent considérablement leur niveau de vie. Une nouvelle classe d'affaires réussit à s'imposer et à créer de grandes entreprises sur le territoire du Québec. Les travailleurs se syndiquent en grand nombre et mènent plusieurs luttes pour améliorer leur condition. Le mouvement féministe, influencé par son pendant américain, s'organise et cherche à rendre plus égalitaires les rapports entre les sexes. L'apport de l'immigration à la société québécoise se fait de plus en plus important, alors que la volonté d'affirmer et de protéger la langue française se concrétise par l'adoption de la loi 101.

Pour les artistes et les intellectuels, les années 1960 et 1970 sont celles de la prise de la parole. La question de l'identité nationale reste au cœur des débats et ne semble pas se résoudre.

Mais les créateurs s'affirment dans leurs œuvres avec une forme de jubilation, celle que vit un peuple qui se découvre enfin. Tout en restant ouverts sur le monde et en demeurant à l'écoute des avant-gardes française et états-unienne, les artistes d'ici parviennent à se libérer peu à peu des influences trop directes et à créer des œuvres originales correspondant à cette identité nouvelle qui se révèle soudain.

La littérature québécoise : les années rebelles

La littérature québécoise des années 1960 et 1970 est remarquable par sa vitalité. De nombreux auteurs s'affirment dans tous les genres littéraires, au point que certains critiques parlent d'un « âge de la parole » où les individus s'expriment librement après de longues années passées dans un climat étouffant. La question de l'identité reste prédominante : qui sont ces « Québécois » qui viennent d'apparaître ? se demandent les auteurs. Comment définir ce peuple partagé entre l'Europe et l'Amérique ? Comment assurer sa survie et lui donner sa pleine autonomie ?

Dans tous les genres littéraires émergent de nouveaux auteurs, rapidement reconnus et appréciés, qui s'imposent rapidement comme des modèles à suivre. L'institution littéraire se développe et soutient les auteurs : des maisons d'édition voient le jour, la critique devient plus élaborée, des ouvrages universitaires sur notre littérature paraissent et des organismes de financement des arts sont mis en place.

Le succès considérable de la pièce *Les belles-sœurs* de Michel Tremblay, écrite en « joual », la langue populaire des Québécois, soulève une question brûlante et nouvelle : quelle langue les auteurs d'ici doivent-ils donc employer ? Les auteurs sont devant un dilemme :

- Doit-on utiliser le joual afin de mieux refléter la réalité d'ici, au risque d'être incompris à l'étranger et de voir les œuvres confinées dans les limites étroites du Québec ?
- Serait-il préférable, au contraire, d'employer un français « international », plus proche de la norme, plus exportable, mais plus artificiel parce qu'en partie étranger à la réalité québécoise ?

Certes, ce dilemme n'est pas facile à résoudre et les écrivains québécois s'y heurtent encore de nos jours. Le succès international de la pièce *Les belles-sœurs* a toutefois montré qu'il est possible d'avoir une portée universelle tout en étant bien solidement ancré dans une réalité locale. Ce succès demeure toutefois une exception.

La littérature québécoise des années 1960 et 1970 se caractérise par une remise en question totale tant de la forme que du contenu, et ce, dans tous les genres. La littérature d'ici intègre l'esprit rebelle du temps, comme le montrent les écrits des poètes engagés, le théâtre provocateur et les romans qui privilégient les personnages non conformistes. Les explorations formelles sont nombreuses : les auteurs ne cherchent plus à reproduire des conventions littéraires ni à suivre des courants qui ont fait leurs preuves ; au contraire, ils trouvent leurs propres voix et ne craignent pas de subvertir les formes pour les adapter à leurs propos.

Chacun des genres littéraires évolue à sa façon pendant cette période.

Le roman

Le roman devient un genre incontournable, que de nombreux auteurs choisissent pour se faire connaître. Deux auteurs très différents, voire opposés, seront de véritables modèles pour les romanciers qui leur succèdent : Hubert Aquin, avec ses intrigues labyrinthiques et ses jeux de miroir, et Réjean Ducharme, avec ses narrateurs éternels adolescents, aux discours remplis de fantaisie, de calembours et de prouesses verbales. L'importance de ces deux romanciers ne doit

Léon Bellefleur, *Indiana*, 1964.
Tandis que les écrivains québécois recherchent une voix qui leur est propre, les peintres québécois continuent leur exploration de l'art abstrait.

pas faire oublier leurs contemporains, par exemple Marie-Claire Blais et ses personnages aux mille secrets, Jacques Godbout qui sait constamment s'adapter à l'air du temps, Jacques Ferron et son humour caustique, Victor-Lévy Beaulieu avec son univers complexe et son style foisonnant.

La poésie

Dans les années 1960, le lyrisme prend beaucoup d'importance en poésie québécoise : les poètes s'emportent dans de longs poèmes qui célèbrent la beauté du pays, mais ils dénoncent aussi l'aliénation des Québécois. Cette « **poésie du pays** » (*voir l'encadré, à la page 142*), à la fois exaltée et politique, écrite entre autres par Gaston Miron, Jacques Brault, Michèle Lalonde et Paul Chamberland, trouve un écho dans l'œuvre de chansonniers qui deviennent rapidement très populaires, comme Félix Leclerc, Gilles Vigneault, Jean-Pierre Ferland, Claude Léveillée et Claude Gauthier. Tous ces chanteurs et poètes font vibrer la fibre nationaliste des Québécois. Vers la fin des années 1960, cependant, les poètes laissent au Parti québécois la tâche de faire l'indépendance et explorent de nouvelles avenues :

- Les **formalistes** (Nicole Brossard, Philippe Haeck), inspirés par le structuralisme français, proposent une poésie abstraite et cérébrale.

- La **poésie de la contre-culture** (Denis Vanier, Josée Yvon, Lucien Francœur) joue le jeu de la provocation, exprime librement la sexualité, décrit des expériences sensorielles et s'inspire de la culture rock anglo-saxonne.

- La **poésie féministe** (Nicole Brossard, France Théoret, Yolande Villemaire) place la femme et son émancipation au cœur de ses préoccupations.

Le théâtre

Le théâtre met plus de temps à prendre son essor. Il faut attendre 1968 et la première de la pièce *Les belles-sœurs* de Michel Tremblay pour qu'un véritable électrochoc soit donné au milieu et que les modèles qu'avaient été Gratien Gélinas et Marcel Dubé deviennent quasi désuets. À partir de ce moment, Tremblay occupe une place centrale dans le théâtre québécois : ses nombreuses pièces décrivent le milieu ouvrier de son enfance ou le milieu homosexuel et bigarré du centre-ville de Montréal, avec des procédés formels tirés de la tragédie grecque et de l'opéra. Cet audacieux amalgame est d'ailleurs l'une des principales caractéristiques de l'œuvre de cet auteur. Le théâtre québécois est alors prêt à s'ouvrir à diverses expérimentations : appel aux réactions du public par Françoise Loranger (avec *Médium saignant* en 1969) ; créations collectives du Grand Cirque ordinaire, basées sur l'improvisation et la mise en commun des idées de tous les membres de la troupe ; éblouissants délires verbaux d'Yves Sauvageau (*Wouf wouf* en 1969) et de Réjean Ducharme (*Ines Pérée et Inat Tendu* en 1976, et *HA ha !...* en 1978). Avec *La nef des sorcières* (1976), écrite par un collectif d'auteures, et la pièce à scandale *Les fées ont soif* (1978), de Denise Boucher, la parole féministe fait une entrée remarquée sur la scène québécoise.

L'essai

Le vif brassage d'idées caractéristique des années 1960 et 1970 stimule le développement de l'essai. Les sujets abordés sont très variés : l'éducation (*Les insolences du frère Untel* de Jean-Paul Desbiens en 1960), la critique de l'immobilisme québécois (*La ligne du risque* de Pierre Vadeboncœur en 1963), la question du joual (*Le joual de Troie* de Jean-Marcel Paquette en 1973) et le féminisme (*L'Euguélionne* de Louky Bersianik en 1979). La question nationale occupe bien sûr une grande place dans les revues d'idées, et elle est au centre d'un essai percutant, *Nègres blancs d'Amérique* (1968) de Pierre Vallières.

nuit de la poésie

Gaston MIRON, Michel GARNEAU, Raoul DUGUAY, Claude PELOQUIN, Pierre CHATILLON, Gatien LAPOINTE, Sylvain LELIEVRE, Michèle LALONDE, Roger SOUBLIERE, Michel BEAULIEU, Yves-Gabriel BRUNET, Nicole BROSSARD, Marie-Francine HEBERT, Denis VANIER, Michel VAN SCHENDEL, Claude GAUVREAU, Paul CHAMBERLAND, Jacques BRAULT, Jean-Guy PILON, Guy ROBERT, Georges DOR, Gérald GODIN, Michel BREULEUX, Pierre CADIEUX, Michel BUJOLD, Robert LALONDE, L.P. HEBERT, Gilbert LANGEVIN, Roger DESROCHES, Suzanne PARADIS, Marie LABERGE, Bernard TANGUAY, Jean ROYER, Pierre MORENCY, Jacques GARNEAU, Louis ROYER, J.P. FILION, Marie SAVARD, Raymond LEVESQUE, Guy GERVAIS, Roland GIGUERE, Michel BERNIER, Paul TOUTANT, Pierre MATHIEU, Gaston GOUIN, Gaëtan DOSTIE, Jean TURCOTTE, Jocelyne FOURNIER, Danièle PANNETON, L'INSTITUT THEATRAL DU ROYAUME, Claude ST-DENIS, Michèle ROSSIGNOL, Le T.M.N. (Théâtre du Même Nom), L'INFONIE, Pierre MORETTI et AUTRES...

le 27 mars
de 20 h. à l'aube
au Gésu, à Montréal.

Entrée gratuite

Affiche annonçant la *Nuit de la poésie*.
Le 27 mars 1970 au Gesù, à Montréal, la *Nuit de la poésie* a rassemblé, dans une ambiance survoltée, les poètes québécois les plus en vue. L'évènement a été filmé par Jean-Claude Labrecque, qui a su habilement capter l'atmosphère de cette célébration de la poésie. Ce film a été produit par l'ONF.

Jacques Renaud
(né en 1943)

Jacques Renaud mène une carrière bien remplie d'écrivain et de journaliste. Il aborde le roman, la poésie et l'essai. Il reste surtout connu pour une courte fiction, *Le cassé*, qui bouleverse le milieu littéraire québécois à sa parution. Il s'agit de la première fiction totalement écrite en joual, tant pour ce qui est de la narration que des dialogues – expérience qui est restée marginale jusqu'à nos jours. Le récit est d'une rare violence ; Jacques Renaud décrit dans un langage cru la sexualité des personnages qui vivent dans une grande misère.

Le personnage de Ti-Jean est un «cassé» (un individu désargenté), un chômeur, un homme colérique et frustré. Maladivement jaloux, il voudrait garder pour lui seul son amante Philomène. Sa jalousie est un prétexte pour faire éclater la haine contre tout ce qu'il ne peut garder en lui. Un être aussi désespéré peut-il avoir accès au bonheur ?

---

1. Relevez les expressions typiquement québécoises dans le texte.

2. À quoi servent les interventions du narrateur ?

3. Expliquez les liens entre les humains et les maringouins, puis entre les humains et les grenouilles.

4. Montrez que l'univers de Ti-Jean est misérable.

VERS LA DISSERTATION

■ Sujet de dissertation critique

Est-il exact de dire que, pour Ti-Jean, le bonheur est un rêve inaccessible ?

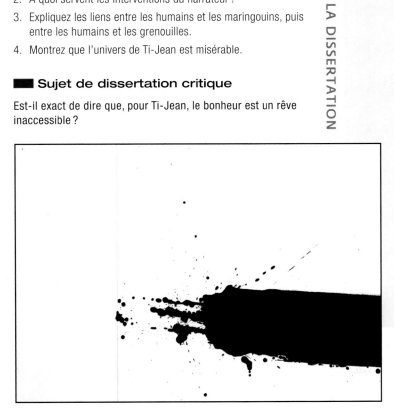

Le cassé (1964)

Chiennerie de vie.

La paix, c'est pas pour demain. Le bonheur non plus. Mais qu'est-ce que c'est le bonheur ? Ti-Jean pense à ça.

Le lecteur s'attend sans doute à ce que je dise que Ti-
5 Jean a la nostalgie d'une certaine sécurité matérielle. Ou plus exactement d'une certaine stabilité. Ça lui est impossible. Il n'a jamais connu ni stabilité, ni sécurité matérielle. Il ne peut pas en avoir la nostalgie. Son élément, c'est la bagarre, une ville hostile, la violence.
10 Il a tout simplement parfois envie de se tranquilliser un peu et de voir les autres faire de même. Quand il est tanné, c'est dans ces moments-là qu'il pense à la même chose que tout le monde : au bonheur. Mais ça lui passe. Comme à tout le monde. On oublie vite une chose
15 impalpable. On n'a pas, tous, les loisirs nécessaires pour nager en pleine métaphysique.

Mais Ti-Jean n'est pas le genre à raconter sa vie à tout le monde. Le narrateur devrait se mêler de ses affaires. C'est ce qu'il va faire. Il est écrivain.

20 Ti-Jean pense à un bon bonheur qui enfle le ventre. Être bombé de bonheur tout le temps. Ça, ça serait vivre.

Le bonheur du maringouin, c'est le sang qu'il tète aux humains. Ça le fait enfler. Mais le maringouin, y finit toujours par péter de son bonheur. Le bonheur c'est
25 maudit comme la vie, dans le fond. En fin de compte, c'est la même chose. C'est comme trop manger... Y a pas moyen d'en sortir.

Ti-Jean pense aux grenouilles qu'il faisait fumer quand il était petit. Elles fumaient de bon cœur et elles écla-
30 taient. Elles pétaient heureuses, saoules, mais elles pétaient, comme un gars parti sur une baloune, fou comme d'la marde, se tue dans un accident de la route.

Ti-Jean se dirige chez lui. Encore deux ou trois minutes de marche. Deux minutes, son caleçon, sa chemise
35 sont humectés de sueurs. Il essuie son front mouillé sur le revers de sa main et la sueur fait des gouttes chaudes sur les ongles qui brillent. La chaleur de sa poitrine stagne sous sa chemise, la sueur est bloquée à la ceinture. Elle lui flotte au cou. C'est chaudasse. Il s'y
40 sent bien malgré tout. Comme si l'atmosphère devenait léger col de fourrure autour de son cou.

Jacques Hurtubise, *Cybèle*, 1965.

....

Une saison dans la vie d'Emmanuel (1965)

Jean Le Maigre chatouillait la cheville de sa grand-mère, sous la table. «Ah! s'il pouvait vivre jusqu'au printemps, pensait Grand-Mère Antoinette, décembre, janvier, février, s'il pouvait vivre jusqu'au mois de mars, mon Dieu, s'il pouvait vivre jusqu'à l'été… Les funérailles, ça dérange tout le monde!» Tandis que Grand-Mère
5   Antoinette comptait les mois qui la séparaient de la fin tragique de Jean Le Maigre, celui-ci n'en continuait pas moins de vivre comme un diable! Il faisait toutefois de pénibles efforts pour ne pas trahir la brève toux qui remuait dans sa gorge. Il craignait de réveiller en sursaut la paresseuse violence de son père.
10   Sa grand-mère, elle, imaginait le bon repas qui suivrait les funérailles – image consolante de la mort, car M. le Curé était si généreux pour les familles en deuil; elle le voyait déjà, mangeant et buvant à sa droite, et à sa gauche, comme au paradis, Jean Le Maigre, propre et bien peigné,
15   dans un costume blanc comme la neige. Il y avait eu tant de funérailles depuis que Grand-Mère Antoinette régnait sur sa maison, de petites morts noires, en hiver, disparitions d'enfants, de bébés, qui n'avaient vécu que quelques mois, mystérieuses disparitions d'adolescents en automne,
20   au printemps. Grand-Mère Antoinette se laissait bercer par la vague des morts, soudain comblée d'un singulier bonheur.

— Grand-Mère, suppliait Jean Le Maigre, sous la table, un morceau, une miette…

25   Grand-mère soulevait le coin de la nappe et apercevait un grand œil noir brillant dans l'ombre. Tu es là, toi? pensait-elle, déçue de le retrouver vivant comme d'habitude, avec sa main tendue vers elle, comme la patte d'un chien. Mais malgré tout, elle le préférait ainsi, elle préférait à la
30   splendeur de l'ange étincelant de propreté, pendant le repas macabre – ce modeste Jean Le Maigre en haillons sous la table et qui levait vers elle un front sauvage pour mendier.

Marie-Claire Blais (née en 1939)

Marie-Claire Blais est une romancière qui construit avec patience et régularité, depuis 1959, une œuvre exigeante et d'une grande qualité littéraire. Ses deux premiers romans, *La belle bête* (1959) et *Une saison dans la vie d'Emmanuel* (1965), révèlent une auteure douée pour l'analyse psychologique et la description sans compromis des états d'âme de ses personnages. Influencée par ses séjours à l'étranger, entre autres aux États-Unis, elle décrit les désarrois de ses contemporains dans des romans à la forme audacieuse, aux phrases-fleuves, parfois sans ponctuation – notamment dans sa trilogie inaugurée en 1995 par le roman *Soifs*.

Une saison dans la vie d'Emmanuel vient transgresser les codes du roman de la terre, tel qu'il a longtemps été écrit au Québec. Avec un humour féroce, Marie-Claire Blais fait subtilement pénétrer le lecteur dans l'imaginaire de ses personnages. Elle décrit une famille rurale, menée avec autorité par Grand-Mère Antoinette, mais qui se décompose en même temps que s'écroule une société dont les valeurs ne tiennent plus. La jeune Héloïse passe sans difficulté du couvent au bordel, les jeunes frères sont destinés à une vie aliénante en ville et Jean Le Maigre, le poète et l'enfant doué de la famille, meurt prématurément de la tuberculose. Au sein d'une famille pauvre, chacun des enfants représente une bouche de plus à nourrir; ainsi, la grand-mère envisage-t-elle avec une forme de soulagement la mort annoncée de Jean Le Maigre.

VERS LA DISSERTATION

1. Comment la mort est-elle envisagée?
2. Grand-Mère Antoinette est-elle émue de la maladie mortelle de Jean Le Maigre?
3. Qu'est-ce qui la préoccupe tant?
4. Décrivez la relation entre Jean Le Maigre et Grand-Mère Antoinette.
5. Montrez l'ironie de l'auteure dans cet extrait.

■ Sujet de dissertation critique

Comparez cet extrait à celui du roman *Le cassé* de Jacques Renaud (*p. 131*). Les deux personnages principaux font-ils preuve de la même résignation à leur misère?

Prochain épisode (1965)

Hubert Aquin (1929-1977)

Hubert Aquin est certainement l'un des écrivains sur qui on a le plus écrit au Québec. L'homme intéresse tant par sa vie intense et politiquement engagée que par ses romans d'une rare intelligence, aux intrigues savantes et tourmentées. Aquin soutient avec passion le projet d'indépendance du Québec ; il va même jusqu'à prendre le maquis et joindre le FLQ. L'aventure est cependant de courte durée : il est vite arrêté pour possession d'arme. Il est alors enfermé dans un hôpital psychiatrique, où il entreprend l'écriture de son premier roman, *Prochain épisode*, qui marque le début d'une carrière littéraire féconde et turbulente. Le suicide de l'auteur en 1977 laisse le milieu littéraire québécois attristé et consterné.

Prochain épisode présente une situation qui ressemble à celle de l'auteur. Interné comme Aquin, le narrateur commence à écrire un roman d'espionnage. Au fil de l'histoire remplie de péripéties qu'il invente, il transmet, par une écriture foisonnante et convulsive, ses propres obsessions : ses ardeurs révolutionnaires, son amour fou pour une femme blonde, sa passion pour la culture classique, son goût de l'aventure, ses tentations suicidaires. Avant de se lancer dans son récit, il entreprend une riche réflexion sur son projet d'écriture.

Le jour commence à décliner. Les grands arbres qui bordent le parc de l'Institut sont irradiés de lumière. Jamais ils ne me sont apparus avec tant de cruauté, jamais encore je ne me suis senti emprisonné à ce point. Désemparé aussi par ce que j'écris, je sens une grande lassitude et j'ai
5   le goût de céder à l'inertie comme on cède à une fascination. Pourquoi continuer à écrire et quoi encore ? Pourquoi tracer des courbes sur le papier quand je meurs de sortir, de marcher au hasard, de courir vers la femme que j'aime, de m'abolir en elle et de l'entraîner avec moi dans ma
10 résurrection vers la mort ? Non, je ne sais plus pourquoi je suis en train de rédiger un casse-tête, alors que je souffre et que l'état hydrique[1] se resserre sur mes tempes jusqu'à broyer mon peu de souvenirs. Quelque chose menace d'exploser en moi. Des craquements se multiplient, an-
15 nonciateurs d'un séisme que mes occupations égrenées ne peuvent plus conjurer. Deux ou trois romans censurés ne peuvent pas me distraire du monde libre que j'aperçois de ma fenêtre, et dont je suis exclu. Le tome IX des œuvres complètes de Balzac me décourage particulièrement.
20 « Il s'est rencontré sous l'Empire et dans Paris, treize hommes également frappés du même sentiment, tous doués d'une assez grande énergie pour être fidèles à la même pensée, assez politiques pour dissimuler les liens sacrés qui les unissaient... » Je m'arrête ici. Cette phrase
25 inaugurale de l'*Histoire des Treize* me tue ; ce début fulgurant me donne le goût d'en finir avec ma prose cumulative, autant qu'il me rappelle des liens sacrés – maintenant rompus par l'isolement – qui m'unissaient à mes frères révolutionnaires. Je n'ai plus rien à gagner en continuant
30 d'écrire, pourtant je continue quand même, j'écris à perte. Mais je mens, car depuis quelques minutes je sais bien que je gagne quelque chose à ce jeu, je gagne du temps : un temps mort que je couvre de biffures et de phonèmes, que j'emplis de syllabes et de hurlements, que je charge à
35 bloc de tous mes atomes avoués, multiples d'une totalité qu'ils n'égaliseront jamais. J'écris d'une écriture hautement automatique et pendant tout ce temps que je passe à m'épeler, j'évite la lucidité homicide. Je me jette de la poudre de mots plein les yeux. Et je dérive avec autant plus
40 de complaisance qu'à cette manœuvre je gagne en minutes ce que proportionnellement je perds en désespoir. Je farcis la page de hachis mental, j'en mets à faire craquer la syntaxe, je mitraille le papier nu, c'est tout juste si je n'écris pas des deux mains à la fois pour moins penser.

---

1. Relatif à l'eau.

VERS LA DISSERTATION

1. Comment le narrateur répond-il à la question qu'il se pose au début de l'extrait (l. 6) : « Pourquoi continuer à écrire et quoi encore ? »

2. Qui est le modèle de l'auteur ? Comment le narrateur se situe-t-il par rapport à ce modèle ?

3. Comment l'auteur qualifie-t-il son écriture ? Quels procédés d'écriture et champs lexicaux utilise-t-il pour en parler ?

4. Comment l'auteur aborde-t-il la question du suicide dans ce texte ?

5. Pour quelle raison peut-on dire que le narrateur ne croit pas que l'écriture ait des effets bénéfiques sur lui ?

■ Sujet de dissertation critique

Serait-il juste de considérer que, dans cet extrait, l'écriture est présentée comme un cul-de-sac ?

Parallèle

L'art de l'incipit

L'incipit est le début d'un roman. En quelques phrases, l'incipit parvient à créer un monde et à donner envie de poursuivre la lecture. Il établit un rapport de séduction avec le lecteur, qui immédiatement se voit happé ou s'interroge. En voici trois, particulièrement inspirés.

MARIE-CLAIRE BLAIS
Une saison dans la vie d'Emmanuel (1965)

Les pieds de Grand-Mère Antoinette dominaient la chambre. Ils étaient là, tranquilles et sournois comme deux bêtes couchées, frémissant à peine dans leurs bottines noires, toujours prêts à se lever : c'étaient des pieds
5 meurtris par de longues années de travail aux champs (lui qui ouvrait les yeux pour la première fois dans la poussière du matin ne les voyait pas encore, il ne connaissait pas encore la blessure secrète à la jambe, sous le bas de laine, la cheville gonflée sous la prison de lacets
10 et de cuir...) des pieds nobles et pieux (n'allaient-ils pas à l'église chaque matin en hiver ?) des pieds vivants qui gravaient pour toujours dans la mémoire de ceux qui les voyaient une seule fois – l'image sombre de l'autorité et de la patience.

RÉJEAN DUCHARME
L'avalée des avalés (1966)

Tout m'avale. Quand j'ai les yeux fermés, c'est par mon ventre que je suis avalée, c'est dans mon ventre que j'étouffe. Quand j'ai les yeux ouverts, c'est par ce que je vois que je suis avalée, c'est dans le ventre de ce que
5 je vois que je suffoque. Je suis avalée par le fleuve trop grand, par le ciel trop haut, par les fleurs trop fragiles, par les papillons trop craintifs, par le visage trop beau de ma mère. Le visage de ma mère est beau pour rien. S'il était laid, il serait laid pour rien. Les visages, beaux ou laids,
10 ne servent à rien. On regarde un visage, un papillon, une fleur, et ça nous travaille, puis ça nous irrite. Si on se laisse faire, ça nous désespère. Il ne devrait pas y avoir de visages, de papillons, de fleurs. Que j'aie les yeux ouverts ou fermés, je suis englobée : il n'y a plus assez d'air tout à
15 coup, mon cœur se serre, la peur me saisit.

HUBERT AQUIN
Prochain épisode (1965)

Cuba coule en flammes au milieu du lac Léman pendant que je descends au fond des choses. Encaissé dans mes phrases, je glisse, fantôme, dans les eaux névrosées du fleuve et je découvre, dans ma dérive, le dessous des sur-
5 faces et l'image renversée des Alpes. Entre l'anniversaire de la révolution cubaine et la date de mon procès, j'ai le temps de divaguer en paix, de déplier avec minutie mon livre inédit et d'étaler sur ce papier les mots clés qui ne me libéreront pas. J'écris sur une table à jeu, près d'une
10 fenêtre qui me découvre un parc cintré par une grille coupante qui marque la frontière entre l'imprévisible et l'enfermé. Je ne sortirai pas d'ici avant échéance. Cela est écrit en plusieurs copies conformes et décrété selon des lois valides et par un magistrat royal irréfutable. Nulle
15 distraction ne peut donc se substituer à l'horlogerie de mon obsession, ni me faire dévier de mon parcours écrit. Au fond, un seul problème me préoccupe vraiment, c'est le suivant : de quelle façon dois-je m'y prendre pour écrire un roman d'espionnage ?

VERS LA DISSERTATION

1. En quoi ces incipits parviennent-ils à capter l'attention du lecteur ?

2. Observez la phrase initiale dans chacun des textes (les deux premières phrases dans le cas de Ducharme). Comment, par quelques mots, les auteurs nous font-ils pénétrer dans leur univers ?

3. D'après ces incipits, vous est-il possible de déduire quels seront les thèmes abordés dans les trois romans ?

■ Sujet de dissertation critique

Est-il juste de dire que ces trois incipits développent le thème de l'étouffement ?

Race de monde (1969)

Victor-Lévy Beaulieu (né en 1945)

Victor-Lévy Beaulieu est l'un des écrivains québécois les plus prolifiques. Son imagination inépuisable lui permet d'écrire de nombreux romans, de longs essais sur ses auteurs de prédilection (en particulier Herman Melville et James Joyce) et de scénariser des téléromans, tels *L'héritage*, *Montréal P.Q.* et *Bouscotte*. Fervent animateur de la vie littéraire québécoise, Victor-Lévy Beaulieu collabore à des journaux et à des revues, et a fondé trois maisons d'édition, dont les Éditions VLB et les Éditions Trois-Pistoles.

Race de monde est le premier épisode de *La vraie saga des Beauchemin*. Ce roman contient plusieurs des éléments qui caractérisent l'œuvre littéraire de son auteur: la description d'une cellule familiale étouffante; la provocation et l'irrévérence; la description détaillée de fantasmes sexuels; d'innombrables références à des écrivains appréciés (Jacques Ferron, Réjean Ducharme, Victor Hugo, Herman Melville, etc.); une écriture virtuose, pleine de calembours. Les allers et retours entre le Bas-du-Fleuve et Montréal sont importants dans l'œuvre de Victor-Lévy Beaulieu. Ainsi, pour le jeune Abel, le personnage principal de *Race de monde*, quitter son village de Saint-Jean-de-Dieu pour la ville est une expérience douloureuse, mais souhaitable malgré tout.

Jean Dallaire, *L'enfant au popsicle*, 1965.

....

1. Pourquoi est-il difficile pour le narrateur de quitter Saint-Jean-de-Dieu?
2. En quoi l'auteur est-il provocateur dans cet extrait?
3. Comparez les réactions des deux frères, Abel (le narrateur) et Steven.
4. Les deux frères semblent heureux, malgré leur pauvreté. Comment se manifeste leur bonheur?

▓▓ Sujet de dissertation critique

La pauvreté est-elle vue de façon uniquement négative dans cet extrait de *Race de monde*?

VERS LA DISSERTATION

Et moi, c'était une vie qui me plaisait que celle de Saint-Jean-de-Dieu! Aller faire mes besoins sur le tas de fumier, derrière la grange et me torcher avec une feuille du *Petit Journal* ne m'effrayait pas;
5 courir dans les bois, l'automne; faire deux milles pour aller chiper les pommes encore vertes de Chien-Chien le Pichlotte, tout ça m'amusait parce que parfois le chien de Jos levait le gibier, et que c'était toujours passionnant de suivre des zieux un
10 chevreuil s'enfuyant, le chien de Jos à ses trousses; assister aux crues du printemps, être isolé des voisins, avoir dans la cave de l'eau jusqu'à mi-jambe, ça m'allait bien. Personne ne me disait jamais que j'étais un enfant; à dix ans je fumais déjà, j'avais
15 toutes les libertés, même celle de conduire la truie au verrat[1] (il y avait parfois de ces joutes!), de participer aux boucheries du dix décembre et de faire l'école buissonnière quand, en octobre, il fallait cueillir les patates et engranger le blé.

20 Mais me retrouver comme ça dans le Grand Morial me tentait autrement encore!

Je n'ai jamais été poète pour deux cennes, si être poète c'était faire comme Steven qui se lamentait de ce qu'on mettait la hache dans ses rêveries
25 d'enfance (pour amortir les frais du déménagement, Maman Dentifrice, deux jours avant notre départ, fit un encan à la ferme, vendit tout ce que nous avions pu rafler dans la cave, le hangar et la grange, ce qui mit Steven en fureur car il s'était créé tout
30 un monde avec les bâtons de dynamite, l'essoreuse déglinguée, les canards de bois et le vieux poste de radio dans lequel il mettait ses noisettes).

— Sommes-nous donc si misérables qu'il faut, pour payer nos déménageurs, vendre tout ça et
35 commettre un tel sacrilège! braillait Steven.

(Et jusqu'au chien et jusqu'au beau chien de Jos dont Maman Dentifrice se débarrassa pour cinq dollars.)

— On ne devrait pas partir, disait Steven. On ne
40 devrait pas partir!

------

1. Conduire la femelle au mâle, chez les porcs.

Jacques Ferron (1921-1985)

Jacques Ferron, qui a travaillé comme médecin dans un quartier populaire de la Rive-Sud de Montréal pendant de nombreuses années, est aussi un écrivain redoutable. Romancier, conteur, dramaturge, polémiste, il colore son œuvre d'humour et d'ironie, et tisse de nombreux liens entre la politique et la littérature. Il s'imprègne des contes populaires et les transforme pour les rendre à la fois caustiques et philosophiques, et pour jeter un regard critique sur la société québécoise. Déçu de la politique fédérale, il fonde le Parti Rhinocéros, un parti de protestation qui dénonce par l'absurde et la satire les failles du système politique canadien.

La chaise du maréchal ferrant montre bien l'habileté avec laquelle Jacques Ferron détourne l'esprit des contes populaires pour stimuler la réflexion sur la politique et la société. Dans ce roman, le diable et trois générations de Jean Goupil se disputent une vilaine chaise qui a le pouvoir de transporter à la vitesse de l'éclair celui qui s'y assoit à l'endroit où il souhaite aller. Ferron en profite pour revisiter l'histoire du Québec, de l'époque de la contrebande d'alcool au règne de Duplessis. L'ironie de Jacques Ferron est à son meilleur lorsque le premier Jean Goupil, travailleur pauvre et sans avenir, négocie la vente de son âme au diable, dans un marché qui suit la loi de l'offre et de la demande.

La chaise du maréchal ferrant (1972)

On le laissa passer dans l'arrière-cuisine. Le diable, se trouvant seul, s'exerçait à faire rouler ses dés pipés.

— Tu arrives bien, Jean Goupil: je
5 commençais à m'ennuyer.

Jean Goupil n'hésita pas un seul instant et s'assit à table en face de lui.

— Veux-tu faire une partie?

— Non, Diable, je m'en viens te
10 vendre mon âme.

Le diable surpris regarda Jean Goupil. Il n'était encore malgré ses grosses mains, qu'un flow-débardeur[1]. Le diable le regardait et en même temps
15 jaugeait son âme qui ne valait guère, qui ne valait rien, et sa face devenait moqueuse; à la fin il se mit à rire, il riait comme un pas bon et cherchait à dire entre deux hoquets qu'il ne
20 s'ennuyait plus.

— Grâce à toi, Jean Goupil, grâce à toi!

— Diable, je ne suis pas venu pour te voir rire. D'ailleurs tu n'y parviens pas
25 et ne fais que grimacer.

Le diable redevint de glace.

— Diable, je t'ai fait une proposition sérieuse: mon âme, me l'achètes-tu ou tu ne me l'achètes pas?

30 Le diable regardait Jean Goupil de ses beaux yeux de serpent, au regard si nuancé et si triste.

— Ti-gars, tu m'es sympathique. Ton âme elle baigne dans sa nébulosité de
35 lait. Elle en sortira peut-être mais pour le moment elle ne s'en est pas dégagée. Elle ne vaut guère, elle ne vaut rien. Ti-gars, tu repasseras. Je ne te dis pas non. Si jamais je la prends, je la payerai en
40 bel argent au prix coûtant du marché.

— Imbécile, dit Jean Goupil au diable, tu n'as donc pas de divination?

— Ti-gars, si j'achetais toutes les âmes qu'on m'offre, je me ruinerais.

45 — Mon âme ne vaut peut-être pas grand-chose aujourd'hui, mais dans dix ans elle vaudra un gros montant.

Le diable eut un faible sourire. Parce que Jean Goupil, flow-débardeur à
50 peine arrivé de Rivière-Blanche, ne lui était pas désagréable, il lui dit ce que d'habitude il tait, à savoir qu'une âme vendue cesse de vivre et de s'enrichir.

— Tu repasseras, Ti-gars.

55 — Non, Diable, c'est toi qui viendras.

— Je te relancerai sûrement si la vie t'est favorable... Ti-gars, un autre conseil que je ne devrais pas te donner: garde les enchères ouvertes, vends le plus tard
60 possible. Et défie-toi des imposteurs: moi je paye toujours en argent.

Jean Goupil avait compris.

— Salut, Diable.

— Salut, Ti-gars.

65 Il sortit de l'arrière-cuisine.

_____
1. Débardeur novice.

VERS LA DISSERTATION

1. Quel portrait l'auteur fait-il du diable dans cet extrait?
2. Montrez que Jean Goupil a un caractère frondeur.
3. Montrez comment l'auteur utilise l'ironie.

■ Sujet de dissertation critique

Comparez cet extrait à celui de «La chasse-galerie» (p. 37-38). Jacques Ferron reproduit-il de la même façon qu'Honoré Beaugrand l'esprit du conte populaire?

L'hiver de force (1973)

On s'est levés au milieu de l'après-midi. On serait restés couchés mais ça faisait une heure qu'on avait envie de pisser; on n'était plus capables de se retenir.

Réjean Ducharme
(né en 1941)

En 1966, un auteur québécois de 24 ans parfaitement inconnu est publié aux Éditions Gallimard, l'un des plus prestigieux éditeurs français. Cet exploit soulève la curiosité, d'autant plus que l'auteur en question, Réjean Ducharme, refuse tout contact avec les journalistes. Le milieu littéraire en vient même à se demander si le jeune homme existe vraiment, si son nom ne serait pas le pseudonyme d'un écrivain connu. La vérité est que Ducharme est bel et bien l'auteur du livre et qu'il prétexte une grande timidité afin de préserver jalousement son intimité. Paradoxalement, le mystère qui règne à son sujet lui attire une grande publicité. Avec ses romans *L'avalée des avalés* (1966), *Le nez qui voque* (1967), *Dévadé* (1990) ainsi que ses pièces de théâtre *Ines Pérée et Inat Tendu* (1976) et *HA ha !...* (1978), Ducharme devient l'un des auteurs les plus influents au Québec. Son univers est rempli d'adolescents – ou plutôt d'éternels adolescents – qui peinent à quitter l'enfance et qui s'expriment dans une langue folle dont ils détournent avec jouissance les expressions et le vocabulaire.

L'hiver de force est le premier roman dans lequel Réjean Ducharme met en scène des adultes. Nicole et André, les deux personnages principaux, conservent une mentalité d'enfants et recherchent désespérément l'amour d'une chanteuse, Petit Pois. Avec un humour irrésistible, l'auteur dénonce la société de consommation, le snobisme et le trop grand sérieux du monde du travail. Il oppose au pragmatisme du monde moderne la naïveté, le détachement et l'amour inconditionnel de ses personnages principaux. Sans oublier leur volonté ferme de ne rien faire.

On a regardé dehors. Il n'y avait rien, sauf le printemps, et il ne faisait rien. On a lavé la
5 vaisselle. Il n'y en avait pas beaucoup; ça a été vite fait. Avant, quand il ne nous restait plus rien à faire, on se creusait la tête. « C'est effrayant, la vie est en train de nous passer sous le nez. » Maintenant on s'assoit et on
10 reste assis tranquilles en priant le bon Dieu que ça ne change pas. « On est donc bien ! » On s'est dit que ce qui nous passe sous le nez ne nous passe pas à travers le cœur. Et on s'est crus.

15 Nous avons parlé pour ne rien dire. Rien n'est meilleur que la vivacité de l'attention que Nicole porte aux niaiseries que je dis; et l'obligation de la reconnaissance fait que Nicole peut dire ensuite toutes les siennes
20 sans être interrompue. Quand on manque d'inspiration, on ouvre le TV-Hebdo à la page du jour et on démolit les acteurs des films annoncés. Que c'est des plus putains que leur cul, qu'il n'y a que la gloire et l'argent qui
25 comptent pour eux, que c'est de leur faute s'il n'y a plus d'amour, que c'est eux qui l'ont dégradé en embrassant n'importe qui devant tout le monde pourvu que ça paie ou que ça les fasse connaître... Toutes ces affaires-là...

30 Le bon, le meilleur et le mieux c'est rien. Reste assis là et nie tout : le cigare entre tes dents, le jour dans tes yeux, la peau sous tes vêtements. Nie, nie, nie, et recueille-toi comme une bombe dans chacun de tes *non*, et ne
35 t'arrête jamais d'être sur le point d'éclater, et n'éclate jamais.

Ça faisait bien quatre cinq heures qu'on venait de passer à ne rien faire quand on est sortis. On était de bonne humeur; on était fiers de n'avoir rien fait si long-
40 temps. On a marché. Les derniers restes de l'hiver, des sortes d'os sales, achevaient de fondre sur le béton du trottoir, cette sorte de mur horizontal.

1. Énumérez les activités que font les personnages malgré qu'ils prétendent ne rien faire.

2. Quels sont les différents usages du mot « rien » dans l'extrait ?

3. En quoi le misérabilisme (*voir l'encadré, p. 154*) ressort-il particulièrement ici ?

▆▆▆ Sujet de dissertation critique

Est-il exact de dire que Nicole et André sont des fainéants ?

Nicole marchait en évitant de passer sur les joints. Moi je marchais en mettant un pied devant l'autre, sans plus. On a pris le métro. Il n'allait nulle part. Il filait jusqu'au bout de rien puis il virait de bord et nous emportait jusqu'à l'autre bout de rien. On ne s'est pas plaints. Bien au contraire, ça faisait notre affaire. Quand on en a eu assez on a débarqué. On s'est ramassés au Honey Dew de la station Guy. On a dit à la waitress ce qu'on voulait. Elle a pris nos paroles puis elle est allée les crier dans le microphone de l'intercom de la cuisine : « Deux hot dogs ! Deux ordres de patates frites ! » Au pied de la pente de son cœur, sur une plaquette de bakélite, son prénom était gravé : IVANKA. On a vu un barbu manger un hamburger avec rien dedans. Pas de relish, pas de moutarde, pas d'oignon, pas de ketchup. Rien. Ivanka le lui a servi ouvert ; on pouvait voir le sang que suait le steak mouiller le pain. Ça prend toutes sortes de maniaques.

Roch Plante, *Vieux snoro,* **1990.**

Sous le pseudonyme de Roch Plante, Réjean Ducharme conçoit des œuvres d'art, qui sont des collages d'objets trouvés, auxquels il donne des titres fantaisistes, dans l'esprit de son œuvre littéraire.

Paul-Marie Lapointe
(1929-2011)

La poésie de Paul-Marie Lapointe est en constante évolution. Son premier recueil, *Le vierge incendié* (1948), porte la marque du surréalisme et met en pratique l'écriture automatique. Avec le poème «Arbres» (1960), il rend un superbe hommage à la forêt québécoise et à la variété de sa flore. Dans *Pour les âmes*, sa poésie prend un tournant social et politique. Son volumineux recueil *écRiturEs* est pour lui l'occasion d'expérimenter une écriture à la fois formaliste et improvisée, en partie inspirée par les mots croisés. Dans toutes ses œuvres, Lapointe offre une poésie animée d'un grand souffle, dont les images sont fortes.

Pour les âmes est sans doute son recueil le plus accompli. L'auteur y exprime une conscience planétaire, imprégnée de l'esprit de révolte qui se propage alors dans le monde. La crainte de l'holocauste nucléaire et le rêve d'une révolution – pas forcément marxiste – imprègnent cette poésie nerveuse et inquiète. Ces poèmes sont aussi influencés par le jazz et par certaines techniques propres à cette musique: rythmes syncopés, improvisation, répétition de certains motifs. Son poème «Épitaphe pour un jeune révolté» est une œuvre remplie d'espoir.

Dessin d'Ernesto Che Guevara à partir d'une photo prise par Alberto Korda.

Le célèbre Che Guevara a servi de modèle à beaucoup de jeunes révoltés dans les années 1960.

....

Pour les âmes (1964)

Épitaphe pour un jeune révolté

tu ne mourras pas un oiseau portera tes cendres
dans l'aile d'une fourrure plus étale et plus chaude que l'été
aussi blonde aussi folle que l'invention de la lumière

entre les mondes voyagent des tendresses et des cœurs
5   des hystéries cajolantes comme la fusion des corps
en eux plus lancinantes
comme le lever et le coucher des astres
comme l'apparition d'une vierge dans la cervelle des
    miracles

10 tu ne mourras pas un oiseau nidifie
ton cœur
plus intense que la brûlée d'un été quelque part
plus chaud qu'une savane parcourue par l'oracle
plus grave que le peau-rouge et l'incandescence

15 (les âmes miroitent
particulièrement le soir
entre chien et loup
dans la pâleur des lanternes
dans l'attisement des fanaux
20 dans l'éblouissement d'une ombre au midi du sommeil)

tu ne mourras pas

quelque part une ville gelée hélera ses cabs
une infanterie pacifique pour mûrir les récoltes
et le sang circulera
25 au même titre que les automobiles
dans le béton et la verdure

tu ne mourras pas ton amour est éternel

VERS LA DISSERTATION

1. Une épitaphe est une inscription funéraire. Montrez que ce poème est paradoxalement rempli d'images qui renvoient à la vie.

2. Relevez les jeux de répétition dans le poème. Que mettent-ils en évidence?

3. Montrez que le passage entre parenthèses (v. 15-20) s'oppose par ses images au reste du poème.

4. Relevez et expliquez les analogies dans ce poème qui renvoient au monde rêvé par le poète et le jeune révolté.

■ Sujet de dissertation critique

Comparez ce poème à «Amour délice et orgue» de Roland Giguère (*p. 108*). Dans ces poèmes, l'apaisement que vivent les poètes est-il semblable?

Mémoire (1965)

Suite fraternelle

Je me souviens de toi   Gilles   mon frère oublié dans la
terre de Sicile   je me souviens d'un matin d'été à Montréal
je suivais ton cercueil vide   j'avais dix ans   je ne savais
pas encore

5   Ils disent que tu es mort pour l'Honneur   ils disent   et
flattent leur bedaine flasque ils disent que tu es mort pour
la Paix   ils disent   et sucent leur cigare long comme
un fusil

Maintenant je sais que tu es mort avec une petite bête
10   froide dans la gorge   avec une sale peur aux tripes   j'entends toujours tes vingt ans qui plient dans les herbes
crissantes de juillet

Et nous   nous demeurons pareils à nous-mêmes   rauques
          comme la rengaine de nos misères

15   Nous
          les bâtards sans nom
          les déracinés d'aucune terre
          les boutonneux sans âge
          les clochards nantis
20   les demi-révoltés confortables
          les tapettes de la grande tuerie
          les entretenus de la Saint-Jean-Baptiste

Gilles   mon frère cadet par la mort ô Gilles dont le sang
          épouse la poussière

25   Suaires et sueurs nous sommes délavés de grésil et de peur
La petitesse nous habille de gourmandises flottantes

Nous
          les croisés criards du Nord
nous qui râlons de fièvre blanche sous la tente de la
30   Transfiguration
nos amours ombreuses ne font jamais que des orphelins
nous sommes dans notre corps comme dans un hôtel
nous murmurons une laurentie pleine de cormorans
          châtrés
35   nous léchons le silence d'une papille rêche
et les bottes du remords

Jacques Brault (né en 1933)

Jacques Brault explore la littérature sous toutes ses facettes, puisqu'il est à la fois écrivain, enseignant, critique littéraire et concepteur d'émissions radiophoniques. Mais il reste d'abord et avant tout un poète. Son premier recueil, *Mémoire*, est porté par la révolte et l'indignation. Dans ses œuvres ultérieures, le poète laisse les thèmes sociaux pour se tourner vers des sujets plus philosophiques. Dans des recueils comme *L'en dessous l'admirable* (1975) ou *Il n'y a plus de chemin* (1990), il mène une réflexion plus sobre que dans ses premiers écrits et y exprime de la tristesse et de l'angoisse.

Le poème «Suite fraternelle» du recueil *Mémoire* est l'un des plus connus du répertoire québécois. Le poète fait part de sentiments confus ressentis après la perte de son frère Gilles, mort à la guerre. Le sort de ce frère se confond avec celui du peuple québécois, qui est soumis, aliéné et ne maîtrise pas sa destinée. Le poème, intense et emporté, laisse malgré tout une place à l'espoir.

Soldats canadiens en Sicile pendant la Seconde Guerre mondiale.

« Ils disent que tu es mort pour l'Honneur ils disent et flattent leur bedaine flasque ils disent que tu es mort pour la Paix ils disent et sucent leur cigare long comme un fusil » – Jacques Brault.

Nous
    les seuls nègres aux belles certitudes blanches
            ô caravelles et grands appareillages des enfants-messies
40 nous les sauvages cravatés
    nous attendons depuis trois siècles pêle-mêle
                        la revanche de l'histoire
                        la fée de l'Occident
                        la fonte des glaciers

45 Je n'oublie pas Gilles et j'ai encore dans mes mots la
            cassure par où tu coulas un jour de fleurs et
            de ferraille

    [...]

    L'herbe pousse sur ta tombe Gilles et le sable remue
    Et la mer n'est pas loin qui répond au ressac de ta mort

50 Tu vis en nous et plus sûrement qu'en toi seul
    Là où tu es nous serons   tu nous ouvres le chemin

        Je crois Gilles je crois que tu vas renaître   tu es mes camarades
    au poing dur à la paume douce tu es notre secrète naissance au
    bonheur de nous-mêmes tu es l'enfant que je modèle dans l'amour
55 de ma femme tu es la promesse qui gonfle les collines de mon pays
    ma femme ma patrie étendue au flanc de l'Amérique

VERS LA DISSERTATION

1. Montrez l'effet des ellipses dans les trois premiers paragraphes.
2. Comment Jacques Brault parle-t-il du peuple québécois ? Pourquoi emploie-t-il des termes aussi négatifs ?
3. Montrez que ce poème raconte l'histoire d'une prise de conscience chez le poète.
4. Montrez que le poème se termine sur une note d'espoir.

■■■ Sujets de dissertation critique

1. Est-il juste de dire que cet extrait de « Suite fraternelle » porte sur la résignation ?
2. Comparez ce poème à « Épitaphe pour un jeune révolté » de Paul-Marie Lapointe (*p. 139*). Les deux poètes ont-ils une réaction semblable à la mort d'un jeune homme ?

Les poètes du pays

Avec la Révolution tranquille se dessine une nouvelle tendance en poésie. Libérés du carcan de la Grande Noirceur, les poètes se découvrent une parole enthousiaste, ardente, qui peut aussi exprimer la colère et la révolte. Ils choisissent de raconter une réalité purement québécoise dans une forme originale, émancipée des modèles français. Leurs textes sont appréciés par un public relativement étendu, qui se retrouve dans leurs propos. La poésie du pays est l'une des tendances les plus riches et fécondes de la poésie québécoise.

> Les poètes du pays abordent avec un emportement lyrique les thèmes de l'attachement au pays et de l'engagement.

Les poètes du pays sont publiés principalement aux Éditions de l'Hexagone et dans les revues *Parti pris* et *Liberté*. Créés dans les années 1950 et 1960, animés en grande partie par des poètes, ces lieux d'édition favorisent la liberté de parole et les rencontres stimulantes. Les poètes de cette génération ont définitivement rompu avec la solitude.

Les poètes du pays se reconnaissent aux caractéristiques suivantes :

• Ils partagent leur enthousiasme pour la beauté des paysages québécois.

Ils s'extasient devant une nature grandiose et sauvage, devant l'immensité du territoire, devant les contrastes entre les saisons. Leurs propos sont portés par un ton lyrique nourri de puissantes images. «Ode au Saint-Laurent» de Gatien Lapointe et «Arbres» de Paul-Marie Lapointe comptent parmi les plus beaux exemples de ces poèmes qui chantent les beautés de la nature québécoise.

• Ils dénoncent l'aliénation du peuple québécois.

Ils s'indignent devant l'état d'infériorité, de soumission, d'humiliation dans lequel sont maintenus les Québécois. Ils emploient souvent des mots très durs pour qualifier leurs compatriotes, qui seraient, selon eux, en partie responsables de leur sort. Pour certains auteurs, comme Gaston Miron et Paul Chamberland, le présent est «non poétique»; seule une émancipation totale permettrait de faire renaître la poésie. Ce constat survient paradoxalement dans l'une des périodes les plus fécondes de la poésie québécoise.

• Leur poésie est engagée.

Ils ne restent pas indifférents à ce qu'ils constatent. Comme le dit Miron, les poètes «montent la garde du monde» et leur poésie doit «prendre le mors obscur» de leurs combats. Plusieurs de ces poètes adhèrent à l'idéologie marxiste ; la plupart d'entre eux s'inspirent surtout de l'idéologie de la décolonisation proposée par des auteurs comme Albert Memmi et Frantz Fanon. Leur engagement les mène ainsi à militer pour l'indépendance du Québec.

• Ils ont une prédilection pour les longs poèmes en vers libres.

Ils privilégient les envolées lyriques et les images puissantes, inspirées de la réalité québécoise. Ils intègrent à plusieurs occasions des termes typiquement québécois et même, parfois, des «sacres», comme dans le cas de Chamberland. Ils adoptent à l'occasion le ton revendicateur du manifeste, comme dans «Speak white» de Michèle Lalonde ou dans *L'afficheur hurle* de Paul Chamberland.

Il serait difficile de nommer tous les poètes liés à ce mouvement. Le début des années 1960 est le moment où leur production est la plus abondante. Il faut mentionner *Mémoire* de Jacques Brault, *Terre Québec* (1964) et *L'afficheur hurle* (1964) de Paul Chamberland, mais aussi *Sémaphore* (1962) de Gilles Hénault, *Pour saluer une ville* (1963) de Jean-Guy Pilon et *Pays sans parole* (1967) d'Yves Préfontaine. En 1968, Michèle Lalonde se fait connaître par un poème puissant qu'elle lit avec flamme: «Speak white». Ce texte vibrant décrit mieux que tout autre la relation du Québécois avec l'Anglais et la difficile émancipation du peuple. Et en 1970, alors que certains affirment que la poésie du pays s'essouffle, Gaston Miron lance *L'homme rapaillé*, composé de poèmes dont la plupart ont déjà été publiés dans diverses revues au cours des années antérieures. Ce recueil est aujourd'hui considéré, à juste titre, comme le plus marquant de la période.

Michèle Lalonde termine «Speak white» par les vers: «nous savons / que nous ne sommes pas seuls». C'est que les poètes du pays s'inscrivent dans la lignée d'auteurs étrangers comme le Martiniquais Aimé Césaire, le Sénégalais Léopold Senghor, le Chilien Pablo Neruda qui, eux aussi, abordent avec un emportement lyrique les thèmes de l'attachement au pays et de l'engagement.

On peut aussi associer aux poètes du pays les chansonniers québécois, qui reprennent leurs thèmes, les popularisent, les transmettent à un public large et enthousiaste. Parmi eux se démarquent Félix Leclerc, Gilles Vigneault, Raymond Lévesque, Pauline Julien et Claude Gauthier. Le travail des poètes et des chansonniers a beaucoup contribué à renforcer l'identité québécoise.

Les cantouques (1967)

Cantouque menteur

les Louis Riel[1] du dimanche
les décapités de salon
les pendus de fin de semaine
les martyrs du café du coin
5   les révolutavernes
et les molsonnutionnaires
mes frères mes pareils
hâbleurs de fond de cour un jour
on en aura soupé
10   de faire dans nos culottes
debout sur les barricades
on tirera des tomates aux Anglais
des œufs pourris des Lénine[2]
avant d'avoir sur la gueule
15   la décharge de plombs du sergent Trudeau
du royal Vanndouze
à l'angle des rues Peel et Saint'Cat

c'est une chanson de tristesse et d'aveu
fausse et menteuse comme une femme
20   et pleureuse itou avec un fond de vérité
je m'en confesse à dieu tout puissant
mon pays mon Québec

la chanson n'est pas vraie
mais la colère si
25   au nom du pays de la terre
et des seins de Pélagie

---

1. Chef du peuple métis, condamné à mort en 1885 à la suite
d'une rébellion.   2. Révolutionnaire, chef du Parti bolchévique
et fondateur de l'URSS.

Stanley Morel Cosgrove, *Forêt près de La Tuque,* 1967.

En dépit des avant-gardes, plusieurs peintres n'ont cessé de peindre
la beauté des paysages québécois, faisant écho à certains poètes
du pays.

Gérald Godin (1938-1994)

Gérald Godin cause une grande surprise
pendant les élections provinciales de
1976 alors qu'il bat le premier ministre sortant, Robert Bourassa, dans
le comté de Mercier, à Montréal : un
poète l'emporte donc sur un premier ministre ! Ce poète, qui est aussi un
journaliste, un éditeur et un intellectuel engagé, mène par la suite une
brillante carrière politique comme simple député, puis occupe plusieurs
postes de ministre, dont celui de la Culture.

Mais pour les amateurs de poésie, il reste le poète incisif des *Cantouques*.
Dans ce recueil, il livre un message simple et franc, marqué par ses indigna-
tions. Il utilise une langue populaire, avec ses grossièretés, son humour
et ses images colorées. Godin a inventé le terme « cantouque » désignant,
selon ses dires, un poème « qui trimbale des sentiments ». Ses cantouques
sont vifs, dénonciateurs, et le poète y exprime son appui à l'indépendance
du Québec. On y voit parfois poindre des moments de tendresse.

Cantouque des hypothéqués

Les crottés les Ti-Cul
les tarlas les Ti-Casse
ceux qui prennent une patate
avec un coke

5 les cibouettes les Ti-Pit
les cassés les timides
les livreurs en bicycle
des épiciers licenciés

les Ti-Noir les cassos
10 les feluettes les gros-gras
ceux qui se cognent sur les doigts
avec le marteau du boss

les Jos Connaissant
les farme-ta-gueule
15 ceux qui laissent leurs poumons
dans les moulins de coton

toutes les vies du jour le jour
tous les coincés
des paiements à rencontrer
20 les hypothéqués à perpétuité

la gang de christs
qui se plaint jamais
les derniers payés
les premiers congédiés

25 ils n'ont pas de couteau
entre les dents
mais un billet d'autobus
mes frères mes frères

sur l'erre d'aller
30 l'erre de tomber
l'erre de périr
dans les matins clairs du lundi
ils continuent mais sur l'élan

les pelleteux les neuf à cinq
35 les pères de famille sans enfants
   WANTED RECHERCHÉ
pour cause d'agonie
pour drôle de pays

ils sont de l'époque où la patrie
40 c'était un journal

VERS LA DISSERTATION

1. En quoi le « Cantouque menteur » est-il menteur ?
2. Notez les différentes façons dont le poète dénonce l'aliénation des Québécois dans les deux poèmes.
3. Quel est l'effet produit par les énumérations, dans les deux poèmes ?
4. Le poète s'adresse-t-il à tous les Québécois ? Pourquoi le poète exprime-t-il un tel mépris envers ses compatriotes ?

▬ Sujet de dissertation critique

Gérald Godin exprime-t-il les mêmes critiques dans les deux poèmes ?

Edmund Alleyn, *Iceberg Blues*, 1975.

Par provocation, Gérald Godin juge sévèrement ses compatriotes dans *Les cantouques*.

Michèle Lalonde
(née en 1937)

Formée en théâtre et arrivée à l'écriture par le théâtre, Michèle Lalonde écrit des poèmes, des essais et des pièces de théâtre qui abordent principalement la question nationale. Sa poésie emprunte à l'écriture dramatique et donne parfois la voix à divers personnages. *Défense et illustration de la langue québécoise, suivie de proses et poèmes* (1979) est un important recueil de ses textes et reçoit un bon accueil critique en France. Dans l'essai qui donne le titre à l'ouvrage, l'auteure défend la langue québécoise, injustement méprisée, sur un ton humoristique et en pastichant l'ancien français.

« Speak white » est de loin le poème le plus connu de Michèle Lalonde. Son titre provient d'une insulte que les Blancs américains adressaient à leurs esclaves noirs, et qui a été reprise contre les francophones par les anglophones du Québec. Écrit pour un spectacle intitulé *Poèmes et chants de la résistance* en 1968, récité avec conviction par l'auteure lors de la *Nuit de la poésie* en 1970, et publié sous forme d'affiche en 1974, ce poème est devenu une œuvre culte qui exprime avec une force peu commune le sentiment de frustration des Québécois colonisés, aliénés, mais fiers. Michèle Lalonde lie le sort des Québécois à d'autres peuples exploités – peuples du tiers-monde, Juifs subissant la haine des nazis, Noirs victimes de racisme aux États-Unis – et dénonce toute forme d'impérialisme. Porté par une colère sourde et un sentiment de révolte, « Speak white » reste d'une grande actualité alors que le pouvoir des financiers – encore en majeure partie anglo-saxon – continue à créer de l'amertume et de la pauvreté.

Speak white (1968)

speak white
il est si beau de vous entendre
parler de Paradise Lost[1]
ou du profil gracieux et anonyme qui tremble dans les
5   sonnets de Shakespeare

nous sommes un peuple inculte et bègue
mais ne sommes pas sourds au génie d'une langue
parlez avec l'accent de Milton et Byron et Shelley et Keats
speak white
10 et pardonnez-nous de n'avoir pour réponse
que les chants rauques de nos ancêtres
et le chagrin de Nelligan

speak white
parlez de choses et d'autres
15 parlez-nous de la Grande Charte
ou du monument à Lincoln
du charme gris de la Tamise
de l'eau rose du Potomac
parlez-nous de vos traditions
20 nous sommes un peuple peu brillant
mais fort capable d'apprécier
toute l'importance des crumpets[2]
ou du Boston Tea Party[3]
mais quand vous really speak white
25 quand vous get down to brass tacks[4]
pour parler du gracious living
et parler du standard de vie

et de la Grande Société
un peu plus fort alors speak white
30 haussez vos voix de contremaîtres
nous sommes un peu durs d'oreille
nous vivons trop près des machines
et n'entendons que notre souffle au-dessus des outils

speak white and loud
35 qu'on vous entende
de Saint-Henri à Saint-Domingue
oui quelle admirable langue
pour embaucher
donner des ordres

---

1. Chef-d'œuvre du poète anglais John Milton (1608-1674).   2. Crêpes anglaises.
3. Révolte contre le Parlement britannique à Boston en 1773.   4. En venir aux faits, aller à l'essentiel.

40 fixer l'heure de la mort à l'ouvrage
et de la pause qui rafraîchit
et ravigote le dollar

speak white
tell us that God is a great big shot
45 and that we're paid to trust him
speak white
parlez-nous production profits et pourcentages
speak white
c'est une langue riche
50 pour acheter
mais pour se vendre
mais pour se vendre à perte d'âme
mais pour se vendre

ah !
55 speak white
big deal
mais pour vous dire
l'éternité d'un jour de grève
pour raconter
60 une vie de peuple-concierge
mais pour rentrer chez nous le soir
à l'heure où le soleil s'en vient crever au-dessus des ruelles
mais pour vous dire oui que le soleil se couche oui
chaque jour de nos vies à l'est de vos empires
65 rien ne vaut une langue à jurons
notre parlure pas très propre
tachée de cambouis et d'huile

speak white
soyez à l'aise dans vos mots
70 nous sommes un peuple rancunier
mais ne reprochons à personne
d'avoir le monopole
de la correction de langage

dans la langue douce de Shakespeare
75 avec l'accent de Longfellow
parlez un français pur et atrocement blanc
comme au Viet-Nam au Congo
parlez un allemand impeccable
une étoile jaune entre les dents
80 parlez russe parlez rappel à l'ordre parlez répression
speak white
c'est une langue universelle
nous sommes nés pour la comprendre
avec ses mots lacrymogènes
85 avec ses mots matraques
speak white
tell us again about Freedom and Democracy
nous savons que liberté est un mot noir
comme la misère est nègre
90 et comme le sang se mêle à la poussière des rues d'Alger
ou de Little Rock[1]

speak white
de Westminster à Washington relayez-vous
speak white comme à Wall Street
95 white comme à Watts[2]
be civilized
et comprenez notre parler de circonstance
quand vous nous demandez poliment
how do you do
100 et nous entendez vous répondre
we're doing all right
we're doing fine
we
are not alone

105 nous savons
que nous ne sommes pas seuls.

---

1. Ville de l'Arkansas où l'on a mis fin à la ségrégation raciale dans les écoles, au cours des années 1950.   2. Quartier de Los Angeles où ont eu lieu des émeutes raciales en 1965 (et en 1992).

VERS LA DISSERTATION

1. Quelles sont les cibles de Michèle Lalonde dans ce poème ?

2. Quel champ lexical sert à décrire les Québécois ? Pourquoi l'auteure utilise-t-elle ce champ lexical ?

3. Notez les références littéraires dans ce poème. Que signifient-elles ?

4. Quels sont les autres peuples aliénés dont la situation est comparable à celle des Québécois ?

■ Sujets de dissertation critique

1. « Speak white » exprime surtout un sentiment nationaliste. Discutez cette assertion.

2. Comparez ce poème à l'extrait de « Suite fraternelle » de Jacques Brault (p. 140-141). Les deux auteurs dénoncent-ils de la même manière l'aliénation des Québécois ?

L'homme rapaillé (1970)

La marche à l'amour

**Gaston Miron
(1928-1996)**

Gaston Miron, surnommé par Jacques Brault «Miron le Magnifique», est une figure rayonnante de la littérature québécoise. Ambassadeur de notre poésie à l'étranger, il écrit de grands cycles de poèmes aux larges résonances, qui décrivent la beauté des paysages d'ici et les dures conditions dans lesquelles vivent les Québécois, tout en soulignant la nécessité pour le poète de militer. Dans «La marche à l'amour», il raconte aussi les joies et les peines d'un amour immense. Les poèmes de Miron passent quasiment inaperçus au moment de leur première publication dans des revues. Ils sont révélés aux Québécois par l'édition de *L'homme rapaillé* en 1970, qui rassemble ses principaux poèmes et devient l'un des *best-sellers* de la poésie francophone. Par son engagement constant en politique et en littérature, par ses poèmes à la fois ancrés dans le Québec et universels, Miron est un auteur incontournable de notre littérature.

Sa poésie est accessible, sincère, et ses images puissantes sont puisées dans la réalité québécoise. Dans ses poèmes, il exprime parfois avec les mêmes élans et des images semblables l'amour pour la femme qui l'enivre et pour le pays qu'il défend. L'aliénation des Québécois, «non poétique» à ses yeux, le force à consacrer sa vie au militantisme, ce qui l'empêche de vivre pleinement son amour. Malgré les échecs et les déceptions du poète, son écriture reste enthousiaste et stimulante. Gaston Miron a le talent rare de communiquer à ses lecteurs une ferveur qui ne se dément jamais.

tu es mon amour
ma clameur mon bramement
tu es mon amour ma ceinture fléchée d'univers
ma danse carrée des quatre coins d'horizon
5 le rouet des écheveaux de mon espoir
tu es ma réconciliation batailleuse
mon murmure de jours à mes cils d'abeille
mon eau bleue de fenêtre
dans les hauts vols de buildings
10 mon amour
de fontaines de haies de ronds-points de fleurs
tu es ma chance ouverte et mon encerclement
à cause de toi
mon courage est un sapin toujours vert
15 et j'ai du chiendent d'achigan plein l'âme
tu es belle de tout l'avenir épargné
d'une frêle beauté soleilleuse contre l'ombre
ouvre-moi tes bras que j'entre au port
et mon corps d'amoureux viendra rouler
20 sur les talus du mont Royal
orignal, quand tu brames orignal
coule-moi dans ta palinte osseuse
fais-moi passer tout cabré tout empanaché
dans ton appel et ta détermination

25 Montréal est grand comme un désordre universel
tu es assise quelque part avec l'ombre et ton cœur
ton regard vient luire sur le sommeil des colombes
fille dont le visage est ma route aux réverbères
quand je plonge dans les nuits de sources
30 si jamais je te rencontre fille
après les femmes de la soif glacée
je pleurerai te consolerai
de tes jours sans pluies et sans quenouilles
des circonstances de l'amour dénoué
35 j'allumerai chez toi les phares de la douceur
nous nous reposerons dans la lumière
de toutes les mers en fleurs de manne
puis je jetterai dans ton corps le vent de mon sang
tu seras heureuse fille heureuse
40 d'être la femme que tu es dans mes bras
le monde entier sera changé en toi et moi

VERS LA DISSERTATION

1. Montrez que, dans ce poème, les analogies et les champs lexicaux renvoient à des réalités québécoises.
2. Expliquez pourquoi le poète emploie des verbes au futur vers la fin du poème.
3. Décrivez la relation entre le poète et la femme aimée.

■ **Sujet de dissertation critique**

Est-il juste de dire que ce poème décrit un amour idéalisé?

Jean Paul Lemieux, *La ville lointaine*, 1956.

« Pays chauve d'ancêtres, pays / tu déferles sur des milles de patience à bout / en une campagne affolée de désolement » — Gaston Miron.

Sur la place publique recours didactique

Mes camarades au long cours de ma jeunesse
si je fus le haut lieu de mon poème, maintenant
je suis sur la place publique avec les miens
et mon poème a pris le mors obscur de nos combats

5 Longtemps je fus ce poète au visage conforme
qui frissonnait dans les parallèles de ses pensées
qui s'étiolait en rage dans la soie des désespoirs
et son cœur raillait de haut la crue des injustices

Maintenant je sais nos êtres en détresse dans le
10   siècle
je vois notre infériorité et j'ai mal en chacun
    de nous

Aujourd'hui sur la place publique qui murmure
j'entends la bête tourner dans nos pas
15 j'entends surgir dans le grand inconscient résineux
les tourbillons des abattis de nos colères

Mon amour tu es là, fière dans ces jours
nous nous aimons d'une force égale à ce qui nous sépare
la rance odeur de métal et d'intérêts croulants
20 tu sais que je peux revenir et rester près de toi
ce n'est pas le sang, ni l'anarchie ou la guerre
et pourtant je lutte, je te le jure, je lutte
parce que je suis en danger de moi-même à toi
et tous deux le sommes de nous-mêmes aux autres

25 Les poètes de ce temps montent la garde du monde
car le péril est dans nos poutres, la confusion
une brunante dans nos profondeurs et nos surfaces
nos consciences sont éparpillées dans les débris
de nos miroirs, nos gestes des simulacres de liberté
30 je ne chante plus je pousse la pierre de mon corps

Je suis sur la place publique avec les miens
la poésie n'a pas à rougir de moi
j'ai su qu'une espérance soulevait ce monde jusqu'ici

VERS LA DISSERTATION

1. Comment justifieriez-vous le sous-titre (« recours didactique ») si peu « poétique » de ce poème ?

2. Quel est le rôle du poète, selon Gaston Miron ? Quelles sont ses motivations ?

3. Montrez l'opposition entre le « poète au visage conforme » décrit au début du poème (v. 5) et le poète engagé qu'il est devenu.

4. Expliquez la strophe finale du poème.

▮▮ Sujet de dissertation critique

Selon vous, ce poème illustre-t-il bien les vers célèbres du poème « L'octobre » de Gaston Miron, dans lequel il dit souhaiter « l'avenir dégagé / l'avenir engagé » ?

Contre-culture et poésie

Les adeptes de la contre-culture rejettent la société de consommation et recherchent une conscience nouvelle, à laquelle ils parviennent par l'émancipation sexuelle, l'usage de drogues, l'adhésion à des religions orientales ou la vie en commun, de préférence à la campagne. Le hippie chevelu, barbu et pacifique constitue pour plusieurs le visage familier et caricatural de la contre-culture.

Les origines de la contre-culture se trouvent dans le mouvement *beat* des États-Unis, mené par des auteurs tels que Jack Kerouac, Allan Ginsberg et William Burroughs qui refusent l'ordre établi et poursuivent sur les routes de l'Amérique l'expérience d'un vaste dérèglement des sens. L'opposition à la guerre au Viêtnam, la consommation de drogues et la libération sexuelle ont par la suite secoué la génération des jeunes Américains

> Les adeptes de la contre-culture rejettent la société de consommation.

des années 1960, qui s'est rebellée contre l'*establishment* mercantile qui brime l'émancipation des individus.

La contre-culture privilégie des formes d'art considérées comme marginales, entre autres la musique rock, la bande dessinée et le cinéma expérimental, mais elle témoigne un certain respect pour la poésie, un art pourtant plus traditionnel. En poésie comme dans les autres formes d'expression artistique, les adeptes de la contre-culture optent pour une esthétique de la **transgression** et de la **provocation.** Il leur faut :

- attaquer de front le conformisme bourgeois ;
- choquer en brisant des tabous ;
- dénoncer la société de consommation ;
- accumuler les références, souvent moqueuses, à la culture populaire ;
- promouvoir agressivement un nouveau mode de vie.

Les provocations des poètes de la contre-culture gravitent autour de trois axes principaux :

- **la sexualité,** forcément débridée, dont on parle sans restriction et qui se décline sous toutes ses formes ;

- **la consommation de drogues,** haschisch, marijuana, LSD, cocaïne, qui libèrent l'individu de ses inhibitions et dont les poètes décrivent les effets ;

- **la culture rock,** fortement rattachée à ses racines anglo-saxonnes, qui fournit aux poètes un prétexte pour faire de nombreuses allusions à la musique et pour insérer dans leurs œuvres des mots et des phrases en anglais.

La volonté de provoquer se retrouve jusque dans le titre de certains recueils : *Minibrixes réactés* (1972) de Lucien Francœur, *Pornographic delicatessen* (1968) et *Le clitoris de la fée des étoiles* (1974) de Denis Vanier, *Filles-commandos bandées* (1976) et *La chienne de l'Hôtel Tropicana* (1977) de Josée Yvon.

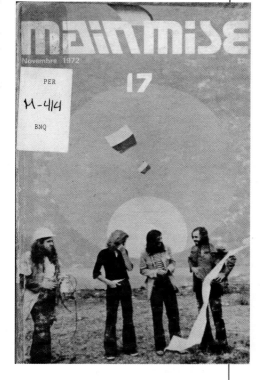

La revue *Mainmise,* parue de 1970 à 1978, a été l'un des principaux lieux d'expression de la contre-culture au Québec.

Denis Vanier (1949-2000)

Denis Vanier a écrit l'une des œuvres les plus radicales chez les poètes de la contre-culture. Poussant à l'extrême son personnage de poète marginal, le corps couvert de tatouages, il accumule les provocations, se lance à fond dans l'expérimentation des drogues, écrit une poésie d'écorché vif, aux forts relents d'alcool,

marquée par la révolte et la violence. Il meurt à 51 ans, le corps épuisé par une vie intense et excessive.

Son recueil *Lesbiennes d'acid* porte, à même son titre, la marque d'une double provocation : l'homosexualité féminine et la consommation de drogue (*acid* ou LSD) sont lancées comme des défis aux conventions. Dans ce livre, Vanier porte à son paroxysme l'esthétique de la transgression caractéristique de la contre-culture. Sous l'effet de la drogue et de l'alcool, le poète ne se reconnaît plus de limites, exacerbe ses expériences sexuelles, blasphème, appelle à la révolte et, surtout, forge une poésie plus que jamais délirante et hallucinée.

Lesbiennes d'acid (1972)

Lesbiennes d'acid

Ceci est tout doucement une invitation
à venir suspendre vos lèvres
dans une clôture d'enfant

pour que la révolution soit un piège de farine chaude
5   une tente d'oxygène pour les indiens étouffés sous
les bisons

nous nous mettrons
tes cuisses de cuir à mon banc de plumes
avec des paravents de moteur d'eau
10   et l'extase de se fendre
quand d'autres naissent sous la langue des animaux
sera confite de belle paille de mer

mon effrayante juive mauve
mon poulet du christ au cou tranché

15   dois-je cueillir mon hashich
ou laver mes bêtes
quand tu coules
violente comme une église
sur les petites filles de la ruelle Châteaubriand

20   le vin de tes jambes me chauffe comme de l'urine
d'agneau
tes ongles sont verts pour caresser les commandos
la nuit saoule au kummel[1]
je voyage sur ton sexe de mescaline

25   déjà rosée et écartée
et éternellement fluide sous la main.

Les chiens magiques de la communauté
nous défendront contre le gluant couteau politique
et pour celles qui nous tendent leurs seins
30   quand nous souffrons d'abréviations circulatoires
pour celles-là
un gros singe masse la laveuse de sirop d'érable
et meurt avec nous dans son étui à crayons

TOUT-À-COUP GOÛT D'AIR MÉTALLIQUE
35   une femme qui me touche partout
signe pour moi :

l'ascenseur rapetisse et vous change l'urètre en plastique

la densité explose :

bourses à pasteur, lobes androïdes, saints filtres, calculs
40   révulsifs

mon conduit nasal est une campagne
d'incinérateurs en collision.
Les sœurs grises de l'hospice macrobiotique
me brûlent des bouts d'épine dorsale
45   pour faire jouir leurs petits vieux
et je m'écrase
plogué en plein sanctuaire
quand les

Malades sauvages de l'ordre établi
50   ## m'assomment à coups de Molson

---

1. Liqueur parfumée au cumin.

VERS LA DISSERTATION

1. Quelles sont les principales provocations de Denis Vanier
   dans ce poème ?

2. Expliquez les deux derniers vers.

3. Montrez que certains vers du poème présentent des images
   qui relèvent de l'hallucination.

▪ Sujet de dissertation critique

Denis Vanier, dans « Lesbiennes d'acid », et Gérald Godin,
dans les poèmes des *Cantouques* (*p. 143-144*), provoquent
le lecteur de façon très différente. Discutez cette assertion.

Nécessairement putain (1980)

France Théoret (née en 1942)

France Théoret se fait d'abord connaître par son monologue « L'échantillon » dans *La nef des sorcières* (1976) et par deux recueils de poèmes : *Bloody Mary* (1979) et *Nécessairement putain* (1980). Le premier recueil est virulent et revendicateur, alors que le second exprime avec nuances mais sans compromis le vécu des femmes. Après avoir écrit plusieurs recueils de poèmes et récits, France Théoret se lance dans le roman autobiographique, avec *Les apparatchiks vont à la mer Noire* (2004) et *Une belle éducation* (2006).

Le poème « La marche », tiré de *Nécessairement putain*, donne une image forte et triomphante de la femme. Il annonce les progrès considérables qui s'accomplissent au Québec en ce qui concerne la condition des femmes. Plutôt que d'adopter le ton agressif et dénonciateur caractéristique de nombreux textes féministes de l'époque, France Théoret livre au lecteur le portrait d'une femme qui s'impose avec fermeté, qui avance fière et confiante.

La marche

Elle est là peut-être lorsqu'elle déploie vive toute sa richesse dehors. Elle est là comme, toujours comme, en tant que, voulant dire, s'arrêtant sur qui est là et s'ouvre extérieure d'un rêve retourné, elle se prête généreuse, elle s'offre globale, elle dépasse, elle émerge, elle signifie sans alourdir, elle
5 présente, elle ne se raréfie d'aucune substance, elle éclaire, elle entraîne et réunit, elle voulant que ça soit et ça se fait, elle inclut, elle transparaît, elle par ce qu'elle allume sans contraindre, elle fardée ou non, elle au départ et à l'arrivée des choses, elle marche et ça se voit. Elle est d'une beauté sans régularité. Elle nuance toutes les gammes, elle prête à confusion, elle se
10 prête en quelques minutes et fait tressaillir la honte comme si cette honte pouvait avoir honte. Et ce n'est pas la honte qui a honte, ce n'est jamais sur qui devrait rejaillir que ça rejaillit. La vie passée à éviter les éclaboussures. Elle n'est pas atteinte non plus. Elle marche légère et délestée de tout poids. Elle sait sans avoir appris à marcher. Elle s'y prend d'un long
15 pas à longueur de longues jambes. Les bras longs aussi. Elle démarche et déroule sur les trottoirs la cadence d'une qui a appris ailleurs où dont elle saurait qu'on ne demandera pas et qu'elle ne dira pas non plus. Elle prospecte constamment l'écho des choses, le plus souvent d'une pomme ou de quelques fruits parfois, elle demande un lait chaud. Elle ne s'empêtre pas
20 des failles, elle a une haute stature sûre d'être un elfe et jamais sûre d'être assurée, elle n'a nulle envie d'être assurée de quoi que ce soit, elle marche et autour ça passe dans la rue pleine des quatre heures de l'après-midi rue Saint-Laurent. Elle est la marche même d'une femme enfant haute et délestée de toute épaisseur. Elle repousserait plutôt que d'attirer, elle
25 est pur vecteur, signe vivant que les mensonges existent. Les mensonges et même le meurtre sont là, ils grouillent et ils marchent en même temps qu'elle. On tue chaque jour quelqu'un, quelque chose en soi de l'autre. Elle est le détecteur du mensonge et du crime. Ça brûle de se révéler au fur et à mesure qu'elle passe. Elle porte des vêtements doux à chaque
30 pas de plier sous son bras, sa jambe. Elle a l'honnêteté des morts qui se sont tus et la beauté des profils égyptiens. Elle garde la totalité pour la totalité.

Alors que les féministes luttent pour l'émancipation des femmes, des danseuses et chorégraphes telles que Ginette Laurin (sur la photo) et Marie Chouinard élaborent une gestuelle audacieuse et imaginative, et donnent une puissante impulsion à une danse québécoise très créative.

VERS LA DISSERTATION

1. Quelle image de la femme ressort de l'accumulation de verbes au début du texte ?

2. Comment l'image du titre, « La marche », est-elle reprise dans le poème ? Quel sens peut-on donner à cette « marche » ?

3. À quelles valeurs peut-on associer la femme qui marche, dans ce poème ?

■ Sujet de dissertation critique

Est-il exact de dire que ce texte donne une image totalement positive de la femme émancipée ?

Les belles-sœurs (1968)

LES CINQ FEMMES, *ensemble.* — Quintette : Une maudite vie plate ! Lundi !

LISETTE DE COURVAL. — Dès que le soleil a commencé à caresser de ses rayons les petites fleurs dans les champs et que les petits oiseaux ont ouvert leurs petits becs pour lancer vers le
5 ciel leurs petits cris…

LES QUATRE AUTRES. — J'me lève, pis j'prépare le déjeuner ! Des toasts, du café, du bacon, des œufs. J'ai d'la misère que l'yable à réveiller mon monde. Les enfants partent pour l'école, mon mari s'en va travailler.

10 **MARIE-ANGE BROUILLETTE.** — Pas le mien, y'est chômeur. Y reste couché.

LES CINQ FEMMES. — Là, là, j'travaille comme une enragée, jusqu'à midi. J'lave. Les robes, les jupes, les bas, les chandails, les pantalons, les canneçons, les brassières, tout y passe ! Pis
15 frotte, pis tord, pis refrotte, pis rince… C't'écœurant, j'ai les mains rouges, j't'écœurée. J'sacre. À midi, les enfants reviennent. Ça mange comme des cochons, ça revire la maison à l'envers, pis ça repart ! L'après-midi, j'étends. Ça, c'est mortel ! J'hais ça comme une bonne ! Après, j'prépare le souper. Le monde revi-
20 ennent, y'ont l'air bête, on se chicane ! Pis le soir, on regarde la télévision ! Mardi !

LISETTE DE COURVAL. — Dès que le soleil…

LES QUATRE AUTRES FEMMES. — J'me lève, pis j'prépare le déjeuner. Toujours la même maudite affaire ! Des toasts, du
25 café, des œufs, du bacon… J'réveille le monde, j'les mets dehors. Là, c'est le repassage. J'travaille, j'travaille, j'travaille. Midi arrive sans que je le voye venir pis les enfants sont en maudit parce que j'ai rien préparé pour le dîner. J'leu fais des sandwichs au béloné. J'travaille toute l'après-midi, le souper arrive, on se chicane.
30 Pis le soir, on regarde la télévision ! Mercredi ! C'est le jour du

---

Michel Tremblay (né en 1942)

Michel Tremblay fait, dès 1968, une entrée fracassante dans le monde littéraire avec la pièce de théâtre *Les belles-sœurs*. Elle présente sur scène 15 femmes de la classe ouvrière qui s'expriment en joual, une langue qu'on avait jusqu'alors voulu cacher. La pièce provoque une importante polémique sur l'utilisation du joual en littérature. Dans *Les belles-sœurs*, des femmes réunies dans une cuisine s'échangent avec vivacité des répliques drôles, pétillantes, cruelles ; elles expriment aussi leur détresse et leur aliénation dans des monologues qui ne sont entendus que du public. Tremblay devient rapidement l'auteur québécois le plus joué ici et à l'étranger. Dans ses pièces très nombreuses – *En pièces détachées* (1969), *Hosanna* (1973), *Bonjour, là, bonjour* (1974), *Sainte Carmen de la Main* (1976) –, il crée, un peu à la manière du romancier Honoré de Balzac, sa propre comédie humaine, avec des personnages récurrents qui proviennent principalement du Plateau Mont-Royal, mais aussi du centre-ville de Montréal – avec sa petite pègre, ses chanteuses adulées et ses travestis – et, plus marginalement, du chic quartier d'Outremont.

Avec *À toi, pour toujours, ta Marie-Lou*, Tremblay s'attaque à l'un de ses thèmes préférés : la famille dysfonctionnelle. Il présente, en tissant une trame qui bouleverse habilement la chronologie, un couple qui se déchire cruellement et ses deux filles qui tentent chacune à leur manière de se guérir d'une enfance malheureuse. L'aliénation du père, Léopold, affirmée avec une désolante franchise, est l'une des sources des malheurs de sa famille.

Première distribution des *Belles-sœurs* de Michel Tremblay.
La pièce *Les belles-sœurs* a provoqué une véritable révolution dans le théâtre québécois.

mégasinage ! J'marche toute la journée, j'me donne un tour de rein à porter des paquets gros comme ça, j'reviens à la maison crevée ! Y faut quand même que je fasse à manger. Quand le monde arrivent, j'ai l'air bête ! Mon mari sacre, les enfants
35 braillent… Pis le soir, on regarde la télévision ! Le jeudi pis le vendredi, c'est la même chose ! J'm'esquinte, j'me désâme, j'me tue pour ma gang de nonos ! Le samedi, j'ai les enfants dans les jambes par-dessus le marché ! Pis le soir, on regarde la télévision ! Le dimanche, on sort en famille : on va souper
40 chez la belle-mère en autobus. Y faut guetter les enfants toute la journée, endurer les farces plates du beau-père, pis manger la nourriture de la belle-mère qui est donc meilleure que la mienne au dire de tout le monde ! Pis le soir, on regarde la télévision ! Chus tannée de mener une maudite vie plate ! Une
45 maudite vie plate ! Une maudite vie plate ! Une maud…

Les belles-sœurs de Michel Tremblay se prêtent à plusieurs réinterprétations. Elles ont été adaptées avec succès sous forme de comédie musicale avec un livret de René Richard Cyr et une musique de Daniel Bélanger.

VERS LA DISSERTATION

1. Trouvez des répétitions dans les deux extraits et expliquez ce qu'elles laissent transparaître. Ces répétitions ont-elles le même rôle ?

2. Montrez comment Léopold exprime un dérisoire sentiment de puissance.

3. Comparez le ton comique du premier extrait au ton tragique du second. Comment l'utilisation du joual sert-elle à l'une et à l'autre de ces tonalités ?

■ Sujet de dissertation critique

Est-il juste de dire que les personnages des cinq femmes dans *Les belles-sœurs* et de Léopold dans *À toi, pour toujours, ta Marie-Lou*, vivent une existence aussi aliénante ?

À toi, pour toujours, ta Marie-Lou (1971)

LÉOPOLD. — Ça fait vingt-sept ans que j'travaille pour c't'écœurant-là… Pis j'ai rien que quarante-cinq ans… C'est quasiment drôle quand tu penses que t'as commencé à travailler pour un gars que t'haïs à l'âge de dix-huit ans pis que t'es t'encore
5 là, à le sarvir… Y'en reste encore trop des gars poignés comme moé… Aujourd'hui, les enfants s'instruisent, pis y vont peut-être s'arranger pour pas connaître c'que j'ai connu… Hostie ! Toute ta tabarnac de vie à faire la même tabarnac d'affaire en arrière de la même tabarnac de machine ! Toute ta vie ! T'es spécialisé, mon
10 p'tit gars ! Remercie le bon Dieu ! T'es pas journalier ! T'as une job steadée ! Le rêve de tous les hommes : la job steadée ! Y'a-tu quequ'chose de plus écœurant dans'vie qu'une job steadée ? Tu viens que t'es tellement spécialisé dans ta job steadée, que tu fais partie de ta tabarnac de machine ! C'est elle qui te mène !
15 C'est pus toé qui watches quand a va faire défaut, c'est elle qui watche quand tu vas y tourner le dos pour pouvoir te chier dans le dos, sacrement ! Ta machine, tu la connais tellement, tu la connais tellement, là, que c'est comme si t'étais v'nu au monde avec ! C'est comme si ç'avait été ta première bebelle, hostie ! Quand
20 j'me sus attelé à c'te ciboire de machine-là, j'étais quasiment encore un enfant ! Pis y me reste vingt ans à faire ! Mais dans vingt ans, j's'rai même pus un homme… J'ai déjà l'air d'une loque… Dans vingt ans, mon p'tit gars, c'est pas toé, c'est ta machine qui va prendre sa retraite ! Chus spécialisé ! Chus spécialisé !

[…]

25 **LÉOPOLD.** — J'm'installe devant la table vide… J'demande au waiter d'la remplir, pis… j'la vide ! Quand j'ai vidé la table comme faut… Quand j'ai vidé la table comme faut, y'a une espèce de brume épaisse qui entoure ma table, pis j'vois pus les autres… Chus tu-seul, dans'taverne ! Pis chus ben ! J'entends pus
30 rien… J'vois pus rien… Chus tu-seul dans'brume… La paix ! J'me ferme les yeux… Toute tourne… C'est le fun… J'crie : « Waiter ! », pis quand j'rouvre les yeux… la table est pleine ! J'ai juste un mot à dire, juste un mot, pis la table se remplit ! Mais j'la vide pas ! Jamais la deuxième fois ! Jamais ! J'y touche même pas… J'la
35 regarde ! Est là, devant moé, est pleine de bières pleines, pis est à moé ! À moé tu-seul ! C'est ma table, pis ma bière, pis si j'veux, j'y touche pas, pis si j'veux… C'est ça, être riche !

[…]

LÉOPOLD. — Pis si j'veux, j'peux donner un coup de pied sur la table, pis toute renverser la bière ! Parce que c't'à moé, que
40 je l'ai payée, pis que j'peux en faire c'que j'veux ! Pis la plupart du temps, c'est ça que je fais… J'lève la jambe, j'pose mon pied sur le bord de la table, pis…

Le misérabilisme

Le misérabilisme n'est pas vraiment un courant littéraire. D'ailleurs, peu d'auteurs considèrent leurs propres œuvres comme misérabilistes, et les critiques littéraires utilisent le terme de façon ponctuelle plutôt que de l'associer à des auteurs précis. Pourtant, pendant les années 1970, beaucoup d'auteurs, au Québec et ailleurs dans le monde, ont écrit des œuvres misérabilistes, c'est-à-dire qui se penchent sur la misère humaine. Les œuvres misérabilistes présentent plusieurs caractéristiques communes :

- **Elles décrivent des personnages situés au bas de l'échelle sociale :** des gens désargentés, sans importance, sans instruction.

- **Elles adoptent le réalisme le plus cru.** Les personnages vivent dans un quotidien médiocre, décrit avec une précision malsaine.

- **Elles mélangent l'humour noir et le tragique.** L'absence de desseins élevés des personnages, leur bêtise, leur cruauté font rire (ou parfois répugnent). Mais le sort de ces personnages, broyés par un monde plus fort qu'eux, est éminemment tragique.

- **Les personnages s'expriment dans une langue populaire** qui reproduit fidèlement les particularités langagières de leur milieu et les dialectes locaux. Au Québec, par exemple, on utilise systématiquement le joual.

- **Les auteurs ne s'attendrissent pas sur le sort de leurs personnages.** Les auteurs manifestent généralement à leur égard un mélange de curiosité sociologique et de voyeurisme ; parfois, ils cherchent à dénoncer indirectement leur condition.

Très souvent, le misérabilisme provoque de fortes réactions parmi le public, qui se demande pourquoi les auteurs choisissent de montrer une pareille dégradation, et qui s'interroge sur leurs intentions. De plus, il est parfois difficile de savoir s'il faut rire ou s'émouvoir du sort des personnages, ce qui crée un malaise. Malgré ces particularités, les œuvres misérabilistes ont été très populaires dans les années 1970, non seulement au Québec, mais aussi dans certains pays européens.

L'écrivain français Émile Zola (1840-1902) est souvent considéré comme le premier misérabiliste. Dans quelques-uns de ses romans, très sombres et très crus, comme *L'assommoir* et *La terre*, l'auteur transgresse les limites de la pudeur : il décrit une misère extrême et s'acharne sans pitié contre ses personnages.

> Très souvent, le misérabilisme provoque de fortes réactions parmi le public, qui se demande pourquoi les auteurs choisissent de montrer une pareille dégradation.

Au cinéma, plusieurs comédies italiennes peuvent être rattachées au misérabilisme, dont la plus remarquable du genre est sans doute un film d'Ettore Scola au titre très révélateur, *Affreux, sales et méchants* (1976). On trouve aussi des œuvres du même genre dans le cinéma allemand, notamment *Fox et ses amis* (1974) de Rainer Fassbinder.

Au Québec, les œuvres misérabilistes sont particulièrement nombreuses. En même temps que les Québécois accèdent à une meilleure éducation, nos auteurs tournent leur regard vers les classes populaires, qu'ils abordent avec une certaine distance. Ils éprouvent une fascination pour le « quétaine », le *cheap*, pour les pires produits de la culture populaire qui s'est développée avec vigueur dans une société laissée longtemps sans élites.

La totalité du théâtre de Michel Tremblay des années 1970 pourrait être associée à cette tendance. L'auteur le plus souvent rattaché par la critique au misérabilisme est sans aucun doute Jean Barbeau, qui

présente une étonnante galerie de ratés, de minables, de perdants, de simples d'esprit, de machos et de mauviettes. Ses pièces *Citrouille* (1971-1974), *Goglu* (1971), *Une brosse* (1978) et *Le grand poucet* (1978) offrent un portrait désolant de l'homme québécois. Le cinéma n'est pas en reste : les films *La maudite galette* (1972) de Denys Arcand, *La mort d'un bûcheron* (1973) de Gilles Carle, et *L'eau chaude, l'eau frette* (1976) d'André Forcier, entre autres, mettent eux aussi en scène des personnages médiocres et risibles.

Typique du cinéma misérabiliste québécois, *La maudite galette* de Denys Arcand met en scène des personnages pauvres, abrutis et cupides prêts à tout pour s'emparer d'un magot.

La nef des sorcières (1976)

Nicole Brossard (née en 1943)

Nicole Brossard est considérée comme l'une des figures les plus en vue du mouvement féministe québécois. Poète et romancière, représentante incontournable du courant formaliste de la poésie québécoise, elle fait une brève incursion dans le théâtre avec « L'écrivain », l'un des monologues de *La nef des sorcières*. Son personnage de femme écrivain (le terme « écrivaine » n'est pas encore d'usage à l'époque) exprime son vécu dans un monologue au ton spontané, qui passe avec désinvolture d'un sujet à l'autre.

La nef des sorcières crée l'évènement en 1976 : présentée au Théâtre du Nouveau Monde, le plus important théâtre à Montréal, la pièce écrite par un collectif de femmes ne montre que des femmes et est mise en scène par une femme, Luce Guilbeault. Les six personnages représentent chacun un type de femme : l'actrice, la ménopausée, l'ouvrière, la prostituée, la lesbienne et l'écrivain. Leurs monologues superposés, sans véritables liens, ont comme point commun d'exprimer dans sa variété la condition des femmes à une époque où elles ressentent encore vivement la domination des hommes.

La nef des sorcières, présentée au TNM, un théâtre réputé, a provoqué un choc par son propos franchement féministe.

L'écrivain

Je n'ai jamais aimé parler de moi. Comme si j'avais toujours eu l'impression qu'il n'y avait rien de spécial à raconter sur
5 ma vie privée. Et pourtant c'est celle-là qui compte. Comment on naît, comment on joue, comment on jouit, comment on souffre, comment
10 on meurt. Les hommes sont si chauds en public et leur corps si frigide au lit qu'ils n'ont de privé que leur propriété.

Des fois j'ai l'impression
15 d'avoir flotté à côté de moi depuis mon adolescence. Flotté dans une vie privée bien en règle. D'une certaine manière, parce que j'ai tou-
20 jours fait à ma tête. À ma tête d'homme justement. Une tête d'homme greffée sur un corps de femme. Oui, j'ai été efficace, oui, j'ai été produc-
25 tive. Devant les pouvoirs, j'ai toujours enragé comme un fils maudit. J'avais la révolution de mon bord. J'enrageais comme un homme de gauche. Mes
30 crises, elles étaient d'octobre ou d'automne. Mais on devient femme quand on fait de la prison. On braille, on crie, on cogne, on s'énerve, on se pète
35 la tête sur les murs, on se fait

des accroires. On se fait des montagnes. C'est drôle comme ça rend hystérique les empêchements.

Certains après-midi quand
40 j'aimerais être seule et que Julie tourne en rond autour de moi, je deviens maboule et marabout. J'appelle ça mon mal maternel. Ça fait drôle d'écrire maternel au
45 masculin. Seule, je parviens à me débrouiller l'esprit. Mais à deux, je deviens isolée.

La femme qui écrit jongle sur une chaise de cuisine. Confrontant les
50 sentences du père avec le silence de sa mère et de ses sœurs.

C'est dans la cuisine que j'écris. Café, bruits de la rue. Un arbre que j'aperçois par la fenêtre. Je ne
55 lave plus mon linge sale en famille. C'est public. Faut que ça se voie, que ça se sente, que ça se sache ce qui salit le plus, ce qui déteint, ce qui est cousu de fils blancs.

60 Femmes fatales. Nous sommes sûrement fatales à quelqu'un, à quelque chose pour subir le mauvais sort. Oui, je veux être fatale à l'amour emmuré. Fatale à la famille,
65 fatale aux polices d'assurances, fatale à nos gardes du corps. Je suis entourée de gardes du corps. Protégée, empêchée. Le corps, mon corps. Ceci est mon corps.

VERS LA DISSERTATION

1. Que nous apprend sur sa vie cette femme qui n'aime pas parler d'elle ?

2. Quels reproches l'auteure adresse-t-elle aux hommes ?

3. Que révèle l'auteure sur la condition des femmes ?

4. Les critiques que l'auteure adresse aux hommes sont-elles encore valables aujourd'hui ?

■ Sujet de dissertation critique

Ce texte jette un regard négatif tant sur les hommes que sur les femmes. Discutez cette affirmation.

Le féminisme

On associe souvent le féminisme avec la contre-culture en raison de leurs points communs : leur opposition à l'***establishment*** – c'est-à-dire le pouvoir officiel sous toutes ses formes : gouvernements, grandes entreprises, hiérarchie religieuse, etc. – et leur recours à l'art pour faire connaître leurs revendications. Mais les féministes s'opposent plus spécifiquement à la domination masculine et au patriarcat, qui sévissent jusque dans le milieu de la contre-culture.

Certains observateurs considèrent le féminisme comme une branche de la contre-culture. Pourtant, le féminisme a une histoire beaucoup plus ancienne et il s'impose graduellement, à l'occasion d'évènements comme l'obtention du droit de vote pour les femmes et la publication en 1949 de l'essai de Simone de Beauvoir *Le deuxième sexe*, dans lequel elle affirme : « On ne naît pas femme, on le devient. » Dans les années 1970, le mouvement est très actif et bien organisé ; les femmes considèrent alors la littérature comme un moyen privilégié pour exprimer leurs revendications.

Les principales revendications des féministes sont les suivantes :

- **Elles veulent obtenir l'égalité entre les sexes.** L'égalité entre les hommes et les femmes doit être effective tant au travail, par des conditions d'emploi et des salaires équivalents, que dans la famille, par un partage équilibré des tâches domestiques. Les féministes envisagent une nouvelle forme de relations avec les hommes, dégagées de tout rapport de domination.

- **Elles cherchent à exprimer une expérience et un vécu proprement féminins.** Plus que jamais, les femmes sentent le besoin de se regrouper, de former leurs propres institutions, de trouver leurs propres canaux pour leurs revendications. Elles se donnent des lieux d'expression (maisons d'édition, revues, théâtres) et créent des œuvres entièrement bâties sur leur parole. Cette attitude parfois exclusive demeure pour elles un moyen de s'affranchir et de s'exprimer en toute liberté.

La littérature féministe québécoise fait preuve d'un remarquable dynamisme vers la fin de la décennie. Les femmes investissent plus particulièrement le théâtre, comme le montrent le collectif *La nef des sorcières* (1976) ainsi que *Les fées ont soif* (1978) de Denise Boucher. Ces deux pièces font l'évènement lorsqu'elles sont présentées au Théâtre du Nouveau Monde, et la pièce de Boucher subit même la censure pour blasphème contre la Vierge Marie. Le Théâtre expérimental des femmes joint la parole à l'expérimentation. La

> Les femmes et les hommes d'aujourd'hui sont redevables du combat des féministes, dont les luttes difficiles ont transformé de façon très favorable l'organisation de la société québécoise.

comédienne Pol Pelletier, l'une des fondatrices de ce théâtre, a raconté cette aventure dans un superbe monologue théâtral, *Joie* (1992).

En poésie, Nicole Brossard devient la figure de proue d'un courant représenté aussi par France Théoret, Louise Cotnoir et Madeleine Gagnon, entre autres écrivaines. Suivent l'essai et le roman féministes, dont l'effervescence se poursuit au début des années 1980. Parmi ces œuvres se démarquent *L'Euguélionne* (1979), œuvre hybride de Louky Bersianik, l'essai *L'échappée des discours de l'œil* (1981) de Madeleine Ouellette-Michalska, ainsi que les romans *La vie en prose* (1980) de Yolande Villemaire et *Maryse* (1983) de Francine Noël.

Francine Larivée, *La chambre nuptiale,* 1976.
Cette œuvre, ambitieuse et de grande dimension, propose une réflexion féministe sur les rôles de l'homme et de la femme dans la société.

Le discours féministe de cette époque peut paraître par moments emporté et peu nuancé. Mais les femmes et les hommes d'aujourd'hui sont redevables du combat de ces pionnières, dont les luttes difficiles ont grandement amélioré l'organisation de la société québécoise.

Nègres blancs d'Amérique (1968)

Premier extrait

Au Québec, les Canadiens français ne connaissent pas ce racisme irrationnel qui a causé tant de tort aux travailleurs blancs et aux travailleurs noirs des États-Unis. Ils n'ont aucun mérite à cela, puisqu'il n'y a pas, au Québec, de problème noir. La lutte de libération entreprise par les Noirs américains
5 n'en suscite pas moins un intérêt croissant parmi la population canadienne-française, car les travailleurs du Québec ont conscience de leur condition de nègres, d'exploités, de citoyens de seconde classe. Ne sont-ils pas, depuis l'établissement de la Nouvelle-
10 France, au XVIIe siècle, les valets des impérialistes, les «nègres blancs d'Amérique»? N'ont-ils pas, tout comme les Noirs américains, été importés pour servir de main-d'œuvre à bon marché dans le Nouveau Monde? Ce qui les différencie: uniquement la couleur
15 de la peau et le continent d'origine. Après trois siècles, leur condition est demeurée la même. Ils constituent toujours un réservoir de main-d'œuvre à bon marché que les détenteurs de capitaux ont toute liberté de faire travailler ou de réduire au chômage, au gré
20 de leurs intérêts financiers, qu'ils ont toute liberté de mal payer, de maltraiter et de fouler aux pieds, qu'ils ont toute liberté, selon la loi, de faire matraquer par la police et emprisonner par les juges «dans l'intérêt public», quand leurs profits semblent en danger.

Second extrait

Entre-temps, Longueuil-Annexe avait cessé d'être Longueuil-Annexe. Notre quartier faisait partie d'une grande ville que le gouvernement avait décidé de nommer Jacques-Cartier. Un premier maire et
5 quelques échevins, tous des ignorants de bonne volonté, avaient été élus. Ils ne tarderaient pas à être éliminés ou assimilés par la pègre. Le député du comté multipliait les promesses, mais le gouvernement ne faisait pas grand-chose. Chaque printemps, immédiatement après la fonte des neiges, une armée de bull-
10 dozers traçait des rues de terre entre les cabanes. On déplaçait les taudis, reculant les uns, avançant les autres, dans un effort dérisoire d'urbanisme.

Partout, sur des milles de distance, des rues de boue, remplies de flaques d'eau. Quand il ne pleuvait pas trop souvent, le soleil réussissait à pomper ces flaques et à sécher cette boue. Des camions venaient déverser des tonnes de gravier dans les
15 rues. Les bulldozers étendaient ce gravier à la hâte. À la prochaine pluie, le gravier s'enfoncerait dans la boue, les flaques réapparaîtraient, tout serait à recommencer.

Pierre Vallières (1938-1998)

Arrêté à New York à la suite d'une manifestation du FLQ, Pierre Vallières écrit en prison l'essai *Nègres blancs d'Amérique*, un livre poignant dans lequel il exprime ses idées politiques et raconte avec émotion sa vie difficile. Né dans une famille pauvre de Montréal, Vallières devient un homme assoiffé de justice et de vérité. Son apprentissage intellectuel est exigeant, et il se sent attiré par une vocation religieuse avant de passer à la foi révolutionnaire. *Nègres blancs d'Amérique*, inspiré des théories marxistes, exerce une grande influence chez les militants les plus à gauche de la cause souverainiste.

Selon Pierre Vallières, le sort des Québécois se compare à celui des «nègres», c'est-à-dire des êtres considérés comme des sous-hommes, des inférieurs. Ainsi les Québécois sont-ils des «nègres blancs», méprisés, incompris, qui doivent donc travailler à leur libération légitime. Si l'essai paraît aujourd'hui imprégné d'une rhétorique révolutionnaire qui peut paraître simpliste, il touche par son contenu autobiographique et par son écriture emportée par un grand souffle. L'auteur donne, par exemple, une description poignante de Ville Jacques-Cartier pendant la Grande Noirceur, véritable tiers-monde à deux pas de Montréal.

Les jours de sécheresse, en juillet et en août, la poussière remplissait l'air au passage des automobiles et des camions. Certaines familles se procuraient quelques gallons d'huile que l'on répandait sur les rues et qui empêchait la poussière
20 d'empoisonner l'atmosphère au passage des automobiles. Mais cela aussi, c'était souvent à recommencer. Et puis, même sans poussière, les odeurs qui se dégageaient des fossés et des toilettes extérieures (communément appelées bécosses) demeuraient aussi tenaces que la pauvreté.

Quand, faute d'huile épandue dans les rues, la poussière ne cessait de vibrer dans
25 l'air, l'espace entre les cambuses noires ou multicolores devenait jaune ou gris, selon que le ciel, au-dessus de nous, était bleu ou assombri de nuages.

Les jours de grandes pluies, tout devenait noir. Les cabanes aplaties, honteuses, prenaient un aspect sinistre et tourmenté. Les gens marchaient péniblement dans les rues transformées en rivières de boue. Les quelques arbres chétifs, que chaque
30 famille avait tenu à préserver sur son «lot», courbaient leurs branches vers la terre mouillée. On aurait dit qu'ils pleuraient d'être les témoins impuissants et ridicules de cette misère qui voulait obstinément se persuader que l'avenir serait meilleur.

Ces jours de pluie, si je n'étais pas en train de dormir en classe, je demeurais de longues heures, dans le portique de notre cambuse, à contempler, debout,
35 les figures que l'eau traçait sur les vitres. Les taudis voisins, les rues, les arbres maigres m'apparaissaient transformés en un paysage de conte et j'essayais d'interposer, entre la réalité et moi, l'un de ces rêves que mon père, en fin de semaine, parfois me racontait, son regard doux fixé sur l'horizon jaune, sans limites, qui paraissait recouvrir d'autres mondes, moins cruels que celui-ci pour
40 les hommes, pour les ouvriers.

Mais plus je vieillissais (car les enfants pauvres vieillissent plus rapidement qu'ils ne grandissent), plus mes rêves ressemblaient à ceux d'un condamné à mort que l'espoir refuse de quitter...

VERS LA DISSERTATION

1. Comparez le premier extrait de *Nègres blancs d'Amérique* au poème « Speak White » de Michelle Lalonde (*p. 145-146*). Montrez comment l'image du Québécois comparé à un Noir américain est développée dans les deux textes.

2. Relevez le champ lexical de la pauvreté dans le second extrait.

3. Quelle est l'attitude de l'enfant devant cette pauvreté ?

4. Décrivez les effets de la pluie et du soleil sur les habitants de Ville Jacques-Cartier. En quoi la pluie et ses effets sont-ils contradictoires ?

5. De quelle façon cet extrait reflète-t-il l'atmosphère de la littérature des années 1960 ?

■ Sujet de dissertation critique

Est-il vrai de dire que, dans le second extrait, l'auteur ne s'adonne pas à la critique sociale ?

À l'écoute de la chanson québécoise

La chanson québécoise naît véritablement avec Félix Leclerc. Bien sûr, il existait auparavant une chanson bien vivante, mais elle se rattachait davantage au folklore qu'à la création. Félix Leclerc fait donc figure de pionnier avec ses premières compositions, mais il doit les enregistrer à Paris, parce que son propre pays n'est alors pas prêt à accueillir un tel artiste. Il est de retour au Québec vers la fin des années 1950, après avoir été consacré en France. Dès le début des années 1960, la chanson québécoise connaît une véritable éclosion, liée à la découverte de la parole qui, à la même époque, transforme la littérature. La chanson d'ici remporte depuis un succès constant auprès d'un public étendu, tant au Québec que dans les autres pays francophones.

L'accompagnement musical des chansons de Félix Leclerc est réduit: celui-ci crée un monde enchanteur avec sa seule guitare et sa voix profonde, qui soutiennent une poésie sincère, d'une sobriété grande et parfois naïve. Raymond Lévesque, qui a lui aussi tenté sa chance à Paris, privilégie comme Leclerc un accompagnement limité – accordéon, piano, guitare... – et des mélodies toutes simples pour servir ses textes légers, humoristiques et politiques.

Gilles Vigneault, très attaché à son Natashquan natal, écrit des chansons influencées par la musique traditionnelle. Paradoxalement, il favorise des mélodies aux tournures parfois surprenantes et des arrangements musicaux complexes, et il choisit d'accompagner ses paroles par un orchestre élargi. Cette tendance, typique de la grande chanson française – par exemple celle de Jacques Brel, Léo Ferré et Jean Ferrat –, devient prédominante au cours des années 1960. Jean-Pierre Ferland, Claude Léveillée, Claude Gauthier, Pauline Julien et Monique Leyrac s'adonnent à un répertoire dont les textes très soignés, souvent déclamés, théâtraux, sont accompagnés d'orchestres aux consonances symphoniques et de jazz.

C'est avec Robert Charlebois que la chanson québécoise adopte le son rock. Son disque *Robert Charlebois et Louise Forestier*, qui comprend la chanson « Lindberg », est une véritable révolution dans la chanson d'ici. Le chanteur libère le rock québécois de l'imitation obligée des groupes anglo-saxons et propose des textes drôles et absurdes écrits dans la langue des Québécois. Se développe alors au Québec une musique qui adapte à sa façon les modèles anglo-saxons et s'inscrit tant dans le courant rock, incarné par des groupes comme Offenbach et Octobre, que dans une tendance *folk*, dont les groupes Harmonium et Beau Dommage deviennent les représentants les plus appréciés.

Gilles Vigneault, Félix Leclerc et Robert Charlebois, dans le spectacle *J'ai vu le loup, le renard, le lion*.

Ce spectacle, donné à Québec en 1974 à l'occasion de la Superfrancofête, réunit sur une même scène les trois chanteurs les plus appréciés au Québec dans les années 1970.

Correspondance

Félix Leclerc (1914-1988)

Dès ses débuts, Félix Leclerc compose des chansons superbes qui sont, par la suite, sans cesse reprises et deviennent des classiques de la chanson québécoise, comme « Le p'tit bonheur », « Moi, mes souliers », « L'hymne au printemps », « Le train du Nord ». Son langage sans fioriture, sa poésie rude et familière en font un chanteur auquel les Québécois s'identifient profondément, un mage de la chanson très estimé, qu'on appelle familièrement « Félix ». Dans « Bozo », Félix Leclerc décrit avec tendresse et magie un idiot de village.

Raymond Lévesque (né en 1928)

Raymond Lévesque est surtout connu pour avoir composé l'une des plus belles chansons québécoises : « Quand les hommes vivront d'amour ». Ce grand succès laisse cependant dans l'ombre une œuvre abondante et très personnelle. Dans ses chansons, Raymond Lévesque réfléchit à haute voix, raconte des histoires simples sur un ton monocorde et moqueur. Il mêle habilement poésie et politique, sans jamais trop appuyer son propos. « Bozo-les-culottes », inspiré des actions terroristes qui, à l'époque, commencent à bouleverser le Québec, présente un Bozo très différent de celui de Félix Leclerc.

Bozo (1951)

Dans un marais de joncs mauvais
Y'avait
Un vieux château
Aux longs rideaux
5 Dans l'eau

Dans le château y'avait Bozo
Le fils du matelot
Maître céans
De ce palais branlant

10 Par le hublot de son château
Bozo
Voyait entrer ses invités
Poudrés

De vieilles rosses
15 Traînant carrosses
Et la fée Carabosse
Tous y étaient
Moins celle qu'il voulait...

Vous devinez que cette histoire
20 Est triste à boire
Puisque Bozo
Le fou du lieu
Est amoureux

Celle qu'il aime
25 N'est pas venue

C'est tout entendu
Comprenez ça
Elle n'existe pas...

Ni le château
30 Aux longs rideaux
Dans l'eau
Ni musiciens
Vêtus de lin
Très fin

35 Y'a que Bozo
Vêtu de peau
Le fils du matelot
Qui joue dans l'eau
Avec un vieux radeau

40 Si vous passez
Par ce pays
La nuit
Y'a un fanal
Comme un signal
45 De bal

Dansez, chantez
Bras enlacés
Afin de consoler
Pauvre Bozo
50 Pleurant sur son radeau...

Bozo-les-culottes (1967)

Y flottait dans son pantalon
De là lui venait son surnom
Bozo-les-culottes
Y'avait qu'une cinquième année
5 Y savait à peine compter
Bozo-les-culottes
Comme il baragouinait l'anglais
Comme gardien de nuit il travaillait

Bozo-les-culottes
10 Même s'il était un peu dingue
Y'avait compris qu'faut être bilingue
Bozo-les-culottes

Un jour quelqu'un lui avait dit
Qu'on l'exploitait dans son pays
15 Bozo-les-culottes
Que les Anglais avaient les bonnes places
Et qu'ils lui riaient en pleine face
Bozo-les-culottes
Il a pas cherché à connaître
20 Le vrai fond de toute cette affaire
Bozo-les-culottes
Si son élite, si son clergé
Depuis toujours l'avaient trompé
Bozo-les-culottes

25 Y'a volé de la dynamite
Puis dans un quartier plein d'hypocrites
Bozo-les-culottes
Y'a fait sauter un monument
À la mémoire des conquérants
30 Bozo-les-culottes
Tout le pays s'est réveillé
Et puis la police l'a pogné
Bozo-les-culottes
On l'a vite entré en dedans
35 On l'a oublié depuis ce temps
Bozo-les-culottes

Mais depuis que tu t'es fâché
Dans le pays ça a ben changé
Bozo-les-culottes
40 Nos politiciens à gogo
Font les braves, font les farauds
Bozo-les-culottes
Ils réclament enfin nos droits
Et puis les autres ne refusent pas
45 Bozo-les-culottes
De peur qu'il y en ait d'autres comme toé
Qui aient le goût de recommencer
Bozo-les-culottes

Quand tu sortiras de prison
50 Personne voudra savoir ton nom
Bozo-les-culottes
Quand on est d'la race des pionniers
On est fait pour être oublié
Bozo-les-culottes

Paul Verlaine (1844-1896)

Le poète symboliste français Paul Verlaine a lui aussi traité à sa manière le thème de l'idiot incompris et malheureux. Il s'est inspiré pour ce poème de Kaspar Hauser, un enfant élevé dans un réduit, sans contacts humains, et retrouvé mystérieusement sur une place publique.

Sagesse (1881)

Gaspard Hauser chante

Je suis venu, calme orphelin,
Riche de mes seuls yeux tranquilles,
Vers les hommes des grandes villes :
Ils ne m'ont pas trouvé malin.

5 À vingt ans un trouble nouveau
Sous le nom d'amoureuses flammes
M'a fait trouver belles les femmes :
Elles ne m'ont pas trouvé beau.

Bien que sans patrie et sans roi
10 Et très brave ne l'étant guère,
J'ai voulu mourir à la guerre :
La mort n'a pas voulu de moi.

Suis-je né trop tôt ou trop tard ?
Qu'est-ce que je fais en ce monde ?
15 Ô vous tous, ma peine est profonde :
Priez pour le pauvre Gaspard !

Antoine Watteau, *Pierrot, dit autrefois Gilles* (détail), v. 1718.

Bien avant Félix Leclerc, au XVIIIe siècle, le peintre Watteau a su peindre avec tendresse le chagrin de l'imbécile.

VERS LA DISSERTATION

1. Dans « Bozo » de Félix Leclerc, montrez l'opposition entre le rêve et la réalité. À quels champs lexicaux cette opposition correspond-elle ?

2. Montrez que « Bozo-les-culottes » peut être rattaché à la poésie du pays.

3. Écoutez les deux chansons et comparez leur accompagnement musical.

4. Montrez que les personnages des trois textes sont des idiots malheureux. En quoi Bozo-les-culottes se distingue-t-il des deux autres ?

5. Lequel des « Bozo » illustre le thème de la révolte ? Justifiez votre réponse.

6. Est-il approprié de comparer le Bozo de Félix Leclerc au Gaspard de Verlaine ?

7. Quelles sortes de rimes et de strophes trouve-t-on dans les trois textes ?

■ Sujet de dissertation critique

Les « Bozo » de Félix Leclerc et de Raymond Lévesque sont-ils opposés ?

Les gens de mon pays (1964)

Les gens de mon pays
Ce sont gens de paroles
Et gens de causerie
Qui parlent pour s'entendre
5 Et parlent pour parler
Il faut les écouter
C'est parfois vérité
Et c'est parfois mensonge
Mais la plupart du temps
10 C'est le bonheur qui dit
Comme il faudra de temps
Pour saisir le bonheur
À travers la misère
Emmaillée au plaisir
15 Tant d'en rêver tout haut
Que d'en parler à l'aise

Parlant de mon pays
Je vous entends parler
Et j'en ai danse aux pieds
20 Et musique aux oreilles
Et du loin au plus loin
De ce neigeux désert
Où vous vous entêtez
À jeter vos villages
25 Je vous répéterai
Vos parlers et vos dires
Vos propos et parlures
Jusqu'à perdre mon nom
Ô voix tant écoutées
30 Pour qu'il ne reste plus
De moi-même qu'un peu
De votre écho sonore

Je vous entends jaser
Sur les perrons des portes
35 Et de chaque côté
Des cléons des clôtures[1]
Je vous entends chanter
Dans ma demi-saison
Votre trop court été
40 Et mon hiver si longue
Je vous entends rêver
Dans les soirs de doux temps
Il est question de vents
De vente et de gréements
45 De labours à finir

D'espoirs et de récoltes
D'amour et du voisin
Qui veut marier sa fille

Voix noires et voix durcies
50 D'écorce et de cordage
Voix des pays plain-chant
Et voix des amoureux
Douces voix attendries
Des amours de village
55 Voix des beaux airs anciens
Dont on s'ennuie en ville
Piailleries d'écoles
Et palabres et sparages
Magasin général
60 Et restaurant du coin
Les ponts les quais les gares
Tous vos crimes maritimes
Atteignent ma fenêtre
Et m'arrachent l'oreille

65 Est-ce vous que j'appelle
Ou vous qui m'appelez
Langage de mon père
Et patois dix-septième
Vous me faites voyage
70 Mal et mélancolie
Vous me faites plaisir
Et sagesse et folie
Il n'est coin de la terre
Où je ne vous entende
75 Il n'est coin de ma vie
À l'abri de vos bruits
Il n'est chanson de moi
Qui ne soit toute faite
Avec vos mots vos pas
80 Avec votre musique

Je vous entends rêver
Douce comme rivière
Je vous entends claquer
Comme voile du large
85 Je vous entends gronder
Comme chute en montagne
Je vous entends rouler
Comme baril de poudre
Je vous entends monter

**Gilles Vigneault
(né en 1928)**

Gilles Vigneault devient rapidement le plus apprécié des chantres du pays. Il met de l'avant tant la beauté du pays (dans les chansons «Mon pays», «Pendant que», «J'ai pour toi un lac») que la pétulance de ses habitants, qu'il représente souvent par des personnages colorés et sympathiques («Jos Montferrand», «Jack Monoloy», «Gros Pierre»). Peu importe le sujet qu'il aborde, Gilles Vigneault le fait vivre dans une langue exaltée, très imagée, remarquablement évocatrice. Sa vision du Québec, enthousiaste et attendrie sans jamais toutefois tomber dans la naïveté, est particulièrement évidente dans «Les gens de mon pays», un hymne superbe à ses concitoyens.

90 Comme grain de quatre heures
Je vous entends cogner
Comme mer en falaise
Je vous entends passer
Comme glace en débâcle
95 Je vous entends demain
Parler de liberté

---

1. Redondance : un cléon est une clôture en bois ou en métal.

VERS LA DISSERTATION

1. Selon le poète, quelles sont les plus belles qualités des gens de son pays ?

2. Comment qualifie-t-il les paroles des gens de son pays ?

3. Décrivez le lien entre les gens du pays et les paysages auxquels ils appartiennent.

4. Écoutez Gilles Vigneault chanter « Les gens de mon pays ». Montrez que le dernier couplet forme un paroxysme. Montrez que ce paroxysme est accentué par la musique.

5. Cette chanson est-elle rattachée à la poésie du pays ?

■ **Sujet de dissertation critique**

Est-il juste de dire que le poète idéalise les gens de son pays ?

Robert Charlebois (né en 1944)

Robert Charlebois déclenche une véritable révolution dans la chanson québécoise. Les mots de ce chanteur ne cherchent pas à transcender le langage de son peuple : tirés d'une langue québécoise désormais sans complexes et fière de ses particularités, ils sont ceux d'un jeune rebelle qui ne craint pas d'exprimer la dérision et l'absurde. À ces paroles correspond une musique rock nord-américaine, énergique et provocante. Les chansons de Charlebois s'intègrent à l'univers de la contre-culture, dont le lieu de référence est une Californie qui fait beaucoup rêver.

VERS LA DISSERTATION

1. Quelles sont les couleurs mises en évidence dans cette chanson ? Quel effet produisent-elles ?

2. Montrez que la Californie est idéalisée. Comment le poète passe-t-il du rêve à la réalité ?

3. Après avoir écouté la version originale de la chanson, montrez que la musique vient ajouter une touche « psychédélique » (semblable aux effets de drogues hallucinogènes). Tenez compte des effets de voix de la chanteuse Louise Forestier.

■ Sujet de dissertation critique

Est-il exact de dire que le poète décrit dans cette chanson une réalité hallucinée ?

California (1968)

La charrue passe dans le ciel
Et je descends lentement
L'escalier rouge et blanc de l'avion
Qui m'emporte chaque nuit
5 En Californie
En Californie
In California

Est-ce la monnaie du soleil
Le jaune des taxis ou celui des oranges
10 Qui s'éparpille dans la nuit
Pour illuminer la vie
En Californie
En Californie
In California

15 Un moteur gris dans le brouillard
Me pousse au fond de nulle part entre les anges dans le soir
Des pintes de lait tout en or
Se stérilisent dans les phares
En Californie
20 En Californie
In California

Les petits noirs de 10 ans et demi
Jouent de la trompette électrique mieux que mes amis
Tout le long du long Pacifique
25 Leurs guitares mauves se balancent
En Californie
En Californie
In California

Je t'ai cherché à mon réveil
30 Où étais-tu il ventait fort dans mes oreilles
J'achèterai le camion blanc
Qui nous emportera au printemps
En Californie
En Californie
35 In California

Montréal[1] (1974)

C'pas facile d'être amoureux à Montréal
Le ciel est bas, la terre est grise, le fleuve est sale
Le Mont-Royal est mal à l'aise, y a l'air de trop
Westmount le tient serré dans un étau

5 Y a des quartiers où le monde veille sur le perron
Y a un bonhomme qui en a fait une belle chanson
Dans ces bouts-là les jeunes se tiennent au fond des cours
Y prennent un coke, y prennent une bière, y font l'amour

Où j'suis né y avait un arbre à tous les vingt pieds
10 Ça fait vingt ans depuis c'temps-là, y'es ont coupés
Ma première blonde, j'l'ai rencontrée dans un hangar
On jouait à guerre, ell'était espionne, moi j'étais mort

Assis su'é marches de l'escalier du restaurant
J'ai dépensé une bonne partie de mes quinze ans
15 Avec mon chum Ti-Gilles, avec le grand Paquette
On agaçait les filles, puis on s'appelait tapettes

Quand j'tais jeune, j'ai eu d'la peine, j'ai ben braillé
J'ai cru mourir quand ma Mireille, a m'a laissé
A m'avait dit qu'un jour peut-être a m'appellerait
20 Quand ses parents seraient partis pour le chalet

Pis c't'arrivé, y fallait ben qu'un jour ça vienne
Un soir de pluie au coin d'Beaubien pis d'la neuvième
Des fois j'y r'pense, je r'vois la fille, pis là j'me dis
C'était sans doute le plus beau jour de toute ma vie

25 Aujourd'hui, à Montréal, j'suis en amour
J't'aime comme un fou pis j'vais t'aimer, t'aimer toujours
J'te conte tout ça, écoute-moi ben pendant qu'ça m'pogne
Assis au pied des arbres du bois d'Boulogne[2]

---

1. Paroles de Pierre Huet.   2. Grand parc de Paris.

Beau Dommage

Beau Dommage connaît, de 1974 à 1978, une carrière glorieuse. Le groupe plaît par ses mélodies simples et accrocheuses, par sa musique *folk* sans prétention, par les paroles de ses chansons qui reflètent avec tendresse le vécu des jeunes dans la grande ville de Montréal. Le groupe se sépare en 1978, mais ses chansons survivent et restent très populaires, alors que quelques-uns des anciens membres du groupe se lancent dans des carrières solos, entre autres Michel Rivard et Marie-Michèle Desrosiers.

Johanne Cullen, *Quiétude à Montréal*, 2000.

VERS LA DISSERTATION

1. Montrez que cette chanson est portée par la nostalgie.

2. Expliquez la façon dont cette nostalgie s'exprime discrètement par la musique.

3. Montrez que le grand amour vient subitement s'insérer dans la vie du poète.

▬ Sujet de dissertation critique

Cette chanson dresse-t-elle un portrait négatif de Montréal?

Parallèle

Le monologue

Le monologue est une forme particulièrement appréciée des humoristes. Seul sur scène, un personnage à la fois naïf et insolent se confie au public, livrant en toute spontanéité des remarques que, le plus souvent, l'on préfère garder pour soi. Parmi les plus talentueux monologuistes, Yvon Deschamps et Marc Favreau présentent des personnages très différents. Le premier donne la parole à un ouvrier exploité, mais peu conscient de son aliénation. Le second met en scène le clown auguste Sol, qui déforme les mots et répète ce qu'il entend sans véritablement en comprendre le sens.

YVON DESCHAMPS (NÉ EN 1935)

Pépére (1968)

Aye, quand j'tais p'tit, moé, j'avais un pépére, on l'app'lait d'même, parce que si on l'arait app'lé mémére, y s'rait choqué... Pépére, lui, ça s'trouvait à être le pére de mon pére. Y restait chez nous, parce que y avait cassé maison quand
5 mémére a l'vé é pattes pis, comme mon pére disait, y disait des fois, y é ben achalant, mais tant que j'srai en vie, y s'ra pas dit que mon vieux pére va mourir à l'hospice.

Moé quand j'tais p'tit, j'tais assez étrivant, là, ça avait pas d'bon sens. Fait que des fois, je r'gardais des portraits
10 de mémére, moé je l'avais pas connue, parce que ètait morte trop jeune, et pis je r'gardais des portraits de mémére, fait que j'disais, pépére, j'comprends pas que mémére aye marié un vieux comme vous... Ah! ben là, ça, ça l'choquait, pis t'sais, comme y faisait de
15 l'asthme, quand y s'choquait, y toussait, pis, t'sais, y v'nait bleu, on avait ben du fun avec...

Des jours quand y était ben, y nous parlait, y parlait tout l'temps du bon vieux temps, y disait, dans l'temps... J'disais, pépére, vous parlez de dans l'temps, parce que
20 dans c'temps-là, vous étiez capable de faire queque chose, là vous êtes pus bon à rien, c'é toute!... Non çé vrai, y était ben smate, mais ente nous autres, y sarvait pus à grand chose, he...Y s'berçait un peu, çé toute... Pis des fois, y allait répondre à porte... Fallait l'wouatcher,
25 parce que nous autres, on était habitués, han, mais le monde qui l'connaissait pas, des fois, y en avait peur... Aye, y était vieux, là, ça a pas d'bon sens, c't'homme-là... Pis y était paralysé d'un côté, pis y shakait d'même, pis y était pus beau, beau, beau à voir, j'sais pas, y s'r'tenait
30 pareil, on aurait dit qu'y voulait pas partir...

C'est drôle, à c't'âge-là, les vieux, ça s'accroche, pis on sait pas trop pourquoi... Aye, des jours, là, y était ben...

des jours, y était pareil comme du monde ordinaire... Dans c'temps-là, y voulait toujours faire quelque chose,
35 y disait, si on avait un jardin, ou ben donc, si j'pouvais rentrer l'bois... Ben c'est parce que nous autres, dans c'temps-là, on restait à Montréal-Nord, dans un deuxième étage, et pis quand tu rentrais, t'arrivais face à face avec la fournaise à l'huile, fait que... Et pis comme
40 mon pére disait, des carottes, ça pousse pas vite sus le prélat d'la cuisine. Fait que ma mére, à y disait, pépére, vous êtes ben, on vous fait pas à vie dure, y en a qui donneraient ben cher pour être à vote place... Ou ben donc, y voulait aller prendre des marches... Ben, nous autres, on
45 aimait pas ça qu'y sorte... parce que, aye, y s'faisait crier des noms... Après ça, nous autres, quand on sortait, nos chums riaient de nous autres...

Ben y s'berçait... Ma mére, à l'comprenait bien, elle, à l'comprenait... Des fois, à y disait, pépére, si l'bon Dieu
50 pouvait v'nir vous charcher, han... Pauvre vieux, là, vous vous ennuyez à mourir... [...]

[...]

Aye, ça paraît pas, mais les vieux, là, ça pense, t'sais... Aye, c'te vieux-là, ça pensait, t'sais... Moé, j'y disais à ma mére, veux-tu ben m'dire à quoi s'qui peut penser,
55 pépére, quand y s'barce de même?... À disait, ben aye, y s'prépare pour le grand voyage, comme qui dirait qu'y fait sa valise pour le grand voyage... Aye, c'est pas croyable toute s'qui mettait dans sa valise chaque jour... Chaque jour, y mettait trois chapelets ordinaires, un
60 chapelet de Saint Joseph, un chapelet de Saint Antoine, deux actes de contrition, un acte de foi, un bénédicité, parce qu'y mangeait inque une fois par jour... Fait que moé, j'faisais des farces, j'ai toujours aimé faire des farces, t'sais, j'y disais: pépére, si vous partez pas ben
65 vite, là, votre valise farmera pus... Lui, y riait pas, rien, nous autres, on avait ben du fun avec...

MARC FAVREAU (1929-2005), ALIAS SOL

Le crépuscule des vieux (1978)

Des fois j'ai hâte d'être un vieux :
ils sont bien les vieux,
on est bon pour eux,
ils sont bien,
5 ils ont personne qui les force à travaller,
on veut pas qu'ils se fatiguent,
même que la plusspart du temps on les laisse pas
finir leur ouvrage,
on les stoppe, on les interruptionne,
10 on les retraite fermée,
on leur donne leur appréhension de vieillesse
et ils sont en vacances...

Ah ils sont bien les vieux !

Et puis, comme ils ont fini de grandir,
15 ils ont pas besoin de manger tant tellement beaucoup,
ils ont personne qui les force à manger,
alors de temps en temps
ils se croquevillent un petit biscuit
ou bien ils se ratartinent du pain
20 avec du beurre d'arrache-pied
ou bien ils regardent pousser leur rhubarbe
dans leur soupe...

Ils sont bien...
Jamais ils sont pressés non plus,
25 ils ont tout leur bon vieux temps,
ils ont personne qui les force à aller vite,
ils peuvent mettre des heures et des heures
à tergiverser la rue...
Et pluss ils sont vieux, pluss on est bon pour eux,
30 on les laisse même plus marcher,
on les roule...

Et puis d'ailleurs ils auraient même pas besoin
de sortir du tout,
ils ont personne qui les attendresse...

35 Et l'hiver... Ouille, l'hiver
c'est là qu'ils sont le mieux, les vieux,
ils ont pas besoin de douzaines de quatorze soleils...
non
on leur donne un foyer,
40 un beau petit foyer modique
qui décrépite,
pour qu'ils se chaufferettent les mitaines...

Ouille, oui l'hiver ils sont bien,
ils sont drôlement bien isolés...

45 Ils ont personne qui les dérange,
personne pour les empêcher de bercer
leur ennuitouflé...
Tranquillement ils effeuillettent
et revisionnent leur jeunesse rétroactive
50 qu'ils oubliettent à mesure
sur leur vieille malcommode...

Ah ils sont bien !

Sur leur guéridon par exemple
ils ont toujours une bouteille
55 petite
bleue
et quand ils ont des maux, les vieux,
des maux qu'ils peuvent pas comprendre
des maux myxtères
60 alors à la petite cuiller
ils les endorlotent et les amadouillettent...

Ils ont personne qui les garde malades,
ils ont personne pour les assister soucieux...

Ils sont drôlement bien.

65 Ils ont même pas besoin d'horloge non plus
pour entendre les aiguilles
tricoter les secondes...

Ils ont personne qui les empêche d'avoir
l'oreillette en dedans
70 pour écouter leur cœur
qui greline
et qui frilotte
pour écouter leur cœur se débattre tout seul...
Ils ont personne qui...
75 ils ont personne...

personne

Le contexte sociohistorique

La Révolution tranquille bouleverse le Québec. En l'espace de quelques années, les institutions se transforment radicalement. L'État nationalise plusieurs entreprises et prend le contrôle de nombreux secteurs, tels que la santé et l'éducation.

Les Canadiens français deviennent des Québécois. De nombreux citoyens en viennent à souhaiter l'indépendance du Québec. Deux partis souverainistes importants sont formés : le premier, le Rassemblement pour l'indépendance nationale (RIN), se dissout, et ses membres intègrent le Parti québécois (PQ) peu après sa fondation.

Un mouvement radical, le Front de libération du Québec (FLQ), exerce des actions terroristes pour obtenir l'indépendance du Québec.

À la suite de l'enlèvement du ministre Pierre Laporte et du diplomate britannique James Cross, le gouvernement canadien applique la Loi sur les mesures de guerre, qui lui donne la légitimité de réprimer sans discernement le mouvement indépendantiste.

Le Québec s'ouvre sur le monde. L'Exposition universelle de 1967 et les Jeux olympiques de 1976, deux évènements tenus à Montréal, comptent parmi les signes les plus importants de cette ouverture.

Le Parti québécois prend le pouvoir en 1976. La Charte de la langue française (appelée communément la loi 101), adoptée en 1977, fait du français la langue officielle. Malgré plusieurs jugements ultérieurs qui réduisent la portée de cette loi, la pérennité du français semble désormais assurée au Québec.

La littérature

Pendant la Révolution tranquille, les écrivains sont animés plus que jamais d'un besoin irrépressible de prendre publiquement la parole, besoin qui donne le ton aux œuvres de l'époque. Les écrivains expriment avec enthousiasme leur esprit rebelle et leur désir d'émancipation.

Les écrivains dépeignent très souvent les Québécois comme un peuple colonisé, aliéné, qu'ils incitent à rechercher son émancipation. De nombreux écrivains soutiennent la cause de l'indépendance du Québec.

Les écrivains trouvent leurs propres voix et se libèrent de l'imitation des modèles étrangers. Dans tous les genres littéraires, ils font preuve d'une grande audace formelle.

Dans les années 1970, de nombreux auteurs remettent en cause les valeurs traditionnelles. Ils adhèrent à des courants radicaux, très critiques envers le patriarcat et la société de consommation, tels que le féminisme et la contre-culture.

Les genres littéraires

Le roman Une nouvelle génération de romanciers, qui comprend Marie-Claire Blais, Hubert Aquin, Réjean Ducharme, Jacques Ferron et Victor-Lévy Beaulieu, s'impose par des œuvres au contenu très personnel, tout autant originales sur le plan formel.

La poésie Dans les années 1960, la poésie du pays, celle de Gaston Miron, de Michèle Lalonde, de Jacques Brault et de Paul Chamberland, exprime à la fois de l'inquiétude au sujet de l'aliénation des Québécois et de l'enthousiasme pour un pays immense et beau. Dans les années 1970, les poètes se tournent vers la contre-culture, le formalisme et le féminisme.

Le théâtre Michel Tremblay domine la scène québécoise avec son théâtre écrit en joual, qui expose sans fard les misères de la classe ouvrière montréalaise. Les succès de Tremblay ne doivent pas faire oublier le dynamisme d'un théâtre québécois ouvert à l'avant-garde et aux expérimentations, notamment les créations collectives et le théâtre féministe.

L'essai La question de l'identité reste une préoccupation majeure chez les essayistes québécois. La langue parlée au Québec devient l'objet d'importants débats: de nombreux auteurs se demandent s'il faut combattre le joual ou lui donner une place dans notre littérature.

6

1980-2001 Référendums et mondialisation

UNE LITTÉRATURE ÉCLATÉE

Auteurs et œuvres à l'étude

L'échec du premier référendum sur la souveraineté, en 1980, éloigne les écrivains des thèmes liés au nationalisme. Au lendemain de la défaite, il leur est difficile de croire en un mouvement d'émancipation qui amènerait les Québécois à accéder à l'indépendance. Les auteurs se replient sur leur vie intime et deviennent davantage individualistes, alors que s'installe dans le monde un nouveau modèle économique, version révisée du libéralisme. Mais le nouvel individualisme des écrivains n'a rien à voir avec le conformisme. Les auteurs québécois se plaisent dans le rôle de porte-parole de toutes les marginalités: ils prêtent leur voix à l'immigrant, à l'adolescent rebelle, à la femme qui se bat pour son émancipation, au poète en quête de son intimité, à l'homosexuel. Le Québec est désormais un lieu aux mille visages, et sa littérature, plus dynamique et diversifiée que jamais, devient le reflet de cette mosaïque.

Pierre Dorion, *21, rue des Courses*, 1990.

De 1980 à 2001

Le monde

1980-1988
Guerre Iran-Irak

1981
En France, élection du président François Mitterrand, chef du Parti socialiste

1983
Manifestations contre l'installation d'armes nucléaires en Europe

Découverte du VIH, le virus qui cause le sida

1989
Signature de l'Accord de libre-échange (ALE) entre le Canada et les États-Unis

Chute du mur de Berlin et fin de la guerre froide

Manifestations à la place Tian'anmen de Pékin, en Chine

1980
Élection du président Ronald Reagan, chef du Parti républicain, et virage néolibéral aux États-Unis

1982
Crise économique mondiale

1986
Catastrophe écologique à la centrale nucléaire de Tchernobyl

Le Québec

1980
Premier référendum sur la souveraineté du Québec, où le « non » l'emporte avec 60 % des voix

1982
Le gouvernement du Québec négocie à la baisse les conditions de travail des employés du secteur public

1985
Élection de Robert Bourassa, chef du Parti libéral, comme premier ministre du Québec

1990
Rejet de l'accord du lac Meech, qui visait à réintégrer le Québec dans la Constitution

Rébellion des Mohawks, qui bloquent le pont Mercier menant à l'île de Montréal et érigent des barricades à Oka

1981
« Nuit des longs couteaux » à Ottawa : le Québec ne signe pas la nouvelle Constitution canadienne

1984
Élection de Brian Mulroney, chef du Parti progressiste-conservateur, comme premier ministre du Canada

1987
Mort de René Lévesque

1989
Assassinat de 14 étudiantes à l'École polytechnique de Montréal par un tueur fou

1980	1981	1982	1983	1984	1985	1986	1987	1988	1989	1990

Les arts et les lettres

1980
Francis Mankiewicz, *Les bons débarras* (film)

1982
Anne Hébert, *Les fous de Bassan* (roman)

1984
Jacques Poulin, *Volkswagen blues* (roman)

Marie Laberge, *L'homme gris* (théâtre)

1985
Dany Laferrière, *Comment faire l'amour avec un Nègre sans se fatiguer* (roman)

Robert Lepage, *La trilogie des dragons* (théâtre)

1987
Michel Tremblay, *Le vrai monde ?* (théâtre)

1989
Michel Garneau, *Les guerriers* (théâtre)

1981
Jacques Godbout, *Les têtes à Papineau* (roman)

Jean-Pierre Ronfard, *Vie et mort du roi boiteux* (théâtre)

1986
Denys Arcand, *Le déclin de l'empire américain* (film)

1988
Sylvain Trudel, *Le souffle de l'harmattan* (roman)

Michel Marc Bouchard, *Les muses orphelines* (théâtre)

1990-1991

Première guerre
du Golfe

1991-2001

Guerres en Yougoslavie

1995

Création de
l'Organisation mondiale
du commerce (OMC)

1999

Manifestation contre l'OMC
à Seattle ; naissance du
mouvement altermondialiste

1991

Fondation du Bloc
québécois par Lucien
Bouchard

1994

Accord de libre-échange nord-américain (ALENA) entre le Canada,
les États-Unis et le Mexique

Génocide au Rwanda (environ 800 000 morts), suivi de plusieurs guerres
sanglantes en Afrique, notamment en République démocratique du Congo

Soulèvement des zapatistes au Chiapas, un État du Mexique

1998

Protocole de Kyoto

2000-2001

Grandes manifestations
contre la mondialisation
à Nice, à Prague, à
Washington, à Göteborg
et à Québec

1993

Élection de Jean Chrétien,
chef du Parti libéral, comme
premier ministre du Canada

1996

Assermentation de Lucien
Bouchard, chef du Parti
québécois, comme premier
ministre du Québec

1998

Crise du verglas
en janvier

1994

Élection de Jacques Parizeau,
chef du Parti québécois, comme
premier ministre du Québec

1995

Deuxième référendum sur la souveraineté
du Québec, où le « non » l'emporte avec
50,6 % des voix

Démission de Jacques Parizeau

| 1991 | 1992 | 1993 | 1994 | 1995 | 1996 | 1997 | 1998 | 1999 | 2000 | 2001 |

1992

Dominic Champagne, Jean-Frédéric Messier,
Pascale Rafie et Jean-François Caron,
Cabaret neiges noires (théâtre)

François Ricard, *La génération lyrique* (essai)

Jean-Claude Lauzon, *Léolo* (film)

1996

Monique Proulx, *Les
aurores montréales*
(nouvelles)

1998

Gaétan Soucy, *La petite
fille qui aimait trop les
allumettes* (roman)

Jean-Pierre Ronfard,
Les mots (théâtre)

2000

Gil Courtemanche, *Un
dimanche à la piscine
à Kigali* (roman)

Robert Lepage, *La face
cachée de la lune* (théâtre)

1993

Ying Chen, *Les lettres
chinoises* (roman)

Bernard Arcand et Serge
Bouchard, *Quinze lieux
communs* (essai)

1994

Michel Tremblay, *Un ange cornu
avec des ailes de tôle* (roman)

Sergio Kokis, *Le pavillon des
miroirs* (roman)

1995

François Charron, *Pour les
amants* (poésie)

1997

Gilbert Langevin,
PoéVie (poésie)

2001

Nelly Arcan,
Putain (roman)

Louis Hamelin,
*Le joueur de
flûte* (roman)

LOUIS HAMELIN
LE JOUEUR DE FLÛTE

Référendums et mondialisation
Une littérature éclatée

Le monde : le grand virage

Le modèle sur lequel s'est construit le Québec depuis la Révolution tranquille, celui d'un État fort qui réglemente, nationalise, fonde des institutions et ne craint pas d'intervenir dans l'économie, est sérieusement remis en question dans de nombreux pays. Deux grandes puissances économiques de l'époque dictent principalement la marche à suivre : les États-Unis, gouvernés par Ronald Reagan, et le Royaume-Uni, dirigé par Margaret Thatcher. Ces deux pays reprennent à leur façon les principes du libéralisme établis à la fin du XVIIIe siècle et au XIXe siècle.

Selon ces principes, les gouvernements doivent intervenir le moins possible dans l'économie et laisser les forces du marché créer, par la loi de l'offre et de la demande, un équilibre qui finit nécessairement par améliorer les conditions matérielles de vie du plus grand nombre. Mais cette conception ne s'impose pas d'emblée. Le bloc soviétique, qui cache habilement son état d'agonie, offre jusqu'à la fin des années 1980 une solution de rechange au capitalisme que certains prennent pour modèle, même si cette solution paraît de moins en moins convaincante au fil des ans. Aussi, de nombreux citoyens restent réticents à se débarrasser d'un État providence qui assure une vie décente à l'ensemble de ses habitants.

Parmi les évènements politiques importants de ces deux décennies, retenons les suivants :

- **La persistance de la guerre froide (jusqu'en 1989).** Sous le gouvernement Reagan, la tension augmente entre les États-Unis et l'URSS. Une intensification du déploiement d'armes nucléaires pousse les pacifistes à organiser d'importantes manifestations. La crainte d'une catastrophe nucléaire se fait sentir chez les populations.

- **La chute du mur de Berlin (1989).** En quelques jours, de très nombreux Allemands de l'Est communistes traversent sans subir de représailles le mur qu'on avait dressé pour les empêcher de passer à l'Ouest. Puis, c'est le bloc soviétique au complet qui s'écroule. La longue rivalité entre Américains et Soviétiques se termine par l'effondrement de la puissance communiste, qui se produit beaucoup plus rapidement que prévu.

- **La première guerre du Golfe (1990-1991).** Le dictateur de l'Irak, Saddam Hussein, envahit un petit pays voisin riche en pétrole, le Koweït. Une coalition dirigée par les Américains chasse l'envahisseur. Les États-Unis s'imposent comme une puissance militaire sans rivale.

- **La résurgence des conflits régionaux (dans les années 1990).** La fin de la guerre froide fait éclater ce qui se maintenait en équilibre par la terreur. La Yougoslavie est le théâtre sanglant de luttes ethniques ; le pays se fractionne à la suite d'une longue guerre interne. L'Afrique subsaharienne est, elle aussi, déchirée par les conflits, dont le plus marquant est le génocide de plus de 800 000 Rwandais, principalement des Tutsis, en 1994. Une guerre encore plus meurtrière a lieu par la suite en République démocratique du Congo.

- **L'expansion de la mondialisation (à partir de 1989).** Après la chute de l'Empire soviétique, les pays se regroupent dans de grands ensembles, afin de faciliter les échanges commerciaux. Le Québec s'intègre ainsi à l'ALENA, un accord commercial qui unit le Canada, les États-Unis et le Mexique. Ces accords fonctionnent selon les mêmes principes : ils visent à réduire la réglementation et le rôle de l'État. L'Organisation mondiale du commerce (OMC), fondée en 1995, place la liberté de faire du commerce au centre de toutes ses préoccupations et se donne des pouvoirs jamais accordés auparavant à un organisme international.

- **La crise de la dette dans les pays du Sud (à partir de 1980).** À la suite d'une hausse radicale des taux d'intérêt, les pays du Sud, que les banquiers du Nord avaient encouragés à s'endetter, se trouvent incapables de rembourser leur dette, qui atteint des montants exorbitants. Les pays du Nord, qui exigent d'être payés, prennent le contrôle de leur économie et appauvrissent l'immense majorité des populations du Sud.

Cette période riche en transformations impose une restructuration de l'organisation sociale, au Québec comme ailleurs dans le monde. Le développement des systèmes de transport permet une très grande mobilité des individus. Les technologies de la communication, notamment l'informatique et Internet dans les années 1990, rendent les contacts plus faciles entre les gens de partout dans le monde. Le « village global » qu'avait décrit l'intellectuel canadien Marshall McLuhan dans les années 1960 devient plus que jamais réalité.

La mondialisation a de multiples conséquences, dont les suivantes :

Symbole de l'effondrement du bloc soviétique, la chute du mur de Berlin en 1989 a généré de grands espoirs et de nouvelles incertitudes.

- Les particularités régionales s'estompent et, partout, on importe les mêmes produits : vêtements, super-productions cinématographiques hollywoodiennes, restauration rapide, musique populaire. De nombreuses cultures locales sont menacées par l'entrée massive de produits américains. Le paysage québécois est transformé par l'ouverture, dans toutes les villes, de grandes surfaces de propriété étrangère, surtout américaine.

- Ce rapprochement des différentes régions de la planète entraîne de nouveaux problèmes de cohabitation. La mondialisation provoque de grandes injustices. En réaction à la pauvreté croissante, beaucoup d'habitants des pays du Sud choisissent d'émigrer dans les riches pays du Nord, qui doivent intégrer ces nouvelles populations. Le Québec change alors de visage, comme tous les pays occidentaux, et reçoit une immigration nombreuse, qui ne vient plus majoritairement de l'Europe, mais de l'Asie, de l'Afrique et de l'Amérique du Sud.

- Le défi est grand : les nouveaux arrivants découvrent une société nouvelle dont les valeurs sont différentes des leurs ; quant aux habitants des pays hôtes, ils doivent intégrer des gens de diverses origines et apprendre à connaître et à apprécier leurs mœurs qui peuvent parfois sembler intrigantes. Même si, dans des pays comme le Canada, l'intégration se fait généralement bien, certains immigrants subissent encore des comportements racistes et des conflits peuvent en découler.

- Une nouvelle division du travail s'établit entre le Nord et le Sud. Le Nord se tourne surtout vers le secteur des services, tandis que le Sud développe son secteur manufacturier. L'assouplissement des lois et la création de zones franches permettent la multiplication d'ateliers de misère, qui se fondent sur une exploitation éhontée des travailleurs, alors que les délocalisations du Nord vers le Sud entraînent de nombreuses fermetures d'usines.

L'agonie puis la chute du régime communiste, de même que le triomphe du matérialisme, posent de grandes questions. Plusieurs penseurs parlent de la **fin des idéologies**: selon eux, aucun grand système de pensée ne parviendra désormais à s'imposer, ce qui provoque une crise des valeurs – crise qui a d'importants échos chez les intellectuels d'ici.

En vérité, une idéologie s'impose partout dans le monde: le **néolibéralisme,** selon lequel il faut intervenir le moins possible dans l'économie et laisser les forces du marché agir librement. Au tournant du millénaire, il devient toutefois évident que le néolibéralisme a produit sa part de catastrophes: écarts grandissants entre les riches et les pauvres, détérioration de l'environnement, successions de crises économiques dans les pays en développement, création de multinationales plus puissantes que jamais qui dictent la politique des États, éliminations de milliers d'emplois pour satisfaire des actionnaires de compagnies avides de rendements élevés.

La société québécoise: question nationale, néolibéralisme, interculturalisme et identité culturelle

La question nationale

De 1980 à 2001, la question nationale reste au centre des préoccupations des Québécois et de la classe politique. Les innombrables débats à ce sujet, trois référendums et de longues batailles politiques n'ont pas réussi à régler la question: au tournant du millénaire, les Québécois demeurent toujours aussi indécis à propos de leur destinée.

En 1980, le soir de la défaite référendaire, le premier ministre René Lévesque a lancé cette phrase célèbre à ses partisans: «Si j'ai bien compris, vous êtes en train de me dire: à la prochaine fois.»

Le débat sur la question nationale est marqué par les évènements suivants:

- **Le premier référendum sur la souveraineté (1980).** Le gouvernement du Parti québécois demande à la population de lui donner le mandat d'entreprendre des négociations avec le Canada afin d'obtenir une forme de souveraineté-association. Le «non» recueille environ 60 % des voix. Cette défaite, qui brise un rêve largement partagé, est dure pour les souverainistes. La campagne du «non» a reçu un important soutien financier du fédéral et a été appuyée par le premier ministre du Canada, Pierre Elliott Trudeau, qui a promis pendant la campagne de modifier la Constitution du pays.

- **La «nuit des longs couteaux» (1981).** Dans la nuit du 4 novembre, les autres provinces canadiennes et le gouvernement du Canada, en l'absence du Québec, conviennent de rapatrier au Canada la Constitution, qui est conservée au Royaume-Uni. Depuis ce temps, le Québec n'a toujours pas signé ce document.

- **L'accord du lac Meech (1987-1990).** Le premier ministre du Canada, Brian Mulroney, cherche à réintégrer le Québec dans la Constitution et propose, dans l'accord du lac Meech, que le Québec soit reconnu comme une «société distincte». L'accord soulève de vives objections au Canada anglais et finit par être rejeté.

- **L'accord constitutionnel de Charlottetown (1992).** En réponse à l'échec de l'accord du lac Meech, le gouvernement de Brian Mulroney en propose une version allégée qu'il soumet à la population par un référendum pancanadien. L'accord est rejeté par une claire majorité, tant au Québec que dans le reste du Canada.

- **Le deuxième référendum sur la souveraineté (1995).** Après une campagne forte en émotions, le «non» l'emporte avec un résultat remarquablement serré : il obtient 50,6 % des voix. Les souverainistes relèvent de nombreuses irrégularités dans la campagne du «non» et ils envisagent déjà un nouveau référendum. Quant au gouvernement canadien, il réplique à cette quasi-défaite par une opération de propagande appelée «programme des commandites».

Le virage néolibéral

La question nationale reste préoccupante même si le Québec et le Canada, dans une économie mondialisée, semblent avoir de moins en moins de contrôle sur leur destinée. Deux crises économiques, la première au début des années 1980 et la seconde au début des années 1990, montrent la fragilité des avancées des dernières années.

En 1982, en réaction à l'endettement et au déficit budgétaire, le gouvernement du Parti québécois impose à ses employés d'importantes baisses de salaires. Au lendemain du deuxième référendum, le gouvernement met en œuvre d'autres mesures économiques, dont des offres de mise à la retraite, afin d'éliminer le déficit. Les services offerts par le gouvernement subissent les contrecoups de ces diverses mesures et leur fonctionnement est moins adéquat. Le Québec a donc pris, lui aussi, le virage néolibéral, comme presque toutes les nations du monde.

Une société de plus en plus métissée

Dans ce Québec qui reste tout de même avantagé sur le plan économique, les femmes font moins d'enfants qu'autrefois. L'immigration devient de plus en plus nécessaire pour éviter une baisse de la population. Les nouveaux venus proviennent de pays très diversifiés. Pour intégrer ces vagues de nouveaux citoyens, le Canada et le Québec adoptent des politiques différentes :

- Le Canada choisit le **multiculturalisme,** qui permet à chaque communauté de préserver ses valeurs, ses coutumes et ses traditions. Au Québec, on reproche au multiculturalisme de créer des ghettos et, surtout, d'avoir l'intention cachée de faire des Québécois une ethnie comme les autres au sein du Canada.

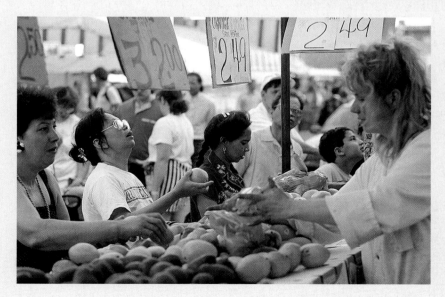

Au début des années 1980, de nouvelles vagues d'immigration donnent un visage de plus en plus multiethnique à Montréal, où se rassemble la très forte majorité des nouveaux arrivants.

- Le Québec préfère l'**interculturalisme,** qui favorise la cohabitation dans le respect des diverses origines, ainsi que la connaissance et la compréhension des différences culturelles. Certains reprochent toutefois à cette stratégie de brusquer l'intégration et de chercher une forme d'assimilation. D'autre part, de nombreux Québécois considèrent que, pour la survie de leur culture, il est essentiel que ces nouveaux venus adoptent le français comme langue d'usage.

Si l'accueil des nouveaux arrivants n'est pas irréprochable au Québec, il n'en reste pas moins que les démonstrations de racisme sont rares. Les nouveaux arrivants ont cependant tendance à se concentrer dans la région de Montréal, ce qui crée un clivage entre cette ville et le reste du Québec. De nombreux immigrants s'intègrent aisément à leur société d'accueil. Le succès littéraire de plusieurs écrivains d'origine étrangère est un bel exemple d'une intégration réussie : le public québécois découvre avec intérêt et curiosité les expériences très diversifiées que ces auteurs racontent dans leurs œuvres.

Une culture remarquablement dynamique

La culture québécoise, qui s'est découvert une identité forte dans les deux décennies précédentes, se trouve maintenant prête à émerger sur la scène internationale. Malgré des conditions de travail souvent difficiles, malgré des politiques culturelles qui tardent à voir le jour, les artistes québécois produisent désormais des œuvres qui plaisent non seulement au public d'ici, mais aussi d'ailleurs dans le monde.

Certains artistes populaires connaissent une diffusion exceptionnelle. La chanteuse Céline Dion et le Cirque du Soleil remportent des succès colossaux et deviennent de grandes entreprises très rentables dans le domaine du spectacle. Des artistes aux œuvres plus exigeantes se font aussi remarquer sur de grandes scènes. En danse, Édouard Lock et Marie Chouinard réussissent à imposer leurs chorégraphies audacieuses et très maîtrisées. L'homme de théâtre Robert Lepage devient l'un des metteurs en scène les plus appréciés de la planète et conçoit des spectacles qui se transforment d'une scène à l'autre, d'un pays à l'autre. Des compagnies de théâtre entreprennent d'importantes tournées, entre autres Carbone 14 et Les Deux Mondes. Le cinéaste Denys Arcand est découvert par les cinéphiles étrangers au Festival de Cannes, en 1986, avec *Le déclin de l'empire américain*, et réussit par la suite à imposer internationalement son cinéma d'auteur.

Geneviève Cadieux, *La fêlure au chœur des corps*, 1990.

Avec ses gros plans grand format de corps humains, l'artiste québécoise Geneviève Cadieux s'est fait connaître sur la scène internationale dans les années 1980-1990. Elle a représenté le Canada à la Biennale de Venise en 1990, l'un des évènements les plus prestigieux dans l'art contemporain.

Il serait difficile de faire une liste exhaustive de tous les succès remportés à l'étranger par les artistes québécois. Ces succès ont été rendus possibles grâce à l'institutionnalisation plus importante du milieu culturel : nombre de maisons d'édition, de compagnies théâtrales, de troupes de danse et de boîtes de production en cinéma se forment et se maintiennent. Les artistes bénéficient d'un meilleur soutien et d'un meilleur encadrement, entre autres par un système gouvernemental de bourses et de subventions. Leur mérite d'avoir remporté de pareils succès est d'autant plus grand que leur financement reste, malgré tout, souvent inadéquat.

La littérature québécoise : l'heure de la diversité

Dès le début des années 1980, la littérature québécoise effectue, elle aussi, un important virage. La société s'est elle-même transformée, ses rapports avec le reste du monde sont différents et, à la suite de la défaite référendaire, les aspirations des Québécois ne sont plus tout à fait les mêmes. Comme toujours, les écrivains se font le reflet des changements sociaux et leurs œuvres diffèrent considérablement de celles de la période précédente.

Voici quelques-uns des changements et des tendances qui caractérisent la littérature de 1980 à 2001 :

- Les réformes qui ont généralisé l'accès à l'éducation à partir des années 1960 donnent leurs fruits : les Québécois sont plus scolarisés que jamais. La population du Québec augmente de deux millions de personnes de 1960 à 2000. Il y a donc plus d'auteurs et de lecteurs qu'auparavant. Dans la même période, l'offre d'œuvres littéraires s'accroît considérablement. On conçoit des livres de genres très diversifiés, qui conviennent à un public plus varié qu'autrefois.

- Les auteurs ne se regroupent plus en écoles littéraires et ne tiennent plus à travailler à la défense des mêmes idées. L'individualisme de l'époque touche beaucoup les écrivains, qui cherchent surtout à explorer des voies qui leur sont propres, à se distinguer par l'originalité de leur univers.

- La société québécoise n'est plus « tricotée serré » comme autrefois. Les auteurs cherchent peu à décrire le citoyen typique, qui existe d'ailleurs de moins en moins. Ils se tournent vers des catégories de citoyens très souvent marginalisés (l'homosexuel, l'autochtone, le délinquant, la victime d'actes de violence, etc.) dont ils décrivent avec sympathie la difficile condition, sans pour autant faire la morale au lecteur.

- Parmi les citoyens en marge, nos auteurs s'intéressent particulièrement aux immigrés. Une grande partie des œuvres se penchant sur leur sort sont écrites par de nouveaux arrivants qui racontent de l'intérieur l'expérience souvent troublante de l'immigration. Ces œuvres, que l'on qualifie d'« écriture **migrante** », abordent des sujets tels que l'adaptation à un nouveau pays, le déracinement, les souvenirs du pays d'origine et la confrontation entre les cultures. Tant les critiques que les lecteurs réservent un bel accueil à cette littérature qui s'intègre tout naturellement au corpus des œuvres québécoises (*voir l'encadré, à la page 194*).

- Des auteurs manifestent un intérêt croissant pour l'autobiographie. L'expérience personnelle, surtout lorsqu'elle est marginale, devient un excellent sujet pour un livre. Ces autobiographies constituent des « **autofictions** » lorsqu'elles sont racontées sous une forme plus ou moins romancée et qu'elles révèlent des aspects inattendus de la vie intime de l'auteur, y compris, souvent, une description détaillée de sa vie sexuelle.

- L'apparition de nombreux *best-sellers* québécois a des effets considérables sur la mise en marché de notre littérature. Il est plus rentable pour la maison d'édition de vendre beaucoup d'exemplaires d'un même livre que la même quantité de livres différents (en raison des contraintes de production, d'entreposage, de placement en librairie, etc.). La promotion et le marketing deviennent indispensables pour faire connaître les livres. Cette situation désavantage les œuvres littéraires exigeantes et de qualité.

- La créativité est encouragée par des institutions littéraires qui encadrent mieux qu'autrefois le travail de l'écrivain : un milieu de l'édition plus stable et plus expérimenté, un syndicat d'écrivains (UNEQ) qui voit à ce que les auteurs soient respectés, ainsi que deux conseils des arts, l'un à Ottawa, l'autre à Québec, qui distribuent des bourses d'écriture. Le métier d'écrivain ne permet toujours pas à la très grande majorité des auteurs de gagner leur vie, mais il s'exerce dans des conditions un peu plus favorables que dans les années antérieures.

La littérature québécoise prend désormais des formes très diverses. Malgré les modes qui se créent, les phénomènes qui ne durent qu'une saison et une marchandisation certaine, elle réussit de mille façons à dépeindre l'individu moderne d'ici, dans ses contradictions et sa complexité.

Les têtes à Papineau (1981)

En mille neuf cent cinquante-cinq, avant le premier mai de cette année-là, et les douleurs de l'accouchement, personne au monde ne *nous* attendait. Surtout pas l'obstétricien, un brave garçon un peu myope derrière une moustache mal taillée.

Il était deux heures du matin. Nous aurions pu choisir un autre moment, mais
5 quand on décide de naître on a rarement l'occasion de jeter auparavant un coup d'œil à l'horloge grand-père. C'est donc les yeux ensablés de sommeil, la bouche ouverte de stupeur et le cœur battant que l'accoucheur et les deux infirmières virent apparaître notre première petite tête suivie de son écho. Nous ne savons, à cette heure, si c'est Charles ou
10 François qui le premier vit le jour électrique qui baignait la salle. Mais dès que nous sommes apparus l'une des deux infirmières fut saisie d'un fou rire aigu. L'autre jeune femme, et le médecin par-dessus le marché, se virent plutôt paralysés par la frayeur. Cloués sur place.
15 Comme des mannequins en vitrine. Ils nous offraient les masques de la peur et du rire. Les accouchements sont des sacrés coups de théâtre! L'enfant déchire le rideau de chair et c'est la première! Applaudissons.

Enfin. L'accoucheur en avait avec nous plein les mains.
20 Parce qu'il pratiquait dans une institution catholique, et que l'Église en ces années-là veillait sur tout, le Dr Pilotte tout de go pensa appeler à son secours l'aumônier. Ses paroles (les premiers mots que nous entendîmes!) authentiques et historiques furent simples:
25 «Au secours, monsieur l'abbé!» cria donc l'accoucheur dans le grand corridor vide à cette heure. Une clochette tinta au loin. L'abbé arriva précipitamment, arraché à son sommeil, la soutane au vent, prêt à administrer les derniers sacrements. Mais, quand il vit cet enfant qui gigotait
30 devant lui comme un morceau de cauchemar, il ne put y croire. Mystère? Miracle? Supercherie? Pendant de longues minutes l'élite canadienne-française – médecin et curé – nous contempla dans un silence incrédule.

— Madame», dit enfin l'abbé, sentant que le discours
35 lui revenait, se raclant la gorge, «Dieu...», ajouta-t-il en regardant la parturiente encore étourdie par l'effort, «... voulez-vous que nous priions ensemble pour le salut de cet enfant?!

— Que racontez-vous? Est-il mort? Que se passe-t-il? cria notre mère dans son
40 français du dimanche.

— Non bien sûr, calmez-vous, répondit l'aumônier de l'hôpital, il vit, il respire, il pleure même, vous l'entendez?

Jacques Godbout (né en 1933)

À la fois romancier, poète, cinéaste, essayiste et journaliste, Jacques Godbout est l'un des intellectuels les plus importants de sa génération. Son œuvre romanesque suit sa pensée politique et s'intéresse aux sujets d'actualité: le terrorisme à la québécoise dans *Le couteau sur la table* (1965), l'écologie dans *L'isle au dragon* (1976), la société américaine dans *Une histoire américaine* (1986). Son roman le plus connu, *Salut Galarneau!* (1967), raconte avec humour et tendresse la révolte d'un homme qui gagne sa vie dans la restauration rapide, un roi du hot-dog qui souhaite devenir écrivain.

Le roman *Les têtes à Papineau* est écrit juste après le référendum de 1980, dont il s'inspire. Pour désamorcer le drame qui vient de déchirer les Québécois, Godbout choisit d'en rire. Il imagine un enfant qui naît avec deux têtes. Cette étrange particularité transforme l'enfant en bête de cirque. Mais les deux têtes se lassent de «partager le même territoire», et une grande opération permet de faire disparaître une des têtes. Le roman est avant tout une farce allégorique: l'auteur exploite à fond toutes les possibilités comiques de la situation et lie clairement son sujet aux difficultés des Québécois, partagés entre leurs deux appartenances.

Nous étions à donner une démonstration en stéréophonie.

«Mais..., ajouta l'abbé qui cherchait ses mots, ... il, il n'a pas la tête de tout
45 le monde!

— C'est mon enfant! lança maman, montrez-moi mon enfant!

Marie Lalonde avait, chez les ursulines, joué Phèdre, Andromaque et Aurore. Elle
savait faire vibrer les cordes sensibles.

— Voilà! fit alors le médecin en nous soulevant par les fesses...

50 François apparut la tête recouverte de duvet. Charles était né avec une dent à la
mâchoire inférieure, le crâne nu. Nous étions objectivement et effectivement hor-
ribles, ratatinés, les yeux plissés à cause des projecteurs, nos petits nez comme des
boutons de bottine au milieu d'un parchemin froissé. L'aumônier avait reculé d'un
pas et s'était tu, la tête légèrement inclinée, humilié parce qu'il ne disposait
55 d'aucune prière adéquate. «Quand on pense qu'il existe», se disait-il in petto, «des
prières pour les infirmes, des exorcismes pour les possédés du démon, des suppli-
ques pour les objets perdus, des invocations pour bénir les ponts et chaussées, des
cérémonies de relevailles et des baptêmes pour les pygmées, mais pas un seul de
nos pères n'a prévu le doublé! Devrais-je réciter deux fois la même incantation?»
60 Notre mère s'était soulevée sur un bras et nous contemplait gravement, puis, avec
des larmes de fierté dans les yeux, s'écria:

— C'est incroyable! Fantastique! Merveilleux! Ah Alain-Auguste! Nous avons fait
d'un ovaire deux coups!

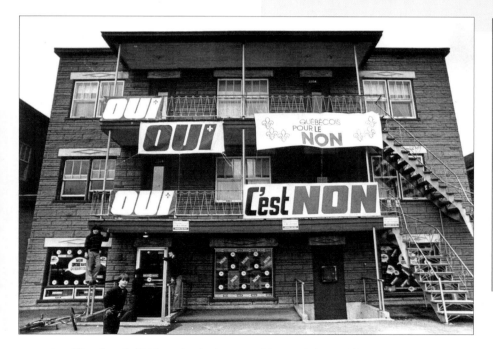

Le référendum de 1980 suscite de vives oppositions et de larges débats au sein du
peuple québécois.

VERS LA DISSERTATION

1. Quelles sont les réactions de ceux qui voient apparaître
le bébé à deux têtes? Comparez ces réactions à celle
de la mère.

2. Faites le lien entre la naissance de l'enfant telle qu'elle
est racontée dans cet extrait et le contexte de la
Grande Noirceur.

3. Qui forme, selon le narrateur, l'élite canadienne-
française?

4. Montrez que l'auteur se moque des institutions de
l'époque.

5. Montrez que l'auteur associe la naissance de l'enfant
au théâtre.

■ Sujet de dissertation critique

Est-il juste de dire que ce texte est satirique?

Les fous de Bassan (1982)

Avis au lecteur

Tous mes souvenirs de rive sud et de rive nord du Saint-Laurent, ceux du golfe et des îles ont été fondus et livrés à l'imaginaire, pour ne faire qu'une seule terre, appelée Griffin Creek, située entre cap Sec et cap Sauvagine. Espace romanesque où se déroule une
5 *histoire sans aucun rapport avec aucun fait réel ayant pu survenir, entre Québec et l'océan Atlantique.*

[...]

Anne Hébert (suite)

Anne Hébert connaît un important succès avec son roman *Kamouraska* (1970), dans lequel elle raconte l'histoire d'une femme prisonnière d'un mari violent, qui planifie avec son amant le meurtre de son bourreau. Dans ce roman comme dans les autres de cette auteure, la gravité du drame contraste avec la beauté éclatante de l'écriture. Installée à Paris pendant plus de 30 ans, Anne Hébert demeure attachée à son pays d'origine ; elle y situe, par exemple, l'intrigue des *Fous de Bassan*, roman sombre et poétique, qui compte parmi ses plus accomplis.

Dans *Les fous de Bassan*, Anne Hébert raconte le retour au pays d'un jeune homme, Stevens Brown, après cinq ans d'absence. Ce retour sème l'émoi dans la petite communauté de Griffin Creek, sise au bord de la mer, dans un paysage magnifique qui rend captifs les personnages. Deux fraîches et belles jeunes filles, Olivia et Nora, se prennent au jeu de la passion qu'elles vivent et provoquent malgré elles. Dans cette petite société où l'on étouffe les manifestations spontanées de l'attirance sexuelle, le désir peut éclater comme une bombe. Olivia décrit son attrait pour Stevens sous forme de journal imaginaire.

La repasseuse est dans la cuisine, penche la tête dans la buée chaude des fers, fait attention de ne pas faire sauter les boutons de la chemise blanche. Sa robe bleue
10 délavée est trop courte, tout juste bonne pour travailler dans la maison. Le vent tout alentour emmêle ses courants, s'insinue sous le pas des portes, file sa chanson envoûtante jusqu'au cœur de la repasseuse. Je suis elle et elle est moi. Je m'ajuste à ses os et son âme n'a pas
15 de secret pour moi. La masse de ses cheveux blonds, son profil patient au-dessus de la planche à repasser. Il s'agit d'avoir deux fers en train. Celui qu'on passe et repasse sur le linge humide et l'autre de rechange qui chauffe sur le poêle à bois. Prendre la température du
20 fer en l'approchant de sa joue doucement. Ainsi faisaient sa mère et sa grand-mère. La longue lignée des gestes de femme à Griffin Creek pour la lier à jamais.

Et le vent qui tourbillonne tout autour de la maison fait résonner Griffin Creek avec des voix de femmes
25 patientes, repasseuses, laveuses, cuisinières, épouses, grossissantes, enfantantes, mères des vivants et des morts, désirantes et désirées dans le vent amer.

Elle l'a tout de suite reconnu dans la porte. Sa taille d'homme. Sa voix d'homme. Après cinq ans d'absence.
30 Bien qu'elle fasse semblant de ne pas le reconnaître. Se raccroche le plus longtemps possible aux mouvements précis du fer sur le linge humide, une cohorte de femmes dans l'ombre et le vent la priant de continuer à repasser comme si de rien n'était.

35 Je les entends qui disent : Ne lève pas la tête de ton repassage, tant que ce mauvais garçon sera là dans la porte. Lui entre mille autres. Elle l'a regardé en plein visage. Elle a été regardée par lui en plein visage. Mon Dieu il ne fallait pas disent-elles toutes dans l'ombre et le vent, les mères et les grand-mères alertées. Tandis qu'Olivia brûle avec son fer trop chaud le poignet de la chemise de son frère Patrick.

40 Il est comme l'arbre planté au milieu du paradis terrestre. La science du bien et du mal n'a pas de secret pour lui. Si seulement je voulais bien j'apprendrais tout de lui,

d'un seul coup, la vie, la mort,
tout. Je ne serais plus jamais
une innocente simplette qui
45 repasse des chemises en silence.
L'amour seul pourrait faire que
je devienne femme à part entière
et communique d'égale à égale
avec mes mère et grand-mères,
50 dans l'ombre et le vent, à mots
couverts, d'un air entendu, du
mystère qui me ravage, corps
et âme.

Cette façon qu'il a de surgir
55 derrière mon dos quand il y a
beaucoup de vent et qu'on ne
l'entend pas venir. Tout d'un
coup il est là. À croire qu'il se
cache pour mieux me surprendre.

60 — Hi, Olivia ! Y fait beau à matin !

Il m'examine de la tête aux pieds
tandis que j'étends des draps sur
la corde, et que le vent colle ma
robe à mes cuisses. Vais-je cesser tout travail et tout mouve-
65 ment, me tenir immobile et fascinée, les deux pieds dans
l'herbe courte, derrière la maison de mon père, prise dans le
regard de Stevens, comme dans un filet ? Mes mère et grand-
mères me chuchotent dans le vent dur de n'en rien faire et
d'accorder toute mon attention aux draps mouillés qui pèsent
70 si lourd au bout de mes bras. Il a déjà tourné les talons et
rejoint Sidney et Patrick qui boivent de la bière sur la galerie.

Les grandes femmes crayeuses, couchées dans le petit
cimetière de Griffin Creek, depuis longtemps ont l'âme
légère, partie sur la mer, changée en souffle et buée. Ma mère,
75 parmi elles, la plus fraîche et la plus salée à la fois, me parle
en secret ma douce langue natale et me dit de me méfier
de Stevens.

Tout le long de l'été lorsque je le vois, je tremble comme si
mes os s'entrechoquaient à l'intérieur de moi. Surtout qu'il
80 ne s'aperçoive de rien. Que je demeure lisse et droite devant
lui. Je pense cela très fort, tandis qu'une flamme brûlante
monte dans mon cou, couvre mes joues et mon front. Surtout
qu'il ne s'aperçoive de rien. S'il me voyait rougir devant lui, à
cause de lui qui me tourmente, une fois, une fois seulement
85 et je mourrais de honte.

Jean-Paul Ladouceur, *Ma terre dorée*, 1989-1990.

Dans *Les fous de Bassan*, Anne Hébert se fait paysagiste pour décrire avec une grande force
d'évocation une Gaspésie tourmentée et mystérieuse, alors que dans l'art québécois, la peinture
paysagiste est une tendance moins marquante, mais toujours appréciée.

VERS LA DISSERTATION

1. Par quel procédé d'écriture et par quels termes la
    narratrice décrit-elle les femmes de son village ?

2. Qu'est-ce qui, chez Stevens, attire Olivia ?

3. Quel effet cette attirance produit-elle chez Olivia ?

4. Montrez que cette attirance naît dans les tâches
    quotidiennes de la vie paysanne.

5. Qu'est-ce qui empêche Olivia de se donner à Stevens ?

6. En quoi l'écriture d'Anne Hébert est-elle poétique ?

■ Sujet de dissertation critique

Est-il juste de dire qu'Olivia refuse la passion
qu'elle ressent ?

ROMAN

Volkswagen blues (1984)

Pour ne pas s'endormir pendant qu'il conduisait sur la 94, Jack ouvrit la radio. Il entendit des nouvelles : les États-Unis envoyaient des conseillers militaires en Amérique centrale, le chômage avait augmenté, il y avait des inondations en Louisiane et une sécheresse en Égypte,
5   l'aviation d'Israël bombardait le Liban, le prix de l'or avait monté, la France procédait à des expériences nucléaires dans le Pacifique, les négociations pour le désarmement étaient dans une impasse. Il tourna le bouton, cherchant une émission de musique, et
10 à sa grande surprise il entendit tout à coup une chanson française, lointaine et comme perdue dans une mer de paroles anglaises – une vieille chanson française qu'il connaissait très bien ; il ajusta le bouton et alors il entendit très distincte-
15 ment les mots qui disaient :

> Qu'il est long le chemin d'Amérique
> Qu'il est long le chemin de l'amour
> Le bonheur, ça vient toujours après la peine
> T'en fais pas, mon amie, je reviendrai
> 20 Puisque les voyages forment la jeunesse
> T'en fais pas, mon amie, je vieillirai.

L'Amérique ! Chaque fois qu'il entendait prononcer ce mot, Jack sentait bouger quelque chose au milieu des brumes qui obscurcissaient
25 son cerveau. (Un bateau larguait ses amarres et quittait lentement la terre ferme.) C'était une idée enveloppée de souvenirs très anciens – une idée qu'il appelait le « Grand Rêve de l'Amérique ». Il pensait que, dans l'histoire
30 de l'humanité, la découverte de l'Amérique avait été la réalisation d'un vieux rêve. Les historiens disaient que les découvreurs cherchaient des épices, de l'or, un passage vers la Chine, mais Jack n'en croyait rien. Il prétendait que,
35 depuis le commencement du monde, les gens étaient malheureux parce qu'ils n'arrivaient pas à retrouver le paradis terrestre. Ils avaient gardé dans leur tête l'image d'un pays idéal et ils le cherchaient partout. Et lorsqu'ils avaient trouvé
40 l'Amérique, pour eux c'était le vieux rêve qui se réalisait et ils allaient être libres et heureux. Ils allaient éviter les erreurs du passé. Ils allaient tout recommencer à neuf.

Avec le temps, le « Grand Rêve de l'Amérique » s'était brisé en miettes comme tous les rêves, mais il renaissait de temps à autre comme un

Jacques Poulin
(né en 1937)

D'un roman à l'autre, Jacques Poulin charme ses lecteurs avec la même petite musique. Peu d'auteurs québécois possèdent un univers aussi aisément reconnaissable. L'œuvre de Jacques Poulin ressemble à des variations sur un thème : l'auteur reprend avec obstination l'histoire d'un écrivain lent, méticuleux, peu adapté à la vie moderne, redevable à ses maîtres Ernest Hemingway et Jack Kerouac, amoureux des chats, et qui se laisse séduire par des femmes mystérieuses. Avec une écriture d'une grande sobriété, il revient régulièrement à ce personnage dans ses romans les plus réussis, entre autres *Les grandes marées* (1978), *Le vieux chagrin* (1989) et *La tournée d'automne* (1993).

Un grand nombre de critiques reconnaissent en *Volkswagen blues* l'œuvre majeure de Jacques Poulin. Le roman raconte la traversée de l'Amérique du Nord, de la Gaspésie à la Californie, de l'écrivain Jack Waterman, dans une vieille camionnette Volkswagen, en compagnie d'une jeune Amérindienne. Jack recherche son frère Théo qui, même s'il laisse dans son sillage de nombreuses traces, lui échappe constamment. Le périple de Jack devient un grand voyage initiatique. En toile de fond, Jacques Poulin raconte l'histoire de l'Amérique, avec ses drames, ses massacres, ses moments de gloire, qui se rappellent constamment aux deux voyageurs. Cette Amérique fait encore rêver, bien qu'elle en ait déçu plus d'un.

45 feu qui couvait sous la cendre. Cela s'était produit au 19ᵉ siècle lorsque les gens étaient allés dans l'Ouest. Et parfois, en traversant l'Amérique, les voyageurs retrouvaient des parcelles du vieux rêve qui avaient été éparpillées ici et là, dans les musées, dans les grottes et les canyons, dans les parcs nationaux comme ceux de Yellowstone et de Yosemite, dans les déserts et sur les plages comme celles de
50 la Californie et de l'Oregon.

VERS LA DISSERTATION

1. Par quel procédé d'écriture le narrateur présente-t-il les sujets du bulletin de nouvelles ? S'agit-il de sujets optimistes ?

2. Montrez la façon dont le rêve de l'Amérique apparaît dans la réalité de Jack. Décrivez le contraste entre ce rêve et cette réalité.

3. À quoi l'Amérique est-elle associée dans les paroles de la chanson ? Comment cette association se développe-t-elle d'un vers à l'autre ?

4. En quoi consistait le « Grand Rêve de l'Amérique » ? Qu'en reste-t-il ?

■ Sujet de dissertation critique

Est-il juste de dire que ce passage est marqué par un certain fatalisme ?

André Michel, *Hommage au peuple innu* (détails), 1983.

Dans *Volkswagen blues*, Jacques Poulin s'intéresse beaucoup au sort des Amérindiens, éternels perdants lors de la conquête parfois sanglante de l'Amérique par l'homme blanc.

Comment faire l'amour avec un Nègre sans se fatiguer (1985)

Longue file d'attente au bureau de poste. On est serré comme des sardines. J'avise une sardine, juste devant moi. Elle lit un bouquin. Je suis une sardine maniaque de bouquins. Dès que je vois quelqu'un en train de lire un livre, il faut que je sache quel est le titre, si elle aime ça et de quoi ça parle.

Dany Laferrière (né en 1953)

Dany Laferrière doit fuir de son pays natal, Haïti, lorsqu'un collègue de travail à Radio-Haïti Inter est assassiné et que lui-même se trouve menacé par la dictature en place. Il raconte cet épisode douloureux dans *Le cri des oiseaux fous* (2000). Au Québec, il obtient rapidement un grand succès avec son premier roman, *Comment faire l'amour avec un Nègre sans se fatiguer*. Cette réussite fait de lui une personnalité médiatique très familière aux Québécois. Son premier roman constitue la porte d'entrée de son *Autobiographie américaine*, qui se poursuit dans une dizaine de livres et lui permet entre autres de revivre avec attendrissement son enfance à Haïti.

Comment faire l'amour avec un Nègre sans se fatiguer oppose deux jeunes Noirs qui vivent dans un petit logement du carré Saint-Louis : l'un passe ses journées sur son divan à écouter du jazz ; l'autre, dragueur impénitent, passionné de littérature, cherche à devenir écrivain. Avec un sens aigu de la provocation, mais aussi avec humour et légèreté, Laferrière décrit la relation entre le «Nègre» et la femme blanche, relation marquée par l'étonnement, l'attirance sexuelle, les préjugés raciaux.

5 — Ça parle de quoi ?

— Quoi ?

— Ton bouquin ?

— C'est un roman.

— Quel genre ?

10 — Science-fiction.

— T'aimes ça ?

— Comme ça.

— C'est pas bon alors ?

— Sais pas.

15 — T'aimes pas ça ?

Elle relève sa tête rousse. Il y a des regards qui font peur. C'est une surdraguée et elle en a marre.

— Qu'est-ce que tu veux ?

Elle a haussé le ton.

20 — Excuse-moi.

— Fous-moi la paix, veux-tu ?

— Oublie ça, je balbutie.

La plupart des gens de la file se retournent pour voir le Nègre en train d'agresser la Blanche. Une fille, un
25 peu en avant dans la ligne, les cheveux coupés ras, se retourne, la rage au ventre. Elle élève la voix pour dire qu'ils sont tous des maniaques, des psychopathes et des emmerdeurs qui n'arrêtent pas de draguer. «Tu ne les vois jamais en hiver mais dès l'été, ils sortent, par grappes, de leur trou juste pour emmerder les gens avec leurs foulards, tambours,
30 bracelets et cloches. Moi, je n'ai rien à voir avec leur folklore. Si au moins il n'y avait que les Nègres ! Mais non, maintenant, il y a les Sud-Américains avec leurs dizaines de chaînes au cou, leurs pendentifs, bagues, broches, toute cette bimbeloterie qu'ils n'arrêtent pas de proposer dans les cafés. Toujours quelque chose à vendre. Si c'est pas un bijou faussement maya, c'est leur corps. Pensent qu'à ça, les Latinos. » Les
35 gens semblent tout d'abord un peu d'accord avec la fille aux cheveux coupés ras car qui n'a pas été, un jour ou l'autre, emmerdé par un dragueur folklorique, mais de là

à attaquer le métier des pauvres Sud-Américains et la tradition des Nègres, c'est aller trop loin. Un homme de 40 ans s'interpose. Le syndicaliste typique. Visage buriné. «Il ne faut pas tout mélanger, dit-il, un emmerdeur est un emmerdeur et

40   les Nègres ne sont pas tous des emmerdeurs. Si vous dites ça des Nègres, alors que doivent dire les Nègres de nous autres, colonialistes. Moi aussi, je crois que la drague est dégradante pour la femme mais que vaut une innocente drague à côté de la Traite des Nègres?» Les gens demeurent un moment interloqués devant la perversité d'un tel argument. Le moment de stupeur passé, la fille aux cheveux ras

45   réagit à nouveau. «Alors, c'est toujours la même chose, les colonialistes ont réalisé leurs phantasmes de domination phallique en écrasant les autres et au moment de régler l'addition, ce salaud propose, tout bonnement, que les Nègres baisent nos femmes.» «Nos» femmes! Elle a dit «nos». Tout le monde doit alors penser qu'il s'agit d'une lesbienne et qu'elle ne fait que plaider sa propre cause. Finale-

50   ment, je parviens à faire ce changement d'adresse. Ensuite, je flâne sur la rue Sainte-Catherine. La chaleur est tout à fait intolérable. Je me réfugie alors dans une banque, à cause de la douce température de l'air conditionné, et devinez qui je vois: Miz Cheveux Ras et la fille du bureau de poste. Elle l'a eue. La drague est devenue quasiment impossible avec cette concurrence déloyale.

VERS LA DISSERTATION

1. Montrez que cette scène s'amorce sur un malentendu. Ce malentendu est-il réel?

2. De quelle façon la fille aux cheveux coupés ras et l'homme de 40 ans considèrent-ils les «Nègres» et les étrangers?

3. Montrez comment la chute que l'auteur crée pour cet épisode est humoristique.

4. Par quels éléments cet extrait peut-il être rattaché au courant de la littérature migrante?

▆▆ Sujet de dissertation critique

Est-il juste de dire que ce texte dénonce le racisme?

En 1989, Jacques W. Benoit a adapté *Comment faire l'amour avec un Nègre sans se fatiguer* au cinéma.

Le souffle de l'harmattan (1988)

Habéké Axoum est arrivé ici quelque temps après la Déclaration de ma dépendance envers mon passé inconnu, le passé composé. Il faut dire qu'Habéké, en tant que Noir, faisait jaser à cause du manque de préparation et de l'étrangeté africaine. C'était la première fois qu'un Noir nous apparaissait et nous, les

5   enfants, on voulait toucher pour voir si c'était du pareil au même. Il avait une peau en chocolat, des cheveux en laine d'acier, un nez de boxeur, des dents comme les touches d'un piano et des jambes sans fin reliées entre elles par des genoux tout en os. Il parlait le français

10   mieux que nous et son nom était tordant. On l'a aimé tout de suite, sans les délais habituels avec les nouveaux. Les seuls qui ont été racistes, c'est les grands épais de l'autobus scolaire qui ne connaissaient rien aux peuples. Un matin, on est arrivés

15   au stationnement de l'école quand un grand débile s'est imposé devant Habéké pour souhaiter une bienvenue bête comme ses pieds.

« Salut p'tit niger black plein d'soupe ! »

Tous ses amis ont bien ri, mais Habéké n'avait pas

20   encore dit son premier mot.

« Enchanté, moi c'est Habéké Axoum. »

Tout de suite je l'ai trouvé extraordinaire, et je lui ai demandé de devenir ami avec moi pour la vie. Il a dit oui, mais sans garantir pour la vie. À partir de ce

25   moment-là, Habéké et moi, on est devenus l'index et le pouce. Il demeurait près de chez moi et ça me permettait de le voir partir chaque soir avec ses jambes. Il courait pendant des heures sans se fatiguer. Son endurance et ses jambes dépassaient l'imagination

30   et je pensais que c'était par hérédité à cause des guépards. Je lui ai posé la question avec délicatesse, pour ne pas blesser l'orgueil.

Alors il m'a répondu : « Tous les parents croient à l'hérédité jusqu'à ce qu'ils se rendent compte que

35   leurs enfants sont des crétins. »

On s'est bidonnés même si ça répondait pas à ma question.

Un jour, j'ai su que son grand-père avait été un coureur exceptionnel autrefois, et qu'il était disparu de façon étrange sur ses vieux jours. C'était au début du siècle et le grand-père s'était porté volontaire pour aller travailler sur le nouveau

**Sylvain Trudel
(né en 1963)**

Le souffle de l'harmattan, premier roman de Sylvain Trudel, donne le ton à ce qui deviendra une œuvre aux tonalités très particulières dans la littérature québécoise.

Sylvain Trudel scrute avec délicatesse le monde de l'enfance, s'exprime avec une écriture remarquablement maîtrisée, qui joue habilement avec les mots et fait pénétrer le lecteur en douceur dans les drames vécus par les personnages. Que ce soit dans ses romans pour les jeunes, ou dans *Du mercure sous la langue* (2001), court récit qui raconte la mort d'un jeune cancéreux, l'auteur conserve un bel attachement à l'enfance.

Le souffle de l'harmattan met en scène Hugues, un enfant trouvé, et Habéké, un survivant d'un génocide et d'une famine dans son pays, qui sont liés par une profonde amitié. Au monde des adultes qu'ils exècrent, ils opposent la poésie de l'enfance, les rêves d'un ailleurs magique où tout serait possible. Leur affrontement avec le monde des adultes devient plus difficile lorsqu'ils essaient d'entraîner deux petites filles dans leur monde. La description d'Habéké au début du roman campe bien le personnage et donne une idée juste du style coloré et imaginatif de son ami Hugues, le narrateur du roman.

40 chemin de fer qui devait relier Addis-Abeba et Djibouti[1]. Tout alla bien jusqu'au
jour où les contremaîtres décidèrent d'envoyer une locomotive chargée d'ouvriers
noirs pour aller vérifier la solidité d'un pont. La locomotive n'a plus jamais été
revue vivante, à l'image des ouvriers noirs. Le fleuve au fond du ravin connaît
sûrement la fin de l'histoire même si les contremaîtres ont toujours nié les
45 rumeurs. On pense que le grand-père aurait pris fin dans cette histoire et, avec
lui, ses jambes comme celles d'Habéké. C'est un peu pour ça que, chaque soir,
Habéké sortait ses jambes pour aller courir sur les rails qui montent vers le nord,
convaincu qu'il était de rejoindre l'Afrique ou de croiser son grand-père. Il le
croyait perdu, errant sur des rails quelque part au monde, chantant quelques
50 douleurs pour passer le temps. Pauvre Habéké. Il courait en lançant des plaintes
vastes comme des steppes arbustives, longues comme la corne somalienne et
triste avec ça. Habéké, quand il laissait filer une plainte, il était déchirant comme
du papier de riz. Un soir, alors que je cueillais des fraises près de la voie ferrée,
j'ai vu Habéké qui courait en criant sa douleur. Ça m'a tellement reviré que
55 mon récipient a suivi, et mes fraises sont tombées. Je les ai piétinées parce
que je trouvais injuste qu'un si joli fruit puisse être en ma possession sans que
j'aie à fournir d'efforts.

Un jour, Habéké m'a demandé pourquoi je m'appelais Hugues. J'ai dit que le
matin où j'ai été trouvé au fond du panier, c'était le matin de la Saint-Hugues.
60 Habéké a bien ri parce qu'il venait de faire un lien entre lui et moi.

« Tu sais ce que ça veut dire Habéké ? »

Je savais pas, comment aurais-je su.

« Ça veut dire "mil du matin". »

On s'est étonnés mutuellement, et pour fêter ça on a partagé des rôties au beurre
65 d'arachide.

---

1. Capitales de l'Éthiopie et du Djibouti.

VERS LA DISSERTATION

1. Pourquoi Habéké plaît-il tant au narrateur ?
2. Par quelles expressions le narrateur exprime-t-il la solidité de l'amitié qui l'unit à Habéké ?
3. Dans quelles circonstances le grand-père d'Habéké est-il disparu ? Que dénonce ce passage ?
4. Quelles sont les conséquences de cette disparition sur le petit-fils ?
5. Relevez les mots et les expressions que le narrateur utilise incorrectement.

■ Sujet de dissertation critique

Peut-on dire que, dans cet extrait, l'auteur évite le sujet du choc culturel lié à l'expérience de l'immigrant ?

Le narrateur enfant ou adolescent

Le narrateur adolescent fait une entrée remarquée en littérature par le roman *The Catcher in the Rye* (*L'attrape-cœurs*, 1951) de J. D. Salinger, une sorte de journal d'un jeune rebelle resté attaché à l'enfance. Les premiers romans de Réjean Ducharme comportent certaines ressemblances avec ce classique de la littérature étatsunienne, par leurs personnages impertinents qui dédaignent le monde adulte. *La vie devant soi* (1975), du Français Romain Gary, écrit sous le pseudonyme d'Émile Ajar, reproduit lui aussi, à sa manière, les fantaisies verbales d'un garçon perturbé ; le très grand succès de ce roman en fait un autre modèle à suivre.

Au Québec, dans la lignée de Ducharme surtout, paraissent de nombreux romans dont le narrateur est un enfant ou un adolescent. Signalons entre autres *Les portes tournantes* (1984) de Jacques Savoie, *Le père de Lisa* (1987) de José Fréchette, *Tout l'été dans une cabane à bateau* (1988) de Pierre Gobeil, *Le souffle de l'harmattan* (1988) de Sylvain Trudel, *Osther, le chat criblé d'étoiles* (1990) de France Vézina, *Soigne ta chute* (1991) de Flora Balzano, *C'est pas moi, je le jure !* (1998) de Bruno Hébert, *La petite fille qui aimait trop les allumettes* (1998) de Gaétan Soucy, et *Le jour des corneilles* (2004) de Jean-François Beauchemin.

Tous ces romans sont très différents les uns des autres, et leur intrigue réserve de nombreuses surprises aux lecteurs, qui n'ont nullement l'impression de relire la même histoire en passant d'une œuvre à l'autre. Cependant, il est possible de relever quelques dénominateurs communs à ces romans :

- Les narrateurs (ou narratrices) sont de jeunes rebelles, des êtres inadaptés à leur milieu.

- Ils proviennent de familles qui sont dysfonctionnelles ou qui traversent une importante crise.

- Ils s'expriment dans une langue maladroite, déforment les mots, font des calembours, s'amusent avec le langage.

- L'effet humoristique provoqué par ce langage faussement mal maîtrisé et très inventif contrebalance le drame que vivent ces jeunes.

Ces livres soulèvent un enthousiasme constant, d'abord auprès de la critique, puis du public qui en redemande. Il est loisible de se demander pourquoi les auteurs d'ici ont une telle prédilection pour les jeunes narrateurs. Serait-ce à cause de l'influence déterminante de Réjean Ducharme ? Ou parce que les Québécois, incapables de faire leur indépendance, s'identifient à des héros enfants ? Ou encore par les hasards de l'inspiration, qui amènent les auteurs à reprendre des sujets semblables ? Quelle que soit l'explication que l'on donne à ce phénomène, il faut admettre que ces narrateurs enfants ou adolescents ont le mérite de séduire de façon répétée les lecteurs québécois.

> L'effet humoristique provoqué par un langage inventif et faussement mal maîtrisé contrebalance le drame que vivent les jeunes narrateurs.

Michèle Assal, *Ni où ni quand,* 1999.

Ying Chen
(née en 1961)

Née à Shanghai, Ying Chen s'installe au Québec en 1989. Elle se fait rapidement connaître par ses romans sobres, intenses, qui examinent à la loupe les relations humaines, dans leur vérité et leur cruauté. Son écriture d'abord toute simple se complexifie au fil des ans, à mesure que l'auteure manie plus aisément la langue française. *L'ingratitude* (1995), qui raconte les difficiles relations entre une mère et sa fille dans la ville de Shanghai où règne encore la tradition, est considérée comme l'un de ses livres les plus réussis.

Dans *Les lettres chinoises*, l'auteure porte un regard touchant sur l'émigration. Ce roman épistolaire raconte l'histoire d'un jeune couple séparé par la distance entre la Chine et le Québec. Le jeune homme, Yuan, qui étudie à Montréal, découvre son nouveau pays avec un mélange de surprise et d'appréhension. La jeune fille, Sassa, seule à Shanghai, s'étonne de ce que lui raconte son ami et reste profondément attachée aux valeurs chinoises. Ce choc entre les deux univers met le couple durement à l'épreuve. Montréal intéresse autant le jeune homme élevé dans la Chine d'avant le miracle économique que Da Li, une amie de Sassa venue le rejoindre. Cette amie devient une excellente observatrice de la vie à Montréal.

VERS LA DISSERTATION

1. Relevez les marques de sobriété dans le style de l'auteure.
2. Quelles comparaisons Da Li développe-t-elle entre l'Amérique et la Chine, entre Montréal et Shanghai ?
3. Commentez l'avant-dernière phrase de l'extrait. Justifiez cette comparaison entre les mœurs amoureuses et les habitudes alimentaires.

■■■ Sujets de dissertation critique

1. Est-il juste de dire que Da Li considère l'Amérique de façon positive ?
2. Le point de vue de cette nouvelle arrivante ressemble-t-il à celui du narrateur brésilien, implanté depuis longtemps au pays, dans l'extrait du roman *Le pavillon des miroirs* de Sergio Kokis (*p. 192-193*) ?

Les lettres chinoises (1993)

Comment vas-tu, Sassa ? Tu te sens mieux maintenant ?

Tu sais, une bonne santé sera absolument nécessaire si tu veux vivre ici. Hier, un étudiant chinois est venu manger au restaurant, en compagnie d'un gros monsieur. Ils semblaient discuter une affaire
5 importante. Avant de partir, le jeune étudiant a pris le temps de s'approcher du comptoir pour me dire dans le dialecte shanghaïen :

— Tu es de la même ville que moi, si je ne me trompe pas ? Et tu es ici depuis pas très longtemps, je suppose ? Paroles d'ami : ne te fatigue pas trop. Si tu possèdes encore quelque chose, ce doit être
10 ta santé. Eh bien, garde-la. L'Amérique du Nord est un champ de bataille pour les jeunes et les forts, et une immense tombe pour les vieux et les malades.

Voilà une des raisons pour lesquelles j'aime l'Amérique. Ici, on vit dans les champs et on meurt dans une tombe. Une vie par-
15 faitement normale, n'est-ce pas ? Or, dans notre ville natale, j'ai l'impression que, faute d'espace, on vit sur la pointe des pieds, et quand on est mort, il faut que notre corps disparaisse dans le feu. Pas une scène pour s'y représenter, ni une tombe pour se cacher. Mort ou vivant, on est perpétuellement suspendu dans le vide.

20 J'habite maintenant dans le même bâtiment que Yuan. Il m'aide beaucoup. Il est comme un grand frère, aimable et sérieux. Grâce à la recommandation d'un de ses amis, j'ai maintenant un emploi à la bibliothèque de l'université. Ma carrière de domestique et de serveuse a pris fin aujourd'hui. Depuis cette semaine, le patron du
25 restaurant a reçu d'innombrables appels pour le poste. Je suis surprise. Dans cette ville où il y a de nombreuses maisons privées qui coûtent des centaines de milliers de dollars, il y a aussi de nombreuses personnes qui se disputent un emploi qui leur promet un salaire d'au plus cinq ou six dollars de l'heure.

30 Le travail dans ce restaurant m'a fait connaître des choses étonnantes. Outre la cupidité du patron et son horreur des taxes et des bandits, il y avait encore le va-et-vient intéressant des clients. Ce qui me frappait le plus, c'était que nos clients changeaient sans cesse d'amie de fille ou d'ami de garçon ou d'épouse ou d'époux,
35 mais qu'ils restaient étrangement fidèles aux mêmes plats quand ils s'assoyaient au restaurant. Ils commandaient presque toujours les mêmes choses. C'est tout à fait le contraire de chez nous. Ne trouves-tu pas comme moi qu'à Shanghai les gens, fidèles malgré tout à leur compagnon de vie, s'accordent plus de fantaisie à propos des plats ?
40 Serait-ce parce que, ici comme là-bas, on a tous besoin d'être audacieux dans un domaine et un peu plus médiocre dans un autre ?

Prends bien soin de toi et écris-moi.

Da Li,
de Montréal

Un ange cornu avec des ailes de tôle (1994)

Je suis couché sur le dos ; je lis. Comme tous les soirs avant de m'endormir. À cause de la présence de ma tante Bea, nous avons regardé *I Love Lucy*, à la télévision, plutôt que *Les Belles histoires des pays d'en haut.* C'est donc un lundi soir d'hiver. À huit heures et demie, ma mère m'a fait signe de me retirer dans ma chambre, une
5 pièce double qui donne au coin de Mont-Royal et Cartier, que je partage avec mes deux frères aînés. J'ai compris que ma tante Bea avait quelque chose à lui raconter et je suis parti, livre sous le bras, sans trop rechigner.

Je n'arrive pas à me concentrer sur ma lecture, cependant.
10 dant. C'est pourtant un livre qui me passionne, *Le Château des Carpathes* de Jules Verne ou un roman du Captain W. E. Johns ; un énorme volume tout décati, tout mou et fleurant la poussière, que j'ai emprunté à la Bibliothèque municipale, en face du parc Lafontaine.
15 J'ai suivi mon rituel habituel : je me suis assis au bord du sofa basculant qui me sert de lit, j'ai serré le volume sur ma poitrine après m'être bien imprégné de son odeur, j'ai fait une courte prière non pas à Dieu mais à la joie de lire, si forte, si puissante, que j'ai tellement peur de
20 perdre en *vieillissant* (j'ai peut-être un gros dix ans et, naïvement, je suis hanté par l'idée d'être un jour blasé parce que j'aurai tout lu, alors je prie pour que ma joie reste complète jusqu'à ma mort et pour que les auteurs de livres continuent à écrire !), puis je me suis étendu
25 sur le dos, l'oreiller plié dans le cou. Le plaisir d'ouvrir le livre, de bien casser la reliure du dos, de vérifier combien de pages il me reste à lire... Mais, ce soir-là, rien n'y fait : les murmures, les éclats de voix mal retenus qui proviennent de la salle à manger où fument deux tasses
30 de thé vert m'empêchent de me concentrer sur les aventures de Franz de Telek, le héros de Jules Verne, ou de Worrals, l'héroïne du Captain Johns que j'aime tant parce c'est une femme, une aviatrice qui arrive toujours à déjouer les méchants nazis, autant que ses compa-
35 gnons, Biggles et King, que je trouve un peu ennuyants avec leur arrogance de mâles trop sûrs d'eux (je ne suis pas encore tombé amoureux de King). Worrals, elle, au moins, il lui arrive d'avoir peur !

Des bribes de conversation me parviennent après
40 avoir traversé la maison, des mots que je comprends, d'autres, en anglais, dont j'essaie de deviner le sens, de juger le poids parce qu'ils sont dits avec une telle détresse. Je crois qu'elles ont un peu pleuré et j'ai sorti la tête et les épaules du lit

Michel Tremblay
(suite)

Fort de ses succès théâtraux, Michel Tremblay se lance dans le roman à la fin des années 1970. Il écrit les populaires *Chroniques du Plateau Mont-Royal*, dans lesquelles il reprend plusieurs personnages de ses pièces de théâtre. Il les fait revivre avec humour et tendresse, dans le quartier de son enfance. Ce retour dans le passé est pour lui l'occasion de se tourner vers l'autobiographie, qui en vient à prendre une place importante dans son œuvre. Il ne délaisse pas pour autant le théâtre et, si sa production surabondante de romans et de pièces déconcerte parfois, il parvient encore à livrer des œuvres puissantes à ses lecteurs.

Tremblay entreprend une trilogie autobiographique dans laquelle il tisse des liens entre des épisodes de son enfance et des œuvres qui l'ont marqué : des films dans *Les vues animées*, des pièces de théâtre dans *Douze coups de théâtre* et des romans dans *Un ange cornu avec des ailes de tôle*. Avec humour et attendrissement, il raconte l'histoire d'un garçon d'un quartier populaire qui s'éveille à la vie et à l'art. Au cœur de ses observations reste sa mère, femme colorée et curieuse pour qui il éprouve une grande affection. Dans le passage qui suit d'*Un ange cornu avec des ailes de tôle*, le jeune Michel est déchiré entre deux puissantes tentations : lire ou ne rien manquer d'un drame qui se déroule près de lui, l'une de ces histoires qui alimenteront son imaginaire d'écrivain.

Dans ses récits autobiographiques, Michel Tremblay s'attendrit sur son enfance passée en plein cœur du Plateau Mont-Royal, à l'époque un quartier ouvrier typique, très différent du quartier chic d'aujourd'hui.

en m'appuyant de la main sur le plancher. Mais je n'entendais pas mieux et mon poignet s'est vite engourdi. J'ai pensé me
45 lever doucement, longer le corridor, aller me réfugier dans le minuscule cagibi qui fait le coin de la cuisine, mais le plancher craque et j'en ai payé les conséquences, la dernière fois qu'on a reçu de la visite : « Maudit senteux, va donc dormir dans ton lit au lieu d'écouter les adultes ! Tu comprendrais pas ce qu'on
50 dit, de toute façon ! Y'est-tu fatiquant ! Toujours le nez fourré partout ! »

J'essaie de me replonger dans ma lecture. Du bruit, dans la cuisine. Des tasses et des soucoupes qui s'entrechoquent, un sac à main qui s'ouvre, quelqu'un qui se mouche, le sac à main
55 qu'on referme. Clac ! métal contre métal. Ma tante Bea s'en va. Je sais ce qui va suivre, c'est toujours la même chose, et je décide de faire semblant de dormir pour ne pas avoir à subir les assauts mouillés de la « jumelle » de ma mère qui sent un peu trop à mon goût le parfum de matante propre... Mais je n'ai pas
60 le temps d'éteindre la lumière, elles sont déjà dans le corridor qui mène à ma chambre.

« He's already sleeping... With a book on his chest... Isn't that cute...

— Ouan... Y va finir par s'arracher les yeux avec ses folleries... »

VERS LA DISSERTATION

1. Comment Michel Tremblay décrit-il son amour de la lecture ?

2. Que pouvez-vous déduire de la relation de la mère avec son fils à partir de la dernière phrase de l'extrait ?

3. Qu'est-ce qui révèle déjà une vocation d'écrivain chez cet enfant de 10 ans ?

4. Comparez ce passage aux extraits des pièces *Les belles-sœurs* (*p. 152-153*) et *À toi pour toujours, ta Marie-Lou* (*p. 153*). Observez comment a évolué le point de vue de Tremblay sur le milieu ouvrier dont il provient.

■ **Sujet de dissertation critique**

Dans ce texte autobiographique, Michel Tremblay préfère le monde des livres à la réalité. Discutez cette assertion.

Le pavillon des miroirs (1994)

Les gens d'ici me questionnaient, certes, et même très souvent, puisqu'ils ont du mal à comprendre comment quelqu'un peut quitter le soleil pour venir se réfugier dans ces immensités glacées. Mais ils n'insistent jamais. Leurs soucis les reprennent aussitôt, et vite ils retournent à ce qui les intéresse le plus. Mes camarades de
5 travail, par exemple, sont hantés par la peur de perdre leur boulot, leur place, ou leur réputation. Ou ils sont jaloux de ceux qui sont plus compétents ou qui se font mieux pistonner. Des boulots idiots, sans aucune importance, puisqu'ici il n'y a pas de gens qui meurent de faim, pas de cadavre dans les
10 rues, pas de police qui torture. Mais comme partout, ils sont consumés par la peur; il y va de leur identité. Et puis il leur faut être bien vus, avoir du pouvoir, acheter et acheter encore des marchandises dont ils n'ont pas le temps de jouir. La mode, les sorties, les restaurants,
15 les femmes de luxe, les voyages éclair pour bronzer au soleil et faire l'envie des autres, voilà leurs rituels, leurs obligations quotidiennes. Faute d'autre dessein, toute leur richesse y passe, avec l'espoir suprême de paraître un jour à la télévision, dans l'un de ces shows débiles
20 ou dans un concours. En attendant, ils font comme mes tantes, et se plaignent du temps qu'il fait, de la conjoncture, des étrangers ou de la chute du dollar. La peur est disséminée partout, surtout la frousse de la mort. Pas de la mort-cadavre, non, celle-là ils ne la connaissent
25 pas. La mort en vie, plutôt, leur mort à eux: le manque d'argent superflu, le manque de popularité et la crainte de vieillir. Ils cherchent à exorciser leurs démons par des régimes de toutes sortes, depuis le régime sans cholestérol jusqu'au régime de retraite, les assurances
30 multiples et les médecines douces. Ils font du jogging, ils bandent en faisant attention, ils s'efforcent de jouir sans sucre et s'associent en partenaires comptabilisés même pour leurs ébats extraconjugaux. C'est drôle, parfois je pense que les lubies de ma mère n'étaient pas
35 si éloignées des horoscopes, des médecines naturelles ni des psychothérapies dont se gavent les gens d'ici. Comme si la bêtise était la même partout, changeant seulement d'habit en fonction des possibilités du portefeuille. Sauf que leurs infusions n'enivrent pas et que leur eau de lune se vend cent dollars l'heure. D'ailleurs, ici, j'ai acquis la certitude que plus on a, plus la carence est
40 grande. Avec pour conséquence qu'ici les gens se plaignent plus que ceux qui vivent sous les tropiques et, bizarrement, plus on les rassure, plus ils ont besoin d'attention et peur de l'avenir. Ils me rappellent certains enfants de l'internat, si gâtés par leurs mères qu'ils n'arrivaient pas à se défendre une fois tout seuls. Et plus ils avaient, moins ils se sentaient aimés.

[...]

Sergio Kokis (né en 1944)

Sergio Kokis mène plusieurs vies à la fois. Au cours de sa jeunesse dans son Brésil natal, il participe à des activités clandestines contre la dictature. Puis, il choisit de s'exiler pour étudier en France, avant de s'établir au Québec en 1969. Il est à la fois psychologue et peintre. La parution du roman *Le pavillon des miroirs* lui ouvre la voie à l'écriture : l'œuvre est reçue avec enthousiasme et est couronnée de plusieurs prix. Kokis devient un écrivain prolifique qui offre à ses lecteurs un univers d'une grande richesse, marqué par son passé brésilien et les réflexions nombreuses qu'il élabore sur des sujets graves.

Dans *Le pavillon des miroirs*, Kokis ranime les souvenirs de son enfance et de son adolescence turbulente. Il décrit un Brésil contrasté, en proie à une grande misère et à de nombreuses injustices. Dans ce pays troublé, agité, l'auteur découvre sa sensualité et son attraction irrésistible pour les femmes. En alternance avec les chapitres consacrés à sa jeunesse, Kokis élabore des réflexions sur la peinture et sur sa condition d'immigrant dans un pays non identifié, que le lecteur peut aisément associer au Québec.

45 L'étranger a ainsi beau jeu, naturellement, et il s'adapte à merveille, puisque faute d'identité les gens d'ici recherchent la variété. Il fait sa place, il s'intègre, tout en restant un étranger, pour toujours. En fait l'étranger n'est pas assez bête pour refuser cette belle identité qu'on lui offre, avec le droit en plus aux écarts de conduite et à toute la sympathie à cause de son passé de souffrances. Même qu'il a

50 l'air de rendre les habitants de l'endroit un peu étrangers à leur tour, les fécondant de son air du large pour leur montrer que le monde est plus vaste que leur petite province. L'étranger les console ainsi de leurs défaites passées, et ils se disent qu'en fin de compte c'est peut-être mieux de ne pas changer. Ils se disent que, avec toute cette misère qu'on ne soupçonnait point, il est vrai qu'on est mieux ici,

55 même si les couilles sont de plus en plus serrées dans les ceintures de chasteté. Puis les nouveaux curés, les consultants en savoir-vivre et les matrones veillent, partout, à la télévision, au travail, dans les journaux et leurs nombreuses ligues de vertu, à ce que le plaisir se réduise au loisir. Comme dans les jardins d'enfants.

J'observais leur façon de vivre et m'y conformais, en me disant que la fantaisie n'est

60 pas une question d'argent. Je le savais déjà depuis longtemps. Cette attitude déta-chée, cette attente m'a permis de trouver du travail et de passer inaperçu puisque j'acceptais facilement, et de bonne grâce, les postes dont ils ne voulaient pas. Mon identité était ailleurs, bien solide quelque part, et je ne me souciais pas qu'on m'admire ou qu'on me méprise. Après Jeremoabo et Milagres[1], peu de chose pouvait

65 me toucher, tellement je me sentais soulagé de ne pas appartenir au règne minéral.

---

1. Villes du Brésil très pauvres, visitées par le narrateur.

VERS LA DISSERTATION

1. Quels reproches le narrateur fait-il aux gens de son pays d'accueil ?
2. Montrez, au moyen des procédés d'écriture et des termes employés, les contradictions soulevées par le narrateur à propos des « gens d'ici ».
3. Comment expliquer la peur des nouveaux compatriotes du narrateur ?
4. Quelle est l'attitude de l'étranger qui s'introduit dans ce monde ? Quel effet son attitude produit-elle chez les gens qui l'accueillent ?
5. Qui sont, selon le narrateur, les « nouveaux curés » ? Pourquoi emploie-t-il cette expression ?
6. Comment le narrateur a-t-il été transformé par son contact avec la mort et l'extrême misère ?

■ Sujet de dissertation critique

Est-il juste de dire que, dans cet extrait, Sergio Kokis est un bon critique de la société québécoise ?

Sergio Kokis, *Carnaval*, 1987.

Dans *Le pavillon des miroirs*, Sergio Kokis, écrivain, mais aussi artiste dont les œuvres se rattachent à l'expressionnisme, nous fait part de ses préoccupations de peintre.

L'écriture migrante

Le phénomène de l'immigration, plus important que jamais à partir des années 1980, modifie en profondeur l'organisation sociale dans plusieurs pays. La littérature en vient à refléter les expériences diverses d'immigrants qui doivent s'intégrer à leur nouveau pays et comprendre des usages différents de ceux auxquels ils ont été habitués.

Comme la plupart des pays occidentaux, le Québec, maintenant riche et prospère, devient une terre d'accueil. Dans ce Québec qui se transforme, le milieu littéraire reçoit avec intérêt les œuvres des nouveaux arrivants. Leur production, que l'on désigne souvent par l'expression «écriture migrante», rassemble de multiples témoignages qui permettent aux Québécois d'obtenir sur notre monde un regard nouveau, très souvent sans complaisance, qui ébranle les certitudes.

Si les points de vue d'auteurs d'origine chinoise, libanaise, brésilienne ou italienne sont forcément très différents, il est cependant possible de ramener l'écriture migrante à certaines caractéristiques communes :

- **Elle transmet une somme d'expériences variées, qui reflètent la diversité des cultures dans le monde.** La majorité des Québécois contemporains, élevés dans un pays très favorisé, méconnaissent nombre de ces expériences : la guerre, la grande pauvreté, la dictature, le communisme. Puisant comme tous les auteurs dans leur passé, les écrivains migrants transmettent aux lecteurs québécois une réalité lointaine et fascinante.

- **En son cœur est placé le thème du *déracinement.*** Même lorsque l'émigration est souhaitée, s'arracher à sa culture d'origine reste douloureux, provoque des questionnements multiples et parfois de la nostalgie.

- **Elle met souvent en scène un nouvel arrivant qui apprend à vivre dans son pays d'accueil.** Qu'il ait rêvé de vivre au Québec (ou ailleurs), ou qu'il y soit abouti par hasard, le nouvel arrivant doit apprendre à connaître son pays d'adoption, qui lui offre de nombreuses surprises et qu'il compare inévitablement à son pays d'origine.

- **Ses personnages de nouveaux arrivants réfléchissent à leur condition d'«étrangers».** L'écrivain migrant, même s'il cherche à être accepté de ses nouveaux concitoyens, se considère souvent comme différent, incapable de se confondre entièrement avec sa société d'accueil. Par ses personnages, il exprime parfois à quel point il se sent doublement étranger : dans son pays d'accueil, mais aussi dans son pays d'origine qui s'est transformé depuis son départ.

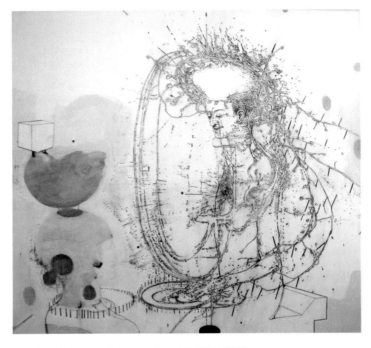

Massimo Guerrera, *Au cœur du sujet,* 2003-2006.

Certains artistes d'origine étrangère se font apprécier au Québec, comme Massimo Guerrera, qui conçoit des œuvres dramatiques et provocantes, le plus souvent sous forme d'installation.

L'écriture migrante a nourri tous les genres littéraires : la poésie, par exemple celle de Joël Des Rosiers, né à Haïti, et d'Anne-Marie Alonzo, née en Égypte; le théâtre, avec les pièces du dramaturge d'origine italienne Marco Micone, ou d'Abla Farhoud et de Wajdi Mouawad, nés au Liban; l'essai, entre autres *Le marché aux illusions* (1995), de l'auteur d'origine antillaise Neil Bissoondath, qui développe une riche réflexion sur le multiculturalisme.

> Les écrivains migrants transmettent aux lecteurs québécois une réalité lointaine et fascinante.

Mais le roman reste particulièrement propice pour exprimer l'expérience de l'immigration. Les œuvres très appréciées de Dany Laferrière, Ying Chen, Sergio Kokis, respectivement d'origine haïtienne, chinoise et brésilienne, ont su s'imposer parmi les plus importantes de la littérature québécoise contemporaine. Certains Québécois nés au pays abordent aussi dans leurs œuvres des questions liées à la littérature migrante, entre autres Francine Noël dans *Babel, prise deux* (1990)[1] ou Monique Proulx dans *Les aurores montréales* (1996).

---

1. Connu aussi sous le titre de *Nous avons tous découvert l'Amérique.*

Les aurores montréales (1996)

Jaune et blanc

Les choses de ce magasin, grand-mère, courent à perte de vue dans des allées plus larges que des ruelles et grimperaient jusqu'au ciel si le plafond ne venait interrompre leur escalade. Elles sont rouges, grises, jaunes, vertes, grandes, petites, allongées, rondes ou rectangulaires, et pourtant on dirait qu'elles se ressemblent toutes,

5 et plus le regard cherche à les distinguer les unes des autres, plus elles se multiplient et se dérobent et se fondent à l'infini en un seul objet monstrueux, aux parties innombrables et à l'usage mystérieux.

J'ai tenté d'avancer dans ce magasin comme je l'aurais fait dans
10 la rue Nanjing au milieu d'une cohue. Mais comment avancer lorsqu'il n'y a aucun repère, comment savoir dans quelle direction porter ses pas ? Alors je suis restée immobile, le cœur serré par l'effroi, pendant que les clients affluaient à l'intérieur, me contournaient sans me voir, fonçaient avec détermination là où
15 il leur fallait aller, là où les attendaient une destination et un objet précis. Je n'ai jamais connu d'angoisse plus grande qu'à ce moment-là, grand-mère, à ce moment où Montréal m'est apparu comme une énigme indéchiffrable dont les clés et les codes pour survivre m'échapperaient à jamais.

20 Ma détresse n'est pas demeurée inaperçue, puisqu'un homme s'est approché de moi et m'a demandé en anglais, avec un accent français, s'il pouvait m'aider. Je lui ai répondu en français, qui est la seule langue d'Amérique du Nord que je connaisse, mais aucune langue à cet instant n'avait d'utilité pour décrire
25 un objet dont j'ignorais le nom, et lorsque je lui ai dit avec affolement « non merci », il a interprété malheureusement ces mots comme une invitation à m'abandonner sur-le-champ, au lieu d'y voir une formule préliminaire de politesse et un appel au secours.

30 Le secours ne viendrait plus de nulle part. J'ai fait quelques pas dans n'importe quelle direction, et moi qui ne sais pas nager, grand-mère, je me suis enfoncée dans cette mer solide et insondable jusqu'à ce qu'elle se referme complètement sur moi. J'ai affronté minutieusement chacun de ces objets
35 sophistiqués, ouvragés par des mains d'artistes ou de robots, j'ai interrogé un à un les morceaux de métal et de substance colorée pour tenter de déceler à quelle partie de la maison ou de l'existence ils pouvaient se rattacher. À un certain moment, j'ai reconnu des couteaux. Il y en avait cent vingt-neuf, de formes et de dimensions
40 différentes, et j'ai pensé avec terreur qu'il existait dans ce fabuleux pays cent vingt-neuf façons de découper, et que je n'en connaissais qu'une. Un peu plus loin, j'ai rencontré soixante-trois plats aux profondeurs variables dans lesquels je n'aurais su s'il fallait mettre du riz ou des clous. Soudain, encore plus loin, j'ai vu des pelles. Des

Monique Proulx (née en 1952)

Monique Proulx est une conteuse de premier ordre. Elle campe des personnages plus vrais que nature, manie avec aisance l'humour et la dérision, conserve une saine distance envers ses personnages, ce qui lui permet de les aborder avec humanité, mais sans trop s'attendrir. Elle se fait remarquer par ses romans *Le sexe des étoiles* (1987) et *Homme invisible à la fenêtre* (1993). Mais ses talents de conteuse se manifestent peut-être davantage dans la nouvelle, genre qu'elle maîtrise à la perfection.

Le recueil de nouvelles *Les aurores montréales* présente un Montréal multiethnique en constante transformation. Parfois avec une touche d'humour, Monique Proulx place le lecteur face au désarroi de personnages consternés par les changements de valeurs qu'impose la société moderne. Elle décrit comment ils s'efforcent de résoudre leurs dilemmes et leurs contradictions, alors que tout semble leur échapper. À quelques occasions, elle donne la parole à des gens des communautés culturelles par des lettres qu'ils envoient à leurs proches. Ce procédé permet à l'auteure de jeter un regard neuf et critique sur Montréal. Ainsi, elle se permet de réfléchir sur notre société de consommation en donnant la parole à une jeune Chinoise qui visite un grand magasin.

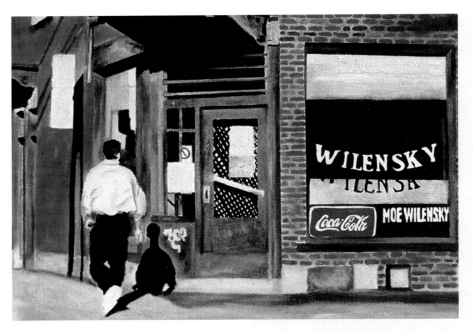

Marie Cinq-Mars, *Wilensky*, **1995.**

Plusieurs nouvelles des *Aurores mon-tréales* de Monique Proulx se déroulent dans le Mile-End, quartier bigarré et multiethnique où vivent de nombreux artistes.

....

pelles, grand-mère, des sœurs familières de
45 celles que nos paysans enfonçaient dans la terre de l'autre côté du Huangpu, et je me suis précipitée vers elles, car où il y avait des pelles il y aurait peut-être de la broche ou du bois pour mes fleurs, pour mes pauvres
50 dahlias que le flot des choses sans nom commençait à entraîner dans l'oubli.

Je n'ai pas trouvé de broche ou de bois, mais j'ai trouvé quarante-neuf sortes de pelles, et dix-huit sortes d'un gros outil appelé *Weed*
55 *Eater*, une chose démesurée enveloppée dans du plastique et perchée au-dessus des allées comme un roi aux pouvoirs obscurs.

C'est ainsi, grand-mère, que s'est déroulée mon initiation à la vie montréalaise, cet
60 automne presque lointain où j'étais encore un arbuste chinois fraîchement transplanté en Amérique du Nord.

VERS LA DISSERTATION

1. Montrez que ce texte fait une critique de la société de consommation.
2. Par quelles images la narratrice exprime-t-elle son désarroi ?
3. Quelle est l'attitude des Québécois à l'égard de cette jeune Chinoise égarée dans un grand magasin ?
4. Quelle leçon la narratrice tire-t-elle de l'expérience ?

■■■ Sujet de dissertation critique

Comparez cette nouvelle à l'extrait tiré des *Lettres chinoises* de Ying Chen (*p. 189*). Peut-on dire que les deux jeunes narratrices chinoises ont une vision semblable de leur pays d'accueil ?

Gaétan Soucy (né en 1958)

Gaétan Soucy acquiert une formation éclectique : il étudie la physique, les mathématiques, la littérature, la philosophie et la langue japonaise. Il écrit deux romans très appréciés de la critique, *L'Immaculée Conception* (1995) et *L'acquittement* (1997), avant de connaître un important succès auprès du public, tant au Québec qu'en France, avec *La petite fille qui aimait trop les allumettes*.

Ce roman s'apparente à un conte : l'auteur se préoccupe peu de la vraisemblance et situe son histoire, hautement symbolique, dans une époque et un lieu indéterminés ; son récit, court et rempli de retournements, passe rapidement de la fantaisie à l'horreur.

L'efficacité de *La petite fille qui aimait trop les allumettes* est due en grande partie à la langue de la narratrice, qui, dans la tradition de Ducharme, bouscule le langage, transforme les mots, ne cesse de surprendre et d'amuser le lecteur. Ce langage crée un étrange contrepoint avec l'extrême gravité des évènements racontés. Le drame est déclenché par le suicide du père. La narratrice, qui s'imagine être un garçon et qui a toujours vécu enfermée, quitte alors le domaine familial pour chercher un cercueil. Au cours de son expédition au village, elle arrive devant l'église, où se déroulent des funérailles.

La petite fille qui aimait trop les allumettes (1998)

Et alors ce qui nous a sidéré cheval et moi c'est que la musique qui venait de l'église ressemblait comme une goutte d'eau à la musique qui sortait de l'instrument à tuyaux de papa, et comme je suis attiré contre toute raison par la
5 musique qui me met en lambeaux calcinés, nous sommes entrés cheval et moi à cause de ça à l'intérieur.

Et je vais vous dire, malheur à celui par qui le scandale arrive, comme c'est vrai. Je me suis avancé dans la grande allée avec cheval. Il y avait le cercueil tout nu tout
10 droit devant. Le prêtre agitait mollement un encensoir, on n'apprend pas à un vieux singe, et il avait les paupières mi-closes, et marmonnait, et avait l'air de réfléchir énormément à quelque chose de douloureux, nous fîmes une entrée remarquée cheval et moi. Je tenais mon sac à
15 sous à bout de bras à hauteur d'épaule, et je le montrais aux gens assis sur les bancs en marchant tristement, je répétais s'il vous plaît s'il vous plaît donnez-moi un cercueil, et je faisais pitié. Je ne sais pas où sont passés les cœurs dans ce village, les gens n'en ont pas, je
20 dis la chose ainsi qu'elle m'apparaît. Je dois cependant à la vérité de dire à la décharge du village qu'il y avait une vieille pute dans la troisième rangée toute courbée par son dos et qui m'a néanmoins regardé sans haine, et j'ai cru apercevoir derrière son voile gris qu'elle m'adressait
25 peut-être un sourire qui ressemblait ma foi à de la compassion, une seule vieille pute dans toute cette église et dont il me plaît à penser que l'auteur des choses lui ménagera une mort douce, comme celle que connaissent les fleurs et les papillons, c'est le souhait que je formule,
30 jamais je n'oublierai ce sourire qui comprenait. Deux hommes m'ont attrapé par derrière sans que je puisse mais. Je ne sais pas si c'étaient les deux mêmes hommes que tantôt au magasin général du mort, il y a des fois où tout me semble interchangeable dans l'univers, mais

35 comme j'étais une chèvre enragée, j'eus le temps de leur lancer par la tête à tue-tête : «Vous torturez votre mort avec cette musique», je ne le leur ai pas envoyé dire, à tous autant qu'ils étaient, moins la vieille pute au sourire, à qui j'eus le temps de sourire aussi en ce bref instant.
40 Seulement ils étaient deux, je ne sais pas si j'ai oublié de le dire, je veux dire les deux hommes qui m'ont attrapé lâchement par derrière, et ils étaient nettement plus forts, on ne peut rien contre les lois de la nature.

Or cheval était si bouleversé de ce qui nous arrivait qu'il se
45 mit dans des états, bondit hors de l'église, et le voilà parti comme un fusil, à une vitesse dont je ne l'aurais pas cru capable, à rebours du chemin que nous avions parcouru ensemble jusque-là, le ventre à ras le sol, hennissant vers la pinède au-delà de laquelle il y a notre maison et papa
50 qui n'avait toujours pas son cercueil. Est-ce dieu possible! On me laissa au milieu de la route devant le parvis, on agita devant moi un index menaçant en m'intimant des ordres, mais il était trop tard, j'étais parti pour ne plus rien comprendre à rien, je venais d'être saisi d'une figette.

Sophie Jodoin, *Bathroom Scene # 5*, 2007.

VERS LA DISSERTATION

1. Notez les divers éléments absurdes dans cette situation.
2. Quels sont les effets comiques créés par le langage de la narratrice ?
3. Quelle est la relation entre la narratrice et la « vieille pute » dans l'église ? Pourquoi la narratrice choisit-elle la dénomination de « vieille pute » ?
4. Qui est « l'auteur des choses » (l. 27) ? De quelle figure de style cette expression est-elle formée ?

■ Sujet de dissertation critique

Est-il juste de dire que cet extrait n'est pas réaliste ?

Le best-seller québécois

Jusqu'aux années 1980, les auteurs québécois cherchaient principalement à écrire une littérature de qualité, influencée par leurs expériences personnelles, et laissaient la littérature commerciale aux étrangers, aux Français et aux Américains surtout. Certaines séries de romans populaires plaisaient au grand public, telles que les *IXE-13* et *Le manchot* de Pierre Daignault (ou Pierre Saurel), mais ces petits livres sans prétention et fabriqués à la chaîne restaient en marge de la littérature.

Dès le début des années 1980 paraissent des séries de romans qui font la preuve que des livres écrits au Québec peuvent se hisser parmi les rangs des plus populaires. Plusieurs de ces séries remportent un succès considérable et déclassent même parfois des œuvres étrangères très appréciées. Parmi ces *best-sellers*, il faut signaler *Les fils de la liberté* (1981-1990) de Louis Caron, *Chroniques du Plateau Mont-Royal* (commencées en 1978) de Michel Tremblay, *Les filles de Caleb* (1985-1986) d'Arlette Cousture, *Marie Laflamme* (1990-1994) de Chrystine Brouillet et *Le goût du bonheur* (2000-2001) de Marie Laberge. Il ne faut surtout pas oublier le succès considérable du roman *Le matou* (1981) d'Yves Beauchemin, livre qui bat tous les records de vente, qui est traduit dans plusieurs langues, et dont le personnage principal, énergique et combatif, ne ressemble pas aux Québécois bafoués et résignés qu'on trouve en grand nombre dans les œuvres misérabilistes de l'époque précédente.

Les *best-sellers* québécois ne sont pas tous fabriqués de la même façon et ne sont pas de qualité égale. Mais certaines tendances se dégagent de leur conception :

- **Les auteurs adoptent un style simple et efficace.** Les phrases sont courtes, et les effets de style, limités. Le lecteur arrive ainsi à saisir rapidement un propos sans ambiguïté. Les histoires sont narrées de façon à ce qu'on les lise rapidement et sans difficulté.

- **Les histoires sont bien rythmées et pleines de rebondissements.** Le récit doit toujours soutenir l'attention du lecteur. Ces livres prennent comme modèles les romans-feuilletons du XIXe siècle, ceux d'Alexandre Dumas par exemple, dont les chapitres se terminent par une action qui débute et dont le lecteur veut suivre le déroulement, ce qui le tient constamment en haleine.

- **La psychologie des personnages est simple et clairement expliquée.** Le lecteur distingue facilement, par exemple, le bon du méchant : le premier est caractérisé par des qualités remarquables, fait preuve de courage et de noblesse, alors que le second est en proie à ses pulsions et à son avidité.

- **Les auteurs ont une prédilection pour le roman historique.** Ils recherchent les épisodes mouvementés de notre histoire ; leurs récits, même s'ils ne respectent pas toujours rigoureusement la réalité historique, instruisent et dépaysent le lecteur. Le passé est vu sous le regard critique du présent, et les héros ont le plus souvent une mentalité et des valeurs modernes, alors que celles de leurs semblables, surtout les gens au pouvoir, sont nettement plus caractéristiques de l'époque décrite.

- **Les auteurs privilégient le roman à épisodes.** La conception de romans sous forme d'épisodes d'une série encourage la vente des livres, surtout lorsque le premier roman de la série a bien marché. Un grand nombre d'auteurs préfèrent la trilogie aux autres types de séries.

Les *best-sellers* québécois remportent un succès qui ne se dément pas. À chaque saison paraît une nouvelle série historique sur un moment inattendu de notre histoire. Le public répond le plus souvent avec enthousiasme, d'autant plus que ces livres, très rentables pour les éditeurs, profitent de campagnes de promotion efficaces et sont très visibles dans les grands médias, les Salons du livre et les espaces publicitaires.

Le succès de ces livres ne fait cependant pas l'unanimité. Certains observateurs les jugent favorablement. Ils considèrent qu'il est préférable que le marché du *best-seller* soit occupé entre autres par des Québécois plutôt qu'uniquement par des étrangers. D'autres prétendent que l'attention systématique accordée aux *best-sellers* détourne les lecteurs d'une littérature plus complexe et plus exigeante, et que les habitudes de lecture créées par ces livres ne sont pas souhaitables.

Les *best-sellers* québécois ont inspiré plusieurs séries télévisées, tout aussi populaires que les romans dont elles ont été tirées. Parmi elles, la série *Les filles de Caleb,* avec Marina Orsini et Roy Dupuis, remporte au début des années 1990 un succès considérable.

Un dimanche à la piscine à Kigali (2000)

— J'ai un petit côté vieux jeu, Valcourt, vous le savez. Les phrases de curé me viennent facilement, les clichés dont l'Église et les bien-pensants se nourrissent parce qu'ils vivent dans les Écritures plutôt que dans la vie. Ce que je vous ai dit plus tôt, vous l'admettrez, c'est le langage
5 de la raison. Un piège pervers dans lequel je me débats depuis des années. Que dit la raison raisonnable? Que les jeunes ne vont pas avec les vieux. Que le malheur fait partie de la vie. Que quand il y a des hommes, il y a de l'hommerie. Elle
10 dit aussi qu'il faut obéir. Aux parents, aux patrons, aux gouvernements. Elle ajoute que la révolte est chose de l'adolescence et que l'acceptation de l'ordre marque le passage à l'âge adulte. Elle nous explique aussi que la guerre est inévitable
15 et que les massacres font partie de la nature des choses. La raison nous dit d'accepter le monde qui nous entoure. Je n'ai jamais été raisonnable. Je croyais me battre contre ce monde qui m'entoure. Comment? En sauvant un enfant affamé, en
20 lavant un sidéen, en distribuant des médicaments, en prêchant ce qu'on appelle la Bonne Parole, en disant la messe qui est le sacrifice totalement déraisonnable du Fils de Dieu. Oui, j'y crois. Ne froncez pas vos sourcils d'athée. Mais je regarde
25 ce qu'ont accompli tous ces gens raisonnables. Ils nous ont précipités dans deux guerres mondiales. Ils ont organisé l'Holocauste, comme on planifie le développement économique d'une région ou l'expansion d'une multinationale. Ils ont aussi fait
30 le Viêt-nam, le Nicaragua, l'apartheid en Afrique du Sud et les cent guerres ou plus qui ont ravagé ce continent depuis le départ des colonisateurs. Ces meurtriers ne sont pas des fous. Il y a bien eu quelques névrosés, comme Hitler, mais sans les
35 gens raisonnables, sans des centaines de milliers de croyants, de bons chrétiens raisonnables, aucune de ces plaies de l'humanité n'aurait sévi. Les gens qui charcutent l'humanité à grands coups de baïonnettes sont tous des gens bien et respec-
40 tables. Et quand les circonstances ne les portent pas à la guerre, ils tournent le dos à l'injustice. Ou plutôt, ils organisent l'injustice. Et quand ils ne l'organisent pas, ils la tolèrent, ils l'encouragent, ils s'en font les complices et les financiers. Valcourt, je ne me sens plus chrétien depuis que je vous ai de-
45 mandé de ne pas rapporter mes propos sur les massacres de l'année dernière.

Gil Courtemanche (1943-2011)

Gil Courtemanche mène une importante carrière de journaliste spécialisé dans la politique internationale. Il côtoie les pires drames humains de nombreux pays où il se rend, entre autres le Cambodge, le Liban et l'Éthiopie. Il devient très critique à l'égard du métier de journaliste et dénonce «les codes et l'objectivité qui étouffent et trahissent la réalité», selon le propos qu'il associe au personnage principal d'*Un dimanche à la piscine à Kigali*. Il entreprend des séjours au Rwanda, où il est témoin des ravages provoqués par le sida et du génocide. Il tire de cette expérience un roman complexe et percutant, *Un dimanche à la piscine à Kigali*, qui est traduit dans une vingtaine de langues. Gil Courtemanche a aussi été un chroniqueur apprécié au quotidien *Le Devoir*.

Un dimanche à la piscine à Kigali raconte la genèse d'un massacre, le génocide de 1994 au Rwanda, qui a fait près de 800 000 victimes, sans que la communauté internationale ne parvienne à intervenir. Cinéaste en mission au Rwanda, où la mort est déjà omniprésente en raison du sida qui affecte le tiers de la population, le narrateur, Bernard Valcourt, refuse de désespérer. Tout en dénonçant avec force l'impéritie et les actions nuisibles des instances internationales, il présente une série de personnages attachants qui s'accrochent à la vie. Lui-même renaît lorsqu'il tombe amoureux de Gentille, une jeune Hutue avec un corps de Tutsie. Le prêtre qui les marie, le père Louis, est d'abord peu favorable à cette union, à cause de la différence d'âge et du fossé culturel. Mais devant la haine qui déchire le pays, devant le massacre qui se prépare et dont il prévoit l'ampleur par ce qu'il entend en confession, il s'attendrit devant un amour véritable.

J'en ai assez d'être raisonnable. Oubliez ce que j'ai dit au sujet de votre mariage. J'ignore si ce n'est qu'un vieux réflexe de curé ou une tentative pour rire un peu de moi. Bien sûr que je vais vous marier et j'oublie que vous m'avez déjà confié que vous étiez divorcé. Vous ne savez pas quel bonheur ce sera pour moi de bénir
50 l'union de deux personnes qui s'aiment, même si Gentille est beaucoup trop jeune pour vous. Cela, je le crois et le maintiens [...].

[...]

— Je n'en peux plus de me taire. Nous sommes des milliers de religieux en Afrique qui avons
55 choisi le parti du silence, pariant sur la présence et la durée. Nous soutenons que Dieu se situe au-delà des combats des hommes. Dans ces affrontements, nous
60 choisissons presque toujours la pérennité de l'Église. Nous ne sommes pas seuls. Vos organisations humanitaires préfèrent collaborer avec le dictateur plutôt
65 que de le dénoncer. Nous aussi. Nous le faisons essentiellement pour les mêmes raisons. Si nous parlons, car c'est de cela qu'il s'agit, nous devrons par-
70 tir, et la situation des démunis

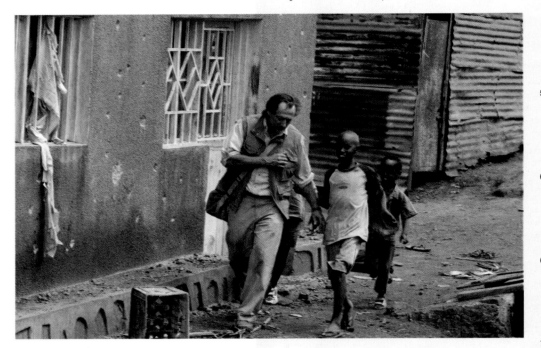

Luc Picard interprète Bernard Valcourt, personnage principal du roman de Gil Courtemanche, dans un film de Robert Favreau, *Un dimanche à Kigali*, en 2006.
....

empirera. C'est souvent vrai. Il ne faut pas jeter tous les curés de ce continent, les religieux et les humanitaires, dans la même poubelle du silence complice. Mais nous avons, nous de l'Église du Christ, moins d'excuses que les autres. Précisément parce que notre enseignement et notre foi parlent de la dignité
75 de l'homme, de respect, de justice et de charité. Magnifique parole vide de sens et de réalité, parce que depuis des décennies nous cautionnons au nom d'un avenir improbable et d'une éternité abstraite les pires crimes qu'on puisse imaginer. Si je pouvais témoigner devant un tribunal, je ferais emprisonner tous les membres du gouvernement et la moitié au moins des experts internationaux
80 du Fonds monétaire international ou de la Banque mondiale, qui nourrissent sans scrupule aucun l'appétit insatiable de tous les dictateurs de l'Afrique.

VERS LA DISSERTATION

1. Que pense le père Louis de l'obéissance ?
2. Quel est le dilemme des religieux et des organisations humanitaires en Afrique ?
3. Qui sont les principaux responsables de la misère en Afrique, selon le père Louis ?

■ Sujet de dissertation critique

Peut-on dire que le père Louis est contre la raison ?

Le joueur de flûte (2001)

Par un petit jour encore gris du mois d'octobre, fringué de mes plus beaux atours (veste militaire matelassée, ma meilleure paire de Levi's et des bottes de marche munies de semelles Vibram), équipé de ma tente et de mon couchage et ayant vidé mon compte en banque trente-six heures plus tôt,
5 j'ai enroulé, vers cinq heures du matin, une voiture flamblant neuve autour d'une solide épinette blanche dressée en bordure de la route Transcanadienne juste à l'ouest de Petawawa. Le chauffeur principal, rencontré par l'entremise d'Allô-Stop, était plongé dans son petit roupillon sur la
10 banquette arrière. Il avait été embauché pour livrer la bagnole trois jours plus tard à Calgary. Et il semblait croire que c'était de ma faute s'il tombait une fine neige mouillée sur cette maudite forêt d'épinettes un 10 octobre. Son regard meurtrier pendant qu'on le poussait à l'intérieur de l'ambulance. Avant qu'aient pu être éclaircies, à la satisfaction générale, les inévitables questions d'assurances et de responsabilité (aucune, dans mon cas, ai-je respectueusement soumis au policier qui m'avait invité à causer, indemne et bien au chaud dans
20 sa voiture), je me suis retrouvé sur le quai de la petite gare de Chalk River, proche d'une centrale nucléaire, en train d'attendre le train.

De Calgary, j'ai pris un autobus pour Banff où, après avoir dragué une touriste belge au Black Bear, j'ai vu
25 cette dernière me filer sous le nez à l'auberge de jeunesse, en compagnie d'un Américain chauve originaire de l'Alaska. Le lendemain, j'ai cassé le manche de la hache du propriétaire de l'auberge en essayant de fendre du bois.

30 À Jasper, j'ai dormi dans un grand dortoir et rencontré une fille de Laval qui avait participé, en tant que victime, à la fameuse bastonnade d'Osoyoos au milieu des années quatre-vingt. Les rednecks[1] du coin, armés de bâtons de baseball, l'avaient traitée de *frog* avant de la
35 saisir par les extrémités pour la balancer dans l'étang.

Arrivée dans le B.C.[2] non loin d'un endroit appelé Tete-Jaune-Cache. Un policier rondouillard et trapu, la lippe mauvaise, me permit de m'abriter de la pluie dans sa voiture de service pendant qu'il procédait à une vérification routinière de mon identité. Ensuite,
40 je montai dans un bolide presque neuf (cinquante-trois kilomètres au compteur) conduit par un sikh enturbanné qui portait au flanc son sabre rituel.

---

1. Anglo-Saxons blancs aux idées étroites, racistes et conservatrices.　2. Colombie-Britannique.

Louis Hamelin (né en 1959)

Louis Hamelin fait une entrée remarquée en littérature avec son premier roman, *La rage* (1989). Ce roman donne le ton à toute son œuvre : dans un style éblouissant, qui perturbe le lecteur par ses effets de surenchère, l'auteur raconte la quête de sens d'un jeune décrocheur enragé contre une société de consommation qui soumet les gens à un bonheur faux et convenu. Les romans qui suivent (entre autres *Cowboy* en 1992 et *Betsi Larousse* en 1994) mettent en valeur une même faune de marginaux : alcooliques, starlettes, autochtones ténébreux, intellectuels désabusés et héros déchus.

Dans *Le joueur de flûte*, Hamelin assagit son écriture et la met au service de l'histoire qu'il raconte. Ti-Luc Blouin se rend dans l'île de Vancouver à la recherche de son père, qu'il n'a jamais connu. Cette quête permet à l'auteur de juxtaposer habilement deux sujets qui deviennent complémentaires : d'une part, la lutte des autochtones et des écologistes pour protéger la forêt d'une île sauvage contre l'appétit d'une multinationale, d'autre part, le désenchantement de la génération de la contre-culture, qui doit apprendre à vivre avec l'idée de l'effondrement de ses rêves. La traversée du Canada par Ti-Luc Blouin fournit un bon exemple de l'écriture de Hamelin. En quelques lignes, l'auteur transmet son sens de l'autodérision et dresse un portrait amer du Canada.

n'avait pas cassé la transmission, j'aurais atteint les rives du Pacifique avant la tombée de la nuit. Un véhicule poids lourd finit par me déposer, au terme d'une équipée fantastique ponctuée de nombreux pétards génétiquement modifiés, dans

45 le parking désert d'un centre commercial de Richmond au beau milieu de la nuit.

* * *

À Vancouver, les tas de merde humide déposés par les oies sauvages engraissaient les pelouses de Stanley Park. Les cargos à l'ancre à l'entrée de la baie. Sur l'étang, des morillons au bec bleu dormaient en se laissant dériver, la tête

50 fourrée sous l'aile. Un joggeur passa en ahanant dans un survêtement rouge vif. Depuis trois jours, j'avais dormi environ deux heures et demie. Je m'allongeai sur un banc, le temps de

55 cogner quelques clous.

VERS LA DISSERTATION

1. Montrez que le narrateur se moque de lui-même.
2. Notez le sens du détail du narrateur. Montrez que ces détails donnent un ton réaliste à l'extrait.
3. Le narrateur utilise habilement l'ellipse. Donnez-en des exemples. Pourquoi le narrateur le fait-il à ces endroits?
4. Le mot *frog* est une insulte faite aux francophones. À quelle autre insulte et à quel célèbre poème des années 1960 cette insulte fait-elle penser?

■ Sujet de dissertation critique

Est-il juste de dire que l'auteur dresse un portrait négatif du Canada?

Reynald Connolly, *Truisme*, 2000.

Putain (2001)

Et il faut voir la chambre où j'attends les clients, il faut la voir pour comprendre quelque chose à cette vie d'attendre qu'un homme frappe à la porte, il faut voir le lit, la table de chevet et le fauteuil qui forment un triangle et qui se regardent depuis leur emplacement, depuis
5 leur solitude de servir à tous et de n'appartenir à personne, de porter la trace de l'usure sans avoir d'âme, comme les bancs de gare sur lesquels on s'impatiente en regardant sa montre tous les quarts d'heure, il faut voir l'unique lampe qui éclaire jaune, qui donne
10 une apparence de soirée aux journées, le lit blanc en bois compressé au pied duquel s'accumulent les poils des clients, de petites mottes qui roulent lorsqu'on ouvre la porte, qui traversent la pièce comme des chatons gris poussés par les
15 courants d'air, les mottes que je ne ramasse pas, jamais, je les laisse courir car je veux qu'elles soient vues, qu'elles marquent les rapports avec les clients, j'aime qu'ils ne soient pas trop à leur aise, qu'ils sachent qu'ils ne sont pas seuls dans
20 cette pièce, que d'autres y sont encore un peu, qu'ils ne sont qu'un point perdu dans la série des hommes qui passent et qu'ils se retrouveront en tas, indifférenciés sur le plancher, je veux qu'ils comprennent que cette chambre n'est pas la
25 mienne et qu'elle est fréquentée par tant de gens qu'il ne vaut pas la peine de l'entretenir, et puis de toute façon un autre viendra bientôt, il faut faire vite, s'habiller dès que fini et partir aussitôt pour ne pas rencontrer celui qui est sur le point
30 d'arriver, et il faut les voir s'habiller à toute allure, les entendre filer dans le couloir pour rejoindre l'ascenseur, il faut imaginer leur air de n'avoir l'air de rien, comme si de rien n'était, comme si payer une femme pour coucher avec elle n'était
35 impensable que lorsqu'on croise un témoin, et il y a bien la pile de magazines que je ne lis pas, achetés par l'agence et posés là sur la table de chevet pour le divertissement des putains, des magazines exprès pour moi, mais je ne sais pas
40 pourquoi, détailler de jeunes adolescentes à moitié nues qui me regardent de leur bouche entrouverte à tour de pages ne me divertit pas, elles me font peur, plutôt les retourner face contre terre, plutôt arracher la couverture où jouit cambrée la schtroumpfette

Nelly Arcan
(1973-2009)

Les romans *Putain* et *Folle* (2004), écrits par Nelly Arcan (pseudonyme d'Isabelle Fortier), figurent parmi les meilleures autofictions québécoises. Dans l'autofiction, tendance littéraire très populaire en France, l'auteur se prend comme sujet et ne craint pas de révéler les aspects les plus intimes de sa vie. Dans *Putain*, les révélations de Nelly Arcan ne sont pas banales : cette auteure avoue avoir exercé le métier de prostituée. Le sujet particulier du livre et sa sortie chez un éditeur français prestigieux font de Nelly Arcan un important phénomène médiatique. Mais l'intérêt pour ses livres va au-delà de l'effet émoustillant provoqué par des révélations scabreuses : Nelly Arcan écrit avec style et ses romans sont une riche intériorisation de ses expériences. Le suicide de l'auteure, en proie à son mal de vivre, a laissé le monde littéraire en deuil.

Putain plonge le lecteur dans l'intimité d'une prostituée. Le roman décrit moins la vie quotidienne de la prostituée que ses angoisses, son désir acharné de plaire, ses relations distantes avec ses clients, son rapport trouble avec son père et les autres membres de sa famille, des religieux pratiquants. L'auteure, qui a étudié la littérature et suivi une psychanalyse, sait habilement exprimer les états d'âme et les contradictions de son personnage. Elle y parvient par un style très maîtrisé, caractérisé par de longues phrases et par une reprise en boucle des mêmes obsessions.

en chef, l'employée du mois
45 encerclée de slogans stupides,
toujours les mêmes, spécial
sexe, tout sur le sexe, comme
s'il ne suffisait pas de le faire
tout le temps, comme s'il fallait
50 aussi en parler, en parler encore,
cataloguer, distribuer, dix trucs
infaillibles pour séduire les hommes, dix robes à porter pour faire tourner les
têtes, comment se pencher mine de rien vers l'avant pour faire bander le patron,
il faudrait les émietter, une par une, les balayer sous le lit avec les enveloppes de
55 préservatifs jetés là parce que le panier n'était pas à la portée de la main, parce
qu'il était plein, mais ça ne sert à rien car elles sont trop nombreuses, d'autres
magazines seront empilés au même endroit la semaine prochaine, d'autres
schtroumpfettes me défieront de les émietter, on ne peut rien contre ce qui est à
recommencer chaque semaine, il me faut donc les laisser à leurs quinze ans et
leur perfection de bouche entrouverte, à leur royaume de postures affolantes.

Marcellin Dufour, *Sans titre*, 1979.
....

VERS LA DISSERTATION

1. Décrivez la chambre où la narratrice reçoit ses clients. Quelle figure de style est le plus souvent employée pour la décrire ?

2. Que suggère l'ambiance de cette chambre ?

3. Pourquoi la narratrice aime-t-elle que ses clients ne soient pas trop à l'aise ?

4. Pourquoi la narratrice souhaite-t-elle émietter les magazines remplis de photos de jeunes adolescentes ?

■ Sujets de dissertation critique

1. Dans cet extrait, la narratrice est portée par une rancœur dirigée à la fois contre les hommes et les jeunes filles. Discutez cette affirmation.

2. Peut-on dire que la narratrice fait une critique de l'hypersexualisation des individus dans la société actuelle ?

Pour les amants (1995)

La douceur qui vient de naître

Ta peau blanche est une pensée qui s'ignore, ta peau
blanche baigne au sein du silence. Un chien aboie, une
route se perd à travers les champs endormis. Nous
sommes entourés d'objets familiers, je te mordille l'épaule,
5 tu t'allonges sur un drap en refermant délicatement les
paupières. Je mets mes mains sur ton corps, un ange reste
attentif, il n'y a pas de distance en nous. Nous nous
glissons dans l'éblouissement de la nuit.

Voyager dans nos yeux

Notre planète change et demeure. Les stores ont été
baissés. Une fourchette tombe en faisant un bruit clair
sur le plancher. J'ai sorti ta vieille bicyclette de la cave.
Tu mords dans une pomme. Je repense à tes allures de
5 belle étrangère. Il y a tellement de choses à éprouver.
Nous avons envie d'être l'innocence de tout. Nous
imaginons des gestes éperdus qui ont aussitôt la trans-
parence d'un voyage.

Éloge du vertige

Nous allons au lit pour essayer de dormir.
L'appartement est devenu silencieux. Je presse tes seins
merveilleux en imaginant le ciel de ta vie. Ensuite,
j'embrasse le bout de ton nez et nous nous mettons à
5 rire. Un voyage sans fin apparaît dans nos gestes si tendres, un voyage sans fin nous fait visiter d'autres parties
encore inexplorées du monde. Nous ne cherchons pas
à comprendre notre folie, le vertige en naissant est la
plus grande révélation. Notre seule existence, aussitôt
10 lumière, se trouve libre quelque part.

François Charron (né en 1952)

Avec une trentaine de recueils de poésie à son actif, François Charron est l'un des poètes québécois les plus prolifiques. Sa poésie très diversifiée, récompensée par de nombreux prix littéraires, prend d'abord sa source dans le marxisme et la contre-culture. Au fil des parutions, le poète calme ses ardeurs et adopte un style d'un lyrisme discret qui contient ses effets. L'un de ses recueils les plus appréciés, *Pour les amants*, est écrit dans cette veine.

Ce recueil est caractéristique de la redécouverte de l'intimité par les poètes québécois, après l'effondrement de leurs idéaux politiques des années 1970. L'écriture atteint ici un grand dépouillement : Charron utilise des phrases courtes, un vocabulaire simple ; ses descriptions du quotidien sont à la limite de la banalité. Mais le recueil constitue surtout une réelle réconciliation avec la vie, avec l'amour que le poète semble explorer, redécouvrir, porté par une joie intense et stupéfaite. Un livre écrit «pour les amants qui font des miracles», précise le poète.

VERS LA DISSERTATION

1. Ces trois poèmes parlent d'évènements quotidiens. Faites-en ressortir quelques-uns et expliquez en quoi le quotidien devient poétique.

2. Observez la structure des phrases. Quel est l'effet produit par la juxtaposition de phrases courtes ?

3. Quelles images et quels champs lexicaux l'auteur utilise-t-il pour décrire la fascination de l'amour ?

4. Comment l'auteur indique-t-il que l'amour se vit ici dans une grande intimité ?

■ Sujet de dissertation critique

Ces trois poèmes reproduisent à leur manière une vision romantique de l'amour. Discutez cette assertion.

PoéVie (1997)

Lettre à la vie en pleine nuit

Texte dédié à Raôul Duguay
et à Richard Desjardins

Ta soif la plus claire
se noie dans mon verre
désirable désirante
jamais indifférente
5 à tout ce qui brûle
à tout ce qui hurle
souvent bienveillante
au plus faible murmure
dans l'éclos dans l'ultime
10 voilà pourquoi je vénère
ton nom comme on respire
sans savoir s'il s'agit
tout à l'heure de mourir
ou de vivre autrement
15 sur un autre versant

sans arme ni défense
tu triomphes quand même
chair d'ange ou semence
à l'infini volonté veloutée
20 fleur d'altitude ouverte
aux beaux réseaux d'aimer
catalyse parfaite ah pourtant
tant et tant de funeste fut
avant que je te reconnaisse
25 de gris désastre en triste cas
sans la plus mince esquisse
d'une vision consolatrice
et tout cela jusqu'à la moelle
et jusqu'au sang d'avoir subi
30 ce long désert trop d'avanies
quand dans un corps en détresse

criblé d'alco-tremblements
on ne ressent que l'inaptitude
à jouir même de la bonté du soleil

35 et longtemps ce supplice amer
pire que le pire des calvaires
de n'appartenir qu'au plus pauvre
et noir des comportements
sans avoir aucune fenêtre aucune
40 où fuir en dehors de souffrir
partout l'empêchement les murs
mais je te tiens enfin
à bout de nerfs et de souffle
Ô VIE poème des poèmes
45 fontaine de la parole humaine
toi ma sereine reine
mon affable souveraine
et je couche dans ton repos
mes plaintes et mes peines
50 ô mère parce que je t'aime

Montréal, le 17 novembre 1990

Gilbert Langevin (1938-1995)

Poète écorché, vagabond nocturne, Gilbert Langevin se dévoue entièrement à la poésie. Il écrit une œuvre abondante, composée de 34 livres, de la poésie surtout, mais aussi de la prose et des aphorismes, genre qu'il maîtrise particulièrement bien. Langevin se fait aussi parolier et écrit pour de nombreux chanteurs, dont Gerry Boulet, Marjo, Dan Bigras et Luce Dufault.

Sa poésie concentre les effets de style dans une écriture serrée, d'une rare densité. Elle transmet une émotivité à fleur de peau, un profond mal de vivre, celui d'un homme qui refuse pourtant de sombrer. *PoéVie*, qui est publié par Normand Baillargeon au lendemain de sa mort et assemble ses textes les plus significatifs, donne un excellent aperçu de la diversité de l'œuvre de Langevin. Son poème «Lettre à la vie en pleine nuit», écrit en 1990, est très représentatif de l'univers de Langevin et de son attachement à la vie, malgré «la difficulté d'être», selon l'expression du poète Jean Cocteau.

Serge Clément, *Fusion*, 2002.

Serge Clément s'est fait connaître par ses photographies stylisées et évocatrices de la grande ville.

VERS LA DISSERTATION

1. Relevez les images qui renvoient à la nuit.
2. Comment le poète exprime-t-il son mal de vivre?
3. Quel effet le poète cherche-t-il à produire chez le lecteur par les sept derniers vers du poème?

■ Sujet de dissertation critique

Peut-on dire que ce poème exprime surtout l'amour de la vie?

L'homme gris (1984)

**Marie Laberge
(née en 1950)**

Avant de faire publier la très populaire trilogie romanesque *Le goût du bonheur*, Marie Laberge exerce le métier de comédienne et écrit une vingtaine de pièces de théâtre. Dans celles-ci, elle met l'accent sur la dimension psychologique, le vécu des femmes et les drames auxquels elles doivent faire face. L'une de ses pièces les plus appréciées, *C'était avant la guerre à l'Anse-à-Gilles* (1980), raconte la difficile émancipation de deux femmes dans les années 1930. *Aurélie, ma sœur* (1988) relate avec émotion la relation entre une fille et sa mère adoptive.

Dans *L'homme gris*, Marie Laberge crée un étrange huis clos qui fait s'affronter un père et une fille dans une chambre de motel. Le père, qui vient de soustraire sa fille à un mari qui la battait, entreprend un long monologue. Rempli de bonnes intentions, l'homme révèle sans le vouloir ses failles, son alcoolisme, son assurance aveugle, et se montre incapable de comprendre sa fille terrée dans son silence. Par des touches discrètes, Marie Laberge réussit à faire monter la tension jusqu'à ce que la maladresse du père fasse éclater une violence imprévue.

Dans c'temps-là, pour rien au monde j'aurais voulu t'changer pour un garçon. Tu m'aurais d'mandé n'importe quoi, tu l'aurais eu. Par chance que tu t'en doutais pas, han, t'en aurais ben profité. Ouain, l'année d'tes onze ans, c't'encore à ça que j'pense quand j'pense à toi. Ma belle
5 tite fille de onze ans. Jamais j'aurais voulu que l'temps passe, que ça change. J't'aurais jusse r'gardée là, sans parler, sans t'toucher, jusse te voir de même, ç'aurait faite mon bonheur. Pis on peut dire que ça l'a faite. Maman était toute contente que j'te r'marque, que
10 j'soye fier de toi. Pis pour être fier, j'tais fier. Un p'tit ange, un p'tit ange pur, intouchable, c'est ça qu't'étais, ma Cri-Cri... (*Un temps. Aigri.*) C'est ça qu't'étais jusse avant d'tomber malade, pis d'maigrir comme t'as maigri. Eh batinse, on peut
15 dire que tu nous as faite peur avec ça. On n'était pas loin d'penser qu'on allait t'perdre. Maigre... mais maigre... pis têtue, mauvaise, à pas vouloir manger de rien de ce que maman faisait, à bouder, à t'enfermer pis vomir comme t'à l'heure... T'es
20 jamais r'venue aussi belle qu'avant, j'ai pus jamais r'vu ma fille à moi, mon p'tit ange pur, ma Cri-Cri intouchable. T'as passé trop d'temps malade, ça été long avant qu'tu soyes correque... mais au moins, t'es r'venue en santé. Pas forte, forte, mais
25 en santé. T'avais perdu ton air d'enfant. C'est sûr, han... (*Un temps.*) Quand t'es sortie d'l'hôpital, quand j't'ai revue chez nous, j'peux ben te l'dire asteure que t'es correque, j'tais pas capable de te r'garder. Pas capable, j'te mens pas. C'tait plus fort
30 que moi... Tu ressemblais aux photos du Biafra dans l'temps, tu sais ? Pis tes yeux, tes yeux on aurait dit qu'y prenaient toute la place dans ta face. Pis c'taient des yeux... j'sais pas, c'pas disable... des yeux de vieux, non, heu... des yeux terribles.
35 J'pouvais pas te r'garder, j'tais pas capable, ça m'rendait malade. Moi, j'me souvenais de toi à onze ans, pis j'te r'gardais, là, à quinze... c'pas mêlant on aurait dit qu'y t'avaient battue à l'hôpital. T'as l'air mieux aujourd'hui que dans c'temps-là, c'pour dire han... Non, jamais j'oublierai ça, c'est comme si on m'avait enlevé mon
40 rêve, enlevé ma fille. Pis les spécialistes ont dit qu'on t'aimait pas assez ! Si moi j't'aimais pas, j'me d'mande ben c'que ça leur prenait, j'voudrais ben qu'quequ'un vienne m'expliquer c'est quoi, d'abord, l'amour... si j't'aimais... j'ai failli virer fou avec c't'histoire-là, avec tes yeux pis ta

maladie, pis comment t'es revenue. Maman, elle, c'est pendant ta maladie qu'a l'a
45 failli virer folle. Moi, personne l'a su, mais c'est après, quand t'es revenue pis que
t'étais pus toi. Là, j'cré ben que si y a queque chose qui aurait pu m'faire tomber
dans l'alcool, c'aurait été ça. C'te déception-là, c'est comme si j'm'en remettais
pas. J'pouvais pas prendre le dessus.

VERS LA DISSERTATION

1. Qu'apporte au texte le recours à la langue jouale ?
2. Montrez le contraste entre la fille telle que le père la rêvait et celle qu'elle est devenue réellement.
3. Quel portrait le père fait-il de sa fille malade ?
4. Quelle a été la réaction du père à l'anorexie de sa fille ?
5. Expliquez comment ce père qui cherche à être compréhensif envers sa fille est en fait très maladroit.

■ Sujet de dissertation critique

Peut-on dire que le père manque d'amour pour sa fille ?

Julie Ouellet, *L'heure endormie*, 2002.

Les muses orphelines (1988)

ISABELLE. — Joue, Martine. Rien qu'à soir. Pour la dernière fois. Rien qu'à soir.

MARTINE. — Non.

LUC, *jouant sa mère.* — Qu'est-ce que tu fais habillé en soldat ?

MARTINE, *se levant.* — J'm'en vas !

5 **LUC,** *jouant sa mère.* — Tu penses que c'est la solution ?

Michel Marc Bouchard (né en 1958)

Michel Marc Bouchard a su s'affirmer dans le théâtre québécois en présentant un univers très singulier, qui reprend sans naïveté des recettes du mélodrame et plonge les spectateurs dans des époques révolues qu'il se permet de réinventer. L'homosexualité est l'un de ses thèmes de prédilection ; il l'aborde avec franchise et romantisme dans de nombreuses pièces, dont *Les feluettes* (1987). Aujourd'hui, Michel Marc Bouchard est l'un des auteurs québécois les plus traduits et les plus joués à l'étranger.

Les muses orphelines sont un drame puissant, à l'intrigue bien ficelée, dont les personnages sont troublés par des émotions complexes. Dans cette pièce, les enfants Tanguay, trois sœurs et un frère, se retrouvent dans leur village de Saint-Ludger-de-Milot près de 20 ans après que leur père est mort à la guerre et que leur mère les a abandonnés. Ils attendent avec inquiétude le retour de leur mère, qui leur a donné rendez-vous. Cette réunion sert de prétexte pour revivre le drame de leur abandon : la mère a pris un amant espagnol, Federico, au vu et au su de tout le village, qui a fait chèrement payer aux coupables cet écart de conduite. Dans un épisode important de la pièce, les enfants jouent pour eux-mêmes ce drame, comme pour l'exorciser.

MARTINE. — J'aime mieux m'en aller que de me faire accroire que ça me fait rien.

LUC, *jouant sa mère.* — C'est lâche ce que tu fais. (*Silence.*) Les enfants, on rentre chez nous.

10 **MARTINE,** *soudain, jouant son père.* — Non ! On va régler ça icitte ! T'as voulu montrer ton bonheur à tout le village, Jacqueline ? On va leux montrer le reste.

LUC, *jouant sa mère.* — Tu savais qu'en amenant Federico ici...

MARTINE, *jouant son père.* — J'ai jamais été capable de
15 t'inventer le monde que tu voulais. J'ai rien à t'apprendre sus mon pays, c'est le même que le tien pis tu l'aimes pas. Chaque matin que le bon dieu amène, on ouvre les yeux pis on voit tout le temps les mêmes arbres, la même savane, les mêmes faces. J'suis pas capable de te parler d'amour. J'ai appris à le dire, pas à
20 radoter d'sus. J'suis peut-être pas un... un bon...

LUC, *jouant sa mère.* — Ça s'appelle « un amant », Lucien.

MARTINE, *jouant son père.* — J'suis peut-être rien qu'un...

LUC, *jouant sa mère.* — T'es juste un gars de Saint-Ludger comme y'en a ici des dizaines d'autres. T'es juste celui-là que
25 j'ai pas pus choisir parce qu'y avait pas de choix. T'es juste ce que nos enfants sont en train de devenir ; du monde pareil aux autres qui font pareil aux autres.

MARTINE, *jouant son père.* — Un autre que moi, un de tes dizaines de gars pareils vous aurait déjà tués, Jacqueline.
30 J'préfère aller tuer oùsque ça compte.

CATHERINE. — Y'a fait demi-tour. Y'a marché vers les portes de la grande salle pis juste avant de disparaître pour toujours, y'a regardé meman une dernière fois.

MARTINE, *jouant son père.* — Y me l'avait dit dans ma famille.
35 Fais attention aux femmes qui sont trop belles. C'est le diable qui les a fait belles comme ça. À leux naissance, y leux a donné un cadeau empoisonné qui s'appelle le désir. Jacqueline, tu vas toujours désirer pis ça va être ça ton malheur. Ramassez les restes de l'Espagnol, sa maîtresse doit déjà en désirer un autre.

Détail de l'affiche de la pièce *Les muses orphelines* **présentée au Théâtre de la Bordée, à Québec, en 2006.**

Le succès des *Muses orphelines* se mesure par de nombreuses reprises de la pièce au Québec et à l'étranger, et par une adaptation au cinéma.

....

Martine s'éloigne des autres.

40 **CATHERINE.** — Merci, Martine.

ISABELLE. — T'étais ben bonne, Martine.

MARTINE. — Demain 'est mieux de pas nous faire le coup du repentir.

ISABELLE. — Que c'est que ça veut dire « repentir » ?

MARTINE. — Ça veut dire quelqu'un qui revient à quatre pattes
45 en lichant le plancher pour se faire excuser ! Non, on ne se tapera
pas l'apothéose du pardon ! « Apothéose », ça veut dire la cerise sus
l'sundae ! Prends ton dictionnaire !

LUC, *lisant.* — « 21 juillet 1944. Cher fils adoré. J'ai reçu une lettre des
Forces armées canadiennes. Votre père est mort lors du débarque-
50 ment de Normandie. Ses amis l'avaient surnommé "Le suicidaire".
À l'annonce de la nouvelle, Martine a cassé la statuette du matador.
Le lendemain, en revenant de son entraînement de port d'armes,
Martine a braqué la 22 de ton père sur Federico, et elle est restée
comme ça, immobile. Elle a demandé comme cadeau de Noël que
55 Federico s'en aille sinon, la prochaine fois, elle fera feu. »

CATHERINE. — Ça m'a toujours chicotée ; t'aurais-tu tiré ?

MARTINE. — Oui… sur elle. Demain, en la voyant franchir la porte,
on va être là, fragiles, effrayés comme des p'tits enfants, parce que le
temps s'est arrêté depuis qu'elle est partie ! Si j'en vois un y faire la
60 moindre gentillesse, j'la sors la 22, pis c'te coup-là… j'tire !

LUC, *lisant.* — « Dernière lettre du Canada. Avril 1945. Cher fils que
j'aime. Federico est reparti. Le jour de son départ… *adios, adios…* le
vent avait de nouveau cristallisé la neige en vagues inertes. Ce matin
au comptoir postal, je suis allée chercher le dictionnaire d'espagnol
65 que Federico m'a envoyé. Madame Tessier a été méchante comme
d'habitude, comme l'épicier, comme les demoiselles de la bibliothèque.
Isabelle et toi, vous m'aidez à faire ma valise. Je vous laisse mes vêtements espagnols. Là où je vais, j'en trouverai de plus beaux. Avant de
quitter Saint-Ludger, j'irai chanter ma libération à la veillée pascale.
70 Je quitterai la maison sans vous embrasser. Le moindre attendrissement
pourrait nuire à ma destinée. Ta mère qui t'aimera toujours. Adieu. »

VERS LA DISSERTATION

1. Quelle est la réaction de chacun des enfants au départ de leur mère ?

2. Comment Martine a-t-elle contribué à ce départ ? Quel lien entretient-elle avec son père ?

3. Quel est le ton des deux lettres de la mère inventées par Luc ?

4. Est-il juste de dire que la tonalité de ce passage est mélodramatique ?

■ Sujet de dissertation critique

Peut-on dire que les personnages sont rancuniers envers leur mère ?

Michel Garneau (né en 1939)

Michel Garneau se définit le plus souvent comme poète. Mais il mène aussi une importante carrière d'homme de théâtre. Il se fait apprécier par ses traductions très réussies de Shakespeare (dont *Macbeth* et *La tempête*) dans un québécois archaïque qui vise à correspondre à l'anglais ancien des textes originaux. Il a aussi adapté *Gilgamesh*, le récit le plus ancien de l'humanité. Il écrit de nombreuses pièces, dont *Quatre à quatre* (1973), un drame où s'affrontent quatre femmes d'autant de générations, qui s'expriment dans la langue poétique chère à l'auteur.

Dans *Les guerriers*, Garneau change de registre et aborde un sujet politique. Deux hommes s'enferment pendant 10 jours afin de trouver un slogan publicitaire pour l'armée canadienne. L'appartement luxueux où ils sont reclus devient le lieu de tous les affrontements. La thématique de la pièce est particulièrement riche: Garneau aborde la relation entre le créateur et celui qui le finance, dénonce les guerres et réfléchit sur le pouvoir corrupteur de la publicité. L'épisode dans lequel le «créatif» raconte comment il a trouvé un slogan pour vendre du lait montre bien la férocité de l'auteur et son sens du sarcasme.

Les guerriers (1989)

GILLES
on était sept huit
on cherchait un slogan pour l'association
des producteurs de lait
on avait tout sorti

PAUL
5   tempête de cerveau

GILLES
une grosse
moi j'étais l'plus jeune
j'disais pas grand-chose

PAUL
c't'ait l'bon temps

GILLES
10   très drôle

ton humour est toujours si neuf
si frais si revivifiant
et surtout si original

PAUL
tu la contes ou tu la contes pas
15   ton anecdote !

> *un temps*
> *gilles prend une grosse gorgée*
> *de royal salute*

GILLES
je regardais   j'essayais d'apprendre
20   ça faisait une semaine qu'une dizaine d'adultes
consentants disaient les pires niaiseries
les folies les plus laborieuses les nouilleries les plus
molles les farces les plus plattes les jeux de mots les plus
débiles   à rendre un épais fou   quatorze heures par jour

PAUL
25   yé

GILLES
on était complètement tarés   j'en r'venais pas
pleins de mauvais café   mal au ventre   pus de digestion
pantoute   avec des milliers de mots
qui te viennent tout
30   seuls dans la tête

> *paul s'amuse beaucoup*

dans la bouche   dans le corps tout entier
on était épuisés   excédés   à bout d'nerfs
pitoyables

PAUL
35   hé qu'ça devait être beau

GILLES
ça fait que j'ai décidé que c'était vraiment pas pour moi
cette job-là   que j'étais décidément pus capable

PAUL
cré bonhomme   t'as vraiment pas changé

GILLES
j'les haïssais tellement   toute c'te pathétique
40   bande de cocombes
j'ai décidé que j'm'en allais dret-là

PAUL
bien sûr

GILLES

ça continuait à délirer autour de moi
j'me lève
45 chu en train de m'en aller
j'ouvre la porte
et y me vient la chose la plus colonne   l'affaire la plus
habitante la plus noune la plus dérisoire possible
que j'me dis
50 j'ai rien à perdre et chu déjà tout sali
et par pure dérision
juste pour finir cette histoire mardeuse
dans le vif du caca
j'm'en vas leur dire   j'me r'tourne j'les r'garde
55 y'a tellement d'fumée qu'on dirait
qu'y sont pognés en feu toute la gagne
j'leur dis   comme un vomi
le   lait   c'est   vachement   bon

gilles est essoufflé

PAUL

60 c'est toi !
c'est toi le génie qui a pondu ça !
ben crisse de viarge ! tu me l'avais pas dit !

GILLES

je sors en claquant la porte
dans l'corridor j'entends des cris
65 des hurlements de joie

PAUL

j'comprends

GILLES

des applaudissements
quelqu'un sort en courant m'attrappe
me revire par les épaules
70 m'embrasse me serre dans ses bras
tout le monde est debout c'est l'ovation
mon boss écrit au tableau religieusement

paul le dit avec gilles

le   lait   c'est   vachement   bon
75 c'est le délire y'en a qui pleurent
moi j'commence à rire bien malgré moi
à rire à brailler en riant
et pis les bouteilles sortent
on commence à prendre un coup
80 c'est la fête la job est faite
et c'est moi qui l'ai faite

gilles est très essoufflé

le lait c'est vachement bon
c'est ça qu'on cherchait depuis une semaine
85 quatorze heures par jour
y m'ont donné ma permanence
une grosse augmentation
un nouveau bureau
pour l'affaire la plus stupide

PAUL

90 la plus efficace

GILLES

la plus idiote

PAUL

la plus simple

GILLES

la plus crétine

PAUL

on rit ou ben on gémit
95 mais on s'en souvient !

GILLES

l'affaire la plus cave que j'aie réussie
à sortir par dérision par simple dérision
par pure dérision

PAUL

du moment qu'ça sort ! !

GILLES

100 c'est comme ça que l'imposture est née
c'est comme ça que chu devenu
c'que t'appelles le meilleur idéateur au canada
c'est comme ça qu'à chaque job
j'ai toujours peur de perdre le sens
105 de la dérision
parc' que c'est
ma créativité

PAUL

au moins t'en as une ! ! !

gilles reprend son souffle
110 *difficilement*
paul le regarde et s'amuse

PAUL

wow ! ! ! !
le lait c'est vachement bon
c't'un slogan qui a marché des années

GILLES

115 des années des années des années des années

99 francs (2000)

Je me prénomme Octave et m'habille chez APC. Je suis publicitaire : eh oui, je pollue l'univers. Je suis le type qui vous vend de la merde. Qui vous fait rêver de ces choses que vous n'aurez jamais. Ciel toujours bleu,
5 nanas jamais moches, un bonheur parfait, retouché sur PhotoShop. Images léchées, musiques dans le vent. Quand, à force d'économies, vous réussirez à vous payer la bagnole de vos rêves, celle que j'ai shootée dans ma dernière campagne, je l'aurai déjà démodée.
10 J'ai trois vogues d'avance, et m'arrange toujours pour que vous soyez frustré. Le Glamour, c'est le pays où l'on n'arrive jamais. Je vous drogue à la nouveauté, et l'avantage avec la nouveauté, c'est qu'elle ne reste jamais neuve. Il y a toujours une nouvelle nouveauté
15 pour faire vieillir la précédente. Vous faire baver, tel est mon sacerdoce. Dans ma profession, personne ne souhaite votre bonheur, parce que les gens heureux ne consomment pas.

[...]

[...] Je rabâche mes slogans dans vos magazines favoris
20 et on m'offre un mas provençal ou un château péri-gourdin ou une villa corse ou une ferme ardéchoise ou un palais marocain ou un catamaran antillais ou un yacht tropézien. Je Suis Partout[1]. Vous ne m'échapperez pas. Où que vous posiez les yeux, trône
25 ma publicité. Je vous interdis de vous ennuyer. Je vous empêche de penser. Le terrorisme de la nouveauté me sert à vendre du vide. Demandez à n'importe quel surfeur : pour tenir à la surface, il est indispensable d'avoir un creux en dessous. Surfer, c'est glisser sur
30 un trou béant (les adeptes d'Internet le savent aussi bien que les champions de Lacanau[2]). Je décrète ce qui est Vrai, ce qui est Beau, ce qui est Bien. Je caste les mannequins qui vous feront bander dans six mois. À force de les placarder, vous les baptisez top-models ;
35 mes jeunes filles traumatiseront toute femme qui a plus de 14 ans. Vous idolâtrez mes choix. Cet hiver, il faudra avoir les seins plus hauts que les épaules et la foufoune dépeuplée. Plus je joue avec votre subcons-cient, plus vous m'obéissez. Si je vante un yaourt sur
40 les murs de votre ville, je vous garantis que vous allez l'acheter. Vous croyez que vous avez votre libre arbitre, mais un jour ou l'autre, vous allez reconnaître mon produit dans le rayonnage d'un supermarché, et vous

l'achèterez, comme ça, juste pour goûter, croyez-moi, je
45 connais mon boulot.

Mmm, c'est si bon de pénétrer votre cerveau. Je jouis dans votre hémisphère droit. Votre désir ne vous ap-partient plus : je vous impose le mien. Je vous défends de désirer au hasard. Votre désir est le résultat d'un inves-
50 tissement qui se chiffre en milliards d'euros. C'est moi qui décide aujourd'hui ce que vous allez vouloir demain.

---

1. *Je suis partout* est aussi le nom d'un journal français qui devient fasciste et collaborateur pendant la Seconde Guerre mondiale.   2. Station balnéaire du sud de la France où se déroule un championnat de surf.

VERS LA DISSERTATION

1. Dans l'extrait de la pièce *Les guerriers* (p. 211-212), notez les images négatives employées par Gilles pour qualifier le monde de la publicité.
2. Montrez que Gilles s'oppose à Paul et à ses collègues.
3. Gilles tire sa créativité de son sens de la dérision. Cette affirmation se justifie-t-elle dans l'extrait ?
4. Dans le second texte, que veut dire le narrateur lorsqu'il affirme : « Le Glamour, c'est le pays où l'on n'arrive jamais » (l. 11-12) ?

■ Sujets de dissertation critique

1. Est-il juste de dire que les personnages des deux extraits se méprisent eux-mêmes parce qu'ils exercent le métier de publicitaire ?
2. Dans ces deux extraits, a-t-on raison d'affirmer que les deux auteurs émettent une critique similaire de la publicité ?

THÉÂTRE

Cabaret neiges noires (1992)

LE PROLOGUE

**Dominic Champagne
(né en 1963)**

Dominic Champagne est
à la fois auteur, comédien
et metteur en scène. Il se
fait remarquer dès ses premiers spectacles, qu'il réalise
avec peu de moyens et qui sont insolents, comiques
et provocateurs. Il invente un théâtre décadent et
cynique qui plaît à un public désabusé, un théâtre de la
dérision qui tranche avec l'esthétique sophistiquée des
années antérieures. Après ses premiers œuvres, Dominic
Champagne met en scène au Théâtre du Nouveau Monde
des adaptations de grands classiques, *Don Quichotte*
(1997) et *L'Odyssée* (2000), spectacles qui deviennent de
véritables succès. Cette réussite le mène au Cirque du
Soleil, pour lequel il crée de spectaculaires mises en scène.
Par la suite, en plus de sa carrière artistique, il devient
militant écologiste et s'engage plus particulièrement dans
la bataille contre l'exploitation du gaz de schiste.

Au moment de sa création, *Cabaret neiges noires*, écrit
avec Jean-Frédéric Messier, Pascale Rafie et Jean-François
Caron, est vu comme le manifeste d'une génération sans
avenir. Le spectacle, inspiré du cabaret et de la comédie
burlesque, se compose d'une suite de numéros décousus
qui finissent par raconter, malgré tout, des histoires. La
pièce est irritante, violente, drôle, insolente, et stigmatise
les tares d'une société en crise. *Cabaret neiges noires* n'a rien
perdu de sa pertinence et exprime le désir profond des
individus de rechercher «un petit goût de vivre» dans un
monde cynique.

Ami public, bonsoir...
La scène est à Montréal
Et vous avez devant vous
Ce que la magie du théâtre depuis des siècles
5 Vous présente comme étant Le Prologue
C'est-à-dire ce personnage
Plus ou moins incarné
Qui entre au début de la pièce
Pour introduire l'action en situant le décor
10 Le contexte de l'histoire, *et cætera...*

Seulement ce soir je me fais aucune illusion
Sur la pertinence de ma présence
Sur cette scène devant vous
Ni sur les possibilités que j'ai
15 De vous faire croire que je suis
Rien d'autre qu'un simple comédien
Qu'un metteur en scène a appelé
Pour lui proposer n'importe quel rôle
Et qui a accepté de jouer
20 Tout bonnement pour gagner sa vie
De façon plus ou moins honorable
En sachant pertinemment qu'un autre comédien
Aurait très bien pu venir faire tout ça
À ma place aussi bien que moi sinon mieux
25 S'il avait eu la chance d'être appelé
Par le metteur en scène avant moi

La scène à Montréal
C'est pas une convention théâtrale
C'est la dure réalité de la vie
30 Disons que c'est le point A d'un spectacle
Qui devrait aboutir – si tout va bien –
À un point B qui sera la fin du spectacle
(C'est clair)
On vous invite d'ailleurs
35 À boire généreusement d'ici là
Normalement ça devrait vous aider
À passer au travers

Parce que y a un problème
Avec le spectacle auquel vous allez assister
40 Quand je vais finir par me taire
C'est que ce spectacle sur lequel on a sué
Depuis des mois pour un salaire de crève-faim
Et pour lequel vous avez payé

Probablement trop cher
45 Eh bien ce spectacle-là
N'a aucun sens

[...]

Donc ce spectacle-là n'a aucun sens...
Je veux pas dire qu'on n'a pas cherché
Depuis des mois à y donner un sens
50 À ce spectacle-là
Je veux pas dire que c'est volontaire
Si ce que vous allez voir est insignifiant
Allez surtout pas croire
Qu'on a la conscience tranquille
55 De faire ce qu'on fait là on sait très bien
Que l'artiste a une responsabilité
Envers la société dans laquelle il vit
Mais on sait qu'on a failli à notre tâche
Et nous préférons vous en aviser

60 La scène est à Montréal
Et ce que nous allons jouer ce soir
Chacun est libre d'en penser ce qu'il veut
Ou – ce qui serait plus normal
Dans l'état actuel des choses –
65 De rien penser du tout

(Après tout on est dans un pays libre
Puisque la scène est à Montréal
Libre de dire et de penser n'importe quoi
Parce que de toutes façons
70 Personne veut rien savoir
Mais ça c'est un autre problème
Pis on rentrera pas là-dedans)

Ami public
La scène est à Montréal dans un
75   cul-de-sac
Et si nous savons notre devoir d'artiste
De vous en faire sortir de ce cul-de-sac

Ou à tout le moins bien humblement
De tenter de faire jaillir une parcelle
80 D'étincelle au bout du tunnel
Eh bien malgré toute notre bonne volonté
Nous ne savons pas comment

La scène est à Montréal
C'est le début de l'hiver
85 Et s'il est vrai que c'est dans la nuit
La plus noire que les étoiles
Nous apparaissent le mieux
Ce soir il neige de la neige noire
Dans le ciel de Montréal
90 Avec une légère odeur de pourri
Qui plane au-dessus de nos têtes

Le bar est là
Bonne soirée quand même

Image tirée de l'adaptation cinématographique de *Cabaret neiges noires* réalisée par Raymond Saint-Jean en 1997.

On y voit les Joyeux Troubadours, clowns cyniques, vulgaires et impitoyables interprétés par Dominique Quesnel, Roger Larue et Dominic Champagne.

....

VERS LA DISSERTATION

1. Montrez que cet extrait est marqué par le sens de la dérision.
2. Montrez que ce « prologue » brise les conventions théâtrales.
3. Qu'apprend cet extrait au spectateur sur le sort du comédien ?
4. Quel effet les auteurs visent-ils par la répétition de la phrase « La scène est à Montréal » ?

■ Sujet de dissertation critique

Comparez ce texte à l'extrait de la pièce *Les guerriers* de Michel Garneau (*p. 211-212*). Est-il juste de dire que les auteurs abordent le thème de la dérision de façon très différente ?

Les auteurs-metteurs en scène

Au tournant des années 1980, les metteurs en scène occupent une place primordiale dans la conception du spectacle théâtral. Ils s'emparent des textes pour les éclairer de leur vision personnelle, et les pièces présentées, bien souvent, portent leur signature tout autant que celle du dramaturge. Poussés par une créativité de plus en plus grande, certains en viennent à concevoir leurs propres pièces. Très souvent, les pièces conçues par un metteur en scène diffèrent largement de celles rédigées par un auteur. Elles sont pensées en vue du spectacle à venir et, comme l'acte d'écriture est fait moins solitairement que dans le cas d'un dramaturge, elles comportent de nombreux emprunts et cherchent peu à produire des effets liés à l'écriture.

La trilogie des dragons, mise en scène par Robert Lepage, au Festival de théâtre des Amériques en 2003.

Le théâtre des auteurs-metteurs en scène comporte, entre autres, les caractéristiques suivantes:

- Plusieurs auteurs-metteurs en scène ont pratiqué la création collective. La trame et les répliques de leurs pièces proviennent parfois d'improvisations faites par les comédiens, qui prennent une place importante dans la création.

- Les auteurs-metteurs en scène ont tendance à concevoir leurs spectacles en fonction des effets de mise en scène, des images qu'ils veulent transmettre aux spectateurs. Certains critiques parlent d'un théâtre de l'image.

- Certains de ces auteurs-metteurs en scène aiment briser les frontières entre les disciplines artistiques. Par exemple, ils intègrent

dans leurs spectacles le mime, la danse, la musique et les effets technologiques de pointe.

- Certains ne jugent pas nécessaire de créer un texte entièrement original. Ainsi, ils ont souvent recours au collage de textes et à de nombreuses citations.

- Les auteurs-metteurs en scène aiment expérimenter de nouvelles formes et briser certains rituels du spectacle (par exemple, ils conçoivent des pièces sans dialogues, remettent en question la scène à l'italienne, intègrent de faux décrochages au spectacle, produisent des spectacles-fleuves, etc.).

Les auteurs-metteurs en scène suivants figurent parmi les plus importants de cette période:

- **Jean-Pierre Ronfard** (*Vie et mort du roi boiteux,* 1981; *Les mots,* 1998), auteur d'un théâtre sensuel et truculent, héritier de la création collective, a une prédilection pour le collage de textes classiques. Il s'interroge sur l'utilisation de l'espace théâtral et invente une nouvelle disposition scénique pour chacun de ses spectacles. Il aime les anachronismes, les mélanges de niveaux de langue, le second degré.

- **Gilles Maheu** (*Le rail,* 1983; *Le dortoir,* 1988), mime de formation, conçoit des spectacles aux images fortes et suggestives, qui intègrent le mime, la danse et le théâtre.

- **Robert Lepage** (*La trilogie des dragons,* 1985; *Les sept branches de la rivière Ota,* 1995; *La face cachée de la lune,* 2000) crée de longues sagas et d'audacieux spectacles solos. Ses pièces s'inspirent de grands mythes contemporains. Sa capacité d'invention semble illimitée. Lepage aime donner aux objets sur la scène des usages inattendus. Il fait souvent appel aux nouvelles technologies et invente d'impressionnantes machines scéniques.

- **Dominic Champagne** (*Cabaret neiges noires,* 1992; *Lolita,* 1996) propose d'abord des spectacles iconoclastes et provocateurs, en forme de fêtes décadentes, dans lesquelles il joue sur les décrochages et le second degré. Cependant, après quelques années, il se tourne vers les adaptations de classiques, puis vers le divertissement.

- **Wajdi Mouawad** (*Littoral,* 1997; *Incendies,* 2003), parmi les metteurs en scène qui sont aussi auteurs, est sans doute le plus attaché à l'écriture. Il écrit des pièces complexes, avec des dialogues bien nourris et de longues tirades. En tant que metteur en scène, il sait produire des images puissantes avec des procédés théâtraux d'une grande simplicité.

Les mots (1998)

Séquence IV

DE HAUT EN BAS

Jean-Pierre Ronfard (1929-2003)

Jean-Pierre Ronfard connaît le théâtre sous toutes ses facettes, puisqu'il est à la fois comédien, metteur en scène, directeur de troupe, professeur, directeur d'école, auteur, vulgarisateur et érudit du théâtre. Dans son travail, il exprime son amour profond pour son art, qu'il remet sans cesse en question. Metteur en scène audacieux, il monte d'abord de grandes pièces du répertoire québécois, entre autres celles de Claude Gauvreau et de Réjean Ducharme. Puis, il fonde, avec Robert Gravel, Anne-Marie Provencher et Robert Claing, le Nouveau Théâtre Expérimental qui devient, comme son nom l'indique, le lieu de toutes les expérimentations. Ronfard crée des pièces avant-gardistes, truculentes et érudites, dans lesquelles il cite constamment les grands textes du répertoire et pour lesquelles il transforme à chaque spectacle la disposition de la scène. Il est l'auteur d'une grande fresque jouissive, *Vie et mort du roi boiteux* (1981), son spectacle le plus ambitieux.

Dans *Les mots*, Ronfard exprime son amour pour la langue et les mots qui transmettent les infinies nuances de la pensée, pour ces mots qu'on maltraite parfois, qu'on galvaude, mais qui alimentent le plaisir et donnent son sens à la vie. La pièce comporte une série de courtes scènes enchaînées. Chacune d'entre elles questionne avec humour le rapport aux mots sous un angle particulier.

LE PRÉSIDENT DU CONSEIL D'ADMINISTRATION
Madame, Messieurs,
J'enregistre avec la plus grande satisfaction qu'une imposante majorité de notre conseil d'administration vient
5 d'approuver les conclusions du comité d'évaluation – que, entre parenthèses, je remercie pour la qualité de son travail. Il s'agit donc maintenant de mettre en œuvre les résolutions que le comité nous suggère et de procéder aux mesures de **restructuration** et de **délocalisation**
10 qui s'y trouvent impliquées. J'aimerais demander à notre directrice exécutive de se consacrer dès maintenant à cette importante **refonte de nos structures** administratives, logistiques et financières, et de résoudre, avec le savoir-faire que nous lui connaissons, le délicat problème des
15 **compressions** budgétaires et des **suppressions** d'emplois.

LA DIRECTRICE EXÉCUTIVE
Monsieur le Président, je vous remercie de votre confiance, en espérant que tous les membres du conseil la partagent. Dès aujourd'hui, je mettrai en œuvre les
20 mesures qui s'imposent et que notre gérant, monsieur Bernier, aura la charge d'exécuter.

S'adressant au gérant d'atelier :
Monsieur Bernier, je veux vous faire part immédiatement des décisions de la compagnie. Je pense que c'est
25 le travail le plus important qui va vous être demandé depuis les douze ans que vous êtes gérant général de notre atelier de St-Félicien. Je suis persuadée que vous saurez le mener à bien. Il s'agit de **réduire le nombre de nos employés** d'environ 20 % et la masse salariale de
30 25 à 30 %. Je vous laisse le soin d'étudier de près cette mesure et de me proposer au plus tôt la façon dont vous pensez y parvenir. Il est bien évident que votre réussite dans cette affaire ne pourra qu'être bénéfique à la continuation de votre carrière. Étudiez-moi donc ça en
35 détail avec la chef du personnel. Et vous viendrez me dire comment vous pensez procéder.

LE GÉRANT D'ATELIER *à la chef du personnel.*
Madame Wilson, il va falloir qu'on se voie bientôt. Là-haut, ils veulent qu'on **coupe dans le personnel.** Je suis
40 bien d'accord. Y a trop de monde pas assez occupés pour le temps qu'ils passent ici. Moi, je pense qu'on devrait

remplacer quasiment le tiers des employés par des machines électroniques. Les machines électroniques, c'est sûr, c'est rapide et ça ne fait jamais la grève. Voyez-moi donc ça avec vos contremaîtresses. Puis vous me donnerez la liste du monde que vous
45 croyez qu'on doit remercier.

LA CHEF DU PERSONNEL *à la contremaîtresse.*
Germaine Beaulieu, viens pas me dire que vous êtes trop occupés et que vous n'avez même pas le temps d'aller pisser tranquille ou de prendre un coke de temps en temps. C'est bien simple, on **supprime quatre employés** au décharge-
50 ment des camions. Avec les trois machines qui feront le gros de la job, je veux pas en voir plus de douze au shipping. Et puis, Jeannine Chiasson, mets-la dehors. Claude Bonin pis le p'tit Louis sont bien en masse pour faire le ménage.

LA CONTREMAÎTRESSE *à l'ouvrière Jeannine Chiasson.*
Hey Jeannine, 'scuse-moi. Vois-tu... Y **mettent du monde dehors...** Pis... Chépas
55 comment t'dire ça là, mais tu comprends, t'es la dernière rentrée, pis... tout' ça... fait que... tu comprends... ça m'écœure de t'dire ça là, mais, euh... T'es **slaquée.**

VERS LA DISSERTATION

1. Quel est le point commun entre les mots en caractères gras ?
2. Que peut-on dire des variations de niveau de langue, de la réplique du président du conseil d'administration jusqu'à celle de la contremaîtresse ?
3. Quelle attitude les différents personnages ont-ils à l'égard des suppressions d'emploi ?
4. Les mots sont le thème de cette pièce. Quels liens peut-on établir entre la façon dont ce texte est écrit et son thème ?
5. Que révèle ce texte sur les changements dans le monde du travail ?

▪▪ Sujet de dissertation critique

Est-il juste de dire que, dans ce texte, Jean-Pierre Ronfard reste neutre dans la façon de raconter un congédiement ?

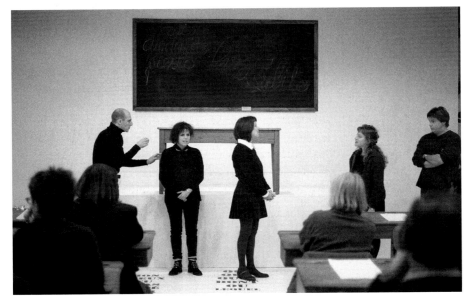

Pour *Les mots*, Ronfard conçoit une scénographie originale : il fait asseoir les spectateurs à des pupitres d'écoliers dans un théâtre transformé en une grande classe ; les comédiens jouent adroitement parmi les spectateurs, dans cette salle de cours reconstituée.

La face cachée de la lune (2000)

Robert Lepage (né en 1957)

Robert Lepage est l'un des metteurs en scène les plus appréciés du monde. Il dirige des pièces de théâtre et des opéras pour de prestigieuses maisons en Europe et en Amérique. Homme-orchestre, il est aussi comédien, scénographe et cinéaste. L'essentiel de son travail reste cependant ses propres pièces de théâtre, qu'il conçoit comme des *works in progress* et qui évoluent, de façon parfois considérable, des premières représentations aux dernières. Lepage ne craint pas de s'attaquer à de grands sujets, comme l'héritage de la civilisation chinoise, la bombe larguée sur Hiroshima, Léonard de Vinci, la dérive des continents. Dans ses pièces, des gens ordinaires rencontrent de grands mythes modernes et subissent de près ou de loin les bouleversements de l'histoire.

Robert Lepage est aussi le maître du spectacle solo. Il sait mettre en valeur ce genre, le hisser à un niveau rarement atteint, grâce à son imagination puissante de metteur en scène et à son recours à la technologie. Dans *La face cachée de la lune*, Lepage met en parallèle la course entre les Soviétiques et les Américains pour la conquête de l'espace, et la rivalité entre deux frères, interpellés par la mort de leur mère. Par d'habiles jeux de miroir, il y traite d'amour-propre, d'affrontements sournois et d'espoirs déçus. L'aîné des deux frères, Philippe, un chercheur sans envergure, accumule les échecs. Il devient touchant lorsqu'il prend plaisir à produire une vidéo où il explique la vie sur Terre à des extraterrestres.

L'image de la Terre fait place à celle de vêtements tournant dans une sécheuse. Philippe, en peignoir, démarre la caméra qui est installée au-dessus de la planche à repasser, où il place une orange et neuf cailloux de couleurs et de grosseurs
5 *différentes. L'image vidéo, légèrement grossie, est projetée en direct sur le mur derrière lui.*

Il m'est venu à l'idée que, si jamais vous vouliez venir nous visiter, vous auriez probablement besoin de nous repérer, alors j'ai décidé de vous faire une petite
10 démonstration pour vous aider à nous localiser. Disons que la première chose qu'il faut savoir, c'est que, selon les scientifiques, notre système solaire est tout à fait quelconque et qu'il est situé un peu en banlieue de notre galaxie et que notre galaxie elle-même est
15 tout à fait quelconque et qu'elle est située quelque part en banlieue de l'univers. Alors, à en croire les scientifiques, vous n'avez qu'à tourner à gauche après le centre commercial et vous allez nous trouver. Si jamais il vous arrive de rencontrer un alignement planétaire
20 qui ressemble à celui que vous voyez présentement, vous devez savoir qu'on est la troisième planète à partir du Soleil. Évidemment, si vous empruntez la route panoramique, là, c'est sûr qu'on habite la... un, deux, trois, quatre, cinq, six, septième planète du système
25 solaire. De toute façon, vous pourrez pas nous manquer parce que c'est une planète qui est bleue. D'ailleurs, on l'appelle la planète bleue. Ça, c'est à cause du maelström de tous les éléments organiques qui permettent à la planète d'avoir une forme de vie intelligente. Je me
30 demande d'ailleurs pourquoi on appelle ça comme ça, parce que, si on était si intelligents, ça ferait longtemps qu'on aurait trouvé une façon équitable de répartir les richesses de la planète. En plus, c'est surpeuplé. Il y a plus de six milliards d'habitants, ici. Alors, je vous con-
35 seillerais d'essayer de vous trouver du stationnement sur les planètes avoisinantes parce que, disons qu'ici, les places sont chères. Mais là, pour bien se comprendre, ça, ce n'est qu'une représentation du système solaire. L'échelle est tout à fait approximative. Ça, c'est pas le
40 Soleil, c'est une orange de la Floride. Ça, ce sont pas vraiment des planètes, ce sont des pierres, en fait, des minéraux qui faisaient partie d'une collection que mon frère avait quand il était jeune et qu'il m'avait offerte en cadeau quand je suis tombé malade à l'âge de treize

45 ans et que je suis entré à l'hôpital et que tout le monde pensait que j'allais mourir. Alors, j'imagine que c'était sa façon à lui d'attirer mon attention une dernière fois avant que je trépasse.

Il range les cailloux dans une boîte, déplace la planche à repasser puis s'adresse directement à la caméra au-dessus de lui.

50 Parce que, voyez-vous, ici, sur Terre, on est prêts à faire bien des bassesses pour attirer l'attention d'un être cher. C'est probablement la raison pour laquelle je suis tombé gravement malade. Mon père venait de mourir et ma mère avait jeté tout son dévolu sur mon jeune frère, alors j'étais jaloux. Un matin, je me suis réveillé avec un mal de tête terrible. J'avais une douleur aiguë derrière mon œil droit.

55 J'essayais d'ouvrir mon œil parce que je pensais qu'il était fermé mais, en fait, il était ouvert. Je voyais plus rien de cet œil-là. J'avais de la difficulté à calculer les distances, je tombais partout et j'ai failli me faire frapper par une voiture, alors ça a fonctionné très bien parce que ma mère est devenue très inquiète et elle a pensé qu'il fallait absolument que j'aille voir un médecin.

Dans *La face cachée de la lune*, Robert Lepage interprétait plusieurs personnages, dont celui de sa mère.

VERS LA DISSERTATION

1. Observez la progression du texte. Montrez que le discours du personnage passe du très général au très particulier.

2. Comment le personnage fait-il le lien entre l'immensité de l'univers et son vécu familial ?

3. Quelle analogie amusante Lepage établit-il pour faire comprendre la place de la Terre dans l'univers ?

4. Que pouvez-vous déduire de la relation entre Philippe et son frère, d'après cet extrait ?

5. Pourquoi Philippe croit-il qu'il est tombé malade ?

■ Sujet de dissertation critique

Est-il juste de dire que, dans cet extrait, Philippe a une mauvaise opinion de l'espèce humaine ?

La génération lyrique (1992)

Narcisse multitudinaire

François Ricard
(né en 1947)

François Ricard enseigne les littératures québécoise et française à l'Université McGill, à Montréal. Il est surtout connu comme essayiste dans le domaine littéraire. On lui doit aussi une importante biographie de Gabrielle Roy (1996). Dans *La génération lyrique*, il se fait sociologue et jette un regard attentif sur les enfants du *baby-boom*, nés pendant ou immédiatement après la Seconde Guerre mondiale.

François Ricard donne à sa propre génération le qualificatif de «lyrique» parce qu'elle s'est épanouie dans la confiance et le bonheur, conditions qui sont plutôt rares, somme toute, dans l'histoire contemporaine de l'Occident. L'auteur reconnaît les privilèges accordés à sa génération, qui est forte des idéaux qu'on lui a inculqués et qui triomphe par son poids démographique. Il critique par ailleurs les valeurs matérialistes de cette génération, son attachement au monde de la consommation. Si Ricard n'évite pas toujours le piège de la généralisation, son analyse très perspicace demeure l'une des meilleures réflexions sur le phénomène des *baby-boomers*, qui ont modifié en profondeur l'organisation de la société québécoise. Ricard équilibre sa critique, voit tant les aspects positifs de la génération lyrique que ses défauts, dont son narcissisme, qui n'est peut-être pas une caractéristique exclusive de cette génération.

On imagine habituellement Narcisse[1] seul au bord de son étang, ne rencontrant partout que son propre visage, n'entendant que l'écho de sa propre voix, et ne voulant, ne sachant aimer personne d'autre que lui-même; le monde autour de lui est un désert, où l'on ne voit âme 5 qui vive. En ce sens, on pourrait dire que l'attitude narcissique est le contraire même de l'expérience vécue par la génération lyrique, si nombreuse en vérité, si densément peuplée de garçons et de filles que tout repli sur soi, toute solitude individuelle en devient impossible.

10 C'est pourquoi je préfère parler de narcissisme démographique, ou collectif. Le repli sur soi, la contemplation et la jouissance de sa propre image sont ici le fait non de l'individu mais du groupe, non de chaque sujet en particulier mais de l'ensemble qu'ils forment, 15 homogène, innombrable, se sentant à la fois distinct de tous les autres et seul dans le monde. C'est cela, déjà, qu'indiquait le sentiment de «centralité» dont j'ai parlé précédemment: étant donné la masse qu'elle représente et qui, en comparaison, fait paraître insignifiante celle 20 des autres groupes, étant donné aussi l'attention admirative dont elle est l'objet de la part de ces mêmes groupes et leur refus (ou leur incapacité) de s'opposer à elle, cette génération peut non seulement se sentir différente et inassimilable, mais éprouver qu'il n'y a qu'elle 25 de vraiment présente, de vraiment *réelle* dans l'espace social qui l'environne. Elle emplit à ce point le monde que le monde, effectivement, paraît la refléter tout entier.

Pour ces garçons et ces filles, le narcissisme collectif est d'abord une donnée concrète. Nombreux comme 30 ils sont, ils vivent toujours dans le nombre et entre eux. Tout ce qu'ils font, tout ce qu'ils éprouvent, tout ce qu'ils pensent, ils sont invariablement une foule à le faire, l'éprouver, le penser. Leur cadre de vie, leur milieu naturel, c'est la multitude. Chacune de leurs ex- 35 périences, chacun de leurs choix dits individuels prend la forme et l'ampleur d'une «vague» et se démultiplie aussitôt en une infinité d'expériences et de choix semblables faits au même moment par d'autres garçons et d'autres filles de leur âge, dans des conditions et pour des motifs également semblables. Leurs façons de se vêtir, leurs 40 goûts musicaux, leurs lectures, leur optimisme ou leur révolte sont ceux de milliers, de millions d'autres jeunes qui font partie comme eux du groupe le

---

1. Personnage de la mythologie grecque, amoureux de sa propre image.

plus dense et le plus visible, face auquel les autres groupes sont pour ainsi dire sans poids et comme inexistants, incapables en tout cas de se mesurer à lui et de résister à ses mouvements.

45 Mais le narcissisme consiste aussi, pour l'individu contenu dans cette multitude, à ne rencontrer autour de lui que d'autres individus semblables à lui, ayant le même âge, portant les mêmes vêtements, écoutant les mêmes disques, fréquentant les mêmes cafés-terrasses et nourrissant la même vision du monde, les mêmes préoccupations, les mêmes attentes. L'autre n'est plus l'autre, le
50 différent, l'étranger, celui que je dois affronter et en présence de qui je dois accepter de sacrifier une part de ce que je suis. En fait, il n'y a plus d'autre, mais un gigantesque *nous* pareil à moi-même, qui m'accueille, m'enveloppe, me prolonge et apporte à mon existence une confirmation et un élargissement de chaque instant. Il suffit de regarder autour de moi, de sentir battre au rythme
55 de mon cœur le cœur unanime de mes semblables, pour être à la fois rassuré et exalté, et donc pour n'avoir qu'un seul désir, un seul espoir : être à jamais parmi eux, avec eux, en eux, dans le même cortège, dans la même mouvance de l'histoire. Vivre, c'est vivre nombreux, c'est vivre « in », c'est-à-dire se retrouver toujours face à soi
60 au milieu de tous.

Cette génération acquiert ainsi, dès son entrée dans la vie publique, l'habitude de la dissolution dans une foule immense qui est à la fois pour l'individu sa projection et son annulation, son
65 miroir et son tyran. Une expérience, si elle n'est pas vécue en foule, si elle ne rend pas l'individu complice de millions d'autres, paraît comme dépourvue de valeur et de réalité. Chaque désir, chaque opinion, chaque « feeling » n'a de signifi-
70 cation que s'il rejoint celui d'une infinité d'autres jeunes tous pareils à soi, qui tous s'y identifient pour, tous ensemble, se reconnaître solidaires et, tous ensemble, se distinguer de leurs aînés.

Dans *La génération lyrique*, François Ricard nous présente une génération, celle des *baby-boomers*, qui à la fois a subi et provoqué de très grands changements sociaux au Québec.

VERS LA DISSERTATION

1. En quoi le qualificatif « narcissique » semble-t-il ne pas convenir, de prime abord, à la génération lyrique ?

2. Qu'est-ce que le « narcissisme collectif » (l. 28), selon l'auteur ?

3. Comment la génération lyrique réagit-elle à l'« autre », à la différence ?

4. Expliquez le sens de cette affirmation : « En fait, il n'y a plus d'autre, mais un gigantesque *nous* pareil à moi-même [...] » (l. 51-52).

■ Sujet de dissertation critique

Est-il juste de dire que l'auteur, dans ce passage, dénonce une forme de conformisme ?

Quinze lieux communs (1993)

La télévision (Bernard Arcand)

Bernard Arcand (1945-2009)
Serge Bouchard (né en 1947)

Tous deux anthropologues, Bernard Arcand et Serge Bouchard unissent leurs voix pour présenter une émission de radio, *Les lieux communs*, pendant laquelle ils réfléchissent sur divers aspects de la vie moderne, dans ce qu'elle a de plus quotidien, voire de grandement banal. Leur savoir d'anthropologues leur permet de jeter un regard inattendu sur des sujets auxquels la majorité des gens ne juge pas toujours nécessaire de réfléchir. Ces «lieux communs», d'abord lus à la radio, sont par la suite publiés sous forme d'essais, dans une série qui comprend sept titres, dont une sélection des meilleurs textes.

Dès la parution de *Quinze lieux communs*, le premier livre de la série, les auteurs fixent leur méthode : formuler une réflexion érudite et amusée, en alternant le propos de chacun des auteurs, qui se renvoient la balle sans nécessairement se répondre. Les sujets sont d'une franche trivialité : par exemple, la calvitie, le gazon, le téléphone, les vendeurs. Dans *Les lieux communs*, Arcand et Bouchard ne cherchent pas à instruire ni à débattre de grands enjeux de société, mais à dévoiler une magie du quotidien, par des rapprochements inattendus, des traits d'ironie, des révélations paradoxales.

On raconte très souvent que la télévision a maintenant tout envahi et que le monde entier est aujourd'hui branché sur des postes qui répandent les mêmes modèles culturels et les mêmes valeurs. De telle sorte que nous as-
5 sistons à une remarquable uniformisation des peuples de la planète, une sorte d'invasion qui peut aussi être perçue comme une inquiétante américanisation du monde. Cette vision reste sans doute vraie, mais il faut ajouter que la télévision amène aussi le monde entier chez soi. Elle offre, bien sûr, le salut éternel des
10 évangélistes et la damnation par la pornographie. Mais elle permet aussi de prendre contact avec d'autres problèmes, d'autres solutions et d'autres politiques, de rencontrer d'autres cultures, ce qui ne peut que semer le doute et miner les consensus. Nous avons de moins
15 en moins de certitudes, depuis que la télévision nous a montré des alternatives plausibles. Les enfants de demain auront trop vu pour croire ce que leurs parents racontent ; ils ne savent rien, dit-on, mais ils ont quand même tout vu et la télévision laisse des traces.

20 De toute façon, la tendance paraît irréversible. Si, dans un effort louable pour préserver la diversité humaine, les Nations Unies déclaraient que, après les années internationales de la femme, de l'enfant et des peuples autochtones, l'an prochain serait l'année internationale
25 du débranchement des postes de télévision, les résultats d'une telle décision seraient probablement désastreux. On peut honnêtement espérer que l'absence de la télévision encourage des entreprises plus satisfaisantes et que, par exemple, les habitants d'immeubles partagés
30 en quarante appartements par autant de familles plus ou moins nombreuses, ne sachant plus quoi faire de leurs nombreuses heures de loisir nouvellement découvertes, commenceraient à se fréquenter et donc à s'enrichir mutuellement. Mais on peut craindre tout autant que
35 tous ces gens, se parlant, ne se découvrent des conflits qui dégénéreraient rapidement. Les couloirs de ces immeubles où l'on n'entend aujourd'hui que les sons atténués des téléviseurs domestiques deviendraient des lieux d'échanges grouillants de vie mais trop bruyants
40 de rires, de discussions et de chicanes. On comprendrait alors à quel point la télévision est une condition essentielle de l'entassement urbain et comment le câble canalise les pires violences. Sans télévision, des gens soudain moins amorphes pourraient aussi se révéler moins paisibles.

Mais il y a pire. Le débranchement planétaire des téléviseurs aurait sans aucun
45 doute un effet direct et catastrophique sur la démographie mondiale. Car, quoi
que l'on dise des vertus de la pilule dans les années 60, c'est plutôt l'arrivée de la
télévision à ce moment-là qui nous a procuré le meilleur contraceptif de l'histoire.
Loin de l'interdire, il faudrait recommander à l'ACDI[1] comme au Vatican de financer des achats massifs de téléviseurs pour l'ensemble des pays du tiers monde
50 et pour la Chine, de sorte que leurs habitants puissent enfin suivre jusqu'à des
heures tardives des entrevues avec des artistes, des analyses interminables de
nouvelles défraîchies, jusqu'au milieu de la nuit, de la musique à répétition ou des
émissions d'après-partie.

1. Agence canadienne de développement international.

VERS LA DISSERTATION

1. Qu'est-ce qu'un lieu commun ?
2. Que veut dire l'auteur lorsqu'il avance que la télévision offre aux spectateurs « d'autres problèmes, d'autres solutions et d'autres politiques » (l. 11-12) ?
3. Montrez que le deuxième paragraphe, malgré son ton humoristique, est très pessimiste.
4. Faites ressortir les éléments qui paraissent contradictoires dans ce texte.

■ Sujet de dissertation critique

Est-il juste de dire que ce texte est une défense de la télévision ?

Martin Bureau, *À propos de rien*, 2000.

À l'écoute de la chanson québécoise

Il n'est pas facile de faire de la chanson francophone aux lendemains du référendum de 1980. Le grand élan nationaliste, qui a entraîné beaucoup de chanteurs et un public enthousiaste dans son sillon, se trouve subitement freiné ; les fêtes collectives des années 1970 exaltant la ferveur des Québécois perdent leur sens, et avec leur disparition s'étiole la musique qui les avait animées.

La tentation devient grande, pour de nombreux artistes, d'abandonner les traditions, qu'elles soient neuves ou anciennes, et d'effacer les marques trop visibles de distinction pour se fondre dans l'immensité du monde anglo-saxon. La perte de l'identité qui en résulte est pour certains compensée par l'adhésion à une modernité qui chasse les particularités régionales et dont les adeptes s'expriment nécessairement en anglais. C'est donc par l'usage de l'anglais que certains artistes québécois tentent d'obtenir une reconnaissance internationale.

Les Colocs en spectacle en novembre 1998.

La chanson québécoise francophone reste tout de même vigoureusement soutenue par les chanteurs qui avaient incarné la relève pendant la décennie précédente et qui sont maintenant au sommet de leur carrière, dont Paul Piché, Richard Séguin, Michel Rivard, Pierre Flynn, Sylvie Tremblay. La chanson d'ici reçoit aussi l'appui de lois qui imposent des quotas de chansons francophones à la radio et donnent l'occasion au public d'apprécier la valeur et l'unicité de la musique populaire québécoise. Cette consolidation permet l'arrivée d'une nouvelle génération de groupes et de chanteurs qui écrivent une musique vive, décomplexée, parfois revendicatrice, remplie d'humour, et qui parlent, comme les écrivains, d'un Québec aux mille facettes.

Dans les années 1990, la relève est assurée de façon bien vivante et créative par Richard Desjardins, Jean Leloup, Daniel Bélanger, Dan Bigras, Francine Raymond, et plusieurs groupes qui incarnent l'esprit rebelle du temps, Les Colocs, Vilain Pingouin, French B, Les Parfaits Salauds, entre autres. Parallèlement à ces artistes dont les œuvres sont très personnelles, d'habiles gérants fabriquent au Québec deux vedettes qui obtiennent une grande renommée internationale, dans un genre plus commercial : Roch Voisine et Céline Dion.

La chanson québécoise se remet donc très rapidement sur les rails et continue à révéler de nouveaux talents à toutes les saisons. Cette vigueur tient du désir des Québécois d'apprécier une chanson qui reflète vraiment leur identité ; mais aussi, la chanson d'ici profite de mesures protectrices qui l'excluent en grande partie des lois du marché, selon lesquelles la rentabilité devrait primer sur la diversité.

Cochez oui, cochez non (1984)

**Paul Piché
(né en 1953)**

Paul Piché est un chanteur combatif et dynamique sur scène, qui n'a jamais renoncé à ses idées. Il est l'un des rares chanteurs à avoir toujours entretenu la flamme souverainiste, et il continue à s'engager activement dans de nombreuses causes sociales et environnementales. Il sait faire évoluer son style, sans toutefois y introduire de ruptures radicales. Sa chanson, qui est presque folklorique à l'époque de son premier album, *À qui appartient l'beau temps?* (1987), devient ensuite plus énergique, et parfois plus méditative (par exemple, sa chanson «L'escalier» [1991] ou son album *Sur le chemin des incendies* [1988]). Dans «Cochez oui, cochez non» de l'album *Nouvelles d'Europe*, Paul Piché se moque de notre société inhumaine qui réduit les gens à ce qu'on les force à répondre dans de petites cases cochées rapidement.

Cochez oui, cochez non
Nom, prénom, nom d'fille de votre mère
Nommez-nous quelques-uns de vos pères
Là votre âge, là votre numéro
5   Attention, répondez comme il faut
Ma mère s'appelle maman
Mon père appelle pas souvent
Y a peut-être pas le temps

Cochez oui, cochez non
10 Nom, prénom, quelles sont vos opinions
Sur la guerre, le mariage, les grandes questions
Maintenant que pour vous l'école est finie
Savez-vous ce que vous ferez de votre vie?
J'me d'mandais justement
15 Quoi faire pour passer l'temps
Vous venez de me l'trouver
J'vais m'inquiéter

C'que j'ai comme crainte ou comme espoir
Vous ne voulez pas l'savoir
20 J'peux pas classer mes émotions
En petites piles de oui pis d'non
Mais puisque vous me le demandez
Voici pour vos dossiers
J'espère seulement qu'un jour la guerre
25 Ne sera qu'une case du questionnaire

Cochez oui, cochez non
Nom, prénom, pensionné récemment
Avez-vous l'intention d'être vieux longtemps?
Savez-vous comment vous occuper?
30 Savez-vous combien ça va nous coûter?
J'sais pas, mais dernièrement
J'enterrais mes parents
J'espère vivre aussi vieux
Ce sera coûteux

35 J'aurais aimé vous conter l'histoire
Des années folles, des années noires
D'l'amour, d'la haine qu'on a connus
De tous les proches que j'ai perdus
Grâce à vos fiches, oui, vous savez
40 Quand les gens meurent, où ils sont nés
Et d'un crayon vous faites une croix
Leurs vies vous passent entre les doigts
Cochez oui, cochez non

---

1. De quelle manière Paul Piché exploite-t-il le thème de la déshumanisation?
2. Comment Paul Piché aborde-t-il le thème de la vieillesse dans l'avant-dernière strophe?
3. Quelle signification donnez-vous à la dernière strophe?

■ **Sujet de dissertation critique**

Est-il juste de dire que ce texte est ironique?

VERS LA DISSERTATION

... et j'ai couché dans mon char (1990)

J'ai roulé quatre cents milles
Sous un ciel fâché
Aux limites de la ville
Mon cœur a clenché

5 Les gros flashes apparaissent
Dans mon âme égarée
Les fantômes se dressent
À chaque pouce carré

Revenir d'exil
10 Comporte des risques
Comme rentrer une aiguille
Dans un vieux disque

Y a eu ben du progrès
Ben d'l'asphalte ainsi d'suite
15 J'me demande qui je serais
Si j'tais resté icitte

Une peine imbuvable
À qui la faute
J'étais juste pus capable
20 D'la voir avec un autre

Mais c'est tout oublié
Chus r'dev'nu un homme
Le 'tit cœur pomponné
S'en vient voir ses vieux chums

25 Salut les Apaches
Salut les crottés
Vous me trouvez le stash
Moi je paye le party

J'entends la fonderie qui rush
30 Pour ceux qui l'savent pas
On y brûle la roche
Et des tonnes de bons gars

Les deux grandes cheminées
Éternelles comme l'enfer
35 Quand le gaz m'a pogné
Chus v'nu tout à l'envers

Entendez-vous la rumeur
La loi de la compagnie
« Il faudra que tu meures
40 Si tu veux vivre mon ami »

J'ai passé mon p'tit change
Dans l'trou du téléphone
Sentiment étrange
Je rejoins pus personne

45 « Time flies » que j'me dis
M'en vas faire de mon best
J'ai marché dans la nuit
En cherchant un orchestre

J'prends ma chambre à Capri
50 J'aboutis dans la même
Mêmes brûlures su'l tapis
Même vue sur la Main

Comment dormir dans un lit
Où t'as baisé des anges
55 Je sens monter la folie
Je descends dans le lounge

Dans la flamme d'un briquet
Un visage intrigant
C'te gars-là je l'connais
60 Bonyeu mais c'est Satan

Long time no see
Fait pas chaud là mets-en
J'ai passé proche l'embrasser
À force que j'étais content

65 Y m'dit : « La gang est splittée
C'était rien qu'une époque
Sa valeur est tombée
Comme le prix de la coppe

Y s'sont tout' fait buster
70 Un après l'autre
À la fin y est resté
Moi mon ombre pis son coat

Les aut' ont farmé leu' yeule
Y déclarent à l'impôt
75 Nouvelle clientèle
Et musique de robot

Quand les downs de tes highs
Te défoncent l'intérieur
Tu t'engages comme bétail
80 Pas d'malheur pas d'bonheur

Richard Desjardins (né en 1948)

Richard Desjardins se fait remarquer par son disque *Tu m'aimes-tu* (1990) et ses chansons dont les textes riches et suggestifs sont d'une poésie lumineuse. Dans cet album solo, la voix de Desjardins, au timbre rauque, unique, s'accompagne d'une guitare qui marque fermement le rythme ou d'un piano qui se lance dans de belles envolées romantiques. Richard Desjardins continue à offrir une chanson d'une rare intelligence, d'une haute teneur poétique, dont les influences multiples vont du pur country aux résonances classiques et de jazz. Il mélange avec aisance humour et lyrisme. Sans devenir moraliste, il prend la défense de causes qui lui sont chères, celles des autochtones, de la forêt, de la liberté. Desjardins est aussi un documentariste et un militant actif ; son film *L'erreur boréale* (1999), réalisé avec Robert Monderie, réussit à sensibiliser un large public aux problèmes qui menacent la forêt boréale au Québec. Dans sa chanson « ... et j'ai couché dans mon char », le poète devient un habile raconteur.

Y ont vendu l'amour bandé
Pour de la tendresse
Ils se sont enfermés
Dans la chambre de commerce

85 Astheure chus quas'ment tout seul
À fournir à' Plaza
Que c'est que l'monde veulent
Que c'est que la loi veut pas

1. De quel exil parle-t-on dans cette chanson? À quoi le retour d'exil est-il comparé? Pourquoi son auteur revient-il d'exil?

2. Relevez les aspects politiques de cette chanson. Quelles sont les tares que Richard Desjardins dénonce?

3. Quels sont les changements décrits par l'ami du poète depuis que « [l]a gang est splittée » (v. 65)?

4. Par quels moyens cette chanson reproduit-elle la langue orale? Relevez, entre autres, les anglicismes.

5. Écoutez la chanson et remarquez l'effet de l'accompagnement dans la dernière strophe. En quoi cet effet souligne-t-il le sens de la strophe?

■ Sujet de dissertation critique

Est-il juste de dire que cette chanson est empreinte de nostalgie?

A peut v'nir me chercher
90 Pour m'passer les menottes
Quarante ans d'liberté
De nos jours c't'une bonne cote

Y a personne qui m'encule
J'ai gardé mes bons nerfs
95 Comment ça vaut ça? Calcule!
Chus déjà millionnaire

Côté cœur, ben content
Y a du monde su' la ligne
Quand les chums sont en d'dans
100 Moi j'm'occupe des darlings

Tu t'rappelles ton gros kick
La belle Rose-Aimée
M'as t'en pousser une comique
Moi pis elle c'est steady. »

105 Quand y m'a dit ça...

C'est rentré comme un clou
Un couteau dans' patate
La suture a t'nu l'coup
Well let's drink to that!

110 Le jour s'est levé sur Rouyn
Avec des gros rayons d'or
J'ai jasé 'ec mon instinct
Et j'ai couché dans mon char.

Première guerre du Golfe en 1990-1991.

« 1990 » de Jean Leloup est une réflexion ironique sur la première guerre du Golfe, une guerre hautement médiatisée.

1990 (1991)

Jean Leloup (né en 1961)

Jean Leclerc, surtout connu sous son nom
d'artiste Jean Leloup, est un bel excentrique
de la chanson québécoise qui écrit une
musique spontanée, emportée, un rock vif,
brouillon, amphigourique par moments.
Sur une musique nappée de guitares, il
enchaîne des logorrhées verbales, des
paroles qui, même si elles semblent aller
dans tous les sens, finissent par décrire
une faune de jeunes souvent déjantés,
étourdis par la consommation de drogue,
ou une société que le poète ne parvient
pas à comprendre et qu'il compare entre
autres à un monde de fourmis. Jean Leloup
est remarquable par son indépendance
d'esprit, son refus de se laisser embrigader.
Son œuvre plaît vivement tant à son
public qu'aux critiques. Sa chanson «1990»,
de l'album *L'amour est sans pitié*, qui est
inspirée par la première guerre du Golfe
et remporte un succès considérable, est
l'une de ses plus réussies, par son rythme
accrocheur et ses mots d'une fine ironie.

mesdames et messieurs attention
je vais vous faire une chanson
le sujet en est ambitieux
de mon image je suis soucieux
5 en 1990
c'est l'heure des communications

depuis le début de ce siècle
nous avons vu l'apparition
du moteur Ford à explosion
10 puis de l'avion à réaction

mais de toutes les inventions
c'est sans doute la bombe à neutrons
qui nous laissa le plus baba
au cours du célèbre hiroshima
15 mais 1990 devrait nous laisser
tous pantois
devrait nous laisser tous gagas

il y a des missiles patriotes
dirigés par ordinateurs
20 sony fuji et macintosh
se culbutent dans les airs le rush
la guerre technologique fait rage
c'est un super méga carnage
attention voilà les avions
25 qui tirent
c'est l'heure de l'émission
en 1990
c'est l'heure de la médiatisation
en 1990
30 c'est l'ère de la conscientisation

fini les temps maudits du sport
du jogging et de la cigarette

la preuve en est nos beaux soldats
américains qui sont là-bas
35 bronzés à la vitamine d
nourris aux fibres équilibrées
les morts qui seront faits là-bas
seront en bonne santé je crois

les impôts du contribuable
40 n'ont pas été payés en vain
la preuve en est il est possible
de ne jamais rater sa cible
si on connaît le vidéo
si on se pratique le coco
45 bientôt disponible bientôt
koweit irak en nintendo
en 1990 c'est l'ère de la socialisation
en 1990 c'est la démocratisation

j'en étais à ces réflexions
50 quand tout à coup je me sens con
assis par terre dans le salon
je ne fous rien je suis un con
heureusement que ma copine
a soudain l'idée de génie
55 de me toucher le porte-avion
vite fait je lui sors mon canon
ça va chauffer oui mon amour
je pointe mon radar à ions
en plein dans ta sortie de secours
60 je vais larguer mes bombes attention
en 1990 j'ai mis ma participation
en 1990 j'étais dans la coalition
en 1990 (bis)
hier soir dj a sauvé mon âme avec
65 cette chanson (bis)

VERS LA DISSERTATION

1. Observez les procédés d'écriture utilisés au début de la chanson. De quelle façon Jean Leloup introduit-il son sujet?
2. Montrez que les propos enthousiastes sur les armes sont ironiques.
3. Comment le vocabulaire de la guerre s'introduit-il dans la vie privée du chanteur?
4. Écoutez la chanson et observez comment est marqué le rythme. Quel est l'effet produit par la voix de la choriste?

■ Sujet de dissertation critique

Jean Leloup dans «1990» et Paul Piché dans «Cochez oui, cochez non» (*p. 226*) font-ils une critique semblable de la société?

Les Colocs

Nul groupe n'a autant mar- qué la musique québécoise des années 1990.

Les Colocs s'imposent dès leur premier disque par un mélange vivifiant de rock et de *swing*, par une musique festive, énergique, et par des textes corrosifs et provocateurs. Le groupe intègre pro- gressivement des sonorités reggae à sa musique, mais reste toujours fidèle à lui-même grâce à son sens de la fête et à son énergie communicative. L'aventure des Colocs se termine brutalement par la mort tragique de leur chanteur et *leader*, André Fortin (1962-2000). Les Colocs manifestent toujours, dans leurs chansons, leur parti pris pour les perdants, les marginaux, et leur colère contre les bien-pensants et les opportunistes. La chanson «Bonyeu», de l'album *Atrocetomique*, rend compte avec humour du sort difficile des chômeurs.

Bonyeu (1995)

Bonyeu donne-moé une job
Faut que j'fasse mes paiements
Amener ma blonde au restaurant
Pis tchéquer les numéros gagnants

5 Bonyeu donne-moé une job
J'vas payer l'loyer du mois passé
J'vas r'brancher l'téléphone
Les collecteurs vont pouvoir me r'trouver

REFRAIN :

10 Pis si jamais tu m'donnes une job
Tu me r'verras à l'église
À genoux devant l'curé
Bonyeu laisse-moé pas tomber

Bonyeu donne-moé une job
15 Chu prêt à commencer en bas d'l'échelle
Ch'pas pire avec les chiffres
Pis j'sais m'servir de ma cervelle

Bonyeu donne-moé une job
20 Pis j't'jure que j'vas m'caser,
J'vas m'lever tôt tous les matins
Pis j't'promets d'arrêter d'chialer

REFRAIN

Bonyeu donne-moé une job
J'veux travailler avec le public
25 Chu bon vendeur j'arrive à l'heure
Pis j'bois moins qu'un alcoolique

Bonyeu donne-moé une job
Chu prêt à bûcher comme un Viet
Y faut que j'fasse de quoi de moé
30 Ch'tanné d'attendre après mon chèque

REFRAIN

Bonyeu donne-moé une job
N'importe laquelle f'rait mon affaire
N'importe où n'importe quand
35 Pour me sortir de mon calvaire

Bonyeu donne-moé une job
J'envoie mon C.V. à Saint Pierre
Parlez-y d'moé si vous voulez
Un pourcentage sur mon salaire

REFRAIN

VERS LA DISSERTATION

1. Pourquoi le chômeur de la chanson tient-il tellement à se trouver un emploi ?

2. Jusqu'où le chômeur est-il prêt à aller pour travailler ?

3. Pourquoi a-t-il recours à Dieu ?

4. Faites ressortir les mots et les expressions qui relèvent de l'oralité.

5. Écoutez la chanson et relevez la façon dont la musique reflète l'humour des paroles.

■ Sujet de dissertation critique

Est-il juste de dire que cette chanson confirme certains préjugés contre les chômeurs ?

Zilon, Virusa, 2000.

Zilon devient célèbre par ses graffitis qui apparaissent subrepticement sur les murs de Montréal au début des années 1980. Sa peinture incarne l'esprit rebelle et anarchiste que l'on trouve dans certaines chansons des Colocs.

Le contexte sociohistorique

De 1980 à 2001, la question nationale reste au cœur des préoccupations politiques au Québec. Deux référendums perdus par les souverainistes, l'un en 1980 et l'autre en 1995, n'atténuent pas les tensions, qui restent vives entre les fédéralistes et les tenants de l'indépendance du Québec.

Comme ailleurs dans le monde, le Québec entreprend un virage vers le néolibéralisme et adopte des mesures qui réduisent progressivement le rôle de l'État et donnent plus de place à l'entreprise privée.

Le Québec reçoit plus que jamais de nouveaux arrivants en provenance de toutes les régions du monde. Le gouvernement adopte une politique «interculturelle», qui vise à favoriser la cohabitation des divers groupes ethniques.

Les artistes québécois s'ouvrent sur le monde et certains d'entre eux ont l'occasion de faire connaître leurs œuvres à l'étranger. Dans plusieurs domaines, des artistes d'ici remportent un important succès international.

La littérature

Les écrivains se détournent des thèmes nationalistes pour s'intéresser plutôt aux individus, dont ils exposent l'intimité, et aux marginaux.

Le milieu littéraire s'appuie désormais sur des institutions solides : maisons d'édition, revues, compagnies théâtrales, prix littéraires, bourses d'écriture et associations d'écrivains stimulent la vie littéraire, qui poursuit son organisation dans la continuité.

Le public de lecteurs s'élargit à la suite d'une plus grande scolarisation des Québécois et de la croissance de la population, ce qui permet à l'offre littéraire de se diversifier.

Parmi les nouvelles tendances, l'une des plus productives est l'écriture migrante, qui exprime le vécu des nouveaux arrivants au Québec.

Les genres littéraires

Le roman Le roman se présente sous toutes sortes de formes qui montrent la diversité de la littérature québécoise. Il se publie plus de romans que jamais, tant des *best-sellers* qui rivalisent avec la production étrangère que des œuvres personnelles aux sujets variés, tels que l'adolescence rebelle, l'Amérique, le déracinement, l'autobiographie.

Le poésie Délaissant la question nationale et les grandes utopies, les poètes se tournent vers eux-mêmes et explorent leur vie intime. Très souvent, ils écrivent une poésie dépouillée et introspective, et préfèrent les formes courtes.

Le théâtre Le théâtre québécois se trouve transformé par des metteurs en scène qui se lancent dans l'écriture, conçoivent des spectacles d'une remarquable efficacité scénique et remportent d'importants succès. Certains auteurs, comme Michel Marc Bouchard et Michel Garneau, continuent à pratiquer une écriture théâtrale rigoureuse et efficace.

L'essai L'essai québécois est modelé non plus par des thèmes récurrents, mais par des auteurs dont l'écriture est vive et parfois polémique. Ainsi, François Ricard et le duo formé de Bernard Arcand et Serge Bouchard marquent le genre par leur pensée qui refuse les embrigadements.

7

2001-2012 Les nouvelles inquiétudes

LITTÉRATURE : L'ÈRE DE L'ABONDANCE

Auteurs et œuvres à l'étude

Les attentats du 11 septembre 2001 aux États-Unis, ainsi que les guerres en Afghanistan et en Irak qui ont suivi, ont créé un grand climat d'incertitude. Les tourments du monde sont plus visibles que jamais : écarts croissants entre les riches et les pauvres, réchauffement climatique, guerres interminables. Face à cet état des choses, les écrivains québécois comme leurs camarades d'autres pays hésitent entre plusieurs attitudes, par exemple : se réfugier en eux-mêmes ; écrire une œuvre qui compense, par son harmonie et sa sincérité, les horreurs qui se perpétuent ; ou encore dénoncer les maux qui affectent le monde par l'humour, l'ironie ou l'attaque frontale. À l'heure où la mondialisation s'instaure de gré ou de force, où elle rend de plus en plus de gens sceptiques, les écrivains québécois poursuivent leur travail avec constance, voire acharnement, et publient en abondance. Ils voyagent beaucoup, comprennent le monde à leur manière, refusent l'embrigadement et produisent des œuvres nourries de la multiplicité de leurs expériences.

Jean-Pierre Lafrance, *Épisode,* 2001.

De 2001 à 2012

Le monde

2002

Invasion de l'Afghanistan par des nations alliées dirigées par les États-Unis

Adoption de l'euro comme monnaie officielle dans 12 des 15 pays formant alors l'Union européenne

Ratification par le Canada du protocole de Kyoto

2005

Adoption de la Convention sur la protection et la promotion de la diversité des expressions culturelles à l'UNESCO

Entrée en vigueur du protocole de Kyoto

Ravages causés à la Nouvelle-Orléans par l'ouragan Katrina

2001

Premier Forum social mondial à Porto Alegre, au Brésil

Manifestation de plus de 300 000 personnes à Gênes, en Italie, pendant le sommet du G8 ; répression violente qui fait 1 mort

Attaques terroristes aux États-Unis : deux avions civils se fracassent contre le World Trade Center, et un troisième, contre le Pentagone ; ces attentats font près de 3 000 morts

Faillite d'entreprises géantes telles qu'Enron et Worldcom à l'origine d'une crise financière majeure (2001-2002)

2003

Manifestation de plus de 10 millions de personnes dans le monde entier contre la possibilité d'une guerre en Irak

Invasion de l'Irak par les États-Unis et leurs alliés

2004

Résistance des Irakiens, dont le pays est en état de guerre permanente

Dévastation des terres côtières de l'océan Indien par un tsunami, qui fait plus de 250 000 victimes

Le Québec

2001

Démission de Lucien Bouchard en tant que chef du Parti québécois et premier ministre du Québec

Remplacement de Lucien Bouchard par Bernard Landry

Sommet des Amériques dans la ville de Québec

2004-2005

Commission Gomery sur le scandale des commandites

2005

Grève générale illimitée de 70 000 étudiants

Manifeste des « lucides » auquel répond le manifeste des « solidaires »

Ouverture de la Grande Bibliothèque du Québec

2003

Élection de Jean Charest, chef du Parti libéral, comme premier ministre du Québec

2006

Création du parti de gauche Québec solidaire

Sous le gouvernement Harper, adoption, par la Chambre des communes du Canada, d'une motion reconnaissant que le Québec forme une nation dans un Canada uni

| 2001 | 2002 | 2003 | 2004 | 2005 | 2006 |

Les arts et les lettres

2003

Lise Tremblay, *La héronnière* (nouvelles)

Wajdi Mouawad, *Incendies* (théâtre)

Évelyne de la Chenelière, *Bashir Lazhar* (théâtre)

Denys Arcand, *Les invasions barbares* (film)

2004

Michel Garneau, *Discrète parade d'éléphants* (poésie)

Denys Arcand reçoit l'Oscar du meilleur film en langue étrangère pour *Les invasions barbares*

2005

Nicolas Dickner, *Nikolski* (roman)

Fred Pellerin, *Comme une odeur de muscles* (contes)

Normand Baillargeon, *Petit cours d'autodéfense intellectuelle* (essai)

Jean-Marc Vallée, *C.R.A.Z.Y.* (film)

2006

Hélène Dorion, *Mondes fragiles, choses frêles* (poésie)

2011

Printemps arabe : des manifestations éclatent dans plusieurs pays arabes ; les Tunisiens, les Égyptiens et les Libyens renversent les dictateurs en place

Retrait du Canada du protocole de Kyoto

2008

Crise financière et économique aux États-Unis et dans le monde : les gouvernements doivent renflouer les banques à coups de billions de dollars, ce qui, à long terme, accentuera l'endettement de plusieurs pays

2007

Sommet de Bali sur les changements climatiques

Rapport du Groupe d'experts intergouvernemental sur l'évolution du climat (GIEC), qui confirme la responsabilité de l'être humain dans le réchauffement planétaire

2009

Sommet du G20 à Londres sur la crise économique et sommet de Copenhague sur les changements climatiques : aucune avancée notable à l'issue de ces deux rencontres

2008

Élection d'un gouvernement libéral majoritaire ; troisième mandat consécutif de Jean Charest

2011

Élections fédérales : le Nouveau Parti démocratique (NPD) élit une forte majorité des députés au Québec et le Bloc québécois voit sa représentation réduite à quelques députés

Création d'un parti de droite qui remplace l'ADQ, la Coalition Avenir Québec (CAQ), dirigée par l'ex-péquiste François Legault

2007

Élection d'un gouvernement libéral minoritaire à l'Assemblée nationale et réélection de Jean Charest comme premier ministre

Accession de Mario Dumont, de l'Action démocratique du Québec (ADQ), au poste de chef de l'opposition officielle

Premier Forum social québécois

Commission de consultation sur les pratiques d'accommodement reliées aux différences culturelles (commission Bouchard-Taylor)

2010

Révélation de nombreux cas possibles de corruption et de collusion liés au gouvernement de Jean Charest

2012

Grève étudiante contre une hausse des droits de scolarité ; loi d'exception adoptée pour encadrer les manifestations, qui entraîne de fortes protestations

Commission d'enquête sur l'octroi et la gestion des contrats publics dans l'industrie de la construction (commission Charbonneau)

| 2007 | 2008 | 2009 | 2010 | 2011 | 2012 |

2010

Denis Villeneuve, *Incendies* (film)

2011

Monsieur Lazhar (film)

Jocelyne Saucier, *Il pleuvait des oiseaux* (roman)

2008

Catherine Mavrikakis, *Le ciel de Bay City* (roman)

2009

Kim Thúy, *Ru* (autobiographie)

Dany Laferrière, *L'énigme du retour* (roman)

2012

Kim Nguyen, *Rebelle* (film)

Le monde: une mondialisation douloureuse

Le 11 septembre 2001, lorsque deux avions s'écrasent contre les tours jumelles du World Trade Center à New York, et qu'un troisième atteint le Pentagone à Washington, les populations du monde comprennent que l'équilibre entre les nations ne sera plus le même. Le gouvernement états-unien, humilié, promet une riposte. Mais quelle sera-t-elle?

Les attentats du 11 septembre, menés par des terroristes d'Al-Qaïda, changent les rapports de force, et le gouvernement du président américain George W. Bush attise les tensions en répliquant au terrorisme par la force. Les guerres qu'il entreprend en Afghanistan et en Irak sont loin de ramener la paix et la démocratie dans ces pays. Les Américains et leurs alliés provoquent des guerres coûteuses et interminables qui font de terribles ravages parmi les populations civiles.

Au cours des années qui précèdent les attentats du 11 septembre, les gouvernements des grandes

Les lendemains du 11 septembre 2001 ont été amers et s'en est suivie une rhétorique selon laquelle la guerre contre le terrorisme serait sans fin.

puissances économiques prétendent que des échanges commerciaux libres et généralisés assureront la prospérité et la paix à l'ensemble des citoyens de la planète. De nombreux observateurs constatent toutefois que cette libéralisation du commerce a surtout comme conséquence d'accentuer les écarts entre les riches et les pauvres.

En 2008, une grave crise économique s'abat sur la majorité des pays occidentaux. Les grandes banques ont spéculé sur des produits financiers à risque, créés à même la dette des citoyens américains – les *subprimes*. La chute dramatique du cours de ces titres force les gouvernements à sauver les banques à coup de billions de dollars. Les gouvernements, dont plusieurs gravement endettés, appliquent par la suite des plans d'austérité qui réduisent les services publics et augmentent les taux d'imposition. L'ensemble des citoyens doit payer pour les paris irresponsables du système financier.

Pendant ce temps, plusieurs pays en développement connaissent une véritable montée en puissance. La Chine, l'Inde et le Brésil, entre autres, commencent à occuper un rôle politique international proportionnel à leur population, bien que la pauvreté reste un problème majeur dans ces pays. En 2011, une fièvre gagne les pays arabes dont les populations se mobilisent contre les dictatures en place, malgré une violente répression. Ce mouvement d'émancipation contribue à faire germer un sentiment de révolte ailleurs dans le monde.

La mondialisation, entreprise avec optimisme dans les années 1980 et 1990, connaît des ratés. On avait annoncé aux populations du monde qu'une économie déréglementée apporterait la prospérité à tous. Des crises de différents types remettent en question ce *credo* :

- **Crise économique.** Les fluctuations marquées et cycliques de l'économie financiarisée provoquent de fortes inégalités. L'écart de revenu entre les riches et les pauvres est plus grand qu'il n'a jamais été et s'accentue toujours.

- **Crise environnementale.** Le réchauffement climatique, désormais reconnu par la très grande majorité des scientifiques, menace toute la planète. L'épuisement prévisible des ressources naturelles et d'innombrables atteintes à l'environnement viendront tôt ou tard ébranler le mode de vie contemporain axé sur la consommation illimitée.

- **Crise sociale.** Les valeurs sur lesquelles s'est construit le monde d'aujourd'hui – libre marché, croissance perpétuelle, concurrence – ne semblent plus permettre un développement équilibré, harmonieux et équitable.

Une résistance à l'ordre néolibéral se met en place. Elle donne naissance à un nouveau courant, l'**altermondialisme,** qui cherche à organiser le monde selon d'autres valeurs, basées sur la justice sociale et la protection de l'environnement. En 2011, ce courant prend un nouveau visage avec le mouvement des **indignés** qui n'accepte pas que 1 % de la population du monde accapare tant de richesse et tant de pouvoir.

Les Québécois n'échappent pas aux grands questionnements contemporains : les déséquilibres écologiques ignorent les frontières, et la grande pauvreté a des répercussions sur tous les pays du monde. Plus que jamais, les problèmes de la planète ont un impact sur la vie quotidienne des Québécois.

La société québécoise : la croisée des chemins

Dans une économie mondialisée, de nombreuses décisions importantes, normalement assumées par l'État, échappent dorénavant au pouvoir des gouvernements du Québec et du Canada. Il leur devient de plus en plus difficile d'élaborer des politiques monétaires, d'augmenter le salaire minimum, d'empêcher les achats de compagnies canadiennes par des étrangers, de taxer les entreprises, de réglementer le travail. La mondialisation génère, entre tous les pays, une concurrence qui profite largement aux grandes entreprises : celles-ci ne paient presque plus d'impôts et peuvent s'établir là où les conditions d'accueil sont les plus avantageuses et où la main-d'œuvre coûte le moins cher.

Malgré les bouleversements liés à la mondialisation, la question nationale reste au cœur des débats. Alors que le Parti libéral reste franchement fédéraliste, le Parti québécois ne parvient plus à convaincre une majorité de Québécois de se lancer dans une nouvelle campagne référendaire. Jouant sur l'ambivalence, Mario Dumont, à la tête de l'Action démocratique du Québec, adopte une position « autonomiste », entre le fédéralisme et la souveraineté. Cette position et ses discours populistes permettent à son parti de devenir l'opposition officielle aux élections de 2007.

Depuis la fin de la récession du début des années 1990, le Québec connaît une longue période de croissance économique. Le chômage est réduit, les villes deviennent plus prospères, l'économie se diversifie et se dynamise.

Cependant, le Québec change et doit affronter de nouveaux défis :

- **Le financement des services publics, principalement la santé et l'éducation, devient insuffisant.** En dépit de la prospérité et de la croissance, les gouvernements prétendent ne plus avoir les moyens de soutenir adéquatement les services publics. Les gens d'affaires proposent de privatiser ces services pour les rendre plus efficaces. Toutefois, plusieurs organisations de citoyens croient qu'il faut donner la priorité au maintien de services publics de qualité, et qu'il serait possible d'y arriver par l'établissement d'un système fiscal plus juste.

- **Certaines régions connaissent de graves difficultés.** Des entreprises établies en région ferment, et le travail devient rare; les jeunes quittent les régions éloignées, qui connaissent parfois d'importantes baisses de la population. De plus, la qualité de l'environnement se détériore. Une incompréhension semble s'installer entre Montréal, qui reçoit des citoyens de partout dans le monde, et les régions, qui subissent durement les méfaits d'une économie centrée sur les besoins des villes. Mais tant à Montréal que dans le reste du Québec, la créativité et les initiatives locales semblent les meilleurs moyens de se sortir des difficultés.

- **L'intégration des nouveaux arrivants amène la question de l'«accommodement raisonnable».** Des Québécois se braquent contre les exigences de certaines minorités religieuses, qui demandent qu'on adapte certaines règles afin qu'elles conviennent à la manifestation de leur foi. Jusqu'où faut-il aller pour permettre la liberté des pratiques religieuses? En quelles circonstances doit-on imposer la laïcité dans l'espace public? Comment éviter le piège du racisme et de l'intolérance? Ces questions provoquent de larges débats au Québec comme dans bien d'autres pays occidentaux.

D'autres sujets soulèvent de multiples interrogations: le vieillissement de la population du Québec entraînera-t-il des problèmes économiques? Le «modèle québécois», basé sur un État fort et interventionniste, peut-il subsister? Faut-il donner la priorité au paiement de la dette publique du Québec, quitte à affaiblir les services publics, déjà sous-financés?

Ces questions forcent les Québécois à prendre position. Un affrontement entre deux manifestes, celui des «lucides» et celui des «solidaires», montre bien les enjeux du débat.

- Le manifeste *Pour un Québec lucide* est signé par des personnalités liées au milieu des affaires, dont l'ancien premier ministre provincial Lucien Bouchard. Les **lucides** s'inquiètent du vieillissement de la population et de la dette du Québec. Ils considèrent que les Québécois sont trop taxés. Ils cherchent à «responsabiliser» les citoyens en répandant le principe de l'utilisateur-payeur; ils souhaitent ainsi augmenter les tarifs d'électricité et les droits de scolarité.

- Le manifeste *Pour un Québec solidaire* est une réponse au manifeste *Pour un Québec lucide.* Signé par des citoyens de diverses provenances, dont les deux porte-parole du parti Québec solidaire, Françoise David et Amir Khadir, le manifeste souligne que l'économie du Québec peut aisément soutenir le vieillissement de la population. Les **solidaires** font remarquer que la dette du Québec n'est pas plus élevée que la dette moyenne des pays riches. Ils s'opposent aux baisses d'impôts et défendent une plus juste répartition de la richesse, qui serait à l'avantage de tous les Québécois.

Ces deux discours ne se trouvent cependant pas également représentés dans les partis politiques. Dans le contexte de la mondialisation néolibérale, ce sont les valeurs de la droite conservatrice, dont relève le manifeste *Pour un Québec lucide*, qui l'emportent, alors que la gauche se trouve sous-représentée. Les idées progressistes restent cependant largement soutenues par divers groupes sociaux, syndicats, organisations non gouvernementales et associations de citoyens.

Au printemps 2012, ces deux visions de la société s'affrontent dans la plus importante grève étudiante de l'histoire du Québec. Les étudiants n'acceptent pas la hausse des droits de scolarité décidée par le gouvernement libéral et considèrent comme plus juste

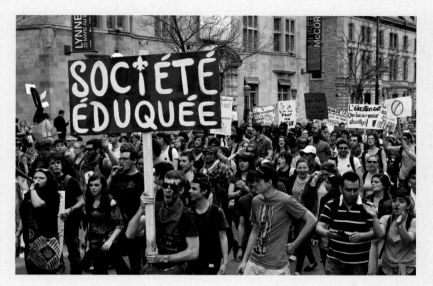

En 2012, une hausse prévue des droits de scolarité a provoqué un mouvement de résistance sans pareil qu'on a qualifié de « printemps érable ». Dans d'innombrables manifestations, les étudiants, soutenus par de nombreux Québécois, réclamaient du même coup une plus grande justice sociale.

de financer l'éducation autrement que par une tarification élevée. Après avoir longtemps refusé de négocier, le gouvernement impose une loi spéciale limitant les manifestations, au point de porter atteinte aux droits démocratiques, plutôt que d'entreprendre un véritable dialogue avec les étudiants. Durant plusieurs mois, le Québec est déchiré par cette dure confrontation, prolongée par une extraordinaire détermination des étudiants. On a donné le nom de « printemps érable » à cette période marquée par de nombreuses manifestations, dont trois réunissant plus de 200 000 personnes, et une centaine de marches nocturnes.

Les travaux de la Commission d'enquête sur l'octroi et la gestion des contrats publics dans l'industrie de la construction, dite « commission Charbonneau », s'amorcent dès 2011. Ses audiences révèlent un niveau de corruption dans les mœurs politiques québécoises encore plus élevé qu'on ne l'aurait cru. Tout cela soulève un questionnement sur le financement des partis politiques en lien avec les appels d'offres.

Les écrivains et les artistes se trouvent eux aussi interpellés par ces divers débats. Quelques-uns d'entre eux choisissent d'appuyer des causes diverses – surtout celles qui sont liées à la protection de l'environnement – et renouent ainsi avec la tradition de l'engagement.

La littérature québécoise : le souci de l'autre

De façon régulière, depuis quelques années, certains commentateurs mettent en doute la pérennité de la littérature. À l'ère de l'Internet, du cinéma téléchargeable, du téléphone intelligent et des écrans omniprésents, les livres font face à des concurrents qui offrent des plaisirs plus faciles.

Dans les différents genres littéraires, on a tendance à sortir du cadre traditionnel. Les tablettes électroniques rendent plus accessibles les romans (mais il est encore difficile d'évaluer à quel point cela transformera l'édition). Au théâtre, la vidéo et la technologie de pointe inspirent de spectaculaires mises en scène. La poésie orale, avec le slam et la création parlée (*spoken word*) venus du monde anglo-saxon, donne au genre un nouvel élan qui plaît aux jeunes.

Quoi qu'on en dise, la littérature ne semble pas perdre de son attrait. La preuve : le nombre toujours plus grand de livres publiés au Québec, la quantité énorme de manuscrits envoyés aux éditeurs, l'intérêt soulevé par de nombreux ouvrages, en dépit du peu d'attention que les médias leur prêtent.

Le milieu littéraire se distingue par un dynamisme qui ne se dément pas :

• les grands éditeurs maintiennent ou augmentent leur production tandis qu'apparaissent (et meurent parfois) nombre de nouveaux prétendants ;

• la relève littéraire est assurée et les saisons littéraires font découvrir aux lecteurs de nouveaux talents, et ce, d'année en année.

Les auteurs se partagent certes un lectorat limité, puisque le Québec reste un petit marché. De plus, la réponse des lecteurs n'est pas toujours enthousiaste et ne correspond pas aux attentes de certains auteurs. Il n'en demeure pas moins que les Québécois s'intéressent à leur littérature et suivent la production littéraire dans sa diversité.

Le choix des écrivains

La littérature québécoise écrite depuis 2001 reste très éclatée, à l'instar de la production des années précédentes, dont elle est la continuité. Elle demeure le reflet d'une société à plusieurs visages, dans laquelle se mêlent les classes sociales, les gens de diverses origines, les générations dont les références culturelles sont distinctes, les gens des villes et ceux des régions.

Plus que jamais, les auteurs d'ici voyagent. Ils le font parce que les voyages sont moins coûteux qu'avant et sont facilités par le développement du tourisme et des transports (à l'avantage des pays les plus riches). Ils le font aussi parce que les échanges littéraires internationaux sont de plus en plus nombreux. Ainsi, plusieurs écrivains québécois sont invités à l'étranger, profitent de résidences d'artistes, fréquentent les Salons du livre, présentent leurs œuvres à différents publics. Leur succès au Québec leur sert souvent de tremplin pour découvrir le monde.

Salon du livre de l'Outaouais, 2011.

Malgré l'inquiétude de certains sur la survie de la littérature à l'ère de l'audiovisuel et de l'informatique, il se publie et se vend plus de livres que jamais au Québec.

Bien qu'il soit difficile, sans le recul que permet le passage du temps, de déterminer une orientation dominante dans la littérature québécoise d'aujourd'hui, il semble que beaucoup d'auteurs cherchent à se définir par rapport à un ailleurs qu'ils trouvent soit à l'étranger, soit dans leur propre pays, ou encore en plongeant dans le passé.

- On voyage beaucoup dans les œuvres littéraires québécoises contemporaines. Les voyages permettent aux personnages de découvrir d'autres mondes, d'être déstabilisés, de connaître d'autres façons de voir les choses. Les voyages sont tantôt de pures découvertes, tantôt une quête des origines, tantôt le reflet d'une certaine instabilité. Ainsi, Nicolas Dickner dans *Nikolski* (2005) fait vagabonder le lecteur dans l'immensité du Canada, puis au Venezuela ; Wajdi Mouawad, dans ses pièces *Littoral* (1997) et *Incendies* (2003), passe du Québec au Liban déchiré par la guerre ; le poète José Acquelin, dans *L'absolu est un dé rond* (2006), recherche la sagesse des poètes arabes en Syrie. Certains romanciers conçoivent même des histoires qui n'ont plus aucun lien avec le Québec, comme Perrine Leblanc avec *L'homme blanc* (2010), dont toute l'action se passe en Russie, avec des personnages russes, Catherine Mavrikakis qui écrit un roman américain avec *Le ciel de Bay City* (2008) ou Jocelyne Saucier qui situe l'histoire d'*Il pleuvait des oiseaux* (2011) dans le nord de l'Ontario.

- D'autres auteurs, sans sortir du pays, côtoient des compatriotes qui se révèlent imprégnés de mystère, malgré leur proximité. Lise Tremblay, dans *La héronnière* (2003), arrive à exprimer avec beaucoup de justesse la quantité de petites choses qui séparent les citadins des gens des régions ; dans *Hadassa* (2006), la romancière Myriam Beaudoin tente de percer le mystère de la communauté juive hassidique ; dans *Là* (2006), le dramaturge Serge Boucher, auteur de pièces très réalistes, imagine un double de lui-même qui éprouve des difficultés à renouer avec le milieu de son enfance, qui ne lui ressemble plus.

- Beaucoup d'auteurs plongent dans le passé, à la recherche de leurs racines. Ce retour en arrière offre une façon de se définir, de se rattacher à des valeurs fermes et reconnaissables, alors que le monde va à la dérive. Ainsi, la popularité des *best-sellers* historiques ne se dément pas ; de nombreux auteurs explorent avec jouissance – et parfois avec opportunisme – les moments les plus divers de notre histoire. La tradition du conte renaît avec vigueur, et le talentueux conteur Fred Pellerin séduit un public très large. La jeune chanson québécoise ne craint plus de puiser dans la musique traditionnelle, ainsi que le font des groupes très populaires comme Les Cowboys Fringants ou Mes Aïeux.

Les œuvres ne se rattachent pas toutes, loin de là, à ces tendances. Toutefois, il semble clair que la question de l'identité, abordée dans un nombre très important d'œuvres contemporaines, reste au centre de la littérature québécoise et qu'elle inspirera sans doute encore beaucoup d'auteurs des générations futures.

La héronnière (2003)

**Lise Tremblay
(née en 1957)**

Professeure de littérature au cégep du Vieux Montréal, Lise Tremblay écrit quatre romans, dont *La danse juive* (1999), qui aborde avec sensibilité le problème de l'obésité. *La héronnière*, un court recueil de cinq nouvelles présentant certains personnages récurrents, dresse un portrait sans compromis et parfois cruel de la vie dans un village éloigné.

La héronnière illustre la relation difficile entre les habitants d'un village et les gens de la ville qui viennent profiter, pendant la saison touristique, de la quiétude et de la beauté de l'endroit. L'auteure décrit très bien le mur d'incompréhension et une certaine forme de mépris réciproque entre, d'une part, les villageois, qui luttent pour leur survie dans un lieu en déperdition et qui sont abandonnés par les femmes et les jeunes qui choisissent l'exil, et, d'autre part, les citadins, qui leur apportent d'importants revenus, mais dont ils doivent subir les jugements parfois sévères. Avec un style sobre et des histoires bien construites, Lise Tremblay raconte habilement l'affrontement de deux mondes au sein d'une même société.

Élisabeth a menti

Lorsqu'Élisabeth nous rendait visite, mon mari prétextait un travail urgent, un texte à faire parvenir à son associé de recherche pour le lendemain et il s'enfermait dans son bureau. La plupart du temps, je le retrouvais, les écouteurs sur les oreilles, en train de s'amuser sur un de ses
5   jeux vidéo favoris. Nous avons eu plusieurs discussions à ce sujet. Il trouvait Élisabeth menteuse et mesquine et était contre le fait que j'aie une relation trop personnelle avec elle. En campagne, il passe sa vie enfermé dans son bureau en train d'écrire ou de préparer ses cours. Il est tellement dans la lune que je doute qu'il puisse se rappeler le nom de nos
10   voisins immédiats. Il n'a de lien avec personne et n'en veut pas. Il est là pour son travail. Pour lui, plus rien n'existe en dehors de son ouvrage en cours. Il dit que quoi que l'on fasse, les relations avec les habitants du village ne seront jamais égalitaires et qu'ils nous tolèrent simplement parce que nous et les autres propriétaires de résidences secondaires sommes
15   une source de revenus importante. Pour lui, le lien est économique et tout le reste n'est qu'une sinistre mascarade. Je lui réponds qu'il a une

Victoria Block, *Sans titre*, 2002.

1. Quel portrait la narratrice fait-elle d'Élisabeth ?
2. Montrez que la narratrice et son mari réagissent à Élisabeth de façon différente.
3. Que peut-on dire à propos des liens entre les citadins et les villageois dans cet extrait ?

■ Sujets de dissertation critique

1. Est-il juste de dire que la narratrice et son mari sont méprisants envers Élisabeth ?
2. Peut-on dire que la narratrice est hypocrite ?

VERS LA DISSERTATION

conception du monde du dix-neuvième siècle, ce à quoi il rétorque que le village est encore au dix-neuvième et qu'il est mieux adapté que moi.

20 Au début, j'étais convaincue que mon mari se trompait à propos d'Élisabeth. À mon avis, il ne comprenait pas sa façon de se comporter. Je lui répétais qu'Élisabeth croyait fermement tout ce qu'elle disait. Elle vivait dans un monde de bons sentiments où les méchants étaient clairement identifiés et faisaient la une des journaux à sensation. Je n'arrivais pas à le convaincre. Il était certain qu'Élisabeth entretenait une relation avec moi, uniquement
25 à cause de mon prestige social et que cela contribuait à préserver son statut dans le village. Elle et son mari possédaient une des seules grosses fermes encore existantes et leurs filles avaient poursuivi des études supérieures. D'ailleurs, ne fréquentait-elle pas que les étrangers ? Qu'il émette un jugement si défavorable sur Élisabeth me surprenait plus que cela me dérangeait.
30 Il exprimait rarement une opinion sur les gens et m'avait depuis longtemps relégué les corvées sociales. C'était la première fois qu'il faisait un commentaire si radical sur une de mes amies. Je ne l'avais jamais entendu utiliser le mot *mesquin*.

Je ne sais pas pourquoi, je tenais à ma relation avec Élisabeth. Je reconnais-
35 sais que mon mari avait raison au moins sur un aspect : elle ne fréquentait que des étrangers. Mais pour moi, il s'agissait plutôt d'un hasard que d'un choix délibéré de sa part. Et, je dois bien me l'avouer, tout au long de mon amitié avec elle, il m'est arrivé souvent de lui mentir. Je me disais qu'elle était trop fragile pour supporter la réalité telle que je la voyais. D'une certaine façon,
40 j'étais condescendante.

Nicolas Dickner (né en 1972)

Le titre du premier ouvrage de Nicolas Dickner, *L'encyclopédie du petit cercle* (2000), est révélateur de l'intérêt qui semble caractériser cet auteur pour les connaissances encyclopédiques, qu'il intègre à des intrigues bien construites. Son premier roman, *Nikolski*, récompensé par plusieurs prix, éblouit par son aisance à entremêler les intrigues. Ce roman empreint d'une grande maturité, écrit dans un style sobre et efficace, place Nicolas Dickner parmi les auteurs québécois les plus importants de la relève.

Trois personnages – Noah, vagabond et étudiant en anthropologie, Joyce, pirate des temps modernes, et un narrateur

anonyme, libraire impénitent – habitent près les uns des autres, dans la Petite Italie, à Montréal. Nicolas Dickner raconte les destinées parallèles de ces individus qui se croisent sans vraiment se connaître et sont happés par des passions étranges : les vieux livres, les déchets, les poissons, la piraterie. Ce curieux roman de la solitude, dans lequel les personnages accumulent les rencontres ratées, crée de troublantes atmosphères et raconte d'étranges dérives. Les personnages sont abordés froidement et sans complaisance, comme ce libraire anonyme, dont la grande sédentarité s'oppose au nomadisme de Noah.

Nikolski (2005)

J'ai souvent essayé de lier connaissance avec cette mystérieuse cliente, en vain. Elle sourit poliment mais désamorce toute tentative de rapprochement. Je ne connais même pas son prénom. Il faut dire que j'ai
5 toujours eu de la difficulté à établir des liens avec les gens. Je suis, paraît-il, trop renfermé, trop casanier. Aucune de mes rares amantes n'est parvenue à comprendre que je puisse me contenter d'un boulot de bouquiniste. Un jour ou l'autre, elles finissaient toutes
10 par se demander – et, fatalement, par *me* demander – pourquoi je ne voulais pas voyager, étudier, faire carrière ou gagner un meilleur salaire. Il n'existe pas de réponse simple à ces questions-là. La plupart des gens ont une opinion tranchée au sujet du libre ar-
15 bitre : le destin (peu importe comment on le nomme) doit exister *ou* ne pas exister. Pas d'approximation, pas d'entre-deux. Cette hypothèse me semble simpliste. À mon avis, il en va du destin comme de l'intelligence, de la beauté ou des lymphocytes de
20 type z+ : certains sont mieux pourvus que d'autres. Pour ma part, je souffre d'une carence : je suis un bouquiniste sans histoire, sans trajectoire propre ; ma vie obéit à l'attraction des livres, le faible champ magnétique de mon destin subit la distorsion de ces
25 milliers de destins plus puissants et plus intéressants.

Il ne s'agit pas d'une analyse très attrayante de ma situation, mais on ne pourra pas m'accuser d'être présomptueux.

La fille déboutonne son imperméable, éponge ses lu-
30 nettes contre son chandail et se dirige vers la section Informatique. Je ne l'ai jamais vue s'intéresser qu'à deux sections : Cuisine et Informatique. Dans la première, elle achète tous les bons bouquins qui portent sur les poissons et les fruits de mer. Dans la seconde,
35 elle camoufle discrètement les livres sous son aisselle, derrière sa ceinture, contre son dos. Peut-être considère-t-elle les ordinateurs comme une passion honteuse. J'ai découvert le pot aux roses depuis longtemps, mais je fais celui qui ne voit rien. Il est des
40 voleuses que l'on aime garder à proximité.

Histoire de lui laisser le champ libre, je décide de faire un peu de ménage dans l'Enfer[1].

---

1. Section d'une librairie ou d'une bibliothèque où sont gardés les livres susceptibles de causer un scandale.

Jocelyne Aird-Bélanger, *À quoi servent les yeux ?*, 1990.

....

VERS LA DISSERTATION

1. Pourquoi l'arrivée de la cliente dans la librairie entraîne-t-elle le narrateur à parler de lui ?

2. Quel portrait le narrateur fait-il de lui-même ?

3. Selon le narrateur, comment le destin agit-il sur la vie des gens ?

4. Comment le narrateur considère-t-il la cliente ?

5. Que veut dire le narrateur lorsqu'il affirme qu'il a « découvert le pot aux roses » (l. 38) ?

■ Sujet de dissertation critique

Considérez-vous que le libraire de cet extrait et celui du roman *Le libraire* de Gérard Bessette (*p. 106*) ont la même attitude à l'égard de la vie ?

Comme une odeur de muscles (2005)

Les premiers maux

S'il y eut un jour des bébés Louis Cyr et embryons de Montferrand, si l'histoire du Québec est remplie de ces capables Canadiens français et autres hypertrophiés de la musculature, aucun n'eut pu tenir tête à ce Gélinas nouveau. Un bétail inné. Un défi de livraison à n'importe quelle histoire de
5 cigogne encore lucide. Une question de transport. Petit, et déjà grand. Encore en couche et tellement fort qu'il pétait et que ça ne sentait pas. Ça goûtait.

Frais né, et de puissance surprenante. Les hormones d'homme hors normes. Il mangeait tout ce qui lui passait sous la bouche. Croûte que croûte. Nourrisson de poignées de clous et péteur craint. Un rien de temps qu'il se traça
10 la pièce d'homme dont les mesures dragoniennes dépassèrent celles des plus colossaux. Les proportions étirées au maximum. Et qui herculait devant rien. Qui fit un désastre quand il perdit ses dents de lait. À la dent qui branle, pour faire comme avec les autres, on attachait un fil à la poignée. La porte fermée sec arrachait la gencive sans douleur. Normalement. Parce qu'une fois arrivé
15 son tour, on ne comptait plus le nombre de portes démanchées.

Il vous levait un cheval d'une seule main. Vous tordait le trente sous jusqu'à ce que la face de la reine saigne du nez. Un extrémiste. Mossellement.

Venu au monde si tard, Ésimésac eut seize ans dès son premier anniversaire. À son deuxième, comme cadeau, on l'inscrivit dans la fanfare. Pour
20 remplacer un trompettiste manquant. Il pompa de son mieux mais ne put que pouet. Et fit rire de lui.

— Il faut souffler fort...

Comme un supersonique d'expiration. La démesure poumonique d'un ut de luxe. Il parvint à défriser l'instrument. Et le tuyau de cuivre fendit la colonne
25 musicale. C'est la majorette en jupe qui reçut le cornet derrière la tête. Elle brisa de cris stridents la carrière orchestrale du jeune homme.

À son troisième anniversaire, il atteignit la majorité. Parce qu'on prenait en compte les années d'incubation. Un total de dix-huit ans. Et comme la tradition le veut au passage de cet âge mûr, père et fils se donnèrent la main.
30 En voulant dire. En voulant dire quoi? Aucune idée. Mais on savait que ça voulait dire beaucoup. C'est une coutume. Par la pince, donc. Comme deux hommes. À se serrer et ne rien dire. Les yeux dans les autres. Jusqu'à ce qu'il force véritablement, le fils. Qu'il montre de quels doigts il se chauffe. Qu'il pressure et qu'à bout de bras, il réussisse à soulever son bonhomme de
35 père de terre. Et que le père, par orgueil minimum, s'adonne à haut-hisser aussi. Et qu'il soulève son cadet. Et qu'ainsi de suite, chacun plus forçant, ils se retrouvent tous les deux en l'air par la poigne de l'autre. Suspendus. Pendant qu'au sol, le niveau de la mère n'en revenait pas. Parce qu'il y a bien des limites à l'attraction de la plus pleine des lunes. Ce furent les pompiers
40 et l'échelle qu'on appela pour que tout ce qui monte doive redescendre. La relation père-fils replancha des vaches à l'heure du souper.

Fred Pellerin (né en 1976)

Fred Pellerin remporte un succès considérable avec ses contes, qui renouvellent la tradition de ce genre au Québec. Il reprend, avec un plaisir vif et contagieux, des histoires racontées par sa grand-mère, dans lesquelles sont relatés les exploits et mésaventures des gens de son village, Saint-Élie-de-Caxton. Tout en étant très fidèle à la façon de dire de ses aïeux, auxquels il ne cesse de rendre hommage, il parvient à mêler habilement l'ancien et le moderne, et accumule les calembours et les hyperboles. Fred Pellerin appartient sans conteste à la littérature orale, mais ses succès l'entraînent à fixer ses contes sous forme de livres, quitte à ce que ses histoires perdent un peu de leur vivacité.

Comme une odeur de muscles plonge le lecteur dans le riche univers de Fred Pellerin. Axés sur le personnage d'Ésimésac Gélinas, «l'homme le plus fort du monde de Saint-Élie-de-Caxton», les contes ont pour cadre la vie quotidienne d'un village, avec ses habitants colorés, ses légendes, ses histoires folles. Fred Pellerin est particulièrement en verve lorsqu'il raconte la naissance d'Ésimésac, qui vient de passer 15 ans dans le ventre de sa mère.

Pantagruel (1532)

J'apprends, par les anciens historiographes[1] et poètes, que plusieurs sont nés en ce monde de façons bien étranges, qui seraient trop longues à raconter : à ce sujet, lisez le septième livre de Pline[2], si vous en avez le loisir. Mais
5 jamais vous n'entendîtes une façon qui fut plus merveilleuse que celle de Pantagruel ; car c'est une chose difficile que de croire qu'il crût en corps et en force en si peu de temps. Hercule, qui, au berceau, tua deux serpents, n'était rien comparativement à lui : car ces serpents étaient bien
10 petits et fragiles. Pantagruel, lorsqu'il était encore au berceau, fit des choses plus épouvantables.

Je ne vous dirai pas qu'à chacun de ses repas, il avalait le lait de quatre mille six cents vaches, ni que la fabrication d'un poêlon pour cuire sa bouillie occupa tous les
15 fabricants de poêles de Saumur en Anjou, de Villedieu en Normandie, de Bramont en Lorraine. On lui donnait cette bouillie dans un grand récipient que l'on voit encore à Bourges, près du palais ; mais ses dents avaient déjà tellement poussé et s'étaient tellement fortifiées qu'il arracha
20 du récipient un gros morceau, comme on peut très bien le voir encore.

Un certain matin, alors qu'on voulait lui faire téter une de ses vaches (car il n'a jamais eu d'autres nourrices, comme le dit l'histoire), il se défit des liens qui l'attachaient à son
25 berceau par un bras, et vous prit cette vache en dessous du jarret, lui mangea les deux tétins et la moitié du ventre, avec le foie et les rognons, et il l'eût toute dévorée, n'eût été qu'elle criait de façon horrible, comme si les loups la tenaient par les jambes. À ce cri, tout le monde arriva ;
30 ils ôtèrent à Pantagruel cette vache, mais sans pouvoir empêcher que le jarret qu'il tenait lui restât entre les mains. Il le mangea très bien, comme vous le feriez d'une saucisse. Et quand on voulut lui enlever l'os, il l'avala d'un seul coup, comme ferait un cormoran avec un petit
35 poisson. Il se mit ensuite à dire : « Bon ! bon ! bon ! » car il n'avait pas encore appris à bien parler et voulait donner à entendre par là qu'il avait trouvé le jarret fort bon et qu'il en prendrait bien un autre. Voyant cela, ceux qui le servaient le lièrent avec de gros câbles pareils à ceux
40 qu'on fabrique à Tain pour transporter le sel à Lyon ou comme ceux du grand navire français qui se trouve au havre de Grâce, en Normandie.

François Rabelais (vers 1494-1553)

Très souvent, l'origine des contes se perd dans la nuit des temps. Ces histoires, de pays ou de régions différentes, ont parfois d'étonnantes ressemblances qu'on ne parvient pas toujours à expliquer. Ainsi, les contes de Fred Pellerin ne sont pas sans parenté avec les romans de François Rabelais, humaniste et grand romancier du XVIᵉ siècle, créateur de Gargantua et de Pantagruel, deux géants truculents et érudits.

Mais un jour qu'un gros ours que son père nourrissait s'échappa et vint lui lécher le visage (car les nourrices ne
45 lui avaient pas suffisamment torché les babines), Pantagruel se défit de ces câbles aussi facilement que Samson se défit de ceux des Philistins, il vous prit monsieur de l'Ours, le mit en pièces comme un poulet, et vous en fit une bonne bouchée chaude pour ce repas. Mais
50 Gargantua[3], craignant qu'il ne se fit mal, fit fabriquer quatre grosses chaînes de fer pour le lier et des arcs-boutants bien ajustés à son berceau. Vous avez, à La Rochelle, l'une de ces chaînes, qu'on lève le soir, entre les deux grosses tours du port. Une autre est à Lyon, une autre
55 à Angers, et la quatrième fut emportée par les diables pour lier Lucifer, qui se déchaînait en ce temps-là, à cause d'une colique qui le tourmentait extraordinairement, pour avoir mangé l'âme d'un huissier en fricassée à son déjeuner.

---

1. Auteurs chargés officiellement d'écrire l'histoire de leur époque. 2. Encyclopédiste romain, auteur d'*Histoire naturelle*. 3. Père de Pantagruel.

VERS LA DISSERTATION

1. Dans le premier extrait, l'auteur utilise à profusion l'exagération. Faites ressortir les mots ou expressions qui relèvent de l'hyperbole.

2. Relevez les calembours dans le premier texte.

3. Pourquoi peut-on dire que le texte de Fred Pellerin se rattache à la tradition québécoise ?

4. Relevez les points communs entre le conte de Pellerin et l'extrait de *Pantagruel* de Rabelais.

■ Sujet de dissertation critique

Peut-on dire que les deux auteurs cherchent à faire rire de la même manière ?

Il pleuvait des oiseaux (2011)

**Jocelyne Saucier
(née en 1948)**

Jocelyne Saucier remporte un succès considérable avec son roman *Il pleuvait des oiseaux*, couronné de plusieurs prix littéraires (dont celui des collégiens). Romancière accomplie, elle a écrit des œuvres qui se distinguent par leur qualité, dont *Jeanne sur les routes* (2006), qui montre la fascination que déclenche la militante communiste Jeanne Corbin chez certains admirateurs en Abitibi. L'univers particulier de Jocelyne Saucier, imprégné de la vie en région éloignée, va à l'encontre de certaines modes littéraires. Ainsi, *Il pleuvait des oiseaux* raconte la vie de vieillards anticonformistes retirés en forêt. L'amour que l'auteure exprime envers ses personnages nous réconcilie avec une période difficile de la vie humaine.

Dans *Il pleuvait des oiseaux*, une photographe recherche des témoins des Grands Feux qui ont ravagé le nord de l'Ontario au début du xxᵉ siècle. Cette femme désire surtout trouver un certain Boychuk qui a erré longtemps dans les flammes. Elle se lie plutôt avec ses proches, deux vieillards originaux qui rencontrent une femme de leur âge, avec qui l'un des deux vit une ultime histoire d'amour. La catastrophe des Grands Feux ne cesse de hanter les personnages qui se rappellent en même temps à quel point la vie est fragile. La quête de la photographe commence après une rencontre marquante avec une vieille dame dans un parc.

La photographe avait pris place à l'autre bout du banc et l'avait observée discrètement.

Elle était très vieille, ratatinée jusqu'à l'os, et il y avait quelque chose en suspens en elle, comme si elle était portée par une infinité de pensées qui se répandaient dans l'air pendant qu'elle nourrissait ses pigeons. Elle agissait avec méthode et lenteur. Quand son carré de coton était vide, elle allait puiser dans son sac un quignon de pain dont elle retirait la mie et façonnait ensuite les boulettes qu'elle disposait en rangs serrés sur le carré de coton.

La photographe n'avait pas osé la prendre en photo. Elle aurait dû. Il y avait une lumière rose qui pétillait au coin de ses yeux.

Elle ne se souvenait pas comment elle avait engagé la conversation ni comment elles en étaient venues à parler des Grands Feux.

La petite vieille était une survivante du Grand Feu de Matheson. Elle lui avait parlé d'un ciel noir comme la nuit et des oiseaux qui tombaient comme des mouches.

Il pleuvait des oiseaux, lui avait-elle dit. Quand le vent s'est levé et qu'il a couvert le ciel d'un dôme de fumée noire, l'air s'est raréfié, c'était irrespirable de chaleur et de fumée, autant pour nous que pour les oiseaux et ils tombaient en pluie à nos pieds.

La conversation s'est promenée au gré de leurs pensées. Les chênes de savane qui peuplent le High Park, le printemps encore timide, les bruits de la ville qui les atteignaient par moments, encore les Grands Feux, les papiers gras dans les allées du parc, la civilité qui se perd, et à nouveau les Grands Feux.

Quand les flammes ont atteint le ciel, avait-elle dit, c'était comme si nous nagions au fond d'une mer de feu.

Des images que la photographe avait enregistrées dans sa mémoire.

Mais la petite vieille allait partir. Elle avait épuisé sa réserve de pain et la lumière du jour déclinait. Elle allait partir sans que la photographe ait rien su d'elle, même pas son nom, et comme si c'était la seule chose à savoir, comme on le fait avec un enfant, elle lui avait demandé son âge.

Cent deux ans, avait répondu la petite vieille, et ses yeux avaient pétillé de malice.

Elle s'était extirpée du banc en s'appuyant sur sa canne et avait marché droit devant, laissant la photographe à son ahurissement. Avait-elle vraiment cent deux ans ?

VERS LA DISSERTATION

1. Quel est le lien entre l'occupation de la vieille dame dans le parc et les Grands Feux ?

2. Comment la narratrice exprime-t-elle sa sympathie envers cette femme et les personnes âgées en général ?

3. Comment associe-t-elle les yeux de la vieille dame aux Grands Feux ? Quelles sont les conséquences de cette association ?

■ Sujets de dissertation critique

1. Jocelyne Saucier dans *Il pleuvait des oiseaux* et Sol dans *Le crépuscule des vieux* (*p. 166*) considèrent-ils les vieillards d'une façon semblable ?

2. L'auteure fait-elle un portrait entièrement positif de la vieillesse ?

Tout est là, ce pétillement de lumière rose dans les yeux d'une petite vieille qui s'amuse avec son âge et cette image d'une pluie d'oiseaux sous un ciel noir, tout vient de là. La photographe ne se serait pas aventurée sur les routes du Nord, ne se serait pas lancée dans cette quête si elle avait pris une photo à ce moment-là, si elle avait fait clic sur cette pluie d'oiseaux dans les yeux de la petite vieille du High Park.

Séduite et intriguée par une vieille dame qui portait en elle des images d'une beauté apocalyptique et puis séduite et intriguée par toutes ces vieilles personnes qui avaient la tête peuplée des mêmes images.

Elle en était venue à les aimer plus qu'elle n'aurait cru. Elle aimait leurs voix usées, leurs visages ravagés, elle aimait leurs gestes lents, leurs hésitations devant un mot qui fuit, un souvenir qui se refuse, elle aimait les voir se laisser dériver dans les courants de leur pensée et puis, au milieu d'une phrase, s'assoupir. Le grand âge lui apparaissait comme l'ultime refuge de la liberté, là où on se défait de ses attaches et où on laisse son esprit aller là où il veut.

■ Des livres, encore des livres…

Bien des observateurs se plaignent du désintérêt des générations actuelles pour la lecture et craignent que les livres soient de plus en plus délaissés. Pourtant, d'année en année, il se publie plus de livres, tant au Québec qu'ailleurs dans le monde. Les éditeurs sont assaillis de manuscrits, qui arrivent en si grand nombre qu'ils ne parviennent parfois pas à tous les lire attentivement. Les publications sont si abondantes que l'espace manque dans les librairies et que les lecteurs les plus assidus n'arrivent plus à suivre la production.

Les quelques statistiques suivantes éclairent le tableau :

- au Québec, près de 7000 livres paraissent par année, dont près de 2500 appartiennent à la catégorie «langue et littérature» ;

- en France, les rentrées littéraires offrent aux lecteurs environ 600 nouveaux romans ;

- dans le monde, il se publie un nouveau livre à toutes les 30 secondes.

À cause de cette abondance, il est forcément difficile d'avoir une idée claire de l'ensemble de la production littéraire. Le succès d'un livre dépend grandement de hasards et de rencontres fortuites. Il devient de plus en plus difficile de distinguer les œuvres de qualité, qui restent noyées dans la masse.

De nos jours, le parcours d'une œuvre littéraire, d'un auteur jusqu'aux lecteurs, est tumultueux :

- Il revient à l'éditeur de choisir le premier, parmi les nombreux manuscrits reçus, les œuvres dignes d'être distribuées.

- Les médias font par la suite un second tri. Ils relèvent les mérites des œuvres dont les qualités sont tantôt évidentes, mais aussi tantôt discutables, et qui deviennent malgré tout des références, parfois moins pour leur valeur intrinsèque que parce qu'on en a beaucoup parlé.

- À l'ère du marketing, les médias ne servent pas toujours bien la littérature. Les journalistes cherchent souvent des auteurs qui soulèvent l'attention, par exemple ceux qui possèdent une personnalité médiatique ou dont l'histoire personnelle est tourmentée. Le contenu des livres est fréquemment évacué des discussions. Les écrivains d'un naturel discret et réfléchi ne passent pas bien dans la foire médiatique, qui ne recherche que les sensations fortes. Les chaînes de télévision, quant à elles, sont peu ou pas intéressées à diffuser des émissions littéraires.

- Les livres se font aussi connaître par d'autres moyens qui peuvent devenir importants : placement en librairie, recommandation d'un libraire, d'amis, de professeurs, publication d'études sur un auteur, rencontre personnelle avec un auteur, etc.

La production abondante de livres reste un précieux atout pour la culture québécoise et pour le Québec. Elle révèle un désir très fort de s'exprimer, un dynamisme indéniable de la littérature, une volonté d'offrir à un éventail plus large de lecteurs des œuvres variées qui correspondent à la diversité de la population.

Ru (2009)

JE SUIS VENUE AU MONDE pendant l'offensive du Têt, aux premiers jours de la nouvelle année du Singe, lorsque les longues chaînes de pétards accrochées devant les maisons explosaient en polyphonie avec le son des mitraillettes.

J'ai vu le jour à Saigon, là où les débris des pétards éclatés en mille miettes coloraient
5   le sol de rouge comme des pétales de cerisier, ou comme le sang des deux millions de soldats déployés, éparpillés dans les villes et les villages d'un Vietnam déchiré en deux.

Je suis née à l'ombre de ces cieux ornés de feux d'artifice, décorés de guirlandes lumineuses, traver-
10   sés de roquettes et de fusées. Ma naissance a eu pour mission de remplacer les vies perdues. Ma vie avait le devoir de continuer celle de ma mère.

JE M'APPELLE NGUYỄN AN TỊNH et ma mère, Nguyễn An Tĩnh. Mon nom est une simple variation
15   du sien puisque seul un point sous le *i* me différencie d'elle, me distingue d'elle, me dissocie d'elle. J'étais une extension d'elle, même dans le sens de mon nom. En vietnamien, le sien veut dire « environnement paisible » et le mien, « intérieur paisible ». Par ces
20   noms presque interchangeables, ma mère confirmait que j'étais une suite d'elle, que je continuerais son histoire.

L'Histoire du Vietnam, celle avec un grand H, a déjoué les plans de ma mère. Elle a jeté les accents de nos
25   noms à l'eau quand elle nous a fait traverser le golfe du Siam, il y a trente ans. Elle a aussi dépouillé nos noms de leur sens, les réduisant à des sons à la fois étrangers et étranges dans la langue française. Elle est surtout venue rompre mon rôle de prolongement naturel de ma
30   mère quand j'ai eu dix ans.

GRÂCE À L'EXIL, mes enfants n'ont jamais été des prolongements de moi, de mon histoire. Ils s'appellent Pascal et Henri et ne me ressemblent pas. Ils ont les cheveux clairs, la peau blanche et les cils touffus. Je n'ai
35   pas éprouvé le sentiment naturel de la maternité auquel je m'attendais quand ils étaient accrochés à mes seins à trois heures du matin, au milieu de la nuit. L'instinct maternel m'est venu beaucoup plus tard, au fil des nuits blanches, des couches souillées, des sourires gratuits,
40   des joies soudaines.

**Kim Thúy
(née en 1968)**

Kim Thúy est une Québécoise d'origine vietnamienne qui a vécu une série d'expériences douloureuses : l'existence difficile des Saïgonnais sous le joug des communistes, le voyage rempli de dangers des *boat people*, l'internement dans un camp de réfugiés en Malaisie. À 10 ans, elle se retrouve au Québec, un pays prospère et accueillant, mais qui lui est parfaitement étranger. Elle exercera différents métiers – couturière, interprète, avocate, restauratrice, chroniqueuse culinaire – avant de connaître un succès considérable avec *Ru*, son premier livre.

Ru – mot qui signifie « petit ruisseau », mais aussi « berceuse » – raconte les souvenirs de l'auteure. Son récit évolue en accumulant les évocations qui font basculer le passé vers le présent. Au moyen de petites touches, de chapitres brefs dont l'ordre suit les associations libres de la pensée, l'auteure nous fait revivre des évènements bouleversants qu'elle tempère par des réflexions imprégnées de sagesse. Kim Thúy conserve un attachement profond pour sa famille, qui est restée unie malgré le mauvais sort, et se questionne sur ses propres enfants, qui auront une tout autre histoire. Elle exprime sa gratitude envers le Québec, plus particulièrement envers les citoyens de la ville de Granby, qui ont reçu sans trop de préjugés ces gens venus d'ailleurs. Le début de son récit nous plonge brusquement dans son aventure : sa naissance dans un Viêtnam en guerre, sa filiation de mère en fils, et l'inquiétant voyage dans la cale surpeuplée d'un bateau qui dérive.

C'est seulement à ce moment-là que j'ai saisi l'amour de cette mère assise en face de moi dans la cale de notre bateau, tenant dans ses bras un bébé dont la tête était couverte de croûtes de gale puantes. J'ai eu cette image sous les yeux pendant des jours et peut-être aussi des nuits. La petite ampoule suspendue au bout d'un
45 fil retenu par un clou rouillé diffusait dans la cale une faible lumière, toujours la même. Au fond de ce bateau, le jour ne se distinguait plus de la nuit. La constance de cet éclairage nous protégeait de l'immensité de la mer et du ciel qui nous entouraient. Les gens assis sur le pont nous rapportaient qu'il n'y avait plus de ligne de démarcation entre le bleu du ciel et le bleu de la mer. On ne savait donc
50 pas si on se dirigeait vers le ciel ou si on s'enfonçait dans les profondeurs de l'eau. Le paradis et l'enfer s'étaient enlacés dans le ventre de notre bateau. Le paradis promettait un tournant dans notre vie, un nouvel avenir, une nouvelle histoire. L'enfer, lui, étalait nos peurs : peur des pirates, peur de mourir de faim, peur de s'intoxiquer avec les biscottes imbibées d'huile à moteur, peur de manquer d'eau,
55 peur de ne plus pouvoir se remettre debout, peur de devoir uriner dans ce pot rouge qui passait d'une main à l'autre, peur que cette tête d'enfant galeuse ne soit contagieuse, peur de ne plus jamais fouler la terre ferme, peur de ne plus revoir le visage de ses parents assis quelque part dans la pénombre au milieu de ces deux cents personnes.

VERS LA DISSERTATION

1. À quels évènements, illustrés par quelles images, l'auteure associe-t-elle sa naissance ?
2. Montrez comment l'auteure raconte la filiation de sa mère à elle, et d'elle à ses fils.
3. Quelle image l'auteure utilise-t-elle pour exprimer l'espoir et le désespoir des *boat people* ? Lequel de ces sentiments semble l'emporter et pourquoi ?
4. Comment l'auteure exprime-t-elle le thème du déracinement ?

■■■ Sujet de dissertation critique

Peut-on dire que, dans cet extrait, Kim Thúy rend hommage à la vie ?

Famille vietnamienne pendant l'offensive du Têt, une attaque-surprise des communistes contre le Viêtnam du Sud, considérée comme la plus importante de la guerre du Viêtnam, et qui est survenue le jour du Nouvel An vietnamien (Têt).

Discrète parade d'éléphants (2004)

Le rêve de la paresse

Je ne connais au travail que la façon du poème
quoi que je fasse c'est ainsi que je le fais

la façon du poème demande qu'on rêve d'abord
dans la nommaison de la chose à faire

5 qu'on se dise confusément ce qu'on va faire
en cherchant la meilleure façon de le dire

[...]

le travail du poème est une incessante
mastication des mots
une manducation de la parole
10 on les mange les mots
à la fois qu'on les met au monde
dans leur nouvelle couleur
acquise par la nouvelle phrase
chacun des mots étant très vieux
15 chacun des vers pouvant être neuf

c'est le miracle du langage
qu'avec chaque bon vieux mot usagé
on peut créer parfois un sens nouveau

cette manducation cette mastication
20 ce rêve sur tout est un travail incessant
qui vibre fébrile en surface
comme il va sourdement tout doux
au fin fond de nous
on peut alors avoir souvent l'air
25 d'être en train de ne rien faire
on pourrait même avoir l'air paresseux
mais on vit si fort cet incessant travail
que cette paresse en fait demeure un idéal

oh que je voudrais savoir ne rien faire
30 mais il faudrait faire taire le travail du poème
ou juste le risquer et ça plutôt mourir

alors jamais je n'accéderai à la véritable paresse
qui est peut-être un mythe

regardez l'enfance il y a dans la ptite enfance
35 tout ce que l'adulte sera
et il n'y a pas dans la ptite enfance
d'enfant qui soit paresseux

Michel Garneau
(suite)

Michel Garneau fait de la poésie comme il respire. Il entame dès la fin des années 1950 une œuvre inépuisable qui mêle poésie et journal intime, et dans laquelle, avec beaucoup de truculence, il fait part de ses enthousiasmes, de ses colères, d'anecdotes qui ont marqué son existence et, surtout, de son amour incommensurable pour la vie. Sa langue, d'une réelle spontanéité, puise dans la musicalité des tournures spécifiquement québécoises et fait éclater les images comme des feux d'artifice. Mélangeant avec aisance l'humour, la légèreté et la gravité, la poésie de Garneau reste l'une des plus accessibles et des plus vibrantes de notre littérature.

Discrète parade d'éléphants est un recueil marqué par la maturité, où Garneau s'amuse à retrouver ses souvenirs. Il combine avec art poésie, narration et autobiographie. La poésie de ce recueil tient à une façon unique de raconter, aux jeux de répétitions, au rythme du vers libre et aux rapprochements inattendus. Garneau est à son meilleur lorsqu'il parle de la poésie, ainsi qu'il le fait dans « Le rêve de la paresse ».

1. Expliquez les deux premiers vers du poème.
2. Montrez que le poète sait faire du neuf avec du vieux.
3. Qu'est-ce que la « manducation » (l. 9 et l. 19) ? Quel est le lien entre le sens de ce mot et le poème ?
4. Faites ressortir les antithèses.
5. Quel est le lien entre le travail du poète et celui de l'enfant ?

■ Sujet de dissertation critique

Est-il juste de dire que la poésie est, pour Michel Garneau, une préoccupation constante ?

VERS LA DISSERTATION

l'enfant travaille au jeu de son éveil à son sommeil
et le travail du jeu c'est une métaphore
40 où l'on apprend le travail de vivre

le travail de jeu de l'enfant est semblable
au travail du poème en fait
il est le même

il ne cesse de l'éveil au sommeil
45 et encore en rêve nous jouons
encore toujours toute notre vie

[...]

en notre société rien faire est associé
à la richesse et l'élégance

René Derouin, *Paraiso, la dualité du baroque*, 2002.

Mondes fragiles, choses frêles (2006)

Hélène Dorion
(née en 1958)

Hélène Dorion est l'une des poètes québécoises les plus reconnues.

Depuis son premier livre, *L'intervalle prolongé* (1983), elle bâtit avec constance une œuvre exigeante, dont chaque recueil devient une pièce irremplaçable d'un grand tout. La poésie d'Hélène Dorion soulève une rare unanimité : l'auteure a reçu de nombreux prix littéraires, elle a fait des lectures publiques au Québec et en Europe, et ses poèmes ont été traduits en plusieurs langues. *D'argile et de souffle* (2002), une anthologie de ses poèmes préparée par l'essayiste et poète Pierre Nepveu, et *Mondes fragiles, choses frêles*, qui rassemble ses livres de poésie publiés entre 1983 et 2000, montrent bien l'importance de cette poète, dont la qualité des recueils demeure très grande.

Hélène Dorion écrit des poèmes intenses, dont elle exclut tout aspect anecdotique, et qui constituent pour elle une occasion de plonger dans son intérieur tourmenté. Elle livre aussi, par ses poèmes, ses réflexions d'ordre métaphysique et ses interrogations sans réponses. Ses poèmes courts, d'une forme dépouillée et concentrée, sont tantôt écrits en prose, tantôt en vers libres. Chez Dorion, l'expérience poétique atteint une grande universalité, par ses multiples réflexions tout en nuances sur l'insaisissable condition humaine.

Sans bord[1]

Un chant vient avec l'ombre
laissée au bord des routes
nous marchons seuls
et ne cessons d'échapper
5 à l'horizon qui nous devance.

La terre accueille la douleur
dénoue le vide.
Me rappelle où aller, où revenir
où recommencer chaque fois.

[...]

10 Ne te retourne pas
ne convoque pas ces visages ;
ne dis pas que nous avons renoncé
à l'amour, chaque fois
prends la route qui arrête
15 d'aller quelque part.

Un poème attend
se penche et se relève
ne refuse ni le vent
ni la poussière du monde.

[...]

20 Tu avances une main fragile
vers le poème. Tu ne sais
où te mène le vide inconsolé
qui demeure en toi. Ce visage
bercé comme une enfant morte.

25 Sans nier que tu ne sais
où tu vas, tu peux

maintenant aller quelque part.
Marcher. Te saisir de l'ombre
qui délivre tes pas.

[...]

30 Tu ne sais pas mais avances
encore et laisses au sol les ruines
qui ne dérangent plus personne.

Tu n'imposes aucun chant
aucun silence.
35 Tu n'as que ce poème
pour te souvenir de toi-même.
Aller du seul côté des choses
qui te soit habitable.

---

1. Ce poème a initialement été publié en 1995 dans le recueil *Sans bord, sans bout du monde.*

VERS LA DISSERTATION

1. Montrez que l'errance est au cœur de ce poème.

2. Montrez que ce poème est, en fait, une réflexion sur l'écriture de la poésie.

3. Comment pourriez-vous caractériser les vers d'Hélène Dorion ? Comparez son écriture (style de vers, procédés d'écriture, sujets) à celle d'Anne Hébert dans les extraits du recueil *Le tombeau des rois* (p. 85 et 110).

■ Sujet de dissertation critique

Est-il juste de dire que la conception de la poésie d'Hélène Dorion s'oppose à celle qu'exprime Michel Garneau dans « Le rêve de la paresse » (*p. 250-251*) ?

Charles Gagnon, *Continuum*, 1989.

Wajdi Mouawad (né en 1968)

Auteur de pièces de théâtre viscérales et excessives, Wajdi Mouawad est un adepte d'une écriture sans compromis, à la fois provocante et très intense. Marqué par la guerre dans son pays d'origine, le Liban, puis par un séjour prolongé en Europe avant son arrivée au Québec, il écrit des pièces qui s'articulent en grande partie autour du thème de la quête des origines. C'est particulièrement le cas de *Littoral* (1997) et d'*Incendies* (2003), par lesquelles il s'impose comme un dramaturge important non seulement au Québec mais aussi dans toute la francophonie. Wajdi Mouawad est également un metteur en scène remarqué, qui dirige ses propres pièces et sait enrichir le répertoire théâtral qu'il aborde de propositions toujours fortes et personnelles.

Dans *Incendies*, les jumeaux Jeanne et Simon doivent obéir aux vœux de leur mère décédée: rechercher leur père et un frère dont ils n'avaient pas entendu parler. Leur quête les plonge dans les horreurs d'une guerre qui laisse des marques indélébiles chez ceux qui survivent. Cette pièce habilement construite, qui révèle peu à peu une série de drames insupportables, est l'occasion pour Wajdi Mouawad de dénoncer la folie qui s'empare des humains pendant une guerre dévastatrice et insensée. La pièce décrit en grande partie la destinée de la mère, Nawal, accompagnée de son amie Sawda, à la recherche du fils qui lui a été enlevé dans un pays enflammé par la guerre.

1. Quels procédés l'auteur utilise-t-il pour marquer l'émotion de Sawda?

2. En quoi le traitement de la mère par le milicien est-il particulièrement cruel? Montrez comment cette cruauté est illustrée dans le texte.

3. Quel portrait l'auteur fait-il de la mère des trois frères? Comment ce portrait s'intègre-t-il au drame raconté?

4. En quoi cette pièce fait-elle partie de la littérature migrante?

■ Sujet de dissertation critique

Est-il juste de dire que ce texte traite essentiellement de la culpabilité?

VERS LA DISSERTATION

Richard Thériault, Isabelle Leblanc et Reda Guerinik dans *Incendies*, au Théâtre du Nouveau Monde en 2006.

Incendies (2003)

SAWDA. — Je ne veux pas! Je ne veux pas me consoler, Nawal. Je ne veux pas que tes idées, tes images, tes paroles, tes yeux, ton amitié, toute notre vie côte à côte, je ne veux pas qu'ils me consolent de ce que j'ai vu et entendu! Ils sont entrés dans les camps
5 comme des fous furieux. Les premiers cris ont réveillé les autres et rapidement on a entendu la fureur des miliciens! Ils ont commencé par lancer les enfants contre le mur, puis ils ont tué tous les hommes qu'ils ont pu trouver. Les garçons égorgés, les jeunes filles brûlées. Tout brûlait autour, Nawal, tout brûlait, tout
10 cramait! Il y avait des vagues de sang qui coulaient des ruelles. Les cris montaient des gorges et s'éteignaient et c'était une vie en moins. Un milicien préparait l'exécution de trois frères. Il les a plaqués contre le mur. J'étais à leurs pieds, cachée dans le caniveau. Je voyais le tremblement de leurs jambes. Trois frères.
15 Les miliciens ont tiré leur mère par les cheveux, l'ont plantée devant ses fils et l'un d'eux lui a hurlé: «Choisis! Choisis lequel tu veux sauver. Choisis! Choisis ou je les tue tous! Tous les trois! Je compte jusqu'à trois, à trois je les tire tous les trois! Choisis! Choisis!» Et elle, incapable de parole, incapable de rien, tour-
20 nait la tête à droite et à gauche et regardait chacun de ses trois fils! Nawal, écoute-moi, je ne te raconte pas une histoire. Je te raconte une douleur qui est tombée à mes pieds. Je la voyais, entre le tremblement des jambes de ses fils. Avec ses seins trop lourds et son corps vieilli pour les avoir portés, ses trois fils. Et
25 tout son corps hurlait: «Alors à quoi bon les avoir portés si c'est pour les voir ensanglantés contre un mur!» Et le milicien criait toujours: «Choisis! Choisis!» Alors elle l'a regardé et elle lui a dit, comme un dernier espoir: «Comment peux-tu, regarde-moi, je pourrais être ta mère!» Alors il l'a frappée: «N'insulte pas ma
30 mère! Choisis» et elle a dit un nom, elle a dit «Nidal. Nidal!» Et elle est tombée et le milicien a abattu les deux plus jeunes. Il a laissé l'aîné en vie, tremblant! Il l'a laissé et il est parti. Les deux corps sont tombés. La mère s'est relevée et au cœur de la ville qui brûlait, qui pleurait de toute sa vapeur, elle s'est mise à hurler
35 que c'était elle qui avait tué ses fils. Avec son corps trop lourd, elle disait qu'elle était l'assassin de ses enfants!

Bashir Lazhar (2003)

Évelyne de la Chenelière (née en 1975)

Évelyne de la Chenelière est auteure et comédienne. Elle écrit avec constance des pièces qui se signalent par leur délicatesse et leurs dialogues habilement tournés et ancrés dans la quotidienneté. Dans *Des fraises en janvier* (1999), sa pièce la plus connue, elle ausculte les rapports amoureux. Ses liens avec le Nouveau Théâtre Expérimental lui font écrire des textes dont la conception du spectacle est très novatrice sur le plan formel, comme *Aphrodite en 04* (2004) ou *Nicht retour, mademoiselle* (2004).

Bashir Lazhar est une courte pièce très ambitieuse, écrite sous la forme d'un monologue. L'auteure y présente un instituteur algérien, le personnage éponyme, engagé pour un remplacement à la dernière minute. Par son histoire, qui laisse deviner les réactions des personnes qu'il côtoie, sont révélées, à petites doses, de subtiles observations sur l'école d'aujourd'hui, ses nouveaux programmes, ses classes remplies d'enfants de toutes les origines. L'auteure aborde aussi des sujets plus graves, tels que les préjugés raciaux, le suicide, la violence et le sort des réfugiés politiques. Mais avant tout, Bashir Lazhar est un bon instituteur, préoccupé par le sort des enfants dont il a la charge.

Les enfants, vous pouvez sortir sans vous bousculer... Sans vous bousculer, on dirait que je libère des fauves ma parole... Allez-y allez prendre l'air, prenez tout ce que vous pouvez, ne vous bousculez pas dans l'escalier regardez bien où vous mettez les pieds ne ratez pas de
5 marche et couvrez-vous, n'allez pas prendre froid en avril ne te découvre pas d'un fil et restez au soleil partagez votre collation elle en sera meilleure mais attention aux allergies il y a des traces d'arachides partout, et bâtissez des amitiés solides et enfermez des souvenirs
10 impérissables de vos années d'école et ne rejetez personne n'empêchez personne de s'amuser avec vous un jour je nourrissais les pigeons et il y en avait un avec une seule patte, il lui manquait une patte et ça lui donnait l'air idiot, et je ne voulais pas le nourrir parce qu'il
15 me dégoûtait un peu, avec son moignon mauve, ma mère m'a dit de le nourrir, lui aussi, et peut-être même plus que les autres, parce qu'il avait besoin de beaucoup de courage pour vivre. D'ailleurs on a toujours fait allusion à mon courage, dont je pourrais avoir besoin
20 un de ces jours, et que je fasse bien attention de ne pas ranger mon courage trop loin au cas où j'en aurais besoin. Je ne sais pas pourquoi je vous raconte tout ça peut-être pour que vous vous parliez toujours avec une extrême tendresse. Et moi je vous promets que je reste-
25 rai ici dans la classe bien vivant, bien tranquille à tailler mes crayons, bien sage et vous me retrouverez bien sage et bien vivant tout à l'heure c'est promis.

... Pardon ? Excuse-moi Martin j'étais dans mes pensées... Ah non. C'est pas possible. Tu as besoin de
30 prendre l'air comme les autres. Tu dois aller t'amuser pour donner un sens à la récréation et pour revenir disposé à apprendre des choses et peut-être même à me poser des questions qui me feront me dépasser comme enseignant je veux dire comme remplaçant. Allez.

35 Descends rejoindre tes amis. Non, tu ne peux pas rester. Tu ne seras plus capable de te concentrer si tu ne vas pas t'amuser. Va jouer avec tes amis... Et puis j'ai besoin, moi aussi, de cette récréation pour me reposer de vous. Pour être tranquille, pour penser, tu comprends ? Et surtout pour ne pas parler du tout parce que je ne sais pas si tu imagines ce que ça prend comme énergie de parler comme ça
40 sans arrêt. Et c'est pas juste parce que vous si vous arrêtez d'écouter, ça ne se voit pas, tandis que moi si j'arrête de vous parler ça se voit tout de suite. Allez, va vite avec tes amis. Comment, tu n'as pas d'amis ? Mais tout le monde a des amis.

Denis Gravereaux interprète Bashir Lazhar dans la pièce éponyme, mise en scène par Daniel Brière en 2007.

Pardon ce n'est pas ce que je voulais dire. Moi non plus je n'ai pas d'amis, en tout cas pas d'amis assez proches pour jouer au ballon avec. Mais moi j'ai le choc des
45 cultures comme circonstance très atténuante. C'est le temps ou jamais de te faire des amis. C'est facile, tu n'as qu'à remarquer celui qui parle le plus fort et tu dis toujours comme lui, tu te moques de celui dont on se moque, et si c'est toi dont on se moque, tu ris très fort comme si ça ne te dérangeait pas. Autre chose très importante : quand on n'a pas d'amis, on ne se dirige surtout pas vers celui qui n'a
50 pas d'amis non plus et qui pourrait avoir besoin d'amitié. Non parce qu'on risque alors d'être identifié comme faisant partie d'un groupe qui n'a pas d'amis, et c'est très dur d'en sortir. Il faut se coller et se cramponner à celui qui a le plus d'amis, même des faux ça n'a pas d'importance c'est le nombre qui compte, et rester accroché quoi qu'il arrive.

VERS LA DISSERTATION

1. Par quels procédés formels peut-on voir que ce texte a été écrit pour le théâtre?
2. Relevez les passages où le personnage fait preuve d'ironie.
3. Quelles leçons l'instituteur donne-t-il à ses élèves?

■ Sujet de dissertation critique

Dans ce passage, Évelyne de la Chenelière dresse le portrait d'un instituteur modèle. Discutez cette assertion.

Petit cours d'autodéfense intellectuelle (2005)

Normand Baillargeon (né en 1958)

Professeur de sciences de l'éducation à l'Université du Québec à Montréal, Normand Baillargeon se fait connaître par ses publications diverses : chroniques dans *Le Devoir*, textes scientifiques, articles dans la presse alternative. Ce disciple de l'intellectuel libertaire états-unien Noam Chomsky se fait historien de l'anarchisme dans *L'ordre moins le pouvoir* (2004). Les écrits de Normand Baillargeon se signalent par leur indépendance d'esprit et la volonté de leur auteur de résister à la propagande et à l'embrigadement.

Le *Petit cours d'autodéfense intellectuelle* vise justement à éveiller la conscience des lecteurs et à leur faire éviter le piège de toute forme de manipulation. Écrit de façon ludique sous la forme d'un cours, avec de nombreux graphiques et des illustrations amusantes, le livre comprend une série d'exemples pratiques qui apprennent aux lecteurs à se méfier entre autres des statistiques, du discours des médias et des croyances ésotériques. Avec humour, Normand Baillargeon s'attaque aux mécanismes qui forment les idées reçues et stimule le lecteur à rester lucide et éveillé.

Je suis d'abord inquiet de la prévalence de toutes ces croyances qui circulent dans nos sociétés sous divers noms, comme paranormal, ésotérisme ou nouvel âge, et qui comprennent des croyances et pratiques aussi di-
5 verses que la télékinésie, la transmission de pensée, les vies antérieures, les enlèvements par des extraterrestres, les pouvoirs des cristaux, les cures miracles, les programmes et appareils d'exercice aux effets immédiats obtenus sans effort, la communication avec les morts,
10 diverses formes de mysticisme oriental appliqué, la chiropratique, l'homéopathie, l'astrologie, toutes sortes de médecines dites alternatives, le Feng Shui, les planches de Oui Ja, la possibilité de tordre des cuillères avec la seule pensée, le recours par les policiers aux services de
15 voyantes, la cartomancie et j'en passe.

Je suis encore inquiet – je devrais peut-être dire consterné – par ce qui me semble être un état réellement déplorable de la réflexion, du savoir et de la rationalité dans de larges pans de la vie académique et
20 intellectuelle. Je le dirai aussi sobrement que possible : certaines des choses qui se font et se disent dans certains secteurs de l'université actuelle, où fleurissent littéralement l'inculture et le charlatanisme, me sidèrent. Je ne suis pas le seul à le penser.

25 Ma deuxième préoccupation est politique et concerne l'accès des citoyens des démocraties à une compréhension du monde dans lequel nous vivons, à une information riche, sérieuse et plurielle qui leur permette de comprendre ce monde et d'agir sur lui. Je
30 le dis très franchement : comme beaucoup d'autres personnes, je m'inquiète de l'état de nos médias, de leur concentration, de leur convergence et de leur dérive marchande, du rôle propagandiste qu'ils sont amenés à jouer dans la dynamique sociale au moment où chacun
35 de nous est littéralement bombardé d'informations et de discours qui cherchent à obtenir son assentiment ou à le faire agir de telle ou telle manière.

Dans une démocratie participative, on le sait, l'éducation est l'autre grande institution, outre les
40 médias, à laquelle il incombe, de manière privilégiée, de contribuer à la réalisation d'une vie citoyenne digne de ce nom. Mais elle aussi est mise à mal. On trouve dans

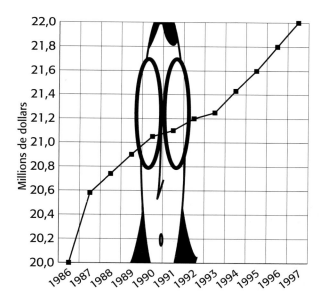

Illustrations de Charlotte Lambert.

Le *Petit cours d'autodéfense intellectuelle* de Normand Baillargeon est illustré de nombreux dessins humoristiques qui correspondent bien au ton amusé et parfois ironique de l'essai.

ses récents développements des raisons graves de s'inquiéter : par exemple, on semble renoncer avec une réelle légèreté à poursuivre l'idéal de donner à
45 chacun une formation libérale. Cela m'indigne particulièrement, d'autant que cette formation est, justement aujourd'hui, plus que jamais nécessaire au futur citoyen. Les dérives clientélistes et le réductionnisme économique qu'on décèle actuellement chez trop de gens, et en particulier parmi les décideurs du monde de l'éducation, constituent donc, à mes yeux, d'autres
50 graves raisons de ne pas être rassuré quant à l'avenir de la démocratie participative.

Mais s'il est vrai, comme je le pense, qu'à chacune des avancées de l'irrationalisme, de la bêtise, de la propagande et de la manipulation, on peut toujours opposer une pensée critique et un recul réflexif, alors on peut,
55 sans s'illusionner, trouver un certain réconfort dans la diffusion de la pensée critique. Exercer son autodéfense intellectuelle, dans cette perspective, est un acte citoyen.

VERS LA DISSERTATION

1. Dans cet extrait, quels sont les sujets qui inquiètent l'auteur ? Par quel procédé d'écriture les fait-il ressortir ?

2. Quel est le remède aux problèmes soulevés ?

3. Que reproche l'auteur aux médias ?

4. Quel lien établit-il entre éducation et démocratie ?

5. Qu'est-ce que l'« autodéfense intellectuelle » (l. 56) ?

■ Sujet de dissertation critique

Peut-on dire que Normand Baillargeon s'attaque à la crédulité du public ?

À l'écoute de la chanson québécoise

Comme la littérature, la chanson québécoise contemporaine se caractérise par sa production abondante, sa diversité et sa vitalité. Bien sûr, la chanson commerciale reste toujours populaire, propulsée par une radio conformiste et certaines émissions de télévision très suivies. Mais le public se met aussi à l'écoute des genres les plus divers, tels que le hip-hop, les musiques du monde, le hard rock et la musique québécoise traditionnelle. Certains groupes et chanteurs originaux, possédant une forte individualité, tournent le dos aux critères commerciaux et connaissent malgré tout une grande popularité, entre autres Les Cowboys Fringants, Les Trois Accords, Loco Locass, Mes Aïeux, Karkwa et Malajube, sans oublier Pierre Lapointe, Ariane Moffatt, Cœur de pirate et Martin Léon.

De nombreux chanteurs et groupes réagissent aux injustices et, surtout, aux dommages causés à l'environnement. Plus que jamais, les chanteurs s'engagent, tant dans leurs chansons que dans leurs interventions publiques. Certains des chanteurs engagés les plus établis – Paul Piché, Richard Desjardins, Richard Séguin, Raôul Duguay – s'impliquent activement dans la défense de la forêt, de l'eau, de l'intégrité du territoire québécois. Plusieurs groupes ne craignent pas d'insérer dans leurs chansons des propos franchement politiques et se lancent dans une critique parfois corrosive du monde qui les entoure, entre autres Loco Locass, La Chango Family, Les Cowboys Fringants et Mononc' Serge. Rarement la chanson québécoise a-t-elle été si politique.

Divers styles évoluent parallèlement. Les musiciens rattachés au courant traditionnel revigoré utilisent principalement des instruments acoustiques, privilégient des mélodies qui puisent dans le folklore, et s'éloignent des modèles inspirés par le rock anglo-saxon. D'autres chanteurs explorent les possibilités de l'électronique, du rap, des guitares amplifiées, dans une musique qui se rapproche des tendances américaines et anglaises. Même si la vie de chanteur reste souvent difficile – le public ne répond pas toujours à l'appel, le revenu des musiciens demeure imprévisible et est grugé par le piratage électronique –, la coexistence dynamique de courants musicaux diversifiés, appréciés par des auditoires attentifs, est une preuve éloquente de la bonne santé de la chanson québécoise.

Ariane Moffatt au lancement de son album *MA* en février 2012.

En berne[1] (2002)

Chu né « dins » années soixante-dix
Dans un Québec en plein changement
Où l'emblème de la fleur de lys
Donnait un peu d'espoir aux gens

5 Mais quand je r'garde ça aujourd'hui
Chu donc pas fier de ma patrie
Ça dort au gaz « dins » bungalows
Le cul assis su'l statu quo

En s'gavant de téléromans
10 Et des talks-shows les plus stupides
Se laissant mourir su'l divan
Avec leur petit air candide

Dans ce royaume de la poutine
On s'complaît dans' médocrité
15 Bien satisfaits de notre routine
Et du bonheur préfabriqué

« Prendrais-tu un p'tit gratteux ? »
Me dit l'caissier au dépanneur
« Enweye le gros, sors ton p'tit deux
20 Être millionnaire c'est le bonheur. »

Y's'met à rêver le samedi
Qu'y va p't'être quitter son taudis
Espère toujours maudit moron
T'as une chance sur quatorze millions

25 Dans l'stationnement du casino
Un gars s'tire une balle dans la tête
Ayant tout « flobé » son magot
Y'avait pu trop l'cœur à la fête

Mais l'gouvernement s'en balance
30 Y's'nourrit à même les gamblers
En exploitant leur dépendance
Un peu comme le f'rait un pusher
Si c'est ça l'Québec moderne
Ben moi j'mets mon drapeau en berne
35 Et j'emmerde tous les bouffons qui nous gouvernent !
Si tu rêves d'avoir un pays
Ben moi j'te dis qu't'es mal parti
T'as ben plus de chances de gagner à' loterie...
On a été pendant des années

1. Paroles de Jean-François Pauzé.

Les Cowboys Fringants

Les Cowboys Fringants créent une musique énergique, d'inspiration country, avec des touches de rock et de musique traditionnelle. Leurs textes incisifs s'inscrivent dans la tradition de la chanson engagée ; parfois franchement politiques, ils dénoncent les failles du système économique et politique, ainsi que la médiocrité d'une société québécoise trop passive. Mais ils racontent aussi avec un humour bien dosé, avec un sens de l'autodérision et parfois avec tendresse, les malheurs petits et grands des gens ordinaires, bien campés et décrits avec un souci du détail vrai. La chanson « En berne », de l'album *Break syndical*, est l'une de leurs plus virulentes et montre que Les Cowboys Fringants ne craignent pas de soulever la controverse.

40 Un petit peuple de yes-man
Qui marchait les fesses serrées
Quand arrivait le foreman

Aujourd'hui ça' un peu changé
Les gars sont tous syndiqués
45 Ça jase trois-quatre autour d'une pelle
En r'gardant le plus jeune faire du zèle

Mais faudrait pas s'réjouir trop vite
On est encore des porteurs d'eau
À la solde des gens de l'élite
50 Et des pleins d'marde en tuxedo

Quand l'boss d'une grosse corporation
Ferme son usine en Gaspésie
'Te d'mandera pas ton opinion
Y' va t'slaquer sans t'dire merci !

55 Un robineux quête dans la rue
Au pied d'un grand building en verre
Y va passer inaperçu
À la sortie des actionnaires

C'qui compte pour eux c'est les revenus
60 Et non les problèmes de la terre
« C'pas d'ma faute si t'es un trou d'cul
Moi l'important c'est que j'prospère. »

Et l'premier ministre fait semblant
Qui s'en fait pour les pauvres gens
65 Alors qu'on sait qu'y est au service
Des fortunés et d'leurs business

L'environnement, la pauvreté
Ç'pas des sujets prioritaires
On n'entend pas beaucoup parler
70 Derrière les portes des ministères
Si c'est ça l'Québec moderne

Ben moi j'mets mon drapeau en berne
Et j'emmerde tous les bouffons qui nous
    gouvernent !
75 Si t'es content de ce pays
Ben ça mon homme c'est ton avis
Tu dois être le PDG d'une compagnie
Quand on apprend que dans le nord
Y's'passe de quoi d'pas catholique
80 Que nos forêts sont mises à mort
Ça jase dans l'opinion publique

Deux s'maines et ça sombre dans l'oubli
L'histoire est morte et enterrée
Et dans le parc d'la Vérendrye
85 Ils continuent à tout raser

C'est ça l'problème de ma patrie
Y'a pas personne pour s'indigner
Contre la fausse démocratie
Qui sert les riches et les banquiers

90 Dans cette contrée peuplée d'ignares
'Faut pas trop s'rappeler d'son histoire
Ici y'a juste les plaques de char
Qu'y ont encore un ti-peu d'mémoire...
Si c'est ça l'Québec moderne
95 Ben moi j'mets mon drapeau en berne
Et j'emmerde tous les bouffons qui nous
    gouvernent !
Si c'est ça qu't'appelles une nation
Probable que tu sois assez con
100 T'es mûr pour te présenter aux élections...

Si c'est ça l'Québec moderne
Ben moi j'mets mon drapeau en berne
Si c'est ça l'Québec moderne
Ben moi j'mets mon drapeau en berne

VERS LA DISSERTATION

1. De quel évènement est-il question dans la première strophe ?

2. Dans la deuxième strophe, on parle de « statu quo » (v. 8). De quoi s'agit-il ?

3. Dans cette chanson, que reproche-t-on aux travailleurs ? aux élus ? aux gens d'affaires ?

4. Dans la dixième strophe, à quoi fait référence l'expression « porteurs d'eau » (v. 48) ?

5. Expliquez l'image du drapeau en berne, qui revient dans le refrain.

6. Écoutez la chanson. Quel effet donnent l'abondance de paroles et la façon dont Karl Tremblay les chante ?

■ Sujet de dissertation critique

Le portrait du Québec tracé dans cette chanson vous semble-t-il caricatural ?

Mes Aïeux

Le groupe Mes Aïeux s'inscrit dans le courant néotraditionnel : il reprend à sa manière la musique des ancêtres québécois, raconte des légendes anciennes (celles de la Corriveau, de Rose Latulipe, d'Alexis le Trotteur...), et, à leurs débuts, ses membres se costumaient pour donner leurs concerts. Mes Aïeux ne se confinent cependant pas à la tradition : ils mêlent l'ancien et le moderne, la chanson contemporaine et les airs anciens, et leurs textes parfois inquiets rendent compte des transformations que subit le Québec d'aujourd'hui. Ce n'est que près de deux ans après son enregistrement que la chanson « Dégénérations », de l'album *En Famille*, devient immensément populaire auprès du grand public. Elle permet à Mes Aïeux de sortir de l'ombre et de devenir l'un des groupes les plus appréciés au Québec.

CHANSON

Dégénérations[1] (2004)

Ton arrière-arrière-grand-père, il a défriché la terre
Ton arrière-grand-père, il a labouré la terre
Et pis ton grand-père a rentabilisé la terre
Pis ton père, il l'a vendue pour devenir fonctionnaire

5 Et pis toi, mon p'tit gars, tu l'sais pus c'que tu vas faire
Dans ton p'tit trois et demi bien trop cher, frette en hiver
Il te vient des envies de devenir propriétaire
Et tu rêves la nuit d'avoir ton petit lopin de terre

Ton arrière-arrière-grand-mère, elle a eu quatorze enfants
10 Ton arrière-grand-mère en a eu quasiment autant
Et pis ta grand-mère en a eu trois c'tait suffisant
Pis ta mère en voulait pas ; toi t'étais un accident

Et pis toi, ma p'tite fille, tu changes de partenaire tout
    l'temps
15 Quand tu fais des conneries, tu t'en sauves en avortant
Mais y'a des matins, tu te réveilles en pleurant
Quand tu rêves la nuit d'une grande table entourée
    d'enfants

Ton arrière-arrière-grand-père a vécu la grosse misère
20 Ton arrière-grand-père, il ramassait les cennes noires

Et pis ton grand-père – miracle ! – est devenu millionnaire
Ton père en a hérité, il l'a tout mis dans ses RÉERs

Et pis toi, p'tite jeunesse, tu dois ton cul au ministère
Pas moyen d'avoir un prêt dans une institution bancaire
25 Pour calmer tes envies de hold-uper la caissière
Tu lis des livres qui parlent de simplicité volontaire

Tes arrière-arrière-grands-parents, ils savaient comment
    fêter
Tes arrière-grands-parents, ça swignait fort dans les
30 veillées
Pis tes grands-parents ont connu l'époque yé-yé
Tes parents, c'tait les discos ; c'est là qu'ils se sont
    rencontrés

Et pis toi, mon ami, qu'est-ce que tu fais de ta soirée ?
35 Éteins donc ta tivi ; faut pas rester encabané
Heureusement que dans' vie certaines choses refusent
    de changer
Enfile tes plus beaux habits car nous allons ce soir danser...

---

1. Paroles de Stéphane Archambault.

VERS LA DISSERTATION

1. Expliquez de quelles manières les quatre générations d'hommes et de femmes ont évolué.

2. Quel portrait cette chanson dresse-t-elle des jeunes d'aujourd'hui ? Est-il positif ou négatif ?

3. Qu'est-ce qui refuse malgré tout de changer ?

4. Écoutez la chanson. Quels effets musicaux propres à la musique traditionnelle sont utilisés ?

5. Selon vous, cette chanson véhicule-t-elle des valeurs conservatrices ?

■ Sujet de dissertation critique

Les chansons « Dégénérations » et « En berne » des Cowboys Fringants (*p. 259-260*) brossent-elles un portrait semblable du Québec ?

La paix des braves[1] (2006)

Loco Locass

Loco Locass a su adapter le dynamisme du rap et du hip-hop aux combats des Québécois. Les trois membres du groupe, Biz, Batlam et Chafiik, défendent la langue française, la justice sociale, l'indépendance du Québec sur une musique festive et bien rythmée. Leurs textes se nourrissent de l'œuvre de nos penseurs et écrivains, s'imprègnent de l'histoire et de la culture du Québec, qu'ils revisitent parfois avec insolence, tout en ne reniant pas leur attachement à ce qui forme notre identité. Dans « La paix des braves » de l'album *Face à soi-même* de Samian, Loco Locass souhaite rétablir les ponts avec les peuples autochtones, trop longtemps opprimés et victimes de préjugés.

---

1. Comparez ce texte avec ceux de Jacques Cartier (*p. 9-10*) et du Jésuite Paul Le Jeune (*p. 11-12*). Observez tout ce qui a changé depuis dans les relations avec les autochtones.
2. Commentez l'usage de mots en langue amérindienne dans la chanson.
3. Quel jugement porte-t-on sur l'histoire du Québec et sur celle des autochtones dans cette chanson ?

■ Sujet de dissertation critique

Est-il juste de dire que cette chanson dénonce le tort fait aux autochtones ?

Dans une ville appelée Kapak !
Lieu de débarquement,
Mes ancêtres ont fait leur pack sac
Pacifiquement !
5 Sur l'Anikana, en route au nord du
Canada !

Samian[2], Loco Locass !
Il était temps que l'union se fasse
Qu'on remonte la vraie histoire
10 Pour qu'on puisse y faire face !
On veut mettre un pont entre les Nations,
Confondre la culture,
Ignorer les préjugés, laisser parler la
nature !
15 La barrière entre les peuples
On veut plus la casser
On en a plus qu'assez
On est placés pour parler !
On remonte le temps…
20 Dans le pantalon de Christophe Colomb
Qui découvre l'Amérique !
Et tous ces peuples qui y habitent !
On était pacifiques, et encore même
aujourd'hui,
25 Un homme blanc sur l'Atlantique
Qui rêvait de faire son pays !
On fume le calumet de paix, sans rancune !
On est capable de rester vrais
Même si on porte plus de plumes !
30 L'union de deux Nations freine l'ignorance,
Pousse les connaissances avec un peu de
reconnaissance !
Mon histoire et la tienne, ça fait deux,
Je fais partie de deux peuples, donc je
35 finirai comme l'un d'eux !

Refrain
Hochelaga, Stadaconé !
On débarque en rabaska[3]
C't'année, on a décidé de se métisser,
Parce qu'on a retissé l'alliance en
40 Nouvelle-France
Entre Autochtones et francophones !

Mamawintiwin mi iima eiji mackawisiak
Eawiakowiak etitentakosiak ! (La force
vient de l'unité !)
45 c'est en mêlant le son qu'on scelle le pacte !

De l'Europe à l'Amérique
J'ai traversé l'Atlantique
À cette époque épique
Au pays du porc-épic
50 La maladie du scorbut scorait droit au but
Et, c'est aux Premières Nations que je
dois ma guérison
Raquette, canot, boucane, tisane et
tobagane

55 L'authentique autochtone enseigna au
profane
La science de la savane, sans se soucier
qu'en filigrane
La soutane mégalomane allait lui casser
60 le crâne !
Pour les Amérindindiens, en
Amérique, il y a deux choix :
Soit on les abat comme aux États
Soit on les réserve comme au Canada
65 Mais réserve ou abat, le problème
demeure le même
Car tombent une à une les quilles de
leurs emblèmes
Les visages pâles peuvent ben devenir
70 blêmes
Désolé pour le passé, à présent qu'est-ce
qu'on fait ?
Allume le calumet qu'on fume pour la
grande paix !

Refrain

75 J'm'excuse si j't'excise
tu meurs pas, ou si oui
ta mort est exquise
pas d'taxe, on te plume pas
on t'préserve dans l'alcool
80 le fort, la mole
On te fume dans le tabac
j'appelle ça d'la taxidermie (d'la quoi ?)
parles-en à Renée Dupuis-Morency[4]
(qui ?)
85 criss ! l'ignorance crasse me laisse un
goût ranci
vite ! faut qu'j'me rince sous les chutes
Montmorency
oui moman, oui ! Je me souviens que
90 nous fûmes
les premiers touristes en ce pays qui pail
y a sa survie
à rendre ses Esprits
qui ont le souffle court et nous les cœurs
95 épris
trop pris
tellement pris qu'ils sont Pharmaprix
mais aujourd'hui, le karma crie
Algonquins, Innus, Attikameks du
100 Québec
si on allumait l'calumet
qu'on fumait pour La grande paix !

Refrain

---

1. Paroles de Samian, Biz et Batlam.   2. Rappeur de langue maternelle algonquin, il a entre autres interprété cette chanson avec Loco Locass.
3. Grand canot d'écorce.   4. Avocate qui défend les droits des Premières Nations.

VERS LA DISSERTATION

Le contexte sociohistorique

Comme partout ailleurs, les Québécois subissent les grands problèmes liés à la mondialisation : réchauffement climatique, dommages causés à l'environnement, croissance des inégalités, délocalisations, épuisement des ressources naturelles, guerre contre le terrorisme.

Deux visions de l'État s'opposent : certains souhaitent un Québec néolibéral et cherchent à réduire le rôle de l'État ; d'autres défendent une société plus égalitaire, plus soucieuse de l'environnement, et se préoccupent de justice sociale. Ces deux visions s'affrontent pendant la grève étudiante de 2012.

Plus que jamais, les Québécois s'interrogent sur la façon dont ils doivent accueillir les immigrants. La question des «accommodements raisonnables» que l'on doit ou non accorder aux personnes de culture étrangère est largement débattue.

Des disparités s'installent entre les régions du Québec, dont certaines connaissent des difficultés économiques, et la région de Montréal, qui prend de plus en plus un visage multiculturel.

La littérature

La littérature québécoise s'enrichit d'une production de textes littéraires toujours plus grande et plus diversifiée. Cette diversité et cette abondance permettent la cohabitation de nombreuses tendances littéraires.

Les écrivains québécois vivent bel et bien à l'ère de la mondialisation. Ils voyagent plus que jamais et s'intéressent à la diversité des cultures. Peu d'entre eux, toutefois, abordent des sujets franchement politiques.

La quête des racines reste un sujet important. Certains auteurs se tournent à nouveau vers la tradition, le plus souvent en la revisitant ; d'autres se questionnent sur l'identité et sur les origines.

Les genres littéraires

Le roman Genre littéraire toujours dominant, le roman se permet des explorations dans tous les lieux, et particulièrement hors du Québec ou dans un Québec aux multiples visages, ce qui se vérifie, entre autres, dans les romans de Nicolas Dickner, Kim Thúy ou Jocelyne Saucier.

La poésie Des poètes reconnus, dont Michel Garneau et Hélène Dorion, continuent leur œuvre toujours inspirante, alors que de nouvelles formes de poésie récitée en public, telles que le slam ou la création parlée (*spoken word*), suscitent un réel intérêt. La poésie reste dynamique, avec un nombre toujours élevé de publications.

Le théâtre Le théâtre est particulièrement diversifié et explore les styles les plus divers, tant avant-gardistes que traditionnels.

Il s'inscrit dans la littérature migrante avec deux pièces particulièrement marquantes : *Incendies* de Wajdi Mouawad et *Bashir Lazhar* d'Évelyne de la Chenelière. Les dramaturges ne craignent pas de décrire la société québécoise de façon réaliste, comme dans les pièces de Serge Boucher, ou de suivre de près l'actualité.

L'essai Les tensions entre les «solidaires» et les «lucides» s'expriment largement dans l'essai québécois, plus que jamais déchiré entre les idées de droite et de gauche. D'où le succès du *Petit cours d'autodéfense intellectuelle* de Normand Baillargeon, qui soutient l'importance de garder un esprit critique dans l'abondance des discours.

Guide méthodologique

1. La dissertation critique

1.1 Qu'est-ce qu'une dissertation critique?

La dissertation explicative ne vous donne pas le choix: vous devez prouver la véracité du sujet, peu importe ce que vous en pensez. Au contraire, la dissertation critique vous amène à prendre position sur un sujet, qu'il vous soit présenté de manière affirmative ou interrogative. C'est pourquoi vous devez d'abord judicieusement peser le pour et le contre avant de vous prononcer sur ce sujet. Lisez attentivement les deux libellés du sujet ci-dessous.

> **Libellé du sujet**
>
> **Sujet présenté sous forme affirmative**
>
> Le poème « Devant deux portraits de ma mère », d'Émile Nelligan, est essentiellement un hommage à la jeunesse de la mère de l'auteur.
>
> **Sujet présenté sous forme interrogative**
>
> Est-il juste de dire que le poème « Devant deux portraits de ma mère », d'Émile Nelligan, est essentiellement un hommage à la jeunesse de la mère de l'auteur ?

Dans les deux formes, affirmative et interrogative, votre tâche première consiste à **relire** et à **analyser** attentivement le sonnet de Nelligan (p. 74) afin de déterminer dans quelle mesure le poème a pour but de rendre hommage à la jeunesse de la mère de l'auteur. Votre prise de position découlera de: 1) votre capacité d'analyse (analyse du fond, mais également de la forme de l'œuvre); 2) vos connaissances littéraires (et sociohistoriques); 3) la richesse sémantique de l'œuvre étudiée.

1.2 Les étapes de rédaction d'une dissertation critique

Vous avez sans doute déjà rédigé une dissertation explicative dans un cours de littérature précédent. Les étapes de rédaction d'une dissertation critique ne risquent donc pas de vous surprendre, puisque ce sont à peu près les mêmes: 1) la compréhension du sujet et des textes; 2) la collecte d'informations et la prise de position; 3) le choix et la rédaction du plan; 4) la rédaction de la dissertation; 5) la révision.

1.2.1 Première étape: la compréhension du sujet et des textes

Avant de vous lancer dans la recherche d'informations pour rédiger votre plan détaillé, il faut d'abord et avant tout vous assurer de bien comprendre le sujet et le ou les textes étudiés. En premier lieu, le sujet: en comprenez-vous bien tous les mots? Pouvez-vous le reformuler aisément? Parfois, il suffit d'en avoir une compréhension approximative pour faire fausse route. Prenons le sujet suivant: «Angélina dans *Le Survenant* est décrite comme une femme servile. Commentez cette affirmation.» Si vous confondez l'adjectif «servile» (soumise) avec l'adjectif «serviable» (qui aime rendre service), vous écrirez une dissertation qui ne répondra nullement aux attentes de vos lecteurs.

En second lieu, il faut bien comprendre le ou les textes étudiés. Relisez attentivement le poème de Nelligan et cherchez dans le dictionnaire le sens des mots que vous ne comprenez

En littérature, le **fond** est le contenu; il désigne les idées, les émotions, la vision du monde, le message transmis par l'œuvre.

La **forme** est le contenant; elle concerne le genre et la structure de l'œuvre ainsi que le style de l'auteur.

L'adjectif **sémantique** se rapporte au sens, à la signification et à la symbolique de l'œuvre.

Il est possible de bien comprendre un texte et de rédiger malgré tout une mauvaise dissertation, mais **on ne peut rédiger une bonne dissertation si l'on ne comprend pas l'œuvre ou les œuvres à l'étude.**

pas ou dont la signification vous semble plus ou moins claire (par exemple, «hymen», «nimbé», etc.). Assurez-vous également de comprendre les images poétiques créées par Nelligan. Qu'est-ce que le «beau marbre frontal»? Quelles sont les caractéristiques d'un miroir vénitien? Que veut dire l'auteur par «mystère de cœur»?

1.2.2 Deuxième étape : la collecte d'informations et la prise de position

Il va de soi qu'on ne prend pas position avant d'avoir recueilli la matière nécessaire pour juger adéquatement de la justesse du sujet. Ne négligez jamais cette étape cruciale. Ces informations vous serviront à construire le plan complet de votre dissertation. Faisons maintenant le travail ensemble en nous penchant sur le poème «Devant deux portraits de ma mère» d'Émile Nelligan (voir le tableau suivant).

UN SURVOL ANALYTIQUE DU POÈME DE NELLIGAN		

Genre : poésie • **Forme fixe :** sonnet (deux quatrains, deux tercets) • **Vers :** alexandrins • **Rimes :** ABBA, CDDC, EEF, FFF

Strophe	Fond	Forme
1re strophe	Dans la première strophe, le poète célèbre la beauté de la jeune femme que fut sa mère.	
	• Le poète semble particulièrement épris de cette jeune femme qu'était sa mère (v. 1). • La jeunesse est associée à une période pleine de richesses («jours glorieux», v. 2 ; «le regard qui brille / Comme un éblouissant miroir vénitien!», v. 3-4). • Nelligan idéalise la beauté physique de sa mère. Le front très pâle («Le front couleur de lys», v. 3) évoque la beauté des héroïnes romantiques du XIXe siècle ou les statues de marbre. • Le poète met également en valeur la beauté intérieure de cette jeune femme pleine de vie («le regard qui brille / Comme un éblouissant miroir vénitien!», v. 3-4).	• Quatrain • ABBA • Comparaison (v. 3-4) • Point d'exclamation (v. 4) qui souligne la beauté impressionnante de la jeune femme
2e strophe	La deuxième strophe offre un saisissant contraste en décrivant cette femme vieillie que connaît maintenant le poète.	
	• La transformation physique de sa mère au fil du temps semble radicale («Ma mère que voici n'est plus du tout la même ; », v. 5). • Son visage porte les traces de la fatigue et du vieillissement («Les rides ont creusé le beau marbre frontal ; », v. 6). • On peut noter des rappels contrastants de la beauté de la jeune femme («le beau marbre frontal» est une autre manière de désigner le front pâle évoqué au vers 3). • De même, le poète précise que l'ancien éclat du regard de sa mère était provoqué par la passion amoureuse, un sentiment maintenant disparu chez elle (v. 7-8).	• Quatrain • CDDC (Nelligan s'éloigne des règles de versification traditionnelles du sonnet) • Métaphore (v. 6)
3e strophe	Le premier tercet souligne encore davantage le contraste entre le portrait de jeune fille et le portrait plus récent de la mère, entre la beauté de la jeunesse et le vieillissement.	
	• Le poète exprime également sa tristesse à la vue des ravages du temps.	• Tercet • EEF (Nelligan s'éloigne des règles de versification traditionnelles du sonnet) • Métaphore (v. 11)
4e strophe	Le second tercet est centré sur l'émotion contradictoire du poète à l'égard des deux portraits.	
	• La mère semble évoquer en lui une sorte de réconfort, alors que la jeune femme lui rappelle le passage du temps, ce qui l'attriste. Ces deux émotions paraissent néanmoins intimement liées à l'amour qu'éprouve le poète pour sa mère, que ce soit pour la belle jeune femme qu'elle fut ou pour la mère qu'elle est devenue.	• Tercet • FFF (Nelligan s'éloigne des règles de versification traditionnelles du sonnet) • Point d'exclamation (v. 12) qui souligne l'étonnement du poète à l'égard des émotions contradictoires qu'il ressent

- Avec des surligneurs de couleurs différentes, surlignez les passages du texte susceptibles de prouver l'affirmation énoncée dans le sujet ou de la réfuter.

- N'hésitez pas à vous servir des marges pour annoter le texte, à moins d'indication contraire de la part de votre professeur.

- À moins que votre sujet ne porte spécifiquement sur le style de l'œuvre, cherchez surtout des passages révélateurs à propos du fond. Ne négligez toutefois pas pour autant les exemples formels. Ils vous seront utiles au moment de rédiger votre plan et, surtout, lorsque viendra le temps de développer vos

arguments secondaires. Indiquez dans la marge de gauche, pour chaque idée, s'il s'agit de passages révélateurs sur le plan du fond ou de la forme.

- N'abusez pas des champs lexicaux. En règle générale, contentez-vous de une ou deux références à des champs lexicaux par dissertation et n'en faites pas le sujet d'idées principales.

- Trouvez le plus grand nombre possible de passages significatifs et d'idées inspirées par ces passages. Ne vous pressez pas d'arrêter votre position. Vous trouverez de meilleures idées et prendrez une position plus juste en vous montrant méthodique et exhaustif.

À la lumière des informations recueillies, il est à présent possible de formuler une prise de position articulée, claire et nuancée.

Exemple de prise de position | Bien que les deux quatrains semblent effectivement consacrés à célébrer la jeunesse de la mère de l'auteur, les deux tercets (le dernier, tout particulièrement) montrent plutôt l'attachement profond du poète à sa mère, qu'elle soit jeune ou vieille. Ainsi, **le poème cherche à rendre hommage à la figure maternelle dans tout ce qu'elle est et a été, en plus d'offrir une réflexion nostalgique sur le passage du temps.**

Votre prise de position est toujours personnelle. Attention! Cela ne signifie pas qu'elle doive rendre compte de votre appréciation **subjective** du ou des textes étudiés. Au contraire, elle doit plutôt découler de votre analyse **objective** et systématique des faits, d'où l'importance de bien scruter, au préalable, le texte à l'étude.

■■ **Exercice**

Pour vous exercer, voici un autre sujet de dissertation. Essayez de franchir à votre tour les étapes que nous avons traversées ensemble (compréhension du sujet et des textes, collecte d'informations et prise de position).

Dans l'extrait du roman *Le libraire* de Gérard Bessette (p. 106), le narrateur est totalement déconnecté de ses propres émotions.

Les opinions tranchées n'ont pas leur place dans une dissertation critique qui, comme son nom l'indique, appelle plutôt une prise de position nuancée. Ainsi, vous devriez tenter de vous montrer soit **plutôt en accord** avec le sujet, soit **plutôt en désaccord.** Une telle prise de position est la marque d'une plus grande capacité d'analyse. En plus, elle vous permet de construire un **plan dialectique** dans lequel sont pesés adéquatement le **pour** (thèse) et le **contre** (antithèse), ce qui vous prépare à bien démontrer à votre lecteur le bien-fondé de votre position (synthèse).

La littérature n'est pas une science

Ne cherchez pas **la** bonne réponse. Mettez-vous plutôt en quête d'**une** bonne réponse, celle qui vous semble la plus convaincante, donc celle qui est pour vous la plus facile à prouver. Il n'est pas rare en littérature que l'on puisse aussi bien soutenir une chose que son contraire. Cela ne veut pas dire que l'on puisse raconter n'importe quoi. En fait, il faut se rappeler qu'une œuvre littéraire peut faire l'objet d'interprétations diverses. On parle alors du caractère polysémique de l'œuvre.

1.2.3 Troisième étape : le choix et la rédaction du plan

La dissertation explicative, puisqu'elle exige de prouver la véracité du sujet, ne fait appel qu'à un seul type de plan : le plan analytique. Bien que l'on puisse avoir recours au plan analytique pour rédiger une dissertation critique, celle-ci demande idéalement des modèles de plans un peu plus élaborés : le plan dialectique et le plan analogique.

À propos de la dialectique

Le terme « dialectique » connote l'idée d'un échange, voire d'une dispute. Dans la Grèce antique, les philosophes pratiquaient la dialectique en exposant d'abord leurs idées, puis en invitant leurs disciples à les remettre en question afin de les valider ou d'y apporter les nuances nécessaires.

De nos jours, la dialectique trouve encore beaucoup d'applications. Dans le monde juridique, l'avocat de la Couronne et l'avocat de la défense incarnent, chacun, l'un de ses pôles (la thèse et l'antithèse), alors que les membres du jury représentent la synthèse. Dans la vie quotidienne, on recourt à cette méthode chaque fois que l'on considère les deux côtés de la médaille avant de prendre une décision.

Après avoir pris position, vous pouvez déjà commencer à concevoir une ébauche de plan dialectique, qui se rapprocherait de l'exemple qui suit.

Exemple d'arguments

Thèse : Nelligan idéalise tout au long du sonnet la beauté de la jeunesse, ce qui tend à montrer que le poème rend essentiellement hommage à la jeune femme que fut la mère de l'auteur.

Antithèse : Néanmoins, on doit admettre que Nelligan semble tout autant vouloir célébrer celle qui, malgré le passage du temps, incarne pour lui l'amour maternel.

Synthèse (prise de position) : En définitive, le poète ne cherche pas tant à rendre hommage à la jeunesse de sa mère qu'à honorer la figure maternelle dans son ensemble, ce qui l'amène ultimement à une réflexion sur le passage du temps.

Un conseil à propos de l'ordre des idées : lorsque vous rédigez une dissertation, vous devez toujours suivre la règle de l'entonnoir, c'est-à-dire ordonner vos idées de la plus générale à la plus précise, de la moins convaincante à la plus convaincante. Ainsi, si vous étiez plutôt favorable au sujet proposé à la page 264, il serait judicieux d'inverser thèse et antithèse, puisque c'est cette dernière qui vous semblerait avoir le moins de poids.

Lorsque vous avez pris position, il est temps de passer à la rédaction de votre plan complet.

Le choix du type de plan

Nous venons de discuter dans ses grandes lignes de l'un des plans les plus fréquemment employés pour la dissertation critique : le plan dialectique. Il faut toutefois se rappeler qu'il en existe d'autres. Le tableau suivant présente les trois grands types de plans employés dans l'art de la dissertation critique.

LES TROIS PLANS DE LA DISSERTATION CRITIQUE		
Type de plan	**Définition**	**Usage**
Plan dialectique	Vise à peser le pour et le contre du sujet qui vous est proposé. Ses trois parties sont la **thèse**, l'**antithèse** et la **synthèse**.	Surtout employé lorsque le sujet de la dissertation porte sur un seul texte ou un seul extrait de texte.
Plan analogique	Oppose **ressemblances** et **différences** entre deux textes ou deux extraits de textes, avant d'en arriver à une **analogie** (synthèse). Peut être considéré comme une variante du plan dialectique.	Utilisé lorsque le sujet porte sur deux textes ou deux extraits de textes. Voir l'exemple à la page 278.
Plan analytique	Ne pèse ni le pour et le contre, ni les ressemblances et les différences. Limité à des **arguments** allant tous dans le sens de la prise de position adoptée.	S'applique indifféremment à un sujet portant sur un ou deux textes ; dans ce dernier cas, il porte alors le nom de « plan comparatif ». Utilisé surtout lorsque la prise de position est radicale (sans nuances).

Puisque, dans l'exemple sur Nelligan, le sujet ne concerne qu'un seul texte, vous devriez naturellement opter pour le plan dialectique ou le plan analytique.

La rédaction du plan complet

Tout comme le plan d'une dissertation explicative, le plan d'une dissertation critique doit comporter des arguments principaux (ou idées principales) et des arguments secondaires (ou idées secondaires). Combien doit-on formuler d'arguments principaux et secondaires ?

Puisque le plan dialectique et le plan analogique sont des plans en trois parties (thèse, antithèse et synthèse ; ressemblances, différences et analogie), vous devez prévoir trois arguments principaux. Le plan analytique, quant à lui, permet de concevoir une dissertation dont le nombre d'arguments principaux peut être inférieur ou supérieur à trois.

En ce qui concerne les arguments secondaires, la plupart des professeurs exigent que chaque argument principal soit soutenu par deux arguments secondaires. Votre gabarit de plan dialectique ressemble donc à ceci :

1er argument principal (thèse ou antithèse)
    1.1 1er argument secondaire
    1.2 2e argument secondaire

2e argument principal (antithèse ou thèse)
    2.1 1er argument secondaire
    2.2 2e argument secondaire

3e argument principal (synthèse)
    3.1 1er argument secondaire
    3.2 2e argument secondaire

La formulation des arguments principaux

Un argument principal doit :

– être plus précis que le sujet tout en demeurant général ;

– offrir déjà un ou plusieurs éléments d'analyse ;

– être formulé en une phrase complète (sujet, verbe, complément) ;

– refléter votre capacité d'abstraction.

En voici un exemple : À première vue, le poète semble consacrer la plupart des vers de son sonnet à idéaliser la beauté de la jeune femme que fut sa mère.

LES ERREURS LES PLUS FRÉQUENTES DANS LA FORMULATION DES ARGUMENTS PRINCIPAUX	
Erreur de formulation	**Explications et suggestions**
« Le poète rend hommage à la jeunesse de sa mère. »	Cela équivaut à écrire « Premièrement, le sujet est vrai », puisque vous n'offrez aucun élément d'analyse.
« Le poète compare le regard de sa mère à un miroir vénitien. »	Il s'agit d'un fait, d'une donnée contenue dans le poème et non d'un argument. Confondre un fait et un argument est une erreur commune. Un fait est écrit noir sur blanc dans le texte que vous analysez. Un argument (idée) est plus abstrait et découle de votre capacité de lire entre les lignes du texte. Ici, le fait que le poète compare sa mère à un miroir vénitien nous amène à dire qu'il idéalise la beauté de sa mère.
« D'abord, l'idéalisation de la beauté de la jeune femme. »	Ce n'est pas une phrase complète.
« À première vue, le poète semble préférer le premier portrait au deuxième. »	Pourquoi a-t-il cette préférence ? L'idée est bien vague et faible du point de vue argumentatif.
« Premièrement, on note que la jeune femme est plus belle que la mère. »	N'utilisez pas les marqueurs de relation « premièrement », « deuxièmement », etc. Privilégiez la subtilité : « À première vue », « Il semblerait d'abord que », etc. De plus, cet argument demeure vague et n'est pas l'indice d'une grande capacité d'abstraction.

La dissertation fonctionne par paires : **thèse** et **anti-thèse** mènent à la synthèse, chacune de ces grandes divisions étant constituée de deux arguments secondaires. Cherchez donc dans vos notes à propos du texte de grandes divisions fonctionnant naturellement par paires, ici, **beauté physique** et **beauté intérieure** ; cela vous permettra de concevoir des arguments à la fois distincts et complémentaires.

Après avoir formulé l'argument principal, vous devez trouver deux arguments secondaires relatifs à cet argument principal.

La formulation des arguments secondaires

Les arguments secondaires doivent :

– être plus précis que l'argument principal, mais suffisamment larges pour être développés ;

– être des sous-ensembles de l'argument principal ;

– être formulés en phrases complètes ;

– refléter votre capacité d'analyse et d'abstraction ;

– dire à eux deux l'essentiel de ce qu'il y a à dire à propos de votre sujet.

L'argument principal fait allusion à la beauté de la jeune femme. Pour trouver des arguments secondaires, reportez-vous à votre collecte d'informations (p. 265). Une simple relecture de vos notes vous révèle une piste intéressante : il est en effet question dans le sonnet de la beauté physique, mais également de la beauté intérieure de la mère de Nelligan. Vous pourriez donc consacrer un premier argument secondaire à la beauté physique de la jeune femme et un second argument secondaire à sa beauté intérieure.

Exemple de première partie du plan

1. À première vue, le poète semble consacrer la plupart des vers de son sonnet à idéaliser la beauté de la jeune femme que fut sa mère.

 1.1 C'est d'abord sa beauté physique qui paraît l'émouvoir.
 1.2 De plus, cette beauté physique évoque une vie intérieure tout aussi resplendissante.

Maintenant que vous avez construit la première partie de votre plan, appliquez les mêmes règles à la deuxième partie. Rappelez-vous toutefois que vous cherchez à construire un plan dialectique, c'est-à-dire un plan dans lequel vous opposez un argument principal à un autre avant de prendre position. Le deuxième argument principal doit donc inclure un marqueur de relation propre à suggérer cette opposition. Vous pouvez consulter le tableau des pages 290 et 291 pour plus de détails.

Exemple de deuxième partie du plan

2. Néanmoins, on doit admettre que Nelligan semble tout autant vouloir célébrer celle qui, malgré le passage du temps, incarne pour lui l'amour maternel.

 2.1 Il se montre pris d'émotions devant les ravages du temps.
 2.2 Un sentiment de bonheur finit par l'emporter sur sa tristesse à la vue du portrait le plus récent de sa mère.

Ayant formulé votre thèse et votre antithèse, passez maintenant à la formulation du troisième argument principal (synthèse).

Les mêmes règles s'appliquent à la synthèse, à la différence que votre argument principal devrait être composé de trois parties : ❶ bref rappel de vos arguments principaux ; ❷ prise de position ; ❸ nouvel argument.

Exemple de synthèse

En montrant l'émotion qu'il ressent face aux deux portraits ❶, le poète valorise à la fois la jeune femme et la mère ❷, offrant en plus une réflexion mélancolique sur le passage du temps ❸.

Pour compléter le plan de votre développement, il vous suffit alors d'ajouter deux arguments secondaires relatifs à ce troisième argument principal. Vous devriez également inclure, pour chaque argument secondaire de votre plan, une citation (ou du moins la référence de cette citation). Votre plan complet portant sur un seul texte ressemblerait alors à celui de la page suivante.

Certains professeurs demandent à leurs étudiants d'ajouter d'autres détails à leur plan (citation complète, structure du développement de chaque argument secondaire, plan de l'introduction, idée d'ouverture pour la conclusion, etc.). Suivez les consignes de votre professeur à ce sujet.

1. À première vue, le poète semble consacrer la plupart des vers de son sonnet à idéaliser la beauté de la jeune femme que fut sa mère.

   1.1 C'est d'abord sa beauté physique qui paraît l'émouvoir (v. 1-4).

   1.2 De plus, cette beauté physique évoque une vie intérieure tout aussi resplendissante (v. 3-4, 7-8).

2. Néanmoins, on doit admettre que Nelligan semble tout autant vouloir célébrer celle qui, malgré le passage du temps, incarne pour lui l'amour maternel.

   2.1 Il se montre pris d'émotions devant les ravages du temps (v. 5-6, 9).

   2.2 Un sentiment de bonheur finit par l'emporter sur sa tristesse à la vue du portrait le plus récent de sa mère (v. 13-14).

3. En montrant l'émotion qu'il ressent face aux deux portraits, le poète valorise à la fois la jeune femme et la mère, offrant en plus une réflexion mélancolique sur le passage du temps.

   3.1 En fait, Nelligan adopte lui-même une sorte de plan dialectique : il oppose à la jeune femme ce qu'elle est devenue et il propose une synthèse où triomphe son amour filial (v. 9-11).

   3.2 Qui plus est, le véritable but du poème semble être une réflexion mélancolique sur le caractère éphémère de la jeunesse (v. 12-14).

1.2.4 Quatrième étape : la rédaction de la dissertation

Une fois votre plan du développement terminé, vous voilà prêt à passer à l'étape de la rédaction. Par quoi commence-t-on ?

Une dissertation, qu'elle soit explicative ou critique, est composée de trois grandes parties : l'introduction, le développement et la conclusion. Bien qu'il puisse vous sembler naturel de commencer par l'introduction, il est en fait plus logique et efficace de rédiger d'abord le développement, puisque cette partie constitue le cœur de votre dissertation. Qui plus est, il est difficile de présenter adéquatement ce qui n'existe que sous forme de plan. Enfin, si vous consacrez trop de temps à peaufiner votre introduction (comme c'est souvent le cas), vous risquez d'en manquer pour développer convenablement chacun de vos arguments secondaires. Donc, à moins d'avis contraire de votre professeur, vous devriez commencer par la rédaction du développement de votre dissertation et terminer par celle de l'introduction, puis de la conclusion.

Le développement

Vous voilà maintenant prêt à affronter la page blanche. Gardez votre calme, ayez votre plan en main, ne faites pas précéder votre premier argument principal d'un quelconque préambule, ni d'un titre (et surtout pas du mot « développement »). Autrement dit, ne tournez pas autour du pot : retranscrivez tout simplement votre idée principale telle qu'elle figure dans votre plan. Enchaînez immédiatement avec le premier de vos deux arguments secondaires. Que faire ensuite ? Gardez en tête que l'une des règles essentielles de l'art de la dissertation est d'aller toujours du plus général au plus précis (excepté pour la phrase de clôture). Ainsi, l'argument principal est plus général que le premier argument secondaire, lui-même plus général que les quatre étapes suivantes : 1) la mise

■ Exercice

Rédigez le plan complet d'une dissertation sur l'extrait du roman *Le libraire* de Gérard Bessette (p. 106).

Traditionnellement, on ne change de paragraphe qu'entre les arguments principaux. Toutefois, si votre professeur vous le permet, vous pouvez changer de paragraphe à chaque argument secondaire et sauter quelques lignes entre les arguments principaux. Cette manière de faire a l'avantage de présenter plus clairement encore la structure de votre développement.

en contexte ou l'illustration; 2) la preuve ou la citation; 3) le commentaire ou l'analyse; 4) la phrase de clôture.

Les trois premières étapes consistent à préciser toujours un peu plus votre pensée. Ainsi, **l'illustration (ou la mise en contexte)** doit situer le lecteur dans le texte. Vous introduirez donc dans cette partie des éléments nécessaires à la compréhension de la partie suivante, soit **la preuve (ou la citation)**. Comme son nom l'indique, la preuve introduit le lecteur à un passage du texte qui vous permettra de prouver que votre idée est juste, ce que vous ferez dans la partie suivante, **le commentaire (ou l'analyse)**. Enfin, **la phrase de clôture** résume votre cheminement intellectuel et clôt cette partie de votre travail. Il suffit ensuite de suivre les mêmes étapes pour le second argument secondaire, à la différence près que votre phrase de clôture doit cette fois résumer l'ensemble de votre première partie complète (argument principal et arguments secondaires).

Exemple de développement

❶ À première vue, ❷ Nelligan semble consacrer la plupart des vers de son sonnet à idéaliser la beauté de la jeune femme que fut sa mère. C'est d'abord sa beauté physique qui paraît l'émouvoir. Le premier quatrain est entièrement consacré à la description du portrait de la future maman :

> ❸ Ma mère, que je l'aime en ce portrait ancien,
> Peint aux jours glorieux qu'elle était jeune fille,
> Le front couleur de lys et le regard qui brille
> Comme un éblouissant miroir vénitien ! (v. 1-4)

« Le front couleur de lys » représente ici la blancheur d'une statue, impression confirmée à la strophe suivante lorsque le poète évoque le « marbre frontal » (v. 6). ❹ De même, « le regard qui brille / Comme un éblouissant miroir vénitien » rappelle la beauté et les richesses de l'Europe, qui contrastent fortement avec les charmes campagnards du Canada français. La mère du poète se trouve donc idéalisée, transformée en véritable « objet d'art ». ❺ De plus, cette beauté physique évoque une vie intérieure tout aussi resplendissante. Après avoir évoqué le regard brillant de sa mère (v. 3-4), le poète en précise la cause. Il brille en raison de « l'éclat du temps sentimental / Où son hymen chanta comme un rose poème » (v. 7-8). L'hymen est un terme poétique pour désigner le mariage, un évènement associé ici « aux jours glorieux » (v. 2) et au « temps sentimental » (v. 7) de la jeunesse. C'est cet hymen qui est à la source de ce « regard qui brille » (v. 3) jusqu'à éblouir. Il se dégage de tout cela une impression d'innocence confirmant l'idéalisation de la jeunesse de la mère du poète. ❻ En raison de cette perception de la beauté tant physique qu'intérieure, le poète semble donc rendre surtout hommage à la jeune femme.

Illustration ou mise en contexte	Preuve ou citation	Commentaire ou analyse	Phrase de clôture

❶ N'oubliez jamais l'alinéa au début du paragraphe.

❷ Commencez directement par l'argument principal. Ne faites pas de préambule, ne donnez pas de titre ; écrivez seulement votre premier argument, tiré directement de votre plan.

❸ Lorsque votre citation fait plus de cinq lignes ou que vous citez une strophe complète (en poésie), transcrivez toujours le passage en retrait et sans guillemets.

❹ N'hésitez pas à faire appel, à l'occasion, à vos connaissances sociohistoriques afin de renforcer ou de diversifier votre argumentation.

❺ Enchaînez immédiatement avec votre second argument secondaire.

❻ À moins d'avis contraire de la part de votre professeur, la seconde phrase de clôture devrait présenter la synthèse de toute votre première partie.

Les deux autres parties de votre dissertation se rédigent exactement comme la première (voir l'exemple de dissertation complète aux pages 276 à 278). Appliquez toujours, et comme il se doit, les mêmes règles, et tout ira bien.

Les maladies courantes associées à l'art de la dissertation critique

Si la note que vous obtenez pour votre dissertation entraîne des symptômes de découragement, de remise en question, de colère et d'impuissance, reportez-vous à la liste suivante. Il est en effet probable que vous souffriez de l'une ou l'autre de ces maladies courantes, mais tout à fait curables.

Le vertige du « deux-points, ouvrez les guillemets ». Le simple fait d'utiliser le deux-points et d'ouvrir les guillemets annonce clairement que vous vous apprêtez à citer ; de même, le fait de mettre un passage en retrait indique nettement qu'il s'agit d'une citation. Il est inutile de le préciser au préalable par une formule telle que « comme le montre la citation suivante ». De deux choses l'une : ou bien vous doutez de la clarté de votre pensée au moment de citer (dans ce cas, reformulez-la), ou bien vous faites du remplissage (à éviter).

L'empoisonnement au verbe « démontrer ». VOUS *démontrez*. L'AUTEUR, LE PERSONNAGE, LA CITATION *montrent*. Le verbe « démontrer » signifie qu'il y a une démonstration en règle, c'est-à-dire une accumulation d'arguments qui visent à prouver quelque chose. Or, une œuvre de fiction ne démontre rien du tout. Évitez aussi d'autres personnifications du même acabit : une citation ne peut « expliquer » ni « dénoter ».

Le syndrome du signal intermittent. Lorsque vous utilisez les crochets et les points de suspension ([...]) pour trancher dans le vif d'une citation ou supprimer le début ou la fin d'une phrase, d'un vers, d'une réplique, etc., assurez-vous que le passage cité demeure CLAIR, COMPLET et GRAMMATICALEMENT correct. Cela évitera de donner l'impression d'une conversation téléphonique perturbée par un signal intermittent. Que diriez-vous si, au lieu de lire la phrase précédente, vous aviez trouvé ceci : « [...] vous utilisez les crochets et les points de suspension [...] ou la fin d'une phrase, d'un vers, d'une réplique [...] et grammaticalement correct » ? Vous n'y comprendriez rien !

La névrose du perroquet. Paraphraser un texte signifie se contenter de répéter, à peu de mots près, ce que dit déjà clairement l'auteur au lieu d'analyser, de commenter ses propos. Le texte suivant n'est pas très inspiré : « "Le front couleur de lys et le regard qui brille / Comme un éblouissant miroir vénitien !" (v. 3-4). Ici, le poète compare la couleur du front de sa mère à celle d'un lys et son regard brillant à un aveuglant miroir italien. » Il aurait plutôt fallu parler de l'éclat propre à la jeunesse ou de l'utilisation de la comparaison à des fins hyperboliques, et ainsi de suite.

L'adverbite aiguë. N'essayez pas de compenser la faiblesse de vos arguments par des adverbes, comme dans cet exemple : « On voit très bien et extrêmement clairement que le poète idéalise la jeune femme que fut sa mère. » L'adverbe doit être employé avec parcimonie. Non seulement il alourdit vos phrases, mais il vous donne en plus l'illusion de dire quelque chose de significatif, alors que vous tournez autour du pot. Il serait étonnant que vous dupiez le correcteur ! Vous le ferez juste agiter frénétiquement son stylo rouge (notez ici l'adverbe « frénétiquement », utilisé à bon escient pour renforcer une réalité et non pour en simuler une).

Le complexe de la grenouille. Vous connaissez la fable de La Fontaine dans laquelle une grenouille, voulant se faire aussi grosse que le bœuf, se gonfle le thorax jusqu'à en éclater ? Beaucoup d'étudiants s'efforcent de « faire du style » pour impressionner le professeur et lui donner l'impression qu'ils sont Victor Hugo. Ne faites pas comme eux ! L'une des principales qualités d'une bonne dissertation est d'être claire. Or, pour être clair, pourquoi ne tenteriez-vous pas d'écrire simplement ? Contentez-vous de faire des phrases brèves (sujet, verbe, complément).

La névrose du « méchant jumeau ». Il n'est pas rare pour un professeur de corriger une dissertation critique dans laquelle l'étudiant donne l'impression de se contredire continuellement, comme s'il était habité par un frère jumeau malfaisant qui, de temps à autre, prendrait soudainement le contrôle de sa plume. Cette impression est très souvent causée par un mauvais choix de marqueurs de relation ou par leur absence. Les plans dialectique et analogique de la dissertation critique supposent évidemment une certaine opposition, mais il faut prendre bien soin de suggérer au lecteur que vous êtes en phase d'exploration des différentes facettes de la question, et non que vous passez votre temps à changer d'idée. Référez-vous donc à la page 290 pour tout savoir sur les remèdes les plus efficaces contre cette maladie trop répandue.

La mythomanie du plagiaire. C'est très simple... il ne faut jamais plagier. Ni votre voisin, ni une source trouvée sur Internet ou un livre traitant du même sujet que le vôtre, ni qui ou quoi que ce soit d'autre. Le problème est que le plagiaire croit souvent qu'il s'en tirera à bon compte, certain que le style de l'auteur publié (et donc souvent chevronné) ne différera pas suffisamment du sien pour que le professeur se doute de quelque chose. Rappelez-vous : un professeur de littérature a consacré de longues années à étudier le style et la langue sous toutes leurs coutures. Il peut donc assez facilement deviner qu'il y a anguille sous roche lorsque vos phrases semblent soudainement tout droit tirées d'une thèse de doctorat.

L'introduction

Une fois votre développement rédigé, vous pouvez passer avec plus d'assurance à la rédaction de l'introduction. L'introduction se compose de trois parties : 1) le sujet amené ; 2) le sujet posé ; 3) le sujet divisé.

Le sujet amené

> **Libellé du sujet**
>
> *Est-il juste de dire que le poème « Devant deux portraits de ma mère », d'Émile Nelligan, est essentiellement un hommage à la jeunesse de la mère de l'auteur ?*

Selon sa définition la plus classique, le **sujet amené** consiste à présenter de manière générale l'auteur, son œuvre, l'époque à laquelle il a vécu et écrit, etc. Il s'agit en fait d'une partie visant à introduire votre lecteur au sujet dont vous allez traiter et que vous formulerez dans la seconde partie de l'introduction (sujet posé). Pour trouver de quoi il pourrait être question exactement dans le sujet amené, considérez attentivement le libellé du sujet qui vous a été donné.

Pour qui écrivez-vous ?

Lorsque vous rédigez une dissertation, n'écrivez JAMAIS pour le professeur. Gardez en tête que vous vous adressez à quelqu'un qui s'y connaît MOINS que vous en littérature : un frère ou une sœur plus jeune, un ou une amie, etc. Cela vous obligera à vous montrer pédagogue, à ne jamais tenir pour acquis que votre lecteur sait exactement de quoi vous lui parlez et à donner toutes les explications nécessaires. Autrement dit, lorsque vous rédigez une dissertation, VOUS êtes le professeur. Soyez donc explicite, dites-en plus que pas assez, et n'hésitez pas à « prendre votre lecteur par la main » afin de le guider convenablement au fil de votre réflexion.

Ensuite, dressez une liste des éléments à clarifier et à présenter en sujet amené :

– Qui est Émile Nelligan ?

– À quelle époque a-t-il vécu ? Quelles caractéristiques de cette époque sont les plus susceptibles d'éclairer le lecteur sur votre sujet ?

– À quel courant son œuvre appartient-elle ?

– Nelligan emploie-t-il une forme fixe dans son poème « Devant deux portraits de ma mère » ? Si oui, laquelle ?

– De quoi est-il question dans ce poème ?

À partir de cette liste, choisissez les questions qui vous semblent les plus pertinentes et articulez les réponses dans un court paragraphe qui constituera votre sujet amené.

Exemple de sujet amené | Le poète québécois Émile Nelligan a écrit l'essentiel de son œuvre entre 1895 et 1904. Fortement influencée par le symbolisme (Baudelaire, Verlaine, Rimbaud), sa poésie est celle d'un artiste torturé qui oppose à la tristesse du monde adulte l'innocence de la jeunesse.

LES ERREURS À ÉVITER PENDANT LA RÉDACTION DU SUJET AMENÉ

Il est préférable de donner des dates plus significatives que celles de la naissance et du décès de l'écrivain : date de rédaction ou de publication de l'œuvre étudiée, date d'un évènement majeur dans la vie de l'écrivain qui l'aurait conduit à écrire cette œuvre, etc.	Le sujet amené doit être général, sans toutefois être vague. Évitez les généralités grossières du genre : « De tout temps, il y a eu des poètes » ou encore « Au xixe siècle, beaucoup de poètes ont publié des recueils ».
Évitez également les lieux communs et les banalités sentimentales : « Depuis toujours, les mères émeuvent leurs enfants » ou « L'amour d'une mère est ce qu'il y a de plus important au monde ». La dissertation est un travail qui doit être rigoureux et méthodique. Ce n'est pas une carte de vœux ou un journal intime.	Soyez clair et ordonné dans l'enchaînement de vos informations. Partez de l'information la plus générale pour aller vers la plus précise. Ainsi, dans l'exemple présenté plus haut, on parle du **courant** qui a marqué **l'auteur,** puis des **caractéristiques** et des **thèmes** de son œuvre ; cette progression est donc logique et appropriée. Il est toujours bon de terminer votre sujet amené en parlant de l'auteur et de son œuvre. De cette manière, la transition avec le sujet posé se fait naturellement et sans effort.

Dépoussiérer le passé

Privilégiez le présent de l'indicatif. La plupart des sujets de dissertation vous plongent dans le passé en vous demandant d'analyser des œuvres d'autres époques, écrites par des auteurs qui sont vos aînés, voire vos aïeux ! Ce n'est toutefois pas une raison valable pour rédiger votre dissertation au passé. Le présent historique (ou de narration), appelé ainsi parce que l'on raconte au présent quelque chose qui appartient à l'histoire, est le temps privilégié par la plupart des auteurs de textes d'analyse, qu'il s'agisse de dissertations, de mémoires de maîtrise ou de thèses de doctorat. Ainsi, au lieu d'écrire quelque chose comme « Gaston Miron est né en 1928. À 19 ans, il s'installa à Montréal et commença à exercer divers métiers pour subvenir à ses besoins », écrivez plutôt « Gaston Miron naît en 1928. À 19 ans, il s'installe à Montréal et exerce divers métiers pour subvenir à ses besoins ».

Le sujet posé

Cette deuxième partie de l'introduction consiste tout simplement à formuler pour votre lecteur le sujet dont vous allez traiter dans la dissertation. La plupart du temps, vous pouvez vous contenter de le retranscrire presque intégralement, ce qui vous permet d'éviter toute erreur d'interprétation.

Exemple de sujet posé | Est-il juste, alors, de dire que le poème « Devant deux portraits de ma mère » est essentiellement un hommage à la jeunesse de la mère de l'auteur ?

CONSEIL

Si votre sujet vous a été présenté sous la forme d'une affirmation (Le poème « Devant deux portraits de ma mère » est essentiellement un hommage à la jeunesse de la mère de l'auteur), prenez bien soin de changer la formulation de manière à montrer à votre lecteur qu'il s'agit d'une hypothèse, et non d'une certitude. Par exemple, vous pourriez adopter tout simplement la forme interrogative directe (comme dans l'exemple présenté plus haut) ou reformuler le sujet en interrogation indirecte : « À ce titre, on pourrait se demander si le poème "Devant deux portraits de ma mère" est essentiellement un hommage à la jeunesse de la mère de l'auteur. »

Le sujet divisé

La dernière partie de l'introduction consiste à présenter vos trois arguments principaux clairement formulés. Vous pouvez, bien entendu, les abréger quelque peu, mais assurez-vous de demeurer clair et précis.

Exemple de sujet divisé | On verra que, si tout au long du poème Nelligan semble idéaliser la beauté de la jeune femme, il n'en demeure pas moins très ému par ce qu'elle est devenue. Le poème se révèle donc être un hommage à la figure maternelle dans son ensemble, proposant ainsi une réflexion sur le passage du temps.

Exemple d'introduction complète

Le poète québécois Émile Nelligan a écrit l'essentiel de son œuvre entre 1895 et 1904. Fortement influencée par le symbolisme (Baudelaire, Verlaine, Rimbaud), sa poésie est celle d'un artiste torturé qui oppose à la tristesse du monde adulte l'innocence de la jeunesse. Est-il juste, alors, de dire que le poème « Devant deux portraits de ma mère » est essentiellement un hommage à la jeunesse de la mère de l'auteur ? On verra que, si tout au long du poème Nelligan semble idéaliser la beauté de la jeune femme, il n'en demeure pas moins très ému par ce qu'elle est devenue. Le poème se révèle donc être un hommage à la figure maternelle dans son ensemble, proposant ainsi une réflexion sur le passage du temps.

Sujet amené	Sujet posé	Sujet divisé

LES ERREURS À ÉVITER PENDANT LA RÉDACTION DU SUJET DIVISÉ

N'écrivez jamais : « On verra d'abord en quoi le poème célèbre la jeunesse de sa mère, puis en quoi il ne la célèbre pas, pour enfin prendre position. » Autrement dit, ne rappelez pas les principes du plan dialectique à votre lecteur, communiquez-lui clairement vos arguments.	Dans toutes les parties de l'introduction, du développement et de la conclusion, n'utilisez pas la première personne du singulier (le « je »). Employez plutôt le « nous » ou le « on ». Ces pronoms donnent un caractère plus rationnel et rigoureux à votre composition.
N'écrivez pas non plus : « Dans cette dissertation, nous verrons que… » Évitez d'employer les termes techniques propres à la dissertation tout au long de votre travail (« dissertation », « introduction », « développement », « argument principal », « citation », etc.).	Ne préservez jamais de mystère autour de votre prise de position dans le but de piquer la curiosité de votre lecteur. Vous n'écrivez pas un roman à suspense ! Communiquez clairement à votre lecteur votre troisième argument pour qu'il sache dès l'introduction ce que vous pensez du sujet.

Attention de bien utiliser les marqueurs de relation et de formuler clairement les liens entre vos arguments. Vous ne voulez pas avoir l'air de vous contredire. N'écrivez pas :

« On verra que Nelligan idéalise la jeune femme que fut sa mère. Ensuite, on verra qu'il préfère la mère qu'il connaît. Enfin, il les aime toutes les deux. Le poème traite aussi du passage du temps. »

Au contraire, vous devez prendre soin de guider votre lecteur dans votre processus de réflexion. Vous feriez mieux d'écrire :

« On verra que Nelligan idéalise la jeune femme que fut sa mère. Toutefois, il se montre également très ému par la femme qu'elle est devenue. Il se dégage ainsi du poème l'impression d'un hommage à la figure maternelle et d'une réflexion sur le temps qui passe. »

La conclusion

Une conclusion comporte deux parties : 1) la synthèse ; 2) l'ouverture.

La synthèse

Ne confondez pas la synthèse du développement (le troisième argument principal) avec la synthèse de la conclusion. Dans la conclusion, la synthèse consiste à présenter, de manière abrégée, l'essentiel de votre développement, c'est-à-dire chacun des arguments principaux et secondaires. Vous devez, en somme, repasser à travers votre plan. À quoi cela sert-il ? Considérez cette partie de la dissertation comme votre dernière chance de convaincre votre lecteur et d'exposer votre pensée clairement. Il arrive parfois qu'une bonne synthèse permette au professeur de mieux comprendre ce que vous cherchiez à exprimer dans votre développement et l'amène à revoir certains aspects de sa correction. Le seul fait de synthétiser votre pensée vous oblige à formuler les choses un peu différemment, et donc parfois plus clairement.

Exemple de synthèse

En cherchant à vérifier si « Devant deux portraits de ma mère » est un poème dans lequel Nelligan rend surtout hommage à la jeunesse de sa mère, on constate que, bien que le poète idéalise la beauté physique et intérieure de la jeune femme, il se montre touché par le portrait plus récent. En effet, après avoir exprimé une tristesse compatissante devant les ravages du temps, le poète sent émerger en lui un sentiment de bonheur à la vue du second portrait de sa mère. On devrait ainsi considérer ce sonnet comme une sorte d'hommage à la figure maternelle dans son ensemble, et plus encore comme une réflexion tourmentée sur le passage du temps. L'opposition dialectique des deux quatrains trouve en effet sa résolution dans les deux tercets, où le poète exprime son amour inconditionnel tout en proposant une réflexion nostalgique sur le caractère éphémère de la jeunesse.

CONSEILS

- Avant de présenter votre premier argument principal, rappelez au lecteur le sujet que vous aviez à traiter (voir l'exemple présenté ci-dessus).

- Présentez vos idées dans l'ordre.

- Soignez l'enchaînement de vos idées. Votre texte doit être à la fois fluide et convaincant. La structure de votre plan doit s'effacer derrière le naturel de votre composition.

- Ne rappelez pas au lecteur les citations, les commentaires, etc. Contentez-vous de résumer efficacement votre plan.

- Évitez de commencer votre synthèse par « En conclusion » ou « Pour conclure ». Faites preuve d'un peu plus de subtilité ! Une expression comme « En définitive » est déjà de meilleur goût.

L'ouverture

L'ouverture consiste à formuler une question, une réflexion sur un sujet connexe au vôtre afin de « passer le relais » à votre lecteur et de l'amener ainsi à réfléchir à un nouveau problème. Une bonne ouverture doit donc :

- se distinguer de votre sujet tout en lui étant liée ;

- mener à une ou plusieurs réponses potentielles ;

- être formulée clairement (vous pouvez même suggérer une réponse à votre interrogation pour susciter la réflexion) ;

- constituer un sujet potentiel aussi valable et enrichissant que celui dont vous avez traité.

Vous trouverez ci-dessous trois exemples d'ouverture de conclusion.

1er exemple d'ouverture	**Comparaison à d'autres poèmes du même auteur** Les poèmes « Ma mère » et « Le talisman » de Nelligan présentent également la figure de la mère. Il serait intéressant de les comparer à « Devant deux portraits de ma mère » afin de voir si ces trois poèmes proposent une seule et même vision de l'amour du poète pour sa mère.
2e exemple d'ouverture	**Comparaison à l'œuvre d'un autre auteur (qui fournit un élément de réponse, donne matière à réflexion)** On sait que Nelligan admirait la poésie de Rimbaud, un autre « enfant prodige » de la poésie. Il serait intéressant de voir si Rimbaud, l'adolescent français, jette le même regard mélancolique sur la jeunesse que son disciple québécois. Un poème comme « Chanson de la plus haute tour » suggère un point de vue un peu différent.
3e exemple d'ouverture	**Autre question liée à l'œuvre étudiée** On sait que Nelligan admirait les symbolistes français. Il serait intéressant de vérifier si « Devant deux portraits de ma mère » traduit bien l'influence profonde qu'a eue sur le jeune poète le courant auquel ont contribué Rimbaud et Verlaine.

LES ERREURS À ÉVITER PENDANT LA RÉDACTION DE L'OUVERTURE	
Type d'erreur	**Exemples d'erreur**
Ouverture qui réinvente le monde	« Il serait intéressant de voir ce qu'aurait écrit Nelligan s'il n'avait pas connu sa mère. Aurait-il idéalisé autant la jeunesse ? »
Ouverture vague	« Il serait intéressant de comparer ce poème à d'autres poèmes du même auteur pour voir s'ils se ressemblent. » Ou encore : « Y a-t-il des poèmes d'autres auteurs qui traitent aussi de l'amour maternel ? »
Ouverture du type « journal intime »	« Quoi de plus touchant qu'un garçon avouant tout l'amour qu'il porte à sa mère ? Nul doute que Nelligan l'aimait véritablement, puisqu'il lui a consacré un si beau poème. »
Ouverture moralisatrice	« Pourquoi Nelligan se laisse-t-il gagner par la mélancolie, sachant qu'il peut compter sur l'amour de cette femme qu'il vénère ? Aurait-il été trop gâté par sa mère ? »
Surmultiplication	« Nelligan était-il vraiment symboliste ? Aimait-il vraiment sa mère ? A-t-il écrit d'autres poèmes sur le même sujet ? Prend-il beaucoup de libertés formelles dans l'écriture de son sonnet ? Toutes des questions auxquelles il serait intéressant de réfléchir. »

Exemple complet de dissertation portant sur un seul texte (plan dialectique)

Le poète québécois Émile Nelligan a écrit l'essentiel de son œuvre entre 1895 et 1904. Fortement influencée par le symbolisme (Baudelaire, Verlaine, Rimbaud), sa poésie est celle d'un artiste torturé qui oppose à la tristesse du monde adulte l'innocence de la jeunesse. Est-il juste, alors, de dire que le poème « Devant deux portraits de ma mère » est essentiellement un hommage à la jeunesse de la mère de l'auteur ? On verra que, si tout au long du poème Nelligan semble idéaliser la beauté de la jeune femme, il n'en demeure pas moins très ému par ce qu'elle est devenue. Le poème se révèle donc être un hommage à la figure maternelle dans son ensemble, proposant ainsi une réflexion sur le passage du temps.

À première vue, Nelligan semble consacrer la plupart des vers de son sonnet à idéaliser la beauté de la jeune femme que fut sa mère. C'est d'abord sa beauté physique qui paraît l'émouvoir. Le premier quatrain est consacré à la description du portrait de la future maman :

> Ma mère, que je l'aime en ce portrait ancien,
> Peint aux jours glorieux qu'elle était jeune fille,
> Le front couleur de lys et le regard qui brille
> Comme un éblouissant miroir vénitien ! (v. 1-4)

« Le front couleur de lys » représente ici la blancheur d'une statue, impression confirmée à la strophe suivante lorsque le poète évoque le « marbre frontal » (v. 6). De même, « le regard qui brille / Comme un éblouissant miroir vénitien » rappelle la beauté et les richesses de l'Europe, qui contrastent fortement avec les charmes campagnards du Canada français. La mère du poète se trouve donc idéalisée, transformée en véritable « objet d'art ». De plus, cette beauté physique évoque une vie intérieure tout aussi resplendissante. Après avoir évoqué le regard brillant de sa mère (v. 3-4), le poète en précise la cause. Il brille en raison de « l'éclat du temps sentimental / Où son hymen chanta comme un rose poème » (v. 7-8). L'hymen est un terme poétique pour désigner le mariage, un évènement associé ici « aux jours glorieux » (v. 2) et au « temps sentimental » (v. 7) de la jeunesse. C'est cet hymen qui est à la source de ce « regard qui brille » (v. 3) jusqu'à éblouir. Il se dégage de tout cela une impression d'innocence confirmant l'idéalisation de la jeunesse de la mère du poète. En raison de cette perception de la beauté tant physique qu'intérieure, le poète semble donc rendre surtout hommage à la jeune femme.

Toutefois, Nelligan semble également plein de compassion pour la femme qu'est devenue sa mère. Il se montre d'abord très triste devant les ravages du temps. Dans le deuxième quatrain, Nelligan oppose à cette jeune femme si vivante l'image d'un être vieilli par l'existence : « Ma mère que voici n'est plus du tout la même ; / Les rides ont creusé le beau marbre frontal » (v. 5-6). Alors que la première strophe montrait une femme d'une beauté éternelle, comme celle d'un objet d'art, ici même le marbre ne peut résister au choc de la vie. Notons également l'insistance du poète sur le caractère radical de cette transformation. Le vers « Ma mère que voici n'est plus du tout la même ; » donne en effet l'impression d'avoir affaire à une autre personne, comme si le vieillissement avait tué la jeune fille. Cette tristesse pleine de compassion cède alors la place à un sentiment de bonheur : « Comment puis-je sourire à ces lèvres fanées ? / Au portrait qui sourit, comment puis-je pleurer ? » (v. 13-14). Dans ces lignes, le poète avoue tout l'amour qu'il éprouve en contemplant ce portrait de femme mûre, alors que celui de la jeune femme le plonge dans la tristesse. Ainsi, le portrait idéalisé de la jeune femme s'oppose à la description plus réaliste de la figure maternelle et au sentiment positif que celle-ci éveille en Nelligan.

On peut ainsi dire qu'en exprimant les sentiments qu'il ressent face aux deux portraits, le poète rend un hommage global à sa mère, entraînant une réflexion mélancolique sur le passage du temps. En fait, Nelligan adopte lui-même une sorte de plan dialectique : il oppose à la jeune femme ce qu'elle est devenue et il propose une synthèse où triomphe l'amour qu'il ressent pour sa mère. Le premier tercet contient une dernière opposition entre ces deux visions de la figure maternelle :

> Aujourd'hui je compare, et j'en suis triste aussi,
> Ce front nimbé de joie et ce front de souci,
> Soleil d'or, brouillard dense au couchant des années. (v. 9-11)

La joie et l'inquiétude, le soleil et le brouillard viennent souligner la nature dialectique du sonnet plutôt que valoriser une seule facette du visage maternel. Enfin, dans le deuxième tercet, le « mystère de cœur » dont parle Nelligan est l'amorce d'une réflexion sur le passage du temps. Le portrait de la jeune femme n'est pas une source de bonheur : il fait plutôt pleurer le poète, puisqu'il appartient au passé, que cette jeunesse n'est plus, que la beauté n'est donc pas éternelle. En revanche, le portrait plus actuel lui rappelle non seulement qu'il éprouve un grand amour pour sa mère, mais aussi que lui-même est encore jeune. On le voit donc, la complexité des sentiments de Nelligan devant les deux portraits de sa mère l'entraîne à valoriser ces portraits de manière différente et à exprimer sa douleur devant le caractère éphémère de la jeunesse.

En cherchant à vérifier si « Devant deux portraits de ma mère » est un poème dans lequel Nelligan rend surtout hommage à la jeunesse de sa mère, on constate que, bien que le poète idéalise la beauté physique et intérieure de la jeune femme, il se montre touché par le portrait plus récent. En effet, après avoir exprimé une tristesse compatissante devant les ravages du temps, le poète sent émerger en lui un sentiment de bonheur à la vue du second portrait de sa mère. On devrait ainsi considérer ce sonnet comme une sorte d'hommage à la figure maternelle dans son ensemble, et plus encore comme une réflexion tourmentée sur le passage du temps. L'opposition dialectique des deux quatrains trouve en effet sa résolution dans les deux tercets, où le poète exprime son amour inconditionnel tout en proposant une réflexion nostalgique sur le caractère éphémère de la jeunesse.

On sait que Nelligan admirait la poésie de Rimbaud, un autre « enfant prodige » de la poésie. Il serait intéressant de voir si Rimbaud, l'adolescent français, jette le même regard mélancolique sur la jeunesse que son disciple québécois. Un poème comme « Chanson de la plus haute tour » de Rimbaud suggère un point de vue un peu différent.

La dissertation portant sur deux textes ou sur deux extraits de textes (plan analogique)

Tout comme la dissertation portant sur un seul texte, la dissertation critique portant sur deux textes (ou deux extraits de textes) repose sur le principe de la dialectique. À partir d'un sujet donné, il s'agit de trouver les ressemblances, puis les différences entre deux textes avant de prendre position par un troisième argument principal. Cette variante du plan dialectique se nomme **plan analogique.**

Le sujet de dissertation suivant suggère d'avoir recours à un plan analogique.

Libellé du sujet

Est-il juste de dire que, dans les extraits du roman *L'hiver de force* de Réjean Ducharme (p. 137-138) et de la pièce *Le vrai monde ?* (p. 292) de Michel Tremblay, les personnages vivent la même révolte ?

Votre tâche première consiste à prendre position suivant les mêmes étapes que celles décrites précédemment : lecture et annotation des extraits, collecte d'informations, formulation de votre position (p. 264-266). Une fois votre position clairement établie, vous pouvez passer à la rédaction du plan.

Exemple de prise de position | Bien que les personnages des deux extraits semblent révoltés par leur vie ennuyeuse, les protagonistes de *L'hiver de force* ne semblent pas vivre leur révolte de la même manière que la Madeleine I de Tremblay. On pourrait ainsi soutenir que l'extrait de *L'hiver de force* met en scène des personnages en lutte contre la société, alors que l'extrait du *Vrai monde ?* présente un personnage en rébellion contre son destin.

Exemple complet de plan analogique

1. À première vue, il paraît évident que les personnages des deux extraits sont tous révoltés par leur vie ennuyeuse.
   1.1 Ils se sentent en effet bien désœuvrés.
   1.2 Ils semblent en proie à un sentiment d'impuissance qui renforce leur colère.
2. Toutefois, cette révolte n'est pas vécue de la même manière.
   2.1 Madeleine I vit la sienne dans la solitude et le silence, contrairement au couple de *L'hiver de force*.
   2.2 Les protagonistes de Ducharme ne semblent pas prisonniers de leur existence, ce qui n'est pas le cas de Madeleine I.

▶

3. Bien que l'ennui soit au cœur de la révolte des personnages dans les deux extraits, la manière dont ils la vivent nous amène à penser que leur révolte n'est pas similaire : elle aide les personnages de *L'hiver de force* à se définir, alors qu'elle tue Madeleine I à petit feu.

   3.1 Le couple de *L'hiver de force* se définit en projetant sa révolte contre la société.

   3.2 Madeleine I est torturée par son existence de femme.

Exemple complet de dissertation portant sur deux extraits de textes

Sujet amené

Sujet posé

Sujet divisé

Argument principal

Illustration ou exemple

Argument secondaire

Preuve, citation

Commentaire

Phrase de clôture

Michel Tremblay et Réjean Ducharme sont deux des plus grands noms de la littérature québécoise des années 1960. Leur œuvre porte la trace du bouillonnement culturel et social de la Révolution tranquille. Le roman profondément anticonformiste *L'hiver de force* de Ducharme paraît en 1973, alors que la pièce *Le vrai monde ?,* mettant en scène des personnages déchirés par la vie, est publiée 14 ans plus tard. Peut-on affirmer que les personnages des deux extraits de ces œuvres vivent la même révolte ? On verra que, même si cette révolte semble provoquée par l'ennui, elle n'est pas vécue de la même manière, une constatation qui nous amène à croire que la révolte définit les protagonistes de *L'hiver de force*, alors qu'elle tue Madeleine I, le personnage du *Vrai monde ?,* à petit feu.

À première vue, il paraît évident que les personnages des deux extraits sont tous révoltés par leur vie ennuyeuse. Ils se sentent en effet bien désœuvrés. Madeleine I tourne en rond dans son appartement : « J'me promène dans' maison, j'sais pas quoi faire de mon corps… » (Tremblay, l. 3-4), et le couple de *L'hiver de force* fait de même : « Ça faisait bien quatre cinq heures qu'on venait de passer à ne rien faire quand on est sortis » (Ducharme, l. 37-39). Rien ne semble retenir l'attention de ces trois personnages, hormis la sensation de perdre leur temps et leur existence à ne rien faire. Ils semblent ainsi en proie à un sentiment d'impuissance qui renforce leur colère. Madeleine I se croit incapable de changer sa vie : « Oùsque j'irais, un coup divorcée ? M'ennuyer ailleurs ? […] J'sais rien faire d'autre que le ménage pis à manger ! » (Tremblay, l. 63-67). Les personnages de *L'hiver de force,* de leur côté, ne semblent plus pouvoir discerner ce qui pourrait les sortir de leur torpeur : « Le bon, le meilleur et le mieux c'est rien. Reste assis là et nie tout […] » (Ducharme, l. 30-31). Dans les deux cas, c'est cette sensation de ne pas pouvoir changer leur vie et d'en être ainsi réduits et résignés au malheur qui rend leur révolte si palpable et similaire. L'ennui et la frustration sont donc des caractéristiques communes de la révolte des personnages dans les deux extraits.

Toutefois, cette révolte n'est pas vécue de la même manière. Madeleine I vit la sienne dans la solitude et le silence. Le personnage de Tremblay est une femme au foyer délaissée, qui ronge son frein : « Quand ton père est disparu depuis des jours pis que ta sœur est partie travailler, ça m'arrive de m'ennuyer, c'est sûr » (Tremblay, l. 1-3). Les personnages de Ducharme, quant à eux, forment un couple et partagent leur ennui : « Nous avons parlé pour ne rien dire. Rien n'est meilleur que la vivacité de l'attention que Nicole porte aux niaiseries que je dis […] » (Ducharme, l. 15-17). Il se dégage ainsi l'impression d'un désespoir beaucoup plus grand chez Madeleine I que chez les protagonistes de *L'hiver de force*. Cela semble d'autant plus juste que ces derniers ne paraissent pas prisonniers de leur existence. Ils n'ont en effet aucune obligation : « On a pris le métro. Il n'allait nulle part. […] ça faisait notre affaire. Quand on en a eu assez on a débarqué » (Ducharme, l. 43-47). De son côté, Madeleine I suit sa routine, elle a un mari et des enfants devant lesquels elle s'efforce de faire bonne figure : « T'arriverais au

▶

milieu de tout ça [la révolte qu'elle vit en silence] pis tu penserais que chus juste dans la lune ou ben que chus t'en train de me demander c'que j'vas faire pour le souper... [...] » (Tremblay, l. 46-49). Libres comme l'air, les personnages de Ducharme construisent leurs journées, alors que celui de Tremblay, en plus de remplir ses obligations, doit cacher sa révolte pour sauver son ménage. Il est donc clair que la manière dont les personnages des deux extraits vivent leur révolte engendre des conséquences différentes.

Ainsi, bien que l'ennui soit au cœur de la révolte des personnages dans les deux extraits, la manière dont ils la vivent nous amène à penser que leur révolte n'est pas similaire ; en fait, la révolte aide les personnages de *L'hiver de force* à se définir, alors qu'elle tue Madeleine I à petit feu. Le couple de *L'hiver de force* se définit en effet en projetant sa révolte contre la société. Ainsi, elle et lui s'encouragent à pester contre la programmation télévisuelle : « [...] on démolit les acteurs des films annoncés. [...] c'est de leur faute s'il n'y a plus d'amour [...] » (Ducharme, l. 22-26). De plus, ils retirent de leur perpétuelle négation de tout une force bénéfique : « Nie, nie, nie, et recueille-toi comme une bombe dans chacun de tes *non* » (Ducharme, l. 33-34). Ils en éprouvent même une certaine satisfaction : « On était de bonne humeur ; on était fiers de n'avoir rien fait si longtemps » (Ducharme, l. 39). En agissant comme des enfants boudeurs, les personnages de Ducharme se donnent la sensation d'exister comme individus. Leur complaisance dans la révolte est ainsi justifiée par l'illusion positive qu'elle crée en eux. Cela n'est pas le cas de Madeleine I, que la conscience de son malheur torture sans arrêt. Elle sait qu'il n'y a pas d'issue pour elle autre que dans le fantasme : « J'deviens... une sorte d'héroïne... J'démolis la maison ou ben j'y mets le feu, j'égorge ton père, j'y fais même pire que ça... [...] Mais tout ça, Claude, se fait dans le silence » (Tremblay, l. 40-46). Madeleine I souffre de cette prise de conscience et de cette colère ravalée qui, au lieu de la construire, la dévorent progressivement. Les personnages de Ducharme peuvent bien jouer aux rebelles, Madeleine I ne se croit autorisée qu'à en rêver. Cette distinction importante nous amène donc à conclure que la révolte vécue par les personnages des deux extraits, bien qu'elle ait la même origine, est loin d'avoir la même portée et d'engendrer les mêmes conséquences.

Synthèse

Les personnages des deux extraits (du roman *L'hiver de force* de Réjean Ducharme et de la pièce *Le vrai monde ?* de Michel Tremblay) vivent-ils la même révolte ? Non, et cela en dépit du fait qu'elle a pour source commune une vie ennuyeuse. La manière dont les personnages vivent cette révolte (Madeleine I dans le silence, la solitude et l'asservissement ; le narrateur de *L'hiver de force* et Nicole dans la vie à deux et la plus totale liberté) nous entraîne à penser que la révolte construit les personnages de Ducharme, alors qu'elle détruit le personnage de la pièce de Michel Tremblay. Les protagonistes de *L'hiver de force*, en effet, en se donnant la permission de jouer aux rebelles et de pester contre la société, tirent le sentiment de devenir des individus à part entière ; Madeleine I, de son côté, semble résignée à sa servitude et se réfugie dans le fantasme stérile et destructeur.

Ouverture

Il serait intéressant de voir en quoi cette distinction entre la révolte des personnages est la conséquence de leur appartenance à des générations différentes, puisque les jeunes de *L'hiver de force* sont typiques de la contre-culture des années 1960-1970, alors que Madeleine I du *Vrai monde ?* semble être leur aînée.

Dans le développement présenté en exemple ci-dessus, l'auteur a choisi de ne pas inclure de phrase de clôture pour le premier argument secondaire de chacun des arguments principaux, afin de montrer qu'il est aussi possible de structurer un paragraphe sans cet élément. Consultez votre professeur afin de vérifier s'il approuve cette façon de faire ou non avant de l'adopter.

1. Rédigez la dissertation complète à propos de l'extrait du roman *Le libraire* de Gérard Bessette (p. 106).

2. Pour vous exercer à rédiger une dissertation portant sur deux textes ou deux extraits de textes, considérez le sujet suivant :

    « L'amour est le thème principal des chansons "California" de Robert Charlebois (p. 163) et "Montréal" de Beau Dommage (p. 164).

1.2.5 Cinquième étape : la révision

Avant de remettre votre copie à votre professeur, assurez-vous de bien vous relire et de corriger toutes vos fautes. C'est évidemment plus facile à dire qu'à faire. Voici quelques trucs en vrac qui ne solutionneront peut-être pas entièrement vos problèmes, mais qui, si vous faites l'effort de bien les appliquer, retiendront probablement votre professeur de trop faire aller son stylo rouge sur votre copie…

Si votre professeur vous donne droit au dictionnaire et à une grammaire (ainsi qu'à tout autre outil de révision linguistique), profitez-en. Il est bien difficile de se corriger efficacement sans les outils adéquats. Ne vous dégonflez pas en pensant au poids de votre sac ! Il vaut probablement mieux peiner à l'effort en vous rendant à votre local qu'être pris de court devant votre copie pleine de fautes.

Ne faites pas de brouillon. Sinon, vous n'aurez peut-être pas le temps de vous relire ou, pire encore, de retranscrire votre dissertation au propre. Vous devrez alors demander à votre professeur s'il peut corriger votre brouillon, en sachant bien qu'il contient plus de fautes que si vous aviez eu le temps de le recopier.

Pendant la rédaction, évitez de vous concentrer sur une seule tâche. Nombreux sont ceux qui ont la mauvaise habitude de ne penser qu'à ce qu'ils veulent dire (idées principales, secondaires, etc.), sans se soucier des fautes qui se glissent sur leur copie. « Bah ! Je me relirai à la fin », se disent-ils. Avouez-le… comment voulez-vous faire un travail de révision efficace s'il ne vous reste pratiquement plus de temps pour vous relire, que vous êtes fatigué, épuisé par la rédaction ? Il faut toujours faire les deux à la fois : **rédiger et corriger.** Une suggestion : relisez chacune des sous-parties de votre dissertation au fur et à mesure que vous les terminez. La révision finale sera beaucoup plus facile et efficace.

Beaucoup de formulations fautives peuvent découler du fait que vous avez mal cerné le sujet de votre phrase ou que vous l'avez perdu de vue en cours de route. Imaginons par exemple la phrase suivante : « Le courant du terroir est bien illustré dans *Le Survenant* de Germaine Guèvremont. » Cette tournure très étrange fera sûrement grincer des dents votre professeur ! Pourtant, ce que vous voulez dire est très simple. De quoi voulez-vous parler, ici ? Du *Survenant* de Germaine Guèvremont, puisque c'est l'œuvre que vous étudiez. Pourquoi alors ne pas en faire le sujet de votre phrase ? Voyons voir : « *Le Survenant* de Germaine Guèvremont est une œuvre appartenant au courant du terroir. » Voilà une phrase toute simple, claire et bien formulée. D'une manière générale, **le sujet est toujours ce qu'il y a de plus concret dans la phrase** (ici, le roman de Germaine Guèvremont est certainement quelque chose de moins abstrait que le courant auquel il appartient). Si vous éprouvez de sérieuses difficultés à construire des phrases simples, claires et correctes, rappelez-vous ce truc qui fonctionne très souvent.

Avez-vous privilégié le présent historique (ou de narration), tel qu'il est recommandé à la page 273 ? Si oui, votre travail de révision s'en trouvera sûrement facilité. Le présent de l'indicatif est l'un des temps les plus simples à utiliser et l'employer le plus souvent possible dans votre dissertation vous évite toutes sortes de problèmes de concordance des temps.

Attention aux phrases commençant par le groupe complément! De telles phrases poussent souvent à confondre complément et sujet. Par exemple, si vous écrivez «Auteur de "Soir d'hiver", ce poème exprime le mal de vivre de Nelligan», vous avez soudainement oublié que vous parliez de Nelligan et avez donc inséré un nouveau sujet en cours de route : le poème. La phrase corrigée devrait se lire ainsi : «Auteur de "Soir d'hiver", **Nelligan** exprime dans ce poème son mal de vivre.»

Voici d'autres erreurs fréquemment rencontrées dans les dissertations.

QUELQUES ERREURS À ÉVITER			
Erreur	**Exemple**	**Correction**	**Explication**
À cause que	Les personnages de *L'hiver de force* s'ennuient à cause qu'ils ne font rien.	Les personnages de *L'hiver de force* s'ennuient **parce qu'ils** ne font rien.	«À cause que» est une locution vieillie qui ne s'emploie plus que dans le parler populaire.
Comme le montre la citation	Le poète est mélancolique, comme le montre la citation suivante : «Mon âme est noire : Où vis-je? Où vais-je?»	Le poète est mélancolique : «Mon âme est noire : Où vis-je? Où vais-je?»	Évitez d'annoncer si platement votre citation. Mettre un deux-points et ouvrir les guillemets est suffisant.
En conclusion	En conclusion, on peut dire que...	**Somme toute, Tout compte fait,** on peut dire que...	Évitez les termes techniques liés à la dissertation dans votre travail.
L'auteur démontre	L'auteur (ou cet extrait, ce roman, ce récit, ce personnage, ce passage, ce thème) démontre que...	L'auteur (ou cet extrait, ce roman, ce récit, ce personnage, ce passage, ce thème) **montre que...**	Vous seul démontrez quoi que ce soit dans une dissertation. Tout le reste montre.
Les années 20, 30, 40, 50...	C'est dans les années 60 que les jeunes *baby-boomers* se révoltent.	C'est dans les **années 1960** que les jeunes *baby-boomers* se révoltent.	Bien que l'on dise «les années soixante», il faut l'écrire au long (1960).
Le monde	Le personnage demande **au monde** dans la rue ce qu'ils pensent de lui.	Le personnage demande **aux gens** dans la rue ce qu'ils pensent de lui.	Le mot «monde» s'emploie surtout pour parler de l'ensemble de l'humanité ou de l'univers.
Se sert de Utilise	L'auteur se sert du thème de l'avarice (ou utilise le thème de l'avarice) pour raconter la vie de Séraphin Poudrier.	En racontant la vie de Séraphin Poudrier, l'auteur **touche au** thème de l'avarice (ou aborde le thème).	Un auteur n'utilise pas un thème. Ne donnez pas l'impression que l'écrivain emploie un thème comme on utilise un marteau ou un balai.
Tandis que	André Langevin est influencé par l'existentialisme. Tandis que Michel Tremblay est plus près de l'école réaliste.	André Langevin est influencé par l'existentialisme, **tandis que** Michel Tremblay est plus près de l'école réaliste.	En règle générale, on ne peut commencer une phrase par une conjonction (*mais, car, tandis,* etc.).

 Aide-mémoire

Votre dissertation est-elle complète? Avez-vous bien tous les morceaux du casse-tête? Sont-ils assemblés dans le bon ordre et de manière convaincante et élégante? Pour vous en assurer, consultez l'Aide-mémoire pour la rédaction d'une dissertation critique qui se trouve à http://mabibliotheque.cheneliere.ca.

■ **Exercice**

Corrigez le passage suivant :

Marcel Dubé écrit ses pièces les plus connues dans les années 50. Tandis que Michel Tremblay fut un auteur associé à la Révolution tranquille. Auteur de *Zone*, cette pièce de Dubé se déroule dans les milieux populaires, tout comme *Un simple soldat*, dans laquelle Dubé se servait du thème du perdant pour raconter son histoire. Plus tard, *Les belles-sœurs* de Michel Tremblay démontreront que le célèbre dramaturge s'intéresse lui aussi aux perdants de ce monde.

2. Récapitulation des notions théoriques vues dans les cours de littérature

Être capable d'analyser convenablement une œuvre littéraire suppose qu'on puisse non seulement y découvrir la vision du monde de l'auteur, mais également en déceler les caractéristiques esthétiques et formelles (genre de l'œuvre, appartenance à un courant, style, rapports entre la forme et le fond, etc.).

Il est également important de garder à l'esprit que l'épreuve ministérielle vise à vérifier tant votre maîtrise de la dissertation critique que votre connaissance des œuvres et des courants marquants des littératures française et québécoise.

Afin de vous aider dans cette tâche complexe, voici un rappel des principales notions d'analyse et de culture générale que vous avez probablement abordées durant votre parcours au cégep.

2.1 Les genres littéraires

Un genre est tout simplement une catégorie (ou un type) d'œuvres comportant des caractéristiques formelles communes. Le terme est souvent employé pour désigner indifféremment les genres, les sous-genres ainsi que toute autre sous-catégorie susceptible de venir se greffer à cette classification. Les principaux genres sont exposés dans le tableau suivant.

LES PRINCIPAUX GENRES LITTÉRAIRES			
Genre	Définition	Exemples – littérature française	Exemples – littérature québécoise
Genre narratif			
Roman	• Œuvre de fiction longue • Composée de dialogues et de descriptions • Comprend le roman policier, le roman de science-fiction, le roman d'horreur, etc.	*Les liaisons dangereuses*, Choderlos de Laclos (1782) *Notre-Dame de Paris*, Victor Hugo (1831) *Germinal*, Émile Zola (1885) *L'étranger*, Albert Camus (1942)	*Maria Chapdelaine*, Louis Hémon (1914) *Bonheur d'occasion*, Gabrielle Roy (1945) *Le libraire*, Gérard Bessette (1960)
Nouvelle	• Œuvre de fiction courte comprenant moins de personnages et une plus grande unité que le roman • Se termine souvent par un revirement de situation inattendu (chute)	« Sylvie », Gérard de Nerval (1854) *Les diaboliques* (recueil), Jules Barbey d'Aurevilly (1874) *Le Horla*, Guy de Maupassant (1887)	*Le torrent* (recueil), Anne Hébert (1950) *Ces enfants de ma vie* (recueil), Gabrielle Roy (1977)
Conte	• Œuvre de fiction courte • Caractère fantaisiste • Se termine parfois par une morale • Généralement lié à la tradition orale	« Le petit chaperon rouge », Charles Perrault (1697) « Trilby ou le lutin d'Argail », Charles Nodier (1822)	*La Noël au Canada* (recueil), Louis Fréchette (1900) *Contes pour un homme seul* (recueil), Yves Thériault (1944) « La sorcière et le grain d'orge », Jacques Ferron (1968)
Légende	• Œuvre de fiction courte • Inspirée de la tradition orale • Caractère fantaisiste inscrit dans un cadre réaliste, voire historique	*Légendes rustiques*, George Sand (1858)	« La chasse-galerie », Honoré Beaugrand (1900)

LES PRINCIPAUX GENRES LITTÉRAIRES (*suite*)

Genre	Définition	Exemples – littérature française	Exemples – littérature québécoise
Genre narratif			
Biographie	• Relate la vie, ou une tranche de vie, d'un personnage célèbre • Comprend l'autobiographie (où l'auteur raconte lui-même sa vie), le journal intime (confessions) et les mémoires (autobiographie faisant revivre une époque)	*Mémoires d'outre-tombe* (mémoires), Chateaubriand (1809-1841)	*La détresse et l'enchantement* (autobiographie), Gabrielle Roy (1984)
Genre poétique			
Forme fixe	• Poème construit selon des règles préétablies : nombre et type de strophes, métrique, rimes, agencement des rimes, contenu, etc. • Comprend le sonnet, le virelai, la ballade, le haïku, le rondeau, l'ode, le lai, l'élégie, etc.	« La ballade des pendus » (ballade), François Villon (xve siècle) « L'albatros » (sonnet), Charles Baudelaire (1857)	« La capricieuse » (ode), Octave Crémazie (1855) « Devant deux portraits de ma mère » (sonnet), Émile Nelligan (publié en 1904)
Forme libre	• Poème dont la construction n'est pas soumise à des règles préétablies • Comprend le vers libre, le poème en prose, le calligramme	*Petits poèmes en prose,* Charles Baudelaire (1869) *Une saison en enfer,* Arthur Rimbaud (1873) *Calligrammes,* Guillaume Apollinaire (1918)	« Accompagnement », Hector de Saint-Denys Garneau (1937) « Pris et protégé », Alain Grandbois (1944) « Cantouque menteur », Gérald Godin (1967)
Genre dramatique			
Tragédie	• Pièce dont l'origine remonte à l'Antiquité • Met en scène des personnages de haut rang dont les dilemmes moraux en font des victimes du destin	*Œdipe roi,* Sophocle (-430) *Le Cid,* Pierre Corneille (1636) *Britannicus,* Jean Racine (1669)	Au Québec, la tragédie est un genre peu exploité. On retiendra toutefois l'influence de ce genre dans l'œuvre dramatique de Michel Tremblay.
Drame	• Pièce dont les personnages, issus de n'importe quelle classe sociale, sont aux prises avec les difficultés de la vie • Comprend le drame historique, le drame psychologique, le drame bourgeois, etc.	*Lorenzaccio,* Alfred de Musset (1834) *Cyrano de Bergerac,* Edmond Rostand (1897)	*Tit-Coq,* Gratien Gélinas (1948) *La charge de l'orignal épormyable,* Claude Gauvreau (1956) *Un simple soldat,* Marcel Dubé (1957) *À toi, pour toujours, ta Marie-Lou,* Michel Tremblay (1971)
Comédie	• Pièce visant à faire rire • Comprend la comédie, la comédie de boulevard, la comédie musicale, etc.	*L'avare,* Molière (1667) *La cantatrice chauve,* Eugène Ionesco (1950)	*Les voisins,* Claude Meunier et Louis Saia (1980)
Texte d'opinion			
Essai	• Texte présentant l'opinion d'un seul auteur • Style littéraire et personnel • Sujets variés, souvent d'actualité	*Essais,* Montaigne (1580-1588) *Choses vues,* Victor Hugo (posthume, 1887 et 1900)	*Les insolences du frère Untel,* Jean-Paul Desbiens (1960) *Nègres blancs d'Amérique,* Pierre Vallières (1968)
Manifeste	• Texte imposant le programme d'un groupe, d'un courant, d'un mouvement • Rédigé par un ou plusieurs auteurs	*Manifeste du surréalisme,* André Breton (1924)	*Refus global,* Paul-Émile Borduas (1948)

2.2 Les courants littéraires

Un courant est un mouvement artistique qui s'inscrit dans une période donnée et regroupe des artistes dont les œuvres présentent des caractéristiques communes, tant en ce qui concerne la forme que le fond. Il peut être la création réfléchie, bien définie d'un individu ou d'un groupe d'individus, ou encore le produit plus ou moins conscient et volontaire d'artistes d'une même époque.

LES PRINCIPAUX COURANTS DE LA LITTÉRATURE FRANÇAISE		
Courant	**Définition**	**Principaux auteurs**
Humanisme (XVIe siècle)	• Courant à la fois philosophique et littéraire • Accent mis sur l'homme, considéré comme étant doté d'un potentiel illimité • Favorise la recherche du savoir et l'exercice de la raison • S'inspire des valeurs et de l'esthétique de l'Antiquité	Rabelais, Montaigne, Ronsard, Du Bellay
Classicisme (XVIIe siècle)	• S'inspire des modèles littéraires et artistiques de l'Antiquité • Caractérisé par l'ordre, la rigueur et la recherche d'un idéal moral qui trouve son écho dans la poursuite d'un idéal esthétique ; par exemple, dans la tragédie classique est valorisée la fameuse et très exigeante règle des trois unités (temps, lieu, action)	Racine, Corneille, Molière, La Fontaine
Lumières (XVIIIe siècle)	• Approche philosophique et matérialiste du monde • Littérature d'idées • Critique de la société ; vision souvent contestataire des valeurs et des institutions de l'Ancien Régime	Montesquieu, Voltaire, Rousseau, Diderot, Laclos, Beaumarchais
Romantisme (1800-1850)	• Premier courant de la modernité • Conteste l'esprit rationnel des Lumières en valorisant la subjectivité (émotions, passions, point de vue personnel, etc.) • Rompt avec les règles astreignantes du classicisme • Valorise la passion amoureuse, la mélancolie (mal du siècle), la nature sauvage, l'exotisme et l'histoire nationale	Chateaubriand, Lamartine, Musset, Vigny, Hugo, Nerval
Réalisme (1850-1904)	• Courant s'opposant aux excès lyriques et à la trop grande subjectivité des romantiques • Dresse un portrait à la fois objectif et saisissant de la société de son temps • Rapprochement entre sciences humaines (sociologie, histoire, sciences politiques, etc.) et littérature	Balzac (précurseur), Stendhal (précurseur), Flaubert, Maupassant
Symbolisme (1850-1900)	• Courant essentiellement poétique s'opposant au matérialisme bourgeois et au réalisme • Exploration du monde intérieur, de la vie spirituelle • Expression du spleen (mélancolie noire), d'une angoisse métaphysique et d'un besoin d'évasion	Baudelaire, Verlaine, Rimbaud, Mallarmé, Huysmans Au Québec : Nelligan
Naturalisme (1880-1904)	• Courant créé par Émile Zola • Rapprochement entre sciences exactes et littérature : le roman expérimental se veut une illustration des conséquences sociales des lois de l'hérédité	Zola, Maupassant, les frères Goncourt, Huysmans
Dadaïsme (1916-1925)	• Du mot enfantin « dada », qui désigne le cheval • Courant nihiliste fondé par le Roumain Tristan Tzara • S'insurge contre les canons de la beauté en art • Œuvres (le plus souvent poétiques) axées sur le jeu, l'arbitraire et la provocation	Tzara, Breton, Soupault

Courant	Définition	Principaux auteurs
Surréalisme (1924-1950)	• Courant tourné principalement vers l'exploration de l'inconscient • Fait du rêve la nouvelle beauté • Intérêt pour la psychanalyse et le communisme • Concept de l'écriture automatique, chargée de déjouer la censure pour accéder ainsi à l'inconscient • Au Québec : l'automatisme est un courant largement tributaire du surréalisme	Breton, Soupault, Éluard, Desnos, Aragon, Péret Au Québec : Borduas
Existentialisme (1940-1960)	• Courant philosophique et littéraire affirmant la primauté de l'existence sur l'essence • Selon ce courant athée, l'homme est libre de donner un sens à sa vie après avoir pris conscience de l'absurdité de l'existence • Valorise les notions d'engagement, de responsabilité collective et de solidarité	Sartre, Beauvoir, Camus Au Québec : *Poussière sur la ville* d'André Langevin et *Le libraire* de Gérard Bessette
Théâtre de l'absurde (1950-1980)	• Constat de l'absurdité de l'existence • Refus de voir dans l'engagement une possibilité de donner un sens à la vie • Œuvres dramatiques dont les personnages sont le plus souvent en proie au désespoir, à l'attente, à l'aliénation, à l'incommunicabilité	Beckett, Ionesco
Nouveau Roman (1950-1970)	• Courant de protestation contre le roman réaliste et psychologique • Littérature de l'objet dans laquelle le personnage, sans épaisseur psychologique, s'efface derrière le décor de la société postindustrielle de l'après-guerre • Déconstruction de l'intrigue linéaire : temps discontinu, narration fractionnée, pensée qui se cherche sans jamais aboutir réellement	Robbe-Grillet, Sarraute, Butor
Postmodernisme (de 1980 à aujourd'hui)	• Davantage une tendance, un phénomène social et culturel qu'un courant littéraire au sens strict • Remise en question du concept de progrès et de modernité • Critique des « remèdes » (socialisme, communisme, capitalisme, etc.) proposés jusqu'ici au « mal social » • Valorise l'individualisme et la subjectivité • Œuvres se nourrissant d'influences diverses issues du passé, « recyclées » dans une composition qui tient souvent du collage	Sollers, Le Clézio, Echenoz Au Québec : *L'hiver de force* de Réjean Ducharme, l'un des premiers romans postmodernes québécois

2.3 Les tonalités

L'intention de l'auteur, son appartenance à un courant, l'adoption d'un genre particulier, les caractéristiques formelles de l'œuvre étudiée sont autant d'éléments qui contribuent à créer la tonalité (ou le registre) du texte. Chercher la dominante tonale d'un texte consiste donc à essayer de trouver le terme le plus approprié pour résumer l'essence de ce texte.

LES PRINCIPALES TONALITÉS	
Tonalité	**Définition**
Tonalité dramatique	Traduit un effet de gravité, de sérieux, d'intensité
Tonalité comique	Cherche à provoquer le rire
Tonalité réaliste	Renforce l'impression de réalisme, qui favorise l'identification du lecteur au héros, à ce qu'il vit, au monde dans lequel il évolue
Tonalité fantastique	Crée l'ambiguïté propre au fantastique, comme l'étrangeté, le mystère, l'impression d'irréalité

LES PRINCIPALES TONALITÉS (*suite*)	
Tonalité	**Définition**
Tonalité épique	Caractérisée par la démesure de l'épopée, où les personnages sont aux prises avec des évènements qui les dépassent et dont les aventures plus grandes que nature les font souvent entrer dans l'Histoire
Tonalité tragique	Propre à la tragédie, où le protagoniste, victime de son destin, est voué à l'échec et à la mort
Tonalité pathétique	Cherche à provoquer de vives émotions, entre autres par la description de la souffrance humaine
Tonalité lyrique	Met l'accent sur l'expression personnelle des émotions, des sentiments
Tonalité ironique	Consiste, pour l'auteur, à exprimer le contraire de ce qu'il veut faire entendre afin de dénoncer par la raillerie une situation, un fait, un évènement ou une idéologie, qu'il juge inacceptable
Tonalité satirique	Cherche, par l'entremise de l'humour (ironie, sarcasme, caricature), à faire la critique d'une certaine réalité

2.4 Les registres de langue

Les registres ou niveaux de langue peuvent varier d'une œuvre à l'autre ou dans une même œuvre. Par exemple, la narration d'un roman peut être de registre littéraire, alors que les personnages issus de la classe populaire s'y expriment dans un langage vulgaire et que ceux de l'aristocratie le font dans un langage soutenu. De même, lorsque le narrateur d'un roman intègre des extraits de son journal intime, le registre de langue employé peut être familier.

LES PRINCIPAUX REGISTRES DE LANGUE	
Registre de langue	**Définition**
Registre littéraire	Privilégie l'emploi d'un vocabulaire riche et de tournures propres à la littérature
Registre soutenu	Adopte un vocabulaire et une syntaxe recherchés
Registre familier	Langue employée au quotidien, quand les individus communiquent avec des membres de leur entourage
Registre vulgaire	Langue dont le vocabulaire est injurieux, blasphématoire, ordurier, grossier, et la syntaxe, très relâchée

2.5 L'auteur, le narrateur et le personnage

Une des nombreuses erreurs de « débutant » commises dans l'analyse d'une œuvre littéraire est de confondre auteur, narrateur et personnage. Consultez le tableau suivant afin de démêler ces notions élémentaires, mais néanmoins complexes.

L'AUTEUR, LE NARRATEUR ET LE PERSONNAGE		
L'auteur	**Le narrateur**	**Le personnage**
Il a écrit et signé le texte.	Il raconte l'histoire.	Il participe à l'histoire, il la vit.
L'auteur, à moins qu'il s'agisse d'une autobiographie ou d'une œuvre lyrique (poème, journal intime, etc.), se distingue du narrateur, qui peut cependant lui ressembler comme un frère.	Dans bien des cas, le narrateur est à distinguer de l'auteur. Le narrateur explique au lecteur ce que ressent un personnage ou ce qu'il éprouve lui-même à l'égard d'un évènement. Autrement dit, c'est le narrateur créé par l'auteur qui raconte l'histoire. Bien sûr, le narrateur peut être le porte-parole de l'auteur, mais il n'en constitue pas moins une entité distincte. Le narrateur peut être omniscient, subjectif ou objectif.	Le personnage peut être le narrateur du récit (on parle alors de narration subjective). C'est le cas, par exemple, dans *L'hiver de force* de Réjean Ducharme, dont le narrateur est André, le personnage principal du roman.

2.6 Les figures de style

Les figures de style sont des procédés littéraires qui permettent de s'exprimer dans un style riche ou de traduire une pensée ou un fait de manière imagée et surprenante. Savoir repérer les figures de style dans un texte permet de mieux évaluer la richesse du style de l'auteur et de comprendre plus précisément son intention et sa manière de s'y prendre pour la communiquer au lecteur.

LES PRINCIPALES FIGURES DE STYLE		
Figure	**Définition**	**Exemples**
Les figures d'analogie		
Comparaison	Rapprochement de deux éléments à l'aide d'un outil comparatif (*comme, de même que, semblable à*, etc.).	« Il y a en Madeleine une force cruelle qui se manifeste rarement, mais inquiète, comme le grand dogue dont on ne sait pas s'il ne mordra pas un jour. » – *Poussière sur la ville*, André Langevin « Son cœur se tourna donc dans le sens de l'amour, à la façon des feuilles qui cherchent le soleil. » – *Le Survenant*, Germaine Guèvremont
Métaphore	Comparaison exécutée sans recours à un outil comparatif. La métaphore est filée lorsque l'auteur enchaîne une série de métaphores sur le même thème.	« Les derniers restes de l'hiver, des sortes d'os sales, achevaient de fondre sur le béton du trottoir, cette sorte de mur horizontal. » – *L'hiver de force*, Réjean Ducharme « mon conduit nasal est une campagne / d'incinérateurs en collision. » – *Lesbiennes d'acid*, Denis Vanier
Allégorie	Analogie qui se manifeste par la présence de plusieurs figures consécutives concourant toutes à illustrer une réalité d'un autre niveau, généralement une idée abstraite.	« Sur une arête de roc, je vis un gibet auquel pendait, attachée par les pieds, une femme divinement belle. Des forcenés lui criblaient la poitrine de coups de fouet, tandis que des gamins sordides se balançaient, comme en des escarpolettes, au bout de sa puissante chevelure, qui pendait jusqu'à terre et le long de laquelle coulaient des ruisseaux de sang. Je reconnus cette femme. C'était la Liberté qu'on avait pendue ! » – *Les demi-civilisés*, Jean-Charles Harvey
Personnification	Attribution de caractéristiques humaines à une chose inanimée.	« J'ai roulé quatre cents milles Sous un ciel fâché » – « ... et j'ai couché dans mon char », Richard Desjardins
Les figures d'opposition		
Antithèse	Rapprochement de deux termes, expressions, propositions contrastées afin de les mettre en valeur.	« Ma joie ou ma douleur chante le paysage. » – *À l'ombre de l'Orford*, Alfred DesRochers
Antiphrase	Fait de laisser entendre ce que l'on pense vraiment en exprimant son contraire ; typique de l'ironie.	« speak white and loud qu'on vous entende de Saint-Henri à Saint-Domingue oui quelle admirable langue pour embaucher donner des ordres » – « Speak white », Michèle Lalonde
Oxymore	Rapprochement syntaxique étroit entre deux mots de sens opposés afin de créer une image surprenante et forte.	« Il craignait de réveiller en sursaut la paresseuse violence de son père. » – *Une saison dans la vie d'Emmanuel*, Marie-Claire Blais

Figure	Définition	Exemples
LES PRINCIPALES FIGURES DE STYLE (*suite*)		

Les figures de substitution

Figure	Définition	Exemples
Métonymie	Raccourci d'expression qui substitue au nom d'une réalité celui d'une de ses caractéristiques.	« [...] il veut descendre en ville prendre un verre. » — « La chasse-galerie », Honoré Beaugrand « Un petit peuple serré de près aux soutanes restées les seules dépositaires de la foi » — *Refus global*, Paul-Émile Borduas
Périphrase	Remplacement d'un mot par sa définition, par ce qu'il désigne.	« L'immense nappe grise qui cachait le ciel s'était faite plus opaque et plus épaisse » — *Maria Chapdelaine*, Louis Hémon

Les figures d'amplification

Figure	Définition	Exemples
Hyperbole	Amplification d'une notion par l'exagération.	« Nous avions apporté dans nos poitrines le cœur des hommes de notre pays, vaillant et vif, aussi prompt à la pitié qu'au rire, le cœur le plus humain de tous les cœurs humains » — *Maria Chapdelaine*, Louis Hémon « Il vous levait un cheval d'une seule main. Vous tordait le trente sous jusqu'à ce que la face de la reine saigne du nez » — *Comme une odeur de muscles*, Fred Pellerin
Gradation	Dans une énumération, progression ascendante qui va souvent jusqu'à l'hyperbole.	« Et le vent qui tourbillonne tout autour de la maison fait résonner Griffin Creek avec des voix de femmes patientes, repasseuses, laveuses, cuisinières, épouses, grossissantes, enfantantes, mères des vivants et des morts, désirantes et désirées dans le vent amer » — *Les fous de Bassan*, Anne Hébert
Euphémisme	Formulation qui atténue le caractère trop choquant d'un mot ou d'une réalité.	« On ne pouvait pas prétendre qu'elle fût un beau type de femme » — *Marie Calumet*, Rodolphe Girard
Litote	Fait de dire moins pour laisser entendre plus.	« L'important, c'est que j'ai passé avec Rose (ainsi s'appelle-t-elle) une nuit agréable » — *Le libraire*, Gérard Bessette
Ellipse	Économie de mots inutiles à la compréhension.	« Longue file d'attente au bureau de poste » — *Comment faire l'amour avec un Nègre sans se fatiguer*, Dany Laferrière « Les gens de mon pays / Ce sont gens de paroles » — « Les gens de mon pays », Gilles Vigneault

Les figures d'insistance

Figure	Définition	Exemples
Répétition	Reprise d'un mot, d'une expression afin d'en rehausser l'effet ou de donner un rythme particulier.	« Pleurez, oiseaux de février, Pleurez mes pleurs, pleurez mes roses » — « Soir d'hiver », Émile Nelligan « Jolliet ! Jolliet ! quel spectacle féerique Dut frapper ton regard [...] » — *Les fleurs boréales*, Louis Fréchette
Pléonasme	Répétition ou redoublement d'une idée, d'une expression afin d'obtenir un plus grand effet.	« Ah ! Comme la neige a neigé ! » — « Soir d'hiver », Émile Nelligan
Anaphore	Répétition d'un même mot en début de phrases ou de vers successifs.	« PLACE À LA MAGIE ! PLACE AUX MYSTÈRES OBJECTIFS ! PLACE À L'AMOUR ! PLACE AUX NÉCESSITÉS ! » — *Refus global*, Paul-Émile Borduas

2.7 Les marqueurs de relation

Un marqueur de relation, comme l'expression l'indique, est un mot ou un ensemble de mots permettant d'établir une relation entre deux idées, deux parties de la dissertation, deux phrases d'un texte ou, plus simplement encore, d'introduire le lecteur au texte ou de lui en annoncer la fin. Le tableau suivant regroupe les marqueurs de relation les plus courants. Veillez toutefois à ne pas abuser de ces petits mots qui peuvent tout autant clarifier votre texte et en améliorer l'élégance stylistique que l'alourdir inutilement et semer la confusion dans la tête du lecteur.

LES PRINCIPAUX MARQUEURS DE RELATION		
Marqueur	**Définition et emploi**	**Exemple**
À ce propos À ce sujet À cet égard	Présentation ou ajout d'une information au sujet de quelque chose	Michel Tremblay aime la tragédie. **À ce propos,** nous verrons que ses personnages, sans être nobles et valeureux, ont souvent un destin tragique.
Ainsi	Présentation d'un exemple, d'une explication	Anne Hébert est une auteure polyvalente. Elle est **ainsi** poète, dramaturge et romancière.
	Résumé d'une idée	**Ainsi,** nous avons pu voir combien la France teinte la perception qu'a Octave Crémazie du Québec d'alors.
	Addition	La langue **ainsi que** la religion contribuent à opposer les Français et les Anglais.
Alors	Présentation d'une explication, d'une preuve ou d'un exemple	Élisabeth Bégon souffre de la solitude. Elle écrit **alors** à son gendre qu'elle prend pour confident.
	Démonstration de faits qui se déroulent en parallèle	Jean Narrache, alias Émile Coderre, se fait connaître **alors que** la Grande Dépression afflige le Québec.
Au fond	Résumé ou reformulation d'une idée	**Au fond,** *Trente arpents* n'est pas réellement un roman du terroir.
Autrement dit	Reformulation afin de préciser quelque chose	Nous verrons que Claude Gauvreau est inspiré par les surréalistes. **Autrement dit,** son œuvre poétique découle de l'écriture automatique.
Bien que	Restriction (au sens de « même si » ; suivi du subjonctif)	**Bien que** Bernard Arcand et Serge Bouchard soient tous deux anthropologues, ils ont une vision différente des choses.
	Concession (suivi du subjonctif)	**Bien qu'**Octave Crémazie soit de la même époque qu'Émile Nelligan, il faut bien avouer que son œuvre est plus conservatrice.
Cependant	Opposition, nuance	Paul-Émile Borduas est l'auteur du *Refus global*. **Cependant,** il n'en est pas le seul signataire.
D'ailleurs	Introduction de faits parallèles	L'essai *Les insolences du frère Untel* est une œuvre révolutionnaire pour son temps. **D'ailleurs,** on dit qu'il a contribué à déclencher la Révolution tranquille.
Dans l'ensemble	Conclusion, reformulation	**Dans l'ensemble,** on peut dire que *L'hiver de force* est une œuvre très représentative des années 1970.
De plus	Addition	Ferron est un écrivain remarquable. **De plus,** il était un médecin attentionné.
Également	Addition	Ying Chen est **également** une auteure représentative de la littérature migrante.
En bref En définitive	Résumé, reformulation	**En bref,** on ne peut dire que « Devant deux portraits de ma mère » ne célèbre que la jeunesse de la mère du poète.

LES PRINCIPAUX MARQUEURS DE RELATION (*suite*)		
Marqueur	**Définition et emploi**	**Exemple**
En effet Effectivement	Introduction d'une explication ou d'un exemple	Gilles Vigneault aimait ses concitoyens villageois. **En effet,** sa chanson «Les gens de mon pays» leur rend hommage.
Enfin Finalement	Addition, conclusion	**Enfin,** nous verrons que «Speak white» parle de l'aliénation.
Ensuite	Addition	On verra **ensuite** que la chanson «California» de Robert Charlebois est représentative de la contre-culture.
Malgré que Même si	Concession, opposition	**Malgré que** Gabrielle Roy ne soit pas Québécoise, on estime que son œuvre fait partie de notre littérature.
Néanmoins	Opposition, restriction	Hector de Saint-Denys Garneau est un admirable poète. **Néanmoins,** il n'a pas obtenu de son vivant le succès attendu.
Or	Introduction de faits parallèles	Dany Laferrière est originaire d'Haïti. **Or,** il fait revivre son enfance là-bas dans plusieurs de ses récits.
Outre	Addition	**Outre** le fait qu'il est l'auteur de *Tit-Coq,* Gratien Gélinas était également comédien.
Par conséquent	Conséquence	**Par conséquent,** nous pouvons affirmer que *Le libraire* annonce la Révolution tranquille.
Pourtant	Opposition	**Pourtant,** il faut bien avouer que *Le Survenant* n'est pas un simple roman du terroir.
Puis	Addition	**Puis,** l'auteur se livre à une dénonciation des injustices d'octobre 1970.
Quant à	Introduction d'un sujet, de faits parallèles	Charlebois est un auteur-compositeur-interprète. **Quant** à Félix Leclerc, il est aussi poète.
Somme toute Tout compte fait	Résumé, reformulation	**Somme toute,** la révolte des personnages de *L'hiver de force* n'est pas la même que celle du personnage du *Vrai monde ?*
Toutefois	Opposition	Émile Nelligan a écrit une œuvre unique. **Toutefois,** il faut bien avouer que l'inspiration symboliste y est flagrante.

Annexe

Le vrai monde? (1987)

MADELEINE I. — [...] Quand ton père est disparu depuis des jours pis que ta sœur est partie travailler, ça m'arrive de m'ennuyer, c'est sûr. J'me promène dans'maison, j'sais pas quoi faire de mon corps... La
5 télévision est plate, la lecture m'a jamais vraiment beaucoup intéressée... J'ai passé l'âge où y fallait que je sorte tous les jours, même si c'était juste pour aller acheter une pinte de lait dont on n'avait même pas besoin... Ça fait que j'me retrouve immanquablement ici,
10 dans le salon, sur le sofa, avec les mains croisées sur les genoux pis un verre de lait posé sur la table à café au cas où une douleur me prendrait... Les premières minutes sont toujours difficiles... Tous les jours... J'angoisse, j'ai le cœur serré, j'me demande comment j'vas faire
15 pour passer à travers la minute qui s'en vient, pour survivre à l'après-midi qui vient à peine de commencer... Des fois chus obligée de me plier en deux tellement j'ai peur. Non, c'est pas vrai, j'ai pas peur. C'est pas de la peur. Tu comprends, j'ai pas peur qu'y m'arrive quequ'chose,
20 je le sais qu'y peut rien m'arriver, rien! Mais j'angoisse parce que j'ai l'impression que j'vas mourir d'ennui. J'ai rien à faire. Si je sais que ton père rentrera pas, j'aurai juste un p'tit repas à préparer pour Mariette pis moi, vers six heures... pis si Mariette m'appelle pour
25 me dire qu'a'soupera pas avec moi, j'peux me contenter d'une soupe en boîte ou ben d'une sandwich... (*Silence. On la sent angoisser.*) Ça fait que j'ai... cinq heures à remplir. Dans le silence. Pis là, dans le milieu du silence, la tempête arrive. J'la sens venir... Des fois
30 j'ai pas le goût parce que chus trop fatiguée ou ben parce que j'ai mal au côté, mais a'vient pareil... peut-être parce que j'en ai besoin... pour passer le temps. Pis là... c'est sûr que tout c'que t'as mis dans ta pièce me passe par la tête... J't'ai dit tout à l'heure que tout ça
35 c'taient des choses que j'm'avouais pas à moi-même... c'est sûr que c'est pas vrai... Chus pas folle, je le sais la vie que j'ai eue! Ça fait que j'fais des scènes qui durent des heures, des scènes tellement violentes, si tu savais... j'me décharge de tout mon fardeau, pis j'en
40 remets... J'deviens... une sorte d'héroïne... J'démolis la maison ou ben j'y mets le feu, j'égorge ton père,

j'y fais même pire que ça... J'vous fais des scènes, à ta sœur pis à toi... Tout c'que j'ose pas vous dire au téléphone ou ben quand vous êtes là sort... par
45 vagues plus hautes que la maison! Mais tout ça, Claude, se fait dans le silence. T'arriverais au milieu de tout ça pis tu penserais que chus juste dans la lune ou ben que chus t'en train de me demander c'que j'vas faire pour le souper... parce que c'est l'image
50 que je vous ai toujours donnée de moi... C'est ça ma force. Ça a toujours été ça. Le silence. J'connais rien au théâtre mais chus sûre que ça serait pas mal difficile de faire ça, une tempête dans une tête! Mais laisse-moi te dire que c'est ben plus efficace que n'importe
55 quelle scène de ménage! parce que ça porte pas à conséquence! J'ai toujours tout enduré en silence parce que j'ai toujours su qu'au bout du compte ça payerait plus. Tu peux penser tout ce que tu veux quand tu te barricades là-dedans, tout en faisant autre chose qui
60 a rien à voir pis qui donne aux autres la version de toi que tu veux qu'y ayent... De toute façon, que c'est que ça me donnerait de faire comme dans ta pièce? Oùsque j'irais, un coup divorcée? M'ennuyer ailleurs? Dans un appartement miteux pour les pauvres folles
65 comme moi qui auraient pas eu l'intelligence de se taire? Me trouver une job? J'sais rien faire d'autre que le ménage pis à manger! J'irai pas faire des ménages dans des maisons de riches pour le reste de mes jours juste parce que j'me serai déchargé le cœur une fois!
70 Pis j'irai pas continuer mes cauchemars de l'après-midi dans un deux pièces et demie meublé! Ta femme, là, dans la pièce, là, qui porte mon nom pis qui est habillée comme moi, que c'est qu'a'va faire, le lendemain matin? Hein? Après avoir joué l'héroïne? On sait
75 ben, ça t'intéresse pas, toi! Quand a'l'ouvre la porte pis qu'a'sort d'la scène, a'l'arrête d'exister pour toi pis tu t'en sacres, d'abord que t'as écrit des belles scènes! Mais moi, faut que je vive demain, pis après-demain, pis les autres jours! Si t'as jamais entendu le vacarme
80 que fait mon silence, Claude, t'es pas un vrai écrivain!

Michel Tremblay

Bibliographie

ALLARD, J. *Le roman du Québec : histoire, perspectives, lectures,* Montréal, Éditions Québec Amérique, 2000.

ARGUIN, M. *Le roman québécois de 1944 à 1965,* Montréal, L'Hexagone, coll. « CRELIQ », 1989.

ASSINIWI, B. *Histoire des Indiens du Haut et du Bas-Canada,* 3 tomes, Montréal, Leméac, coll. « Ni-T'Chawama mon ami mon frère », 1973.

BAILLARGEON, S. *Littérature canadienne française,* Montréal, Fides, 1961.

BEAUDOIN, R. *Le roman québécois,* Montréal, Boréal, coll. « Boréal Express », 1991.

BEAULIEU, V.-L. *Manuel de la petite littérature du Québec,* Montréal, L'aurore, 1974.

BELLEAU, A. *Le romancier fictif : essai sur la représentation de l'écrivain dans le roman québécois,* Québec, Nota bene, coll. « Visées critiques », 1999.

BÉRAUD, J. *350 ans de théâtre au Canada français,* Montréal, CLF, 1958.

BESSETTE, G., L. GESLIN et C. PARENT. *Histoire de la littérature canadienne française par les textes,* Montréal, Centre éducatif et culturel, 1968.

BIRON, M., F. DUMONT et É. NARDOUT-LAFARGE. *Histoire de la littérature québécoise,* Montréal, Boréal, 2007.

BOISMENU, G., L. MAILHOT et J. ROUILLARD. *Le Québec en textes. Anthologie (1940-1986),* Montréal, Boréal, 1986.

BOSQUET, A. *Poésie du Québec,* Montréal, HMH, 1962.

BOURASSA, A.-G. *Surréalisme et littérature québécoise : histoire d'une révolution culturelle,* Montréal, Typo, 1986.

BOURASSA, A.-G. et G. LAPOINTE. *Refus global et ses environs,* Montréal, L'Hexagone, 1988.

BRAULT, J. *Chemin faisant,* Montréal, Boréal, coll. « Papiers collés », 1989.

BRAULT, J. *Chemins perdus, chemins trouvés,* Montréal, Boréal, 2012.

BROSSARD, N. et L. GIROUARD. *Anthologie de la poésie des femmes au Québec,* Montréal, Éditions du remue-ménage, 1991.

CAUMARTIN, A. et M.-E. LAPOINTE. *Parcours de l'essai québécois,* Montréal, Nota bene, 2003.

CENTRE DES AUTEURS DRAMATIQUES. *Théâtre québécois : 146 auteurs, 1 067 pièces résumées,* Montréal, VLB éditeur/CEAD, 1994.

CHAMBERLAND, R. et A. GAULIN. *La chanson québécoise, de la Bolduc à aujourd'hui,* Québec, Nuit blanche Éditeur, 1994.

CHARTIER, D. *Dictionnaire des écrivains émigrés au Québec : 1980-1999,* Montréal, Nota bene, 2003.

CHASSAY, J.-F. *L'ambiguïté américaine : le roman québécois face aux États-Unis,* Montréal, XYZ, coll. « Théorie et littérature », 1995.

CHASSAY, J.-F. (dir.). *Anthologie de l'essai au Québec depuis la Révolution tranquille,* Montréal, Boréal, 2003.

COLLECTIF CLIO. *L'histoire des femmes au Québec depuis quatre siècles,* Montréal, Les quinze, 1983.

COURNOYER, J. *La mémoire du Québec, de 1534 à nos jours : répertoire de noms propres,* Montréal, Stanké, 2001.

DESAULNIERS, J.-P. *De « La famille Plouffe » à « La petite vie »,* Québec, Musée de la civilisation, 1996.

DICKINSON, J. A. et B. YOUNG. *Brève histoire socioéconomique du Québec,* Sillery, Septentrion, 1992.

DIONNE, R. (dir.). *Le Québécois et sa littérature,* Sherbrooke, Éditions Naaman, 1984.

DUMONT, F. *La poésie québécoise,* Montréal, Boréal, coll. « Boréal Compact », 1993.

DUMONT, M. et L. TOUPIN. *La pensée féministe au Québec : anthologie (1900-1985),* Montréal, Éditions du remue-ménage, 2003.

FREDETTE, N. *Montréal en prose, 1892-1992,* Montréal, L'Hexagone, 1992.

FRÉGAULT, G. et M. TRUDEL. *Histoire du Canada par les textes,* 4 tomes, Ottawa, Fides, 1963.

FRENETTE, Y. *Brève histoire des Canadiens français,* Montréal, Boréal, 1998.

GAGNON, F.-M. *Chronique du mouvement automatiste québécois,* Montréal, Lanctôt, 1998.

GARNEAU, F.-X. *Histoire du Canada depuis sa découverte jusqu'à nos jours,* Montréal, Beauchemin et fils, 1883.

GAUVIN, L. et G. MIRON. *Écrivains contemporains du Québec,* Paris, Seghers, 1989.

GIROUX, R., C. HAVARD et R. LAPALME. *Le guide de la chanson québécoise,* Montréal, Triptyque, 1991.

GODIN, J.-C. et L. MAILHOT. *Le théâtre québécois,* 2 tomes, Montréal, Hurtubise/HMH, 1970 et 1980.

GRANDPRÉ, P. de. *Histoire de la littérature française du Québec,* 4 tomes, Montréal, Beauchemin, de 1967 à 1969.

GUÉRIN, M.-A. et R. HAMEL. *Dictionnaire Guérin des poètes d'ici,* Montréal, Guérin, 2005.

HAMEL, R., J. HARE et P. WYCZYNSKI. *Dictionnaire des auteurs de langue française en Amérique du Nord,* Montréal, Fides, 1989.

HARE, J. *Anthologie de la poésie québécoise du XIXe siècle (1790-1890),* Montréal, Cahiers du Québec/Hurtubise HMH, 1979.

HAREL, S. *Le voleur de parcours : identité et cosmopolitisme dans la littérature québécoise contemporaine,* Montréal, XYZ, coll. « Documents », 1999.

JALBERT, M. *Le sursis littéraire : politique de Gauvreau, Miron, Aquin,* Montréal, Presse de l'Université de Montréal, 2011.

KWATERKO, J. *Le roman québécois de 1960 à 1975 : idéologie et représentation littéraire,* Longueuil, Éditions du Préambule, 1989.

LACOURSIÈRE, J., J. PROVENCHER et D. VAUGEOIS. *Canada-Québec,* Sillery, Septentrion, 2000.

LAFON, D. (dir.) *Le théâtre québécois 1975-1995,* Montréal, Fides, coll. « Archives des lettres canadiennes », tome X, 2001.

LE BEL, M. et J.-M. PAQUETTE. *Le Québec par ses textes littéraires (1534-1976),* Montréal, Éditions France-Québec/Fernand Nathan, 1979.

LÉGER, R. *La chanson québécoise en question,* Montréal, Québec Amérique, 2003.

LEMIRE, M. (dir.). *Dictionnaire des œuvres littéraires du Québec,* 6 tomes, Montréal, Fides, de 1978 à 1994.

LESAGE, M. et F. TARDIF. *Trente ans de Révolution tranquille,* Montréal, Mellarmin, 1989.

LINTEAU, P.-A., R. DUROCHER, J. C. ROBERT et F. RICARD. *Histoire du Québec contemporain,* Montréal, Boréal, coll. « Boréal Compact », 1989.

MAILHOT, L. *La littérature québécoise depuis ses origines,* Montréal, Typo, 1997.

MAILHOT, L. *L'essai québécois depuis 1845,* Montréal, HMH, coll. « Littérature », 2005.

MAILHOT, L. et B. MELANÇON (coll.). *Essais québécois 1837-1983,* Montréal, Hurtubise/HMH, coll. « Textes et documents littéraires », 1984.

MAILHOT, L. et P. NEPVEU. *La poésie québécoise des origines à nos jours,* Montréal, Typo, 1996.

MARCOTTE, G. *Une littérature qui se fait,* Montréal, HMH, 1962.

MARCOTTE, G. *Le temps des poètes,* Montréal, HMH, 1969.

MARCOTTE, G. (dir.). *Anthologie de la littérature québécoise,* 4 tomes, Montréal, La Presse, de 1978 à 1980.

MARTINEAU, J. *Les 100 romans québécois qu'il faut lire,* Québec, Nuit blanche, 1994.

MILOT, L. et J. LINVELT. *Le roman québécois depuis 1960 : méthodes et analyses,* Québec, PUL, 1992.

NEPVEU, P. *L'écologie du réel : mort et naissance de la littérature québécoise,* Montréal, Boréal, 1998.

NEVERT, M. *La petite vie ou les entrailles d'un peuple,* Montréal, XYZ, coll. « Documents », 2000.

PARSAL, G. (dir.). *Le roman québécois au féminin (1980-1995),* Montréal, Triptyque, 1995.

PELLETIER, J. *Le poids de l'histoire : littérature, idéologies, société du Québec moderne,* Québec, Nuit blanche, coll. « Essais critiques », 1995.

PRUD'HOMME, N. *La problématique de l'identité collective et des littératures (im)migrantes au Québec,* Montréal, Nota bene, coll. « Études », 2002.

PRZYCHODZEN, J. *Un projet de liberté : l'essai littéraire au Québec (1970-1990),* Québec, IQRC, coll. « Edmond-de-Nevers », 1993.

RICARD, F. *La littérature contre elle-même,* Montréal, Boréal, 2002.

ROY, C. *Manuel d'histoire de la littérature canadienne de langue française,* Montréal, Beauchemin, 1940.

ROYER, J. *La poésie québécoise contemporaine,* Montréal, L'Hexagone, 1987.

ROYER, J. *Introduction à la poésie québécoise,* Montréal, Bibliothèque québécoise, 1989.

RUTCHÉ, J. et A. FORGET. *Précis d'histoire du Canada,* Montréal, 1932.

SAINT-JACQUES, D. *Ces livres que vous avez aimés : les best-sellers au Québec de 1970 à aujourd'hui,* Québec, Nuit blanche, coll. « NBE », 1997.

SERVAIS-MAQUOIS, M. *Le roman de la terre au Québec,* Québec, PUL, coll. « Vie des lettres québécoises », 1974.

SMART, P. *Écrire dans la maison du père : l'émergence du féminin dans la tradition littéraire du Québec,* Montréal, XYZ, 2003.

WYCZYNSKI, P., F. GALLAYS et S. SIMARD (dir.). *L'essai et la prose d'idées au Québec,* Montréal, Fides, coll. « Archives des lettres canadiennes », tome VI, 1985.

WYCZYNSKI, P., B. JULIEN et H. BEAUCHAMP-RANK (dir.). *Le théâtre canadien-français,* Montréal, Fides, coll. « Archives des lettres canadiennes », tome V, 1976.

Sources des textes

CHAPITRE 1

P. 9 : Jacques Cartier, *Voyages en Nouvelle-France*, Adaptation moderne par Robert Lahaise et Marie Couturier, Montréal, Les Éditions Hurtubise HMH, coll. «Les Cahiers du Québec», 1977 • P. 11 : Paul Le Jeune, *Relation de ce qui s'est passé en la Nouvelle-France en l'année 1634*, Québec, Côté, 1858 • P. 13 : Lahontan, *Suite du voyage de l'Amérique ou Dialogues de Monsieur le Baron de Lahontan et d'un Sauvage de bon sens qui a voyagé*, à Amsterdam, chez la Veuve de Boeteman, 1704 • P. 15 : Élisabeth Bégon, «Lettres à son gendre», textes choisis, présentés et annotés par Céline Dupré, Fides, 1960 • P. 18 : «Le général de Flipe», auteur inconnu, *Chants et complaintes maritimes des Terres françaises d'Amérique – Anthologie des chansons de mer* – vol. 16, édité par le Chasse-Marée.

CHAPITRE 2

P. 28 : Patrice Lacombe, *La terre paternelle*, Montréal, 1871 (paru d'abord dans la *Revue canadienne* en 1846) • P. 30 : Pierre-Joseph-Olivier Chauveau, *Charles Guérin : roman de mœurs canadiennes*, Montréal, 1853 • P. 32 : Philippe Aubert de Gaspé, *Les anciens Canadiens*, Québec, 1863 • P. 34 : Laure Conan, *Angéline de Montbrun*, Québec, 1884 (paru en feuilleton dans la *Revue canadienne* de juin 1881 à août 1882) • P. 37 : Honoré Beaugrand, *La chasse galerie : légendes canadiennes*, Montréal, 1900 • P. 39 : Philippe Aubert de Gaspé fils, *L'influence d'un livre : roman historique*, Québec, 1837 ; Louis Fréchette, «Le revenant de Gentilly», paru la première fois dans *Le Monde illustré*, le 26 février 1898 • P. 41 : Octave Crémazie, *Œuvres complètes de Octave Crémazie*, Montréal, 1882 • P. 42 : Eudore Évanturel, *Premières poésies, 1876-1878*, Québec, 1878 ; Arthur Rimbaud, *Poésies*, Paris, 1870 • P. 43 : Louis Fréchette, *Les fleurs boréales, les oiseaux de neige : poésies canadiennes*, Québec, 1879 • P. 44 : Chevalier de Lorimier, *Lettre du 14 février 1839, Lettres d'un patriote condamné à mort*, Montréal, 1996 • P. 46 : «Le rapport Durham», dans *Canada-Québec : synthèse historique*. Ouvrage réalisé par l'équipe du Boréal Express, sous la direction de Denis Vaugeois et Jacques Lacoursière, 1978 © Éditions du Septentrion • P. 48 : Arthur Buies, *Décadence d'un peuple*, Montréal, 1884.

CHAPITRE 3

P. 59 : Rodolphe Girard, *Marie Calumet*, Montréal, 1904 • P. 62 : Louis Hémon, *Maria Chapdelaine*, Paris, Grasset, 1921 • P. 64 : Albert Laberge, *La Scouine*, Les Éditions de l'Actuelle, 1972 • P. 65 : Claude-Henri Grignon, *Un homme et son péché*, Stanké, Montréal, 2008 • P. 67 : Jean-Charles Harvey, *Les demi-civilisés*, Les Éditions de l'Actuelle, 1970 • P. 68 : Félix-Antoine Savard, *Menaud maître-draveur*, Fides, 1959 • P. 70 : Ringuet, *Trente arpents*, Fides, 1957 • P. 72 : Germaine Guèvremont, *Le Survenant*, Fides, 1974 • P. 74-75 : *Émile Nelligan et son œuvre*, Montréal, 1904 • P. 75 : Charles Baudelaire, *Les fleurs du mal*, 1857 • P. 76 : Pamphile Lemay, *Les gouttelettes*, Montréal, 1904 • P. 78 : Paul Morin, *Œuvres poétiques : Le paon d'émail. Poèmes de cendre et d'or*, Fides, 1961 • P. 79 : Émile Coderre, *J'parle tout seul quand Jean Narrache*, Les Éditions de l'Homme, 1961 • P. 80 : La Bolduc, «Ça va venir, découragez-vous pas», 1930 • P. 81 : Alfred Desrochers, *À l'ombre de l'Orford*, Bibliothèque québécoise, 2005 • P. 83-85 : Hector de Saint-Denys Garneau, *Regards et jeux dans l'espace*, Montréal, 1937 • P. 85 : Anne Hébert, *Œuvre poétique 1950-1990*, Éditions du Boréal, 1992 • P. 86 : Alain Grandbois, *Les îles de la nuit*, Typo, 1994 • P. 88 : Lionel Groulx, *Une anthologie*, Bibliothèque québécoise, 1998.

CHAPITRE 4

P. 99 : Gabrielle Roy, *Bonheur d'occasion*, Boréal, 1993 © Fonds Gabrielle Roy • P. 101 : Roger Lemelin, *Les Plouffe*, Stanké, Montréal, 2008 • P. 102 : Gabrielle Roy, *Bonheur d'occasion*, Boréal, 1993 © Fonds Gabrielle Roy ; Roger Lemelin, *Les Plouffe*, Stanké, Montréal, 2008 • P. 103 : André Langevin, *Poussière sur la ville*, Éd. Pierre Tisseyre, 1982 • P. 104 : Yves Thériault, *Agaguk* © 1980 Éditions Quinze – Reproduction autorisée par la Succession Yves Thériault • P. 106 : Gérard

Bessette, *Le libraire*, Éd. Pierre Tisseyre, 1993 • P. 107 : Albert Camus, *L'étranger*, Gallimard, 1957 • P. 108 : Roland Giguère, *Forêt vierge folle*, L'Hexagone, 1978 • P. 110 : Anne Hébert, *Œuvre poétique 1950-1990*, Éditions du Boréal, 1992 • P. 111 : Gratien Gélinas, *Tit-Coq*, Quinze Éditeur, 1981, Coll. «Québec 10/10» • P. 113 : Claude Gauvreau, «La charge de l'original épormyable» dans *Œuvres créatrices complètes*, Éd. Parti pris, 1977 • P. 116 : Marcel Dubé, *Un simple soldat*, Les Éditions de l'Homme, 1967 • P. 118 : Paul-Émile Borduas, *Refus global et autres écrits*, L'Hexagone, 1990 • P. 120 : Jean-Paul Desbiens, *Les insolences du frère Untel*, Les Éditions de l'Homme, 1988.

CHAPITRE 5

P. 131 : Jacques Renaud, *Le cassé* © 1964-2013 Hamilton-Lucas Sinclair (Jacques Renaud) – tous droits réservés pour tous pays • P. 132 et 134 : Marie-Claire Blais, *Une saison dans la vie d'Émmanuel*, Éd. Quinze, 1976 • P. 133-134 : Hubert Aquin, *Prochain épisode*, Bibliothèque québécoise, 1995 • P. 134 : Réjean Ducharme, *L'avalée des avalés* © Éditions Gallimard, 1966 • P. 135 : Victor-Lévy Beaulieu, *Race de monde*, Éditions Trois-Pistoles, Trois-Pistoles, 1995 • P. 135 : Jacques Ferron, *La chaise du maréchal ferrant*, Éditions du Jour, 1972 • P. 137 : Réjean Ducharme, *L'hiver de force* © Éditions Gallimard, 1973 • P. 139 : Paul-Marie Lapointe, *Le réel absolu, poèmes 1948-1965*, L'Hexagone, 1971 • P. 140 : Jacques Brault, *Poèmes I*, Éd. du Noroît / La table rase, 1986 • P. 143 : Gérald Godin, *Cantouques et cie*, L'Hexagone, 1991 © Succession Gérald Godin • P. 145 : Michèle Lalonde, «Speak white» © Michèle Lalonde, 1968. Tous droits réservés en tous pays et en toutes langues. Reproduction avec son aimable autorisation • P. 147 : Gaston Miron, *L'homme rapaillé*, Presses de l'Université de Montréal, 1970 • P. 150 : Denis Vanier, «Lesbiennes d'acid», *Œuvres poétiques complètes tome 1 (1965-1979)*, Les Herbes Rouges / Parti pris, 1980 • P. 151 : France Théorêt, Extrait de «La marche» dans *Bloody Mary* suivi de *Vertiges ; Nécessairement putain ; Intérieurs*, L'Hexagone, 1991 • P. 152 : Michel Tremblay, *Les belles-sœurs*, Leméac Éditeur, 1972 • P. 153 : Michel Tremblay, *À toi, pour toujours, ta Marie-Lou*, Leméac Éditeur, 1971 • P. 155 : Nicole Brossard, *La nef des sorcières*, Typo, 1992 • P. 157 : Pierre Vallières, *Nègres blancs d'Amérique*, Typo, 1994 • P. 160 : «Bozo», Félix Leclerc © 2013 – Éditions Raoul Breton / Musinfo (Canada) • P. 160 : «Bozo-les-culottes», Raymond Lévesque © Unidisc Musique • P. 161 : Paul Verlaine, *Sagesse*, Paris, 1881 • P. 162 : «Les gens de mon pays», paroles et musique de Gilles Vigneault, Éditions le vent qui vire, 1965 • P. 163 : «California» © Robert Charlebois / Les éditions Gamma / Les productions Garou • P. 164 : «Montréal», © Beau Dommage, 2012 – Les Éditions Bonté Divine / Groupe Éditorial Musinfo • P. 165 : Yvon Deschamps, *Monologues*, Leméac, 1973, coll. «Mon pays mes chansons» • P. 166 : Marc Favreau, *Presque tout Sol*, Stanké, 1997.

CHAPITRE 6

P. 178 : Jacques Godbout, *Les têtes à Papineau*, Montréal, Boréal Compact, 1991 • P. 180 : Anne Hébert, *Les fous de Bassan*, Paris, Éditions du Seuil, coll. «Points, 1998» • P. 182 : Jacques Poulin, *Volkswagen blues*, Leméac Éditeur, 1998 • P. 184 : Dany Laferrière, *Comment faire l'amour avec un Nègre sans se fatiguer*, Montréal, VLB Éditeur, 1985 • P. 186 : Sylvain Trudel, *Le souffle de l'harmattan*, Éd. Quinze, 1986 • P. 189 : Ying Chen, *Les lettres chinoises*, Leméac éditeur / Actes sud, 1998 • P. 190 : Michel Tremblay, *Un ange cornu avec des ailes de tôle*, Leméac / Actes Sud – Papiers, 2011 • P. 192 : Sergio Kokis, *Le pavillon des miroirs*, Lévesque éditeur, coll. «Prise deux», 2010 • P. 195 : Monique Proulx, *Les aurores montréales*, Éditions du Boréal, 1996 • P. 197 : Gaétan Soucy, *La petite fille qui aimait trop les allumettes*, Éditions du Boréal, 1999 • P. 199 : Gil Courtemanche, *Un dimanche à la piscine à Kigali*, Montréal, Éditions du Boréal, 2000 • P. 201 : Louis Hamelin, *Le joueur de flûte*, Éditions du Boréal, 2001 • P. 203 : Nelly Arcan, *Putain*, Paris, Éditions du Seuil, coll. «Points», 2002 • P. 205 : François Charron, *Pour les amants*, Les Herbes Rouges, 1995 • P. 206 : Gilbert Langevin, *PoéVie : anthologie*, Montréal, Éditions Typo • P. 207 : Marie Laberge, *L'homme gris*, suivi de *Éva et Évelyne*, Les Éditions du Boréal, Montréal, 1995 • P. 209 : Michel Marc Bouchard, *Les muses orphelines*, Montréal, Leméac Éditeur, 1995 • P. 211 : Michel Garneau,

Les guerriers, Montréal, VLB Éditeur, 1989 • P. 213 : Frédéric Beigbeder, *99 francs* © Éditions Grasset & Fasquelle, 2000 • P. 214 : Dominic Champagne *et al., Cabaret neiges noires,* Montréal, VLB Éditeur, 1994 • P. 217 : Jean-Pierre Ronfard, *Écritures pour le théâtre III,* Montréal, Dramaturges Éditeur • P. 219 : Robert Lepage, *La face cachée de la lune,* Québec, L'instant même / Ex Machina, coll. «L'instant scène», 2007 • P. 221 : François Ricard, *La génération lyrique,* Éditions du Boréal, Boréal Compact, 1994 • P. 223 : Bernard Arcand et Serge Bouchard, *Quinze lieux communs,* Éditions du Boréal, 1993 • P. 226 : «Cochez oui, cochez non», Paul Piché © Paul Piché • P. 227 : «... et j'ai couché dans mon char», Richard Desjardins © Éditions Foukinic • P. 229 : «1990», J. Leloup / A. Cochard / Y. Desrosiers / J. Di Salvio / F. Lalonde / G. Brisebois © Éditions Audiogram / Kaligram • P. 230 : «Bonyeu» Louis Alan Lord © Éditions Solodarmo.

CHAPITRE 7

P. 241 : Lise Tremblay, *La héronnière,* Leméac Éditeur, 2003 • P. 243 : Nicolas Dickner, *Nikolski,* Alto, 2007 • P. 244 : Fred Pellerin, *Comme une odeur de muscles,* Planète rebelle, 2005 • P. 245 : François Rabelais, *Pantagruel,* adaptation libre en français moderne • P. 246 : Jocelyne Saucier, *Il pleuvait des oiseaux,* Éditions XYZ, 2011 • P. 248 : Kim Thuy, *Ru,* Libre Expression, 2009 • P. 250 : Michel Garneau, *Discrète parade d'éléphants,* Lanctôt Éditeur, 2004 • P. 252 : Hélène Dorion, *Mondes fragiles, choses frêles : poèmes, 1983-2000,* L'Hexagone, 2006 • P. 253 : Wajdi Mouawad, *Incendies,* Leméac Éditeur / Actes Sud, 2003 • P. 254 : Extrait de *Bashir Lazhar* de Évelyne de la Chenelière dans *Au bout du fil / Bashir Lazhar* © éditions Théâtrales, Paris, 2003 • P. 256 : Normand Baillargeon, *Petit cours d'autodéfense intellectuelle,* Lux Éditeur, coll. «Instinct de liberté», 2005 • P. 259 : «En berne» de Jean-François Pauzé et Marie-Annick Lépine, Interprétée par Les Cowboys Fringants, La Compagnie Larivée Cabot Champagne / Les éditions de la Tribu • P. 261 : «Dégénérations», S. Archambault / S. Desranleau / M.-A. Paquet / F. Giroux / M.-H. Fortin © Éditions S. B. • P. 262 : «La paix des braves», S. Fréchette / S. Ricard / M. Farhoud-Dionne / G. Moar / S. Tremblay © Avenue Éditorial.

GUIDE MÉTHODOLOGIQUE

Michel Tremblay, *Le vrai monde?* dans *Théâtre I,* Montréal, Leméac / Actes Sud – Papiers, 1991.

Sources iconographiques

COUVERTURE

© Succession Jean Paul Lemieux. Photo : Musée des Beaux-arts du Canada.

CHAPITRE 1

P. 2 : Musée Marguerite Bourgeois • P. 4 : Wikimedia Commons • P. 4 : Bibliothèque et Archives Canada, C-096999 • P. 4 : Bibliothèque et Archives nationales du Québec • P. 4 : Bibliothèque et Archives Canada, C-106968 • P. 5 : Collection Roger-Viollet / Topfoto / Ponopresse • P. 5 : Wikimedia Commons • P. 5 : Bibliothèque et Archives Canada, C-073709 • P. 5 : Bibliothèque et Archives Canada, nlc003262-v6 • P. 6 : id BHC4158 © National Maritime Museum, Greenwich, London • P. 7 : Wikipedia takes Montreal • P. 8 : Wikipedia Commons • P. 9 : Bibliothèque et Archives Canada, C-011226 • P. 10 : akg-images • P. 11 : Bibliothèque et Archives Canada, C-021404 • P. 12 : Musée McCord, M11712 • P. 14 : Musée de la civilisation, bibliothèque du Séminaire de Québec. Frontispice dans : Bacqueville de La Potherie, Claude Charles Le Roy. *Histoire de l'Amérique septentrionale,* Paris, 1722. Pierre Soulard photographe • P. 15 : Bibliothèque et Archives Canada, c010599 • P. 16 : Bibliothèque et Archives Canada, C-000251 • P. 17 : Guy Hamelin photographe • P. 19 : Bibliothèque et Archives Canada, C-013325 • P. 19 : BNF – Gallica.

CHAPITRE 2

P. 20 : Ernest Mayer, The Winnipeg Art Gallery • P. 22 : Wikimedia Commons • P. 22 : Wikimedia Commons • P. 22 : Musée du Château Ramezay • P. 22 : Wikimedia Commons • P. 23 : Wikimedia Commons • P. 23 : Bibliothèque et Archives Canada, C-148218 • P. 23 : Louis Fréchette, *La légende d'un peuple. Poésies choisies.* Première série, Illustrations de Henri Julien, Montréal, Beauchemin, 1908 • P. 25 : NRM / Pictorial Collection / Science & Society Picture Library • P. 26 : Wikipedia Commons • P. 27 : Wikipedia Commons • P. 28 : Bibliothèque et Archives du Québec, Centre de Québec, P1000,S4,D83,PL11 • P. 29 : Musée national des beaux-arts du Québec, 72.43. Photographe : Jean-Guy Kerouac • P. 30 : Bibliothèque et Archives nationales du Québec, P560,S2,D1,P1665 • P. 32 : *L'opinion publique,* vol. 2, nᵒ 14, p. 161 (6 avril 1871) • P. 34 : Bibliothèque et Archives nationales du Québec, Centre de Québec, P1000,S4,D83,PC103 • P. 35 : Musée McCord, MP-1981.178 • P. 36 : Bibliothèque et Archives Canada, C-081325 • P. 37 : Musée McCord, II-82778 • P. 37 : Musée national des beaux-arts du Québec, 34.254. Photographe : Jean-Guy Kerouac • P. 38 : Les Prêtres de Saint-Sulpice de Montréal • P. 40 : *L'album universel,* vol. 19, nᵒ 5, p. 105 (31 mai 1902), Bibliothèque et Archives nationales du Québec • P. 41 : Bibliothèque et Archives Canada, C-010653 • P. 43 : Bibliothèque et Archives Canada, C-002037 • P. 44 : Illustration de Jean-Joseph Girouard (1794-1855) • P. 45 : Bibliothèque et Archives Canada, C-013493 • P. 46 : Wikipedia Commons • P. 47 : Université d'Ottawa, CRCCF, Fonds Léopold Lamontagne (P263).

CHAPITRE 3

P. 50 : © Fondation Marc-Aurèle Fortin / SODRAC (2013). Collection particulière. Photo MBAM, Christine Guest • P. 52 : Tiré de *Reclams Universum – Moderne Illustrierte Wochenschrift,* vol. 30, nᵒ 22, p. 83 • P. 52 : Bibliothèque et Archives Canada, C-009092 • P. 52 : Collection Cinémathèque québécoise • P. 52 : Lux Éditeur • P. 53 : Library of Congress • P. 53 : National Archives and Records Administration, College Park, Md. • P. 53 : Bibliothèque et Archives nationales du Québec. Centre d'archives de Québec, P560,S2,D1,P1827-1 • P. 53 : Archives de la congrégation des Pères de Ste-Croix, Fonds «Compagnons de Saint-Laurent» • P. 54 : Bibliothèque et Archives Canada, C-006859 • P. 55 : © Succession Tamara de Lempicka / SODRAC (2013) Photo : akg-images / Electa • P. 56 : Musée McCord, v15468 • P. 58 : *Le Monde illustré,* nᵒ 833, 21 avril 1900, page titre • P. 59 : *Le Monde illustré,* vol. 16, nᵒ 815, p. 515, 16 décembre 1899 • P. 60 : Tiré de *Marie Calumet* • P. 61 : Musée national des beaux-arts du Québec, 42.57. Photographe : Jean-Guy Kerouac • P. 62 : Collection SHS, P2-10922 • P. 63 : McMichael Canadian Art Collection • P. 64 : © Bibliothèque et Archives nationales du Québec, P1000,S4,D83,PL155 • P. 65 : G. Nakash / Bibliothèque et Archives Canada • P. 65 : Société Radio-Canada • P. 66 : *Un homme et son péché,* Une production Cité Amérique © Michel Gauthier photographe • P. 66 : Yves Beauchamp / *La Presse* • P. 67 : Archives de la Ville de Québec, Fonds Thaddee Lebel ; négatif N017638 • P. 68 : © Bibliothèque et Archives nationales du Québec : P1000,S4,D83,PS17 • P. 69 : Musée national des beaux-arts du Québec, 34.147. Photographe : Patrick Altman • P. 70 : © Bibliothèque et Archives nationales du Québec, 06M_P48S1P04295 • P. 71 : Musée national des beaux-arts du Québec, 34.532. Photographe : Patrick Altman • P. 72 : Bibliothèque et Archives nationales du Québec. Centre d'archives de Montréal, Fonds Conrad Poirier P48,S1,P13930 • P. 74 : Bibliothèque et Archives Canada, C-088566 • P. 75 : Kunsthaus, Zurich, Switzerland, Lauros / Giraudon / The Bridgeman Art Library • P. 76 : Bibliothèque et Archives nationales du Québec. Centre d'archives de Québec, P1000,S4,D83,PL86-2 / Collection Centre d'archives de Québec, Pamphile Lemay / Auteur non identifié, vers 1910 • P. 76 : Musée national des beaux-arts du Québec, 59.617. Photographe : Patrick Altman • P. 77 : MBAM, achat, subvention du gouvernement du Canada en vertu de la Loi sur l'exportation et l'importation des biens culturels et un don de l'Association des bénévoles du Musée des beaux-arts de Montréal. Photo MBAM, Denis Farley • P. 78 : Bibliothèque et Archives Canada, C-001477 • P. 78 : Mucha Trust / The

Présentation des sources selon la position de l'image dans la page (de gauche à droite, de haut en bas).

Bridgeman Art Library • P. 79 : Bibliothèque et Archives Canada, PA-168131 • P. 79 : Paul-Henri Talbot / *La Presse* • P. 80 : Gouvernement du Canada. Reproduit avec la permission du ministre des Travaux publics et Services gouvernementaux Canada (2012). Bibliothèque et Archives Canada / Office national du film du Canada, e002282979-v8 • P. 81 : Bibliothèque et Archives nationales du Québec. Centre d'archives de l'Estrie, Fond Alfred DesRochers, P6,S6 • P. 82 : Collection Yves La Roque de Roquebrune • P. 83 : Bibliothèque et Archives Canada, nlc-002500 • P. 84 : © Fondation Marc-Aurèle Fortin / SODRAC (2013). MBAM, don de Cristina et Iain Ronald. Photo MBAM, Christine Guest • P. 86 : Bibliothèque et Archives nationales du Québec. Centre d'archives de Québec, P728,S1,DM19,P40 / Fonds Lida Moser / Alain Grandbois, poète et voyageur / Lida Moser, 1950 • P. 87 : © Succession Alfred Pellan / SODRAC (2013). Collection Musée d'art contemporain de Montréal, A 71 124 P 1. Photo : MACM • P. 88 : Bibliothèque et Archives nationales du Québec. Centre d'archives de Québec, P1000,S4,D83,PG58.

CHAPITRE 4

P. 90 : © Succession Jean Paul Riopelle / SODRAC (2008). Photo : Musée national des beaux-arts de Québec, 2001-02. Photographe : Patrick Altman • P. 92 : National Archives image (208-N-43888) • P. 92 : Mao Zedong portrait attributed to Zhang Zhenshi and a committee of artists • P. 92 : Archives de la CSN • P. 92 : MBAM, don de M. Denis Noiseux et de Mᵐᵉ Magdeleine Desroches-Noiseux. Photo MBAM, Brian Merrett • P. 92 : Archives du TNM. Photo : Henri Paul • P. 93 : Bettmann / CORBIS • P. 93 : Archives / *La Presse* • P. 93 : Couverture des *Insolences du Frère Untel* de Jean-Paul Desbiens • P. 94 : H. Armstrong Roberts / Retrofile / Getty Images • P. 96 : Société des archives historiques de la région de l'amiante – Fonds Famille Gérard Chamberland • P. 97 : © Succession Marcelle Ferron / SODRAC (2008). Photo : Musée national des beaux-arts de Québec, 77.388. Photographe : Jean-Guy Kerouac • P. 99 : Photo : Annette et Basil Zarov Fonds Gabrielle-Roy, Bibliothèque et Archives Canada • P. 100 : © Succession Adrien Hébert / Art Gallery of Hamilton. Photo : Milce Lalich • P. 101 : © 1952 Office national du film du Canada. Tous droits réservés • P. 103 : Kèro • P. 104 : Kèro • P. 105 : © La Fédération des Coopératives du Nouveau-Québec. Photo : Musée national des beaux-arts de Québec, 2005.1859. Photographe : Patrick Altman • P. 106 : Kèro • P. 107 : akg-images • P. 108 : Josée Lambert • P. 109 : MBAM, don de M. et Mᵐᵉ Gérard Lortie. Photo MBAM, Denis Farley • P. 110 : © 2000 Office national du film du Canada. Tous droits réservés • P. 111 : Yousuf Karsh / Bibliothèque et Archives Canada, e000001112 • P. 111 : Henri Paul / Bibliothèque et Archives Canada, e000001167 • P. 113 : Kèro • P. 113 : © Fernand Leduc / SODRAC (2013). Photo : Collection Musée d'art contemporain de Montréal, A 92 731 P 1. Photo : MACM • P. 116 : Yves Beauchamps / *La Presse* • P. 117 : © André Le Coz photographe • P. 118 : Photographie Janine Niepce collection / Roger-Viollet • P. 119 : MBAM, don de M. Denis Noiseux et de Mᵐᵉ Magdeleine Desroches-Noiseux. Photo MBAM, Christine Guest • P. 120 : Yves Beauchamps / *La Presse*.

CHAPITRE 5

P. 122 : © Succession Albert Dumouchel. Collection Lavalin du Musée d'art contemporain de Montréal, A 92 395 P 1. Photo : Richard-Max Tremblay • P. 124 : CORBIS • P. 124 : NASA Kennedy Space Center (NASA-KSC) • P. 124 : Archives, Université de Sherbrooke • P. 124 : © 1962 Office national du film du Canada • P. 125 : Patrick Chauvel / Sygma / CORBIS • P. 125 : François Renaud / PUBLIPHOTO • P. 125 : © Office national du film • P. 125 : Archives *Le Soleil* • P. 126 : Selva / Leemage • P. 127 : Collection du Centre d'histoire de Montréal • P. 129 : © Succession Léon Bellefleur. Collection Musée d'art contemporain de Montréal, A 65 116 P 1, Photo : MACM • P. 130 : © Gesù, Centre de créativité. Reproduit avec la permission du Gesù, Centre de créativité, nlc-9633 • P. 131 : Kèro • P. 132 : Paul-Henri Talbot / *La Presse* • P. 133 : Paul-Henri Talbot / *La Presse* • P. 135 : Kèro • P. 135 : © Succession Jean Dallaire / SODRAC (2008). Collection Musée d'art de Joliette. Photo : Clément & Mongeau • P. 136 : Kèro • P. 137 : Archives *La Presse* • P. 138 : © Roch Plante • P. 139 : Kèro • P. 139 : Time Life Pictures / Getty Images • P. 140 : Kèro • P. 141 : Canada, Défense canadienne / Bibliothèque et Archives Canada, PA-114511 • P. 143 : Armand Trottier / *La Presse* • P. 143 : Copyright © 2007 Stanley Cosgrove Inc. / Ann Cosgrove. Courtesy Kinsman Robinson Galleries. Collection d'œuvres d'art de l'Université de Montréal. Photo : Daniel Roussel • P. 144 : Reproduit avec l'autorisation de la succession Edmund Alleyn • P. 145 : Kèro • P. 147 : Michel Gravel / *La Presse*, 1985 • P. 148 : © Succession Jean Paul Lemieux. Photo : Musée des beaux-arts

du Canada • P. 149 : © Mainmise • P. 149 : Kèro • P. 151 : Paul-Henri Talbot / *La Presse* • P. 151 : Ginette Laurin, directrice et chorégraphe, O Vertigo © Photo Michael Slobodian • P. 152 : Archives Radio-Canada • P. 152 : © Guy Dubois photographe avec la permission du Théâtre du Rideau Vert • P. 153 : Prod. Théâtre d'Aujourd'hui © Valérie Remise • P. 154 : © Attila Dory / Collection Cinémathèque québécoise • P. 155 : Réal St-Jean / *La Presse* • P. 155 : © André Le Coz photographe. Avec la permission du TNM • P. 156 : © Francine Larivée / SODRAC (2013) • P. 157 : Robert Nadon / *La Presse* • P. 159 : Archives *Le Soleil* • P. 160 : Getty Images • P. 160 : Jean Lauzon / PUBLIPHOTO • P. 161 : Louvre, Paris, France / The Bridgeman Art Library • P. 162 : Bibliothèque et Archives Canada • P. 163 : Gamma-Rapho via Getty Images • P. 164 : Michel Gravel / *La Presse* • P. 164 : © Johanne Cullen. Photo : Galerie Yves Laroche.

CHAPITRE 6

P. 168 : © Pierre Dorion Gracieuseté de la Galerie René Blouin, Montréal • P. 170 : Patrick Durand / CORBIS SYGMA • P. 170 : Photo Hubert Fielden. Gracieuseté du Nouveau Théâtre Expérimental • P. 171 : David Butow / CORBIS SABA • P. 171 : CP PHOTO / Ryan Remiorz • P. 171 : Gracieuseté des Éditions Boréal • P. 173 : Reuters / CORBIS • P. 174 : Bernard Brault, *La Presse* • P. 175 : Y. Derome / PUBLIPHOTO • P. 176 : © Geneviève Cadieux. Gracieuseté de la Galerie René Blouin • P. 178 : Gamma-Rapho via Getty Images • P. 179 : Journal de Québec / Agence QMI • P. 180 : Getty Images • P. 181 : © Succession Jean-Paul Ladouceur • P. 182 : Kèro • P. 183 : © André Michel / SODRAC (2013) • P. 184 : Gamma-Rapho via Getty Images • P. 185 : Conception : Yvan Adam. Photo : Pierre Choinière • P. 186 : Marie-Reine Mattera • P. 188 : © Michele Assal. Galerie Trois Points Jocelyne Aumont. Photo : Guy L'Heureux • P. 189 : Gamma-Rapho via Getty Images • P. 190 : SOPHIE BASSOULS / CORBIS SYGMA • P. 191 : Archives de la Ville de Montréal • P. 192 : Pierre Roussel / Publiphoto • P. 193 : Lévesque Éditeur • P. 194 : Joyce Yahouda Gallery • P. 195 : Photo : Martine Doyon • P. 196 : Collection de l'artiste • P. 196 : Gamma-Rapho via Getty Images • P. 197 : Sophie Jodoin • P. 198 : *Les filles de Caleb,* une production Cité Amérique. Photographe : Michel Gauthier • P. 199 : Benoit Aquin • P. 200 : Véro Boncompagni • P. 201 : Gamma-Rapho via Getty Images • P. 202 : Collection de l'artiste • P. 203 : Gamma-Rapho via Getty Images • P. 204 : Collection de l'artiste • P. 205 : Michel Gravel / *La Presse* • P. 206 : Josée Lambert • P. 206 : © Serge Clément / SODRAC (2013). Photo : Galerie Simon Blais • P. 207 : Jean Allen / *La Presse* • P. 208 : © Julie Ouellet • P. 209 : Denis Courville / *La Presse* • P. 210 : Théâtre de la Bordée • P. 211 : Kèro • P. 214 : Photo : Camirand © 2001 Cirque du Soleil Inc. • P. 215 : Collection Cinémathèque québécoise. Photo : Yves Dubé • P. 216 : Photo : Eric Labbe • P. 217 : Rémi Lemée / *La Presse* • P. 218 : Photo : Gilbert Duclos • P. 219 : Photographie Julie Perrault • P. 220 : Sophie Grenier • P. 221 : Martine Doyon • P. 222 : Collection privée • P. 223 : Yves Médam • P. 223 : Crédit : Marie-Christine Lévesque • P. 224 : Collection de l'artiste • P. 225 : Rémi Lemée, Archives *La Presse* • P. 226 : Pierre McCann / *La Presse* • P. 227 : Photographie de Michel Dompierre en 1994 • P. 228 : US Air Force • P. 229 : CP PHOTO / Acadien de Caraquet / Mario Landry • P. 230 : Benoit Aquin • P. 230 : © Zilon / SODRAC (2013). Photo : Galerie Yves Laroche.

CHAPITRE 7

P. 232 : © Jean-Pierre Lafrance • P. 234 : United States Marine Corps • P. 234 : U.S. Air Force • P. 234 : Devinasch / Wikipedia • P. 234 : Wikipedia • P. 234 : CANAL + / THE KOBAL COLLECTION • P. 234 : Gracieuseté des Éditions Hexagone • P. 235 : Flickr : Beschuss • P. 235 : Marco Campanozzi, *La Presse* • P. 235 : *Incendies* de Denis Villeneuve – une production micro_scope • P. 236 : Neville Elder / CORBIS • P. 239 : Vivardy Boursiquot / Demotix / CORBIS • P. 240 : Martin Roy, *Le Droit,* Ottawa • P. 241 : Martine Doyon • P. 241 : © Victoria Block • P. 242 : Idra Labrie • P. 243 : © Jocelyne Aird-Bélanger / Collection Loto-Québec • P. 244 : CP PHOTO / Marie-France Coallier • P. 246 : Gracieuseté de XYZ Éditeur • P. 248 : Benoit Levac • P. 249 : Tim Page / CORBIS • P. 250 : Paul-Henri Talbot / *La Presse* • P. 251 : Collection de l'artiste © René Derouin / SODRAC (2013) • P. 252 : Photo Mathieu Rivard • P. 252 : © Succession Charles Gagnon. Photo : Musée des Beaux-arts du Canada • P. 253 : Patrick Sanfaçon / *La Presse* • P. 253 : Yves Renaud photographe • P. 254 : La Presse canadienne / Paul Chiasson • P. 255 : Denis Gravereaux / prod. Théâtre d'Aujourd'hui © Valérie Remise • P. 256 : Collection privée • P. 257 : © Charb • P. 258 : Photo Catherine Lefebvre • P. 259 : Gracieuseté Les Éditions de la Tribu • P. 261 : Photo Jocelyn Michel • P. 262 : Photo Marie-Lyne Barl.

Index des noms propres

Index des œuvres

Index des notions littéraires